Das Leben

Deutsch als Fremdsprache

Kurs- und Übungsbuch

A2

Hermann Funk
Christina Kuhn
Laura Nielsen
Rita von Eggeling
Gunther Weimann

Alle **Zusatzmaterialien** online verfügbar unter cornelsen.de/webcodes. **Code: yaqufe**

Dieses Buch als E-Book nutzen:
Use this book as an e-book:
mein.cornelsen.de
b6bd-3o-9oth

Cornelsen

IMPRESSUM

Das Leben

Deutsch als Fremdsprache
Kurs- und Übungsbuch A2

Herausgegeben von Hermann Funk und Christina Kuhn
Im Auftrag des Verlages erarbeitet von Hermann Funk, Christina Kuhn, Laura Nielsen, Rita von Eggeling, Gunther Weimann

Übungen: Marie-Luise Funk, Theresa-Cecilia Haupt, Tanja Schwarzmeier, Miriam Tornero Pérez, Rita von Eggeling, Gunther Weimann
Interaktive Übungen: Alice Friedland
Phonetik: Giselle Valman

Beratende Mitwirkung: Alvaro Camú, Goethe-Institut Chile; Geraldo Carvalho und das Team des Werther-Instituts, Brasilien; Wai Meng Chan, National University of Singapore; Nicole Hawner, Goethe-Institut Nancy; Bernd Schneider, Goethe-Institut e.V.; Elena Schneider, iOR Sprachakademie Freiburg; Ralf Weißer, Goethe-Institut Prag

In Zusammenarbeit mit der Redaktion: Dagmar Garve, Sofie Henne, Karin Wagenblatt, Meike Wilken
Bildredaktion: Katharina Hoppe-Brill
Redaktionsleitung: Gertrud Deutz

Umschlaggestaltung: Rosendahl Berlin, Agentur für Markendesign
Umschlagfoto: Daniel Meyer, Hamburg

Layoutkonzept: Rosendahl Berlin, Agentur für Markendesign
Technische Umsetzung: Umschlag, Seiten 4–11, 22–23, 34–35, 46–47, 66–67, 78–79, 90–91, 102–103, 122–123, 134–135, 146–147, 158–159, 178–179, 190–191, 202–203, 214–215: Rosendahl Berlin, Agentur für Markendesign
Übrige Seiten: Klein & Halm Grafikdesign, Berlin
Illustrationen: Christoph Grundmann, Wilm Lindenblatt (S. 182, 187), Nadine Roßa (S. 66/67)
Audios: Clarity Studio, Berlin
Videos: Wildfang – Ekre & Ludwig GbR

Soweit in diesem Lehrwerk Personen fotografisch abgebildet sind und ihnen von der Redaktion fiktive Namen, Berufe, Dialoge und Ähnliches zugeordnet oder diese Personen in bestimmte Kontexte gesetzt werden, dienen diese Zuordnungen und Darstellungen ausschließlich der Veranschaulichung und dem besseren Verständnis des Inhalts.

www.cornelsen.de

Die Webseiten Dritter, deren Internetadressen in diesem Lehrwerk angegeben sind, wurden teilweise von Cornelsen mit fiktiven Inhalten zur Veranschaulichung und/oder Illustration von Aufgabenstellungen und Inhalten erstellt. Alle anderen Webseiten wurden vor Drucklegung sorgfältig geprüft. Der Verlag übernimmt keine Gewähr für die Aktualität und den Inhalt dieser Seiten oder solcher, die mit ihnen verlinkt sind.

1. Auflage, 2. Druck 2022

Druck und Bindung: Livonia Print, Riga

ISBN: 978-3-06-122090-7 (Kurs- und Übungsbuch)
ISBN: 978-3-06-122109-6 (E-Book)

Das Leben

Die selbstverständliche Art, Deutsch zu lernen

Liebe Deutschlernende, liebe Deutschlehrende,

das Lehrwerk **Das Leben** richtet sich an Erwachsene, die im In- und Ausland ohne Vorkenntnisse Deutsch lernen. Es führt in drei Gesamtbänden bzw. sechs Teilbänden zur Niveaustufe B1 und setzt die Anforderungen des erweiterten Gemeinsamen europäischen Referenzrahmens um.

Das Leben verbindet das Kurs- und Übungsbuch mit dem multimedialen Lehr- und Lernangebot in der PagePlayer-App. Alle Audios und Videos sowie die zusätzlichen Texte, erweiterten Aufgaben und interaktiven Übungen lassen sich auf dem Smartphone oder Tablet direkt abrufen.

Das Kurs- und Übungsbuch enthält 16 Einheiten und vier Plateaus. Jede Einheit besteht aus sechs Seiten für gemeinsames Lernen im Kurs und sechs Seiten Übungen zum Wiederholen und Festigen – im Kurs oder zuhause. Zusätzliche interaktive Übungen über die PagePlayer App ermöglichen eine weitere Vertiefung des Gelernten.

Auf jede vierte Einheit folgt ein Plateau, das optional bearbeitet werden kann. Zu Beginn wird das Gelernte spielerisch wiederholt und erweitert. Eine zweite Doppelseite führt die Lernenden behutsam an Literatur heran. Darauf folgt die erfolgreiche Video-Novela „Nicos Weg“ der Deutschen Welle, die
die Lernenden mit abwechslungsreichen Aufgaben und Übungen begleitet. Abschließend bereitet das Prüfungstraining auf das Goethe-Zertifikat A2 vor.

Der Wortschatz von **Das Leben** bezieht die Frequenzliste des DUDEN-Korpus mit ein und trainiert gezielt die häufigsten Wörter der deutschen Sprache.

Mit seinem großen Aufgaben- und Übungsangebot bereitet **Das Leben** optimal auf alle A2-Prüfungen vor.

Wir wünschen Ihnen viel Spaß und Erfolg beim Lernen und Lehren mit **Das Leben**!

Ihr Autor*innenteam

Blick ins Buch

Die Magazinseite

Im Kursbuch beginnt jede Einheit mit einer Magazinseite. Das Layout der Magazinseiten orientiert sich an den alltäglichen Sehgewohnheiten. Wiederkehrende Elemente ermöglichen einen klaren Überblick. Texte und Abbildungen geben einen authentischen Einblick in die Themen der Einheiten, motivieren zum entdeckenden Lernen und führen in Wortschatz und Strukturen ein. Audios, Videos und weitere Inhalte der PagePlayer-App sind mit Symbolen gekennzeichnet (s. Übersicht unten). Die Inhalte können im Kursraum projiziert und/oder von Lernenden auf Smartphones oder Tablets jederzeit abgerufen werden.

Das Kursbuch

In den Einheiten des Kursbuchs sind alle Aufgaben und Übungen in Sequenzen angeordnet. Sie bereiten die Lernenden Schritt für Schritt auf die Zielaufgaben vor. Übungen zur Automatisierung und Phonetik trainieren sprachliche Flüssigkeit und Aussprache. Neu sind Aufgaben, die mit Hilfe der PagePlayer-App erweitert werden. Sie unterstützen die Kursrauminteraktion oder ermöglichen Partnerarbeit. Die ODER-Aufgaben dienen der Differenzierung und bieten den Lernenden individuelle Wahlmöglichkeiten. Die Videoclips bieten einen authentischen Einblick in alltägliche Situationen. Die landeskundlichen Informationen sowie die Übungen zur Sprachmittlung und Mehrsprachigkeit regen zum Sprach- und Kulturvergleich an und aktivieren sinnvoll die Kenntnisse der Lernenden in allen vorgelernten Sprachen.

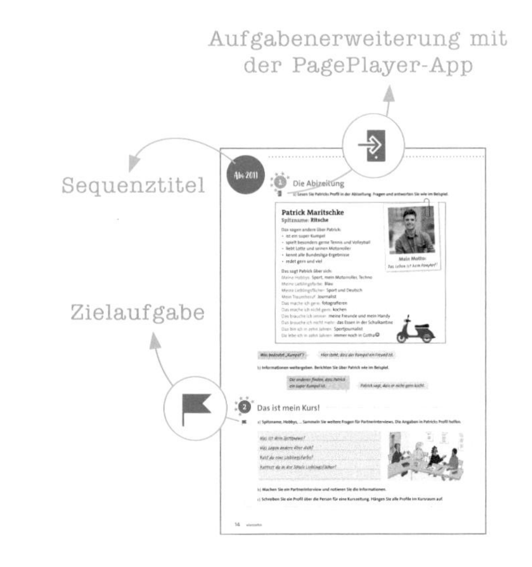

Das Übungsbuch

Der Übungsteil folgt in Inhalt und Aufbau den Sequenzen aus dem Kursbuch. Das Übungsangebot dient der selbstständigen Wiederholung und Vertiefung von Wortschatz und Strukturen. Hier steht den Lernenden analog und digital über die PagePlayer-App ein reichhaltiges Übungsangebot zur Verfügung. Neben Übungen zum Leseverstehen, zum angeleiteten Schreiben, zur Aussprache und zum Hörverstehen trainieren die Lernenden im Videokaraoke das flüssige Sprechen als Teilnehmende an echten Dialogsituationen.

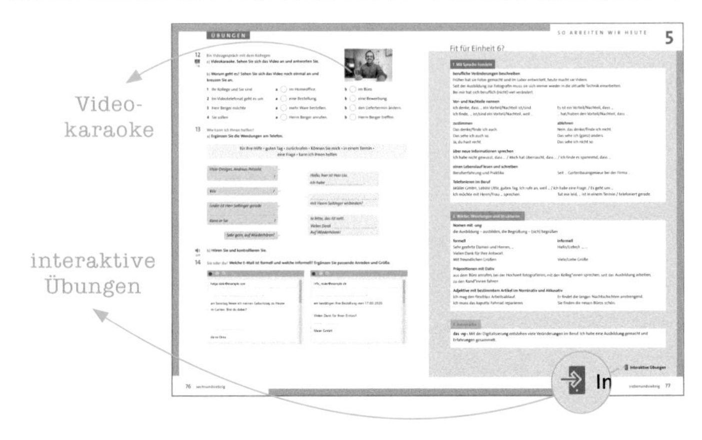

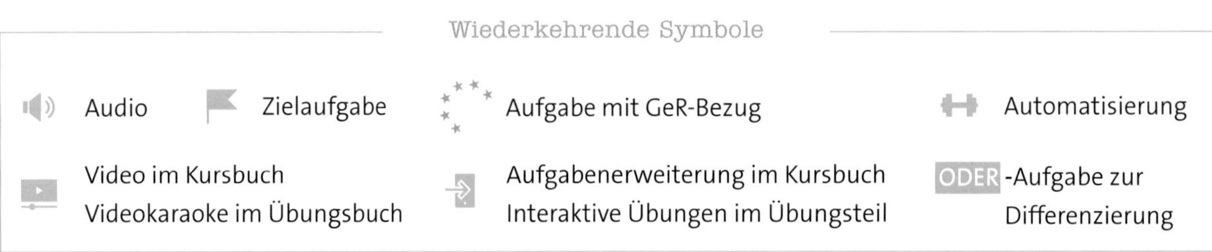

Die Plateaus

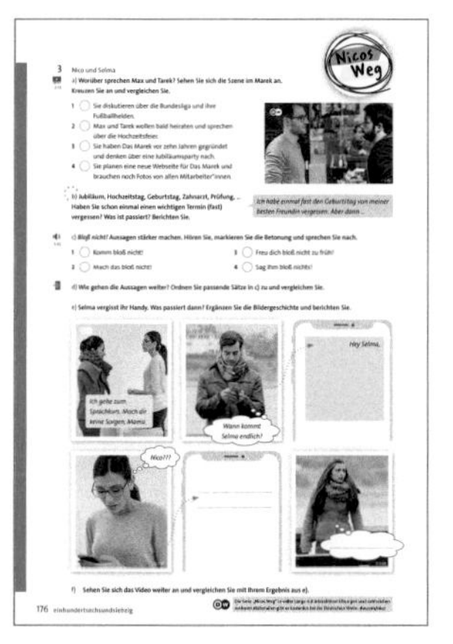

Video-Novela „Nicos Weg“

Wörter-Spiele-Training

Literatur

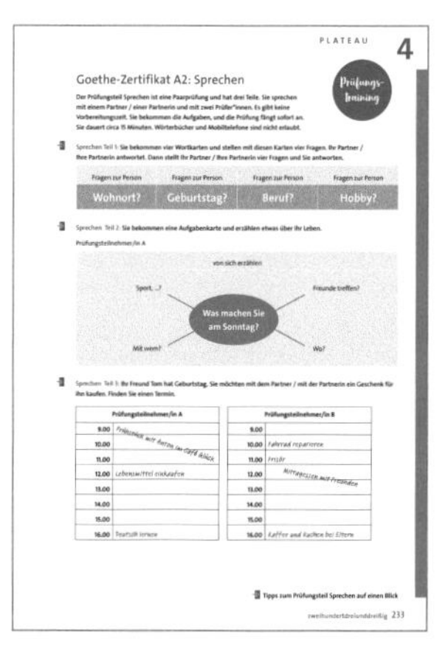

Prüfungstraining

Die vier Plateaus halten ein abwechslungsreiches Lernangebot bereit. Auf jeweils einer Doppelseite laden Aufgaben und Übungen zu „Nicos Weg“, der Video-Novela zum Deutschlernen der Deutschen Welle, vertiefende Übungen und Spiele, literarische Texte sowie ein Prüfungstraining Goethe-Zertifikat A2 zum Ausprobieren der deutschen Sprache, zum Wiederholen und Weiterlernen ein.

Das Videokonzept

Video im Kursbuch

Videokaraoke im Übungsbuch

Video-Novela „Nicos Weg“

Videos im Kursbuch und Videokaraoke in allen Übungsbucheinheiten motivieren mit lebensnahen Situationen und visueller Unterstützung zum Deutschlernen. Die Begegnung mit Nico und seinen Freunden und Freundinnen in der Video-Novela „Nicos Weg“ der Deutschen Welle bietet spannende Einblicke in den Alltag. Die Aufgaben und Übungen der Video-Doppelseite laden zum Mitmachen ein.

Mit der PagePlayer-App, die Sie kostenlos in Ihrem App-Store herunterladen können, haben Sie die Möglichkeit, alle Audios, Videos und weitere Zusatzmaterialien auf Ihr Smartphone oder Tablet zu laden. So sind alle Inhalte überall und jederzeit offline griffbereit.

Alternativ finden Sie diese als Stream und/oder Download im Webcodeportal unter **www.cornelsen.de/codes**

die PagePlayer-App

Inhalt

Klassentreffen S. 10

Sprachhandlungen: Einladungen schreiben; ein Treffen organisieren; über die eigene Person sprechen; Informationen weitergeben

Themen und Texte: Einladung; Kolumne; Checkliste; Schulzeit; Abitreffen; Spitznamen; Kursparty; Abizeitung; Quiz

Wortfelder: Schule; Party; Hobbys

Grammatik: Reflexivpronomen; Nebensätze mit *dass*; das Genitiv *-s*

Aussprache: das *-ch* im Auslaut

Mobil leben S. 22

Sprachhandlungen: über Mobilität sprechen; Verkehrsmittel vergleichen; Gründe nennen; eine Reise planen; Wendungen grob übersetzen

Themen und Texte: Magazinartikel; Fahrradstadt Münster; Porträts; Verkehrsmittel; ein Wochenende / eine Reise planen; Verkehrsverbindungen; Informationen im Bahnhof; Europa-Quiz; Berufsfeld Zugbegleiter*in

Wortfelder: Mobilität; Arbeitsplatz Bahn

Grammatik: Superlativ mit *am*; Nebensätze mit *weil*

Aussprache: Intonation und Pausen in Haupt- und Nebensätzen

Wohnen und Zusammenleben S. 34

Sprachhandlungen: über Wohnen sprechen; eine Wohnung suchen; Kleinanzeigen schreiben; eine Hausordnung kommentieren; sagen, was verboten oder erlaubt ist

Themen und Texte: Magazinartikel; Wohnen in Deutschland; Wohnungsanzeigen; Ausstattung; Wohnungsbesichtigung; Flohmarkt; Hausordnung; Gemütlichkeit; Balkonien

Wortfelder: Wohnen; Abkürzungen in Wohnungsanzeigen; erlaubt und verboten; sich über etwas freuen/ärgern

Grammatik: Adjektive ohne Artikel; Nominalisierung von Verben; reflexive Verben mit Präposition

Aussprache: Aussprache von *z*

Hast du Netz? S. 46

Sprachhandlungen: über Handys und Medien sprechen; eine Grafik kommentieren; indirekt nachfragen; die eigene Meinung sagen

Themen und Texte: Grafik; Medien im Alltag; Geräte und Funktionen; Netiquette; E-Mail an Freunde, Magazinartikel; Handy-Detox; Experiment: ein Tag ohne Handy

Wortfelder: Mediensprache Englisch; Handy-Funktionen

Grammatik: Nominalisierung von Verben; indirekte Frage mit *ob*; Personalpronomen im Dativ

Aussprache: Englische Wörter auf Deutsch

Plateau 1 S. 58

5

So arbeiten wir heute S. 66

Sprachhandlungen: berufliche Veränderungen beschreiben; Vor- und Nachteile nennen; zustimmen oder ablehnen; einen Lebenslauf lesen und schreiben; telefonieren; formelle E-Mails schreiben

Themen und Texte: Magazinartikel; Hochzeitsfotografin; tabellarischer Lebenslauf; berufliche Veränderungen; Kommunikation am Arbeitsplatz; Telefonnotiz

Wortfelder: Arbeitsorte und -tätigkeiten; Lebenslauf; E-Mails

Grammatik: Präpositionen mit Dativ; Adjektive mit bestimmtem Artikel im Nominativ und Akkusativ

Aussprache: Aussprache von *-ng*

6

Was liest du gerade? S. 78

Sprachhandlungen: über das Lesen sprechen; Bilder beschreiben; Bücher und Autor*innen vorstellen; einen biografischen Text lesen und schreiben

Themen und Texte: Magazinartikel; Lesen statt surfen; Gründe für das Lesen; Leseort Bibliothek; Buchtipps; Goethe: *Hermann und Dorothea*; Lexikoneintrag; Reiseführer

Wortfelder: Biografie, Literatur

Grammatik: regelmäßige Verben im Präteritum; Nebensätze mit *als*

Aussprache: Jahreszahlen

7

Leben mit Tieren S. 90

Sprachhandlungen: über Haustiere sprechen; ein Haustier beschreiben; Videoclips kommentieren; Suchanzeigen verstehen und schreiben

Themen und Texte: Haustiere; Quiz; Gewinnspiel; Zeitungsartikel; Fragebogen; Suchanzeige; ein Anruf im Tierheim; Tierbeschreibungen

Wortfelder: Eigenschaften und Aussehen von Tieren; Körperteile von Tieren; Haustierzubehör

Grammatik: Superlativ: *der größte*; Adjektive mit bestimmtem und unbestimmtem Artikel im Dativ

Aussprache: Diphthonge *au, äu, eu, ei, ai*

8

Global und regional S. 102

Sprachhandlungen: eine Stadt vorstellen; über regionale Gerichte und Spezialitäten berichten; über Berufe am Flughafen sprechen; Personen und Sachen beschreiben

Themen und Texte: Magazinartikel; Frankfurt a.M.; Frankfurter Wochenmärkte; Interview; Steckbrief; Frankfurter Spezialitäten; Berufe am Flughafen; Souvenirs

Wortfelder: Großstadt; regionales und saisonales Obst und Gemüse; Berufe und Tätigkeiten am Flughafen

Grammatik: Relativsätze im Nominativ und Akkusativ

Aussprache: Satzakzent

Plateau 2 S. 114

9

Alltagsleben S. 122

Sprachhandlungen: über Alltag sprechen; den eigenen Alltag beschreiben; über Aufgaben in Haushalt und Betreuung sprechen; Alltagsgeschichten erzählen

Themen und Texte: Leserbriefe; Familienkalender; Berufsporträts; Apotheken-Zeitschrift; Bildergeschichte

Wortfelder: Alltag; Haushalt; Betreuung

Grammatik: Modalverben *können, wollen, müssen* im Präteritum; Possessivartikel im Dativ

Aussprache: *-em, -er, -en* am Wortende

10

Festival-Sommer S. 134

Sprachhandlungen: über Musik und Festivals sprechen; nach Preisen und Ermäßigungen fragen; Stimmung und Begeisterung ausdrücken; einen Bericht verstehen und schreiben

Themen und Texte: Berichte über Festivals; Musikstile; Ticketbestellungen; Festival-Tipps; Interview

Wortfelder: Festival und Konzert; Ticketbestellungen; Festival-Packliste

Grammatik: Verben mit Präpositionen; Fragewörter *worauf, worüber*; unregelmäßige Verben im Präteritum

Aussprache: Emotionen

11

Natur und Umwelt S. 146

Sprachhandlungen: die Umwelt beschreiben; über Umwelt(schutz) sprechen; Bedingungen und Folgen ausdrücken; einen Tausch anbieten und ablehnen; Ziele nennen

Themen und Texte: Magazinartikel; Umwelt; Lexikoneintrag; Buchtipp; Umfrage; Kleidertausch-Party; Einladung; Farb-Experiment; Gartenmagazin; Interviews

Wortfelder: Natur und Umwelt; Umweltschutz; Kleidung; Garten

Grammatik: Bedingungen und Folgen ausdrücken mit *wenn ..., dann ...*; Ziele nennen mit *damit*; Adjektive mit *-bar*

Aussprache: die Endung *-bar*

12

Reparieren und Selbermachen S. 158

Sprachhandlungen: über Reparaturcafés sprechen; sagen, was man wozu braucht; Anleitungen verstehen und formulieren; etwas reklamieren

Themen und Texte: Magazinartikel; Reparaturcafé; Porträt; Kursangebote für Heimwerker*innen; Reparieren und Selbermachen; Möbel aus Paletten; Reklamation

Wortfelder: Werkzeuge; Materialien; Renovierung; Reklamation

Grammatik: einen Zweck ausdrücken mit *um ... zu*; Passiv im Präsens

Aussprache: Aussprache von *schr-* und *str-*

Plateau 3 S. 170

13

Gipfelstürmer S. 178

Sprachhandlungen: über Wanderurlaub sprechen; Wörter in D-A-CH verstehen; Beratungsgespräche führen; Emotionen ausdrücken; auf Emotionen reagieren; einen Film beschreiben

Themen und Texte: Magazinartikel; Wanderparadies Österreich; Prospekt; Webseite; in der Touristeninformation; Aktivitäten in den Bergen; Bildergeschichte; Filmbeschreibung *Heidi*

Wortfelder: Wandern; Lebensmittel; Emotionen; Filmbeschreibung

Grammatik: Präpositionen mit Akkusativ; Verben mit Akkusativ und Verben mit Dativ

Aussprache: Aussprache von *w*

14

Freunde fürs Leben S. 190

Sprachhandlungen: über Freundschaften sprechen; sich streiten und sich vertragen; über Geschenke sprechen; statistische Angaben machen; Tipps geben und kommentieren

Themen und Texte: Magazinartikel; Freundschaft; Streit und Versöhnung; Geschenke; Beziehungsstatus; Grafik und Statistik; neue Kontakte; Tipps

Wortfelder: Freundschaft; Geschenke; Statistik

Grammatik: Verben mit Dativ- und Akkusativergänzung; Genitiv

Aussprache: Aussprache von *h*

15

Leben auf dem Land S. 202

Sprachhandlungen: das Leben im Dorf beschreiben; Begriffe erklären; ein Videointerview machen; Wörter auf Plattdeutsch verstehen; früher und heute vergleichen

Themen und Texte: Magazinartikel; Leben auf dem Land; Interview; Dorfkurier; Videointerviews; Klatsch und Tratsch; Museumsdorf; Plan; Plattdeutsch

Wortfelder: Dorfleben

Grammatik: Relativsätze mit Dativ; Passiv im Präteritum

Aussprache: Aussprache von *b* und *w*

16

Glück und Lebensträume S. 214

Sprachhandlungen: über Glück und Pech sprechen; sagen, was einen glücklich macht; über Ziele, Wünsche und Träume sprechen; Informationen betonen; eine Bucketliste schreiben

Themen und Texte: Glücksmomente; Magazinartikel; Podcast; Lebensträume und Lebenswege; Redewendungen mit Glück und Pech; das Schulfach Glück; Bucketliste; Wünsche, Ziele und Träume

Wortfelder: Glück; Schule; Berufswünsche

Grammatik: Gründe nennen mit *denn*; *nicht nur ..., sondern auch ...*

Aussprache: Aussprache von *i* und *ü*

Plateau 4 S. 226

Anhang

Modelltest ..... S. 234–241
Grammatik ..... S. 242–257
Unregelmäßige Verben ..... S. 258–260
Verben mit Präpositionen .. S. 261
Phonetik ..... S. 262–263
Hörtexte ..... S. 264–285
Videotexte ..... S. 286–299
Alphabetische Wortliste ..... S. 300–318
Bild- und Textquellen ..... S. 319–321

Abi 2011

10 Jahre schulfrei!

**Einladung zum Klassentreffen
am 23. Juni 2021
im Gymnasium Albertinum
in Gotha**

16 Uhr Kaffeetrinken in der Aula
18 Uhr Führung durch die Schule
19 Uhr Abendessen
20 Uhr Party mit DJ Olaf

Bist du dabei? Dann melde dich bis zum 1. Juni bei Manu an: manu@example.com.

Hausaufgabe:
Bring 30 €, Fotos und gute Laune mit!

Wir müssen uns endlich mal wiedersehen!

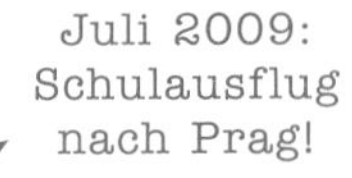
Juli 2009: Schulausflug nach Prag!

Feiern mit Lotte: Abiparty 2011

1 Die Einladung

a) Wo? Wann? Was? Berichten Sie.

b) Was ist *das Gymnasium, das Abitur, die Aula, der DJ*? Recherchieren und vergleichen Sie.

c) Wie kann man sich zum Klassentreffen anmelden? Was soll man mitbringen? Berichten Sie.

2 Fotos aus der Schulzeit

a) Was hat Patrick in der Schulzeit gemacht? Sehen Sie sich die Fotos an und berichten Sie.

b) *Wir haben viele Prüfungen gehabt.* Was haben Sie in Ihrer Schulzeit gemacht?

3 Patricks Kolumne

a) Was ist im Sommer 2011 passiert? Lesen Sie die Kolumne. Markieren und vergleichen Sie.

b) Sammeln Sie Informationen über Patrick, Katta, Basti und Lotte. Berichten Sie.

4 Spitznamen

a) Basti, Katta, ... Wie heißen die Personen wirklich? Fragen und antworten Sie.

b) Spitznamen in Ihrem Land / in Ihrem Kurs. Sammeln Sie Beispiele.

HIER LERNEN SIE:

- Einladungen schreiben
- ein Treffen organisieren
- über die eigene Person sprechen
- Informationen weitergeben

Theatergruppe 2009: „Drinnen und draußen“

Sportfest in der Schule 2010: 2. Platz für Patrick

Pause: Katta, Lotte und Basti

Das war echt stressig: die Abiprüfungen!!!

KOLUMNE

Klassentreffen nach 10 Jahren

von Patrick Maritschke

Vor ein paar Wochen habe ich eine E-Mail von Manu bekommen. Es war eine Einladung zum Klassentreffen. Ich habe sofort die Kiste mit den Fotos von damals und unsere Abizeitung aus dem Regal geholt. Und da war sie plötzlich wieder: meine Schulzeit.

Im Juni 2011 hatten wir endlich das Abitur in der Tasche. Wir hatten einen tollen Sommer! Alle hatten große Pläne für die Zukunft, und wir haben viel gefeiert.

Damals waren Katta und Basti meine besten Freunde. Sie sind nach dem Abitur ein Jahr durch Australien gereist und haben dort gejobbt. Ich habe mich in Lotte verliebt und hatte schon einen Praktikumsplatz in Gotha.

Im Sommer 2011 haben wir noch gedacht, dass wir immer in Kontakt bleiben. Was Katta, Basti und die anderen heute wohl machen? Von Lotte habe ich auch schon lange nichts mehr gehört.

Natürlich habe ich mich schon für das Klassentreffen angemeldet. Ich hoffe, dass viele kommen und freue mich auf das Wiedersehen!

1 Manu, Tobi und Caro planen das Klassentreffen

a) Tobis Checkliste. Wer soll was machen? Berichten Sie wie im Beispiel.

Manu soll den Schuldirektor anrufen und einen Termin für das Klassentreffen machen.

Wer?	Was?	
Manu	Schuldirektor anrufen: einen Termin für das Klassentreffen machen	X
Tobi, Manu	Programm für das Klassentreffen planen	
Tobi, Manu	E-Mailadressen von Lehrer*innen und Mitschüler*innen suchen	
Manu	Einladung schreiben und an alle verschicken	
Caro	in der Schulkantine nachfragen: Preise für Kaffee, Kuchen und Buffet	
Manu	Getränke bestellen	
Caro	Kaffee, Kuchen und Buffet in der Schulkantine bestellen	
Tobi	DJ Olaf buchen	
Caro	Patrick nach Kattas E-Mailadresse fragen	

1.01

b) Was haben Caro, Tobi und Manu schon gemacht? Was müssen sie noch machen? Sehen Sie sich das Video an, kreuzen Sie in Tobis Checkliste an und berichten Sie.

Caro muss noch Kaffee, ... bestellen.

c) Wählen Sie drei Fragen aus. Sehen Sie sich das Video noch einmal an. Machen Sie sich Notizen und vergleichen Sie.

1 ◯ Wer hatte die Idee für das Klassentreffen?

2 ◯ Wann haben Manu, Tobi und Caro mit der Planung angefangen?

3 ◯ Wo haben sie die meisten Adressen gefunden?

4 ◯ Wer hat die Einladung zum Klassentreffen geschrieben?

5 ◯ Wie viele Personen haben sich schon für das Klassentreffen angemeldet?

6 ◯ Wann und wo findet das nächste Treffen von Manu, Tobi und Caro statt?

Kursparty

a) Wo? Wann? Wer soll was machen? Planen Sie eine Kursparty und berichten Sie.

Wo: ______________________ *Wann:* ______________________

Wer?	Was?
	Kuchen mitbringen

b) Schreiben Sie eine Einladung zur Kursparty. Das Beispiel auf S. 10 hilft.

c) Kursspaziergang. Hängen Sie Ihre Einladungen im Kursraum auf und kommentieren Sie.

Also, die Einladung ist doch echt klasse! Ich finde die Farben ...

Sieh mal, die Einladung sieht toll aus!

Stimmt, aber die hier finde ich genauso schön.

Mir gefällt diese Einladung besser als die von ...

3 Caros Bitte

a) **Was soll Patrick tun? Lesen Sie die E-Mail und berichten Sie.**

Abitreffen: Wir brauchen deine Hilfe!
Caro2011
an: p.maritschke

Lieber Patrick,

schön, dass du dich schon angemeldet hast! Wir haben uns wirklich lange nicht gesehen, aber ich kann mich noch gut erinnern ... Unsere Schulzeit war toll, oder? Bis jetzt haben wir übrigens schon über 90 Anmeldungen. Ein paar Lehrer und Lehrerinnen haben sich auch schon angemeldet.

Jetzt brauchen wir deine Hilfe: Hast du Kattas E-Mailadresse? Die alte funktioniert nicht, und im Internet können wir sie nicht finden. Seht ihr euch manchmal oder schreibt ihr euch noch? Dann sag Katta bitte, sie soll Manu eine E-Mail schicken (manu@example.com).

Und hast du vielleicht noch die Abizeitung? Dann schreib Tobi (tobias.kluge@example.com). Wir wollen die Abizeitung kopieren und auf die Tische legen, aber wir können unsere nicht mehr finden.

Viele Grüße auch von Tobi und Manu. Wir freuen uns schon!

Caro

10

b) ***Wir treffen uns!*** **Markieren Sie die Reflexivpronomen in a) wie im Lerntipp. Ergänzen Sie die Tabelle.**

ich	______	wir	______
du	______	ihr	______
er/es/sie	*sich*	sie/Sie	______

Lerntipp

Reflexiv: **Sie** treffen **sich** am Donnerstag im Café.

Nicht reflexiv: **Ich** treffe **euch** jede Woche im Kurs.

c) **Vergleichen Sie die Reflexivpronomen mit den Personalpronomen im Akkusativ auf S. 246. Finden Sie den Unterschied.**

4 Das *-ch* im Auslaut

1.02

a) **Hören Sie, achten Sie auf das *-ch* und sprechen Sie nach.**

1 Sie treffen si**ch** na**ch** zehn Jahren.
2 I**ch** freue mi**ch** schon. Freust du di**ch** au**ch**?
3 I**ch** sehe eu**ch** do**ch** no**ch** na**ch** dem Kurs, oder?
4 Wir kennen eu**ch** no**ch** aus der Schulzeit.
5 Wir schreiben uns no**ch** man**ch**mal.
6 Erinnert ihr eu**ch** au**ch** no**ch**?

b) **Markieren Sie die Sätze mit Reflexivpronomen in a). Vergleichen Sie.**

5 *Ich habe gehört, dass ...*

a) **Sprechen Sie schnell.**

Ich finde (es) spannend, Ich habe gelesen, Ich hätte nicht gedacht,	dass man (auf einem Klassentreffen)	viele Freunde wiedersieht. die Lehrerinnen und Lehrer trifft. die alte Schule besichtigt. über die Schulzeit spricht. abends eine Party macht.

1

b) **Markieren Sie die Verben in den Nebensätzen mit *dass* auf den Seiten 11 und 13. Ergänzen Sie die Regel.**

Regel: Im Nebensatz mit *dass* steht das Verb ______________________.

1 Die Abizeitung

a) Lesen Sie Patricks Profil in der Abizeitung. Fragen und antworten Sie wie im Beispiel.

Patrick Maritschke
Spitzname: Ritsche

Mein Motto:
Das Leben ist kein Ponyhof!

Das sagen andere über Patrick:
- ist ein super Kumpel
- spielt besonders gerne Tennis und Volleyball
- liebt Lotte und seinen Motorroller
- kennt alle Bundesliga-Ergebnisse
- redet gern und viel

Das sagt Patrick über sich:
Meine Hobbys: Sport, mein Motorroller, Techno
Meine Lieblingsfarbe: Blau
Meine Lieblingsfächer: Sport und Deutsch
Mein Traumberuf: Journalist
Das mache ich gern: fotografieren
Das mache ich nicht gern: kochen
Das brauche ich immer: meine Freunde und mein Handy
Das brauche ich nicht mehr: das Essen in der Schulkantine
Das bin ich in zehn Jahren: Sportjournalist
Da lebe ich in zehn Jahren: immer noch in Gotha☺

Was bedeutet „Kumpel"?

Hier steht, dass der Kumpel ein Freund ist.

b) Informationen weitergeben. Berichten Sie über Patrick wie im Beispiel.

Die anderen finden, dass Patrick ein super Kumpel ist.

Patrick sagt, dass er nicht gern kocht.

2 Das ist mein Kurs!

a) Spitzname, Hobbys, ... Sammeln Sie weitere Fragen für Partnerinterviews. Die Angaben in Patricks Profil helfen.

Was ist dein Spitzname? ....
Was sagen andere über dich? ....
Hast du eine Lieblingsfarbe? ....
Hattest du in der Schule Lieblingsfächer? ....
....

b) Machen Sie ein Partnerinterview und notieren Sie die Informationen.

c) Schreiben Sie ein Profil über die Person für eine Kurszeitung. Hängen Sie alle Profile im Kursraum auf.

Heute ist das Klassentreffen

a) Gespräche auf dem Klassentreffen. Sammeln Sie weitere Fragen und Wendungen.

Wie geht's dir so? / Wir haben uns lange nicht mehr gesehen! / Hast du Kinder? / ...

1.03–1.06

b) Wählen Sie eine Person aus. Welche Fragen aus a) hören Sie?

Basti

Anna

Franzi

Patrick

c) ***Basti ist Physiotherapeut.***
Hören Sie Ihren Dialog aus b) noch einmal und notieren Sie.

Basti: Physiotherapeut, wohnt in ...

d) Informationen austauschen. Fragen und antworten Sie.

Wie geht's Basti?

Prima! Und was macht Franzi?

Franzi? Keine Ahnung. Und Anna? Was ...?

Lange nicht gesehen!

Wie sagt man das in anderen Sprachen? Sammeln Sie.

Auf Englisch sagt man „Long time no see!"

Auf Spanisch heißt das „¡Cuánto tiempo!"

Lisas Schwester, Bastis Hund, ...

7.1

Kommentieren Sie wie im Beispiel und wechseln Sie sich ab.

Hast du schon/auch gehört, dass die Schwester von Lisa in den USA lebt?

Ach, Lisas Schwester lebt in den USA?

Ja. Lisas Schwester lebt in den USA. Und du? Hast du schon/auch gehört, dass ...

Das gibt es nicht, Bastis ...

Mein Deutschkurs

Wie gut kennen Sie die anderen im Kurs? Sehen Sie sich die Profile aus 2c) an und kommentieren Sie.
ODER Bereiten Sie ein Quiz vor. Schreiben Sie die Fragen auf Kärtchen und die Lösungen auf die Rückseiten.

Wer hat keinen Spitznamen, spielt gern Tennis, mag Blau und kann gut backen?

Johanna

Das ist interessant: Hier steht, dass Johanna gut backen kann.

Ach! Ich hätte nicht gedacht, dass sie gut backen kann.

1 Einladungen schreiben

a) **Informationen in Einladungen. Wo steht das? Die Einladung auf S. 10 hilft.**

1 Grund für die Einladung
2 Anmeldung
3 Datum, Uhrzeit und Ort
4 wichtige Informationen

◯ ____________________

◯ ____________________
____

④ ____________________
____
____
____

◯ ____________________
____

b) **Lesen Sie die Angaben. Ordnen Sie 1–4 aus a) zu.**

a ③ Tel.: ... / E-Mail: ...
b ◯ Adresse (Straße/Ort)
c ◯ Es gibt Kuchen/Würstchen/Musik/ ...
d ◯ Wir feiern im Garten / auf dem Balkon / ...
e ◯ zur Grillparty / zum Sommerfest / ...
f ◯ am ... (Wochentag/Datum) um ... Uhr
g ◯ Bist du / Seid ihr dabei?
h ◯ Bitte bring(t) gute Laune / Spiele/Getränke/ Salat/Brot/... mit.
i ◯ Melde dich / Meldet euch bitte an.

c) ***Grillparty*, *Sommerfest* oder ...? Wählen Sie in b) aus und schreiben Sie die Einladung.**

2 Meine Schulzeit

a) **Aktivitäten in der Schulzeit. Ergänzen Sie passende Verben. Es gibt mehrere Möglichkeiten.**

lernen • machen • planen • üben • haben • spielen • organisieren • schreiben • feiern

1 Hausaufgaben *haben, machen*
2 Ferien ____________________
3 ein Schulfest ____________________
4 Gitarre ____________________
5 eine Prüfung ____________________
6 einen Ausflug ____________________
7 Pause ____________________
8 Theater ____________________

b) **Wählen Sie fünf Aktivitäten aus a) aus. Schreiben Sie einen Text über Ihre Schulzeit.**

Meine Schulzeit war toll! Wir haben ...
....

3 Patrick Maritschkes Kolumne

a) **Markieren Sie die Wendungen 1–5 in der Kolumne auf S. 11. Ordnen Sie a–e zu.**

1 ◯ lange nichts mehr gehört haben
2 ◯ etwas in der Tasche haben
3 ◯ dabei sein
4 ◯ wieder da sein
5 ◯ in Kontakt bleiben

a zurück sein
b sich manchmal anrufen/schreiben/sehen
c an etwas teilnehmen
d keinen Kontakt mehr haben
e etwas sicher haben, z. B. eine Prüfung

b) **Ergänzen Sie die Wendungen 1–5 aus a).**

1 Habt ihr noch Prüfungen? – Nein, wir haben das Abitur schon ______.
2 Rufst du mich mal an? – Klar. Deine Nummer habe ich noch. Wir ______.
3 Wie geht es Tina? – Keine Ahnung, von Tina habe ich ______.
4 Kommst du auch zum Klassentreffen? – Ja, ich ______.
5 Wie lange bleibt ihr in Australien? – Sechs Monate. Im Dezember sind wir ______.

4 Eine Grillparty planen

a) **Ergänzen Sie *schon* oder *noch*.**

1 Hast du die Einladungen *schon* verschickt? – Nein, ich muss sie *noch* verschicken.
2 Musst du die Getränke ______ bestellen? – Nein, das habe ich ______ gemacht.
3 Haben wir ______ alles vorbereitet? – Nein, wir müssen die Abizeitung ______ kopieren.
4 Hat Katta sich ______ angemeldet? – Nein, ich habe ______ nichts von ihr gehört.
5 Seid ihr ______ fertig? – Nein, wir sind ______ nicht fertig.

1.07 b) **Hören Sie die Minidialoge aus a) und kontrollieren Sie Ihre Ergebnisse.**

1.08 c) **Hören Sie die Fragen aus a) und antworten Sie.**

5 Die Party ist am Samstag

1.02 a) **Videokaraoke. Sehen Sie sich das Video an und antworten Sie.**

b) **Sehen Sie sich das Video noch einmal an und schreiben Sie eine Checkliste.**

Nina: Würstchen, ...
Leo: Grill, ...
Ich: ......

c) **Wer soll was machen? Schreiben Sie wie im Beispiel.**

Leo soll einen Grill und ...
Ich soll ...
......

der Grill

6 Das Wetter

1.09

a) **Der Wetterbericht für Samstag. *Am Vormittag* (1), *am Mittag* (2), *am Nachmittag* (3) oder *am Abend* (4)? Hören Sie den Wetterbericht und ergänzen Sie die Tageszeiten.**

1			
am Vormittag:			
heiß, bewölkt,			
26–28 °C			

b) **Hören Sie noch einmal und ergänzen Sie die Wetterinformationen in a) wie im Beispiel.**

7 Plan B

a) **Lesen Sie die Mail von Nina. Sind die Aussagen richtig (r) oder falsch (f)? Ergänzen Sie.**

1 ◯ Das Wetter wird schlecht.
2 ◯ Nina schreibt an eine Freundin.
3 ◯ Sie hat schon einen Plan B.
4 ◯ Sie hat zuhause keinen Platz.
5 ◯ Sie sagt die Party ab.
6 ◯ Sie meldet sich bald.

Grillparty: Plan B? Posteingang ×
Nina123
an: b.schneider 09:51 (vor 13 Minuten)

Liebe alle,
vielleicht habt ihr auch schon den Wetterbericht gehört … Heute Abend gibt es ein Gewitter! Wir können uns nicht im Park treffen. Schade! Ich habe mich so auf die Party gefreut! Ich habe schon Getränke gekauft, und der Kartoffelsalat ist auch fertig. Aber meine Wohnung ist leider viel zu klein für alle. Was sollen wir jetzt machen? Wer hat einen Plan B? Ich hoffe, dass ihr eine gute Idee habt. Bitte meldet euch bald!

Viele Grüße
Nina

b) **Ihr Plan B. Wählen Sie einen neuen Termin oder einen anderen Ort und schreiben Sie Nina eine Antwort. Es gibt mehrere Möglichkeiten. Die Sätze helfen.**

Das Wetter wird am Sonntag besser. • Wir können auf dem Balkon grillen. • Die Grillparty kann also stattfinden. • Alles kein Problem. • Meine Wohnung ist groß genug für alle. • ~~Den Wetterbericht habe ich auch gehört.~~ • Wir feiern dann im Park. • Meldest du dich?

Liebe Nina,
den Wetterbericht habe ich auch gehört. ...

Viele Grüße

8 Partygespräche

1.10 –1.17

a) **Hören Sie die Minidialoge und lesen Sie mit. Ordnen Sie dann passende Bilder zu.**

Dialog 1 ◯
- Gibt es noch Tofu-Würstchen?
- Ja, aber sie sind noch nicht fertig.
- Dann probiere ich sie später.

Dialog 2 ◯
- Hast du Ella schon gesehen?
- Sie steht dort neben Leo.
- Ach, jetzt sehe ich sie auch.

Dialog 3 ◯
- Wer hat den Kartoffelsalat gemacht?
- Warum? Schmeckt er nicht gut?
- Doch, Nina. Ich finde ihn total lecker!

Dialog 4 ◯
- Schön, dass ihr auch gekommen seid!
- Etwas spät. Mein Fahrrad ist kaputt.
- Wir sind zu Fuß gekommen.

Dialog 5 ◯
- Wo ist denn das Bier?
- Ich glaube, es ist unter dem Tisch.
- Nein, da habe ich es nicht gesehen.

Dialog 6 ◯
- Ich muss morgen früh aufstehen.
- Ich auch. Ich nehme den nächsten Bus.
- Ich kann dich im Auto mitnehmen.

Dialog 7 ◯
- Nele, Tom! Das gibt es nicht! Wie geht's?
- Hallo Nina. Vielen Dank für die Einladung!
- Ich habe euch echt lange nicht gesehen!

Dialog 8 (E)
- Ich glaube, ich gehe bald nach Hause.
- Sind wir so langweilig?
- Nein, dieses Wetter macht mich total müde.

A B C D

E F G H

b) **Markieren Sie die Personalpronomen in den Minidialogen in a) und ergänzen Sie die Tabelle.**

Nominativ	ich		er	es	sie			sie/Sie
Akkusativ		dich				uns	euch	

9 Sie haben sich lange nicht gesehen

a) **Reflexiv oder nicht? Lesen Sie die Sätze und kreuzen Sie an.**

		ja	nein
1	„Ist das Liams neue Freundin? Wo haben sie sich denn kennengelernt?"	(X)	◯
2	„Ich soll Lisa ein paar Partyfotos schicken. Erinnerst du mich bitte?"	◯	◯
3	Nina wundert sich, dass Felix nicht gekommen ist.	◯	◯
4	Nele, Tom und Nina haben sich lange nicht gesehen.	◯	◯
5	„Natürlich kenne ich Lisa. Ich treffe sie samstags oft auf dem Markt."	◯	◯
6	Erinnerst du dich an Liam? Er war auf Leos Party auch dabei.	◯	◯
7	„Wo ist denn Toms neues Fahrrad? Ich habe es noch nicht gesehen."	◯	◯
8	„Wer ist denn das dort neben Tom? Ich kenne ihn nicht."	◯	◯

b) **Lesen Sie die Sätze in a) noch einmal und ergänzen Sie.**

Regel: In der 3. Person Singular und Plural heißt das Reflexivpronomen immer ________________.

10 *Schade, dass du nicht dabei warst!*

1.18

a) **Nina telefoniert mit Felix. Hören Sie das Gespräch. Wo war die Party? Kreuzen Sie an.**

A ◯ B ◯

b) **Wie war die Party? Hören Sie das Gespräch noch einmal und notieren Sie.**

1 Wie war die Party? *total toll*
2 Wie war das Wetter? ______
3 Wer hat den Kartoffelsalat gemacht? ______
4 Wer hat Gitarre gespielt? ______
5 Wie lange hat die Party gedauert? ______
6 Wo findet die nächste Party statt? ______
7 Was machen Nina und Felix am Abend? ______

c) ***Nina hat gesagt, dass …* Ergänzen Sie wie im Beispiel. Die Antworten aus b) helfen.**

1 Nina hat gesagt, dass die Party total toll war.

11 Nach der Party

a) **Ninas Gäste haben nicht alles mitgenommen. Wem gehört was? Notieren Sie wie im Beispiel.**

Das ist Liams Tisch.
______
______
______

Liam
Ella
Tom
Ella
Leo

1.19 b) **Hören Sie und kontrollieren Sie Ihr Ergebnis aus a).**

1.20 c) **Hören Sie die Fragen noch einmal und antworten Sie mit Ihren Angaben aus a).**

12 Wendungen aus Partygesprächen

a) **Wählen Sie fünf gute Themen aus und kreuzen Sie an.**

1 ◯ Musik
2 ◯ Prüfungen
3 ◯ Urlaub
4 ◯ Krankheiten
5 ◯ Beruf
6 ◯ Sport
7 ◯ Freunde
8 ◯ Geld

b) **Ordnen Sie den Themen aus a) passende Fragen zu.**

a ◯ Wohin fahrt ihr dieses Jahr?
b ◯ Wie geht's Eva eigentlich?
c ◯ Ich klettere jetzt viel, und du?
d ◯ Der DJ ist echt total klasse, oder?
e ◯ Und was machst du beruflich?
f ◯ Hast du das Spiel gesehen?
g ◯ Wie war das Konzert am Samstag?
h ◯ Und? Macht die Arbeit noch Spaß?
i ◯ Hast du mal was von Lorenzo gehört?
j ◯ Du siehst toll aus! Wie war's denn in Spanien?

c) **Vergleichen Sie Ihre Angaben in a) und b). War Ihre Auswahl in a) richtig?**

Fit für Einheit 2?

1 Mit Sprache handeln

Einladungen schreiben
Einladung zum/zur ... am ... um ... Uhr
Wir feiern in der Goethestraße / im Garten / ...
Bitte bring(t) gute Laune/Spiele/... mit.
Bist du / Seid ihr dabei?
Melde dich / Meldet euch bitte (an).

ein Treffen / eine Party organisieren
Hast du schon die Einladungen verschickt / Brot gekauft?
Ich muss noch die Getränke bestellen / einen Salat machen / ... anrufen.
Tobi soll seinen Grill / seine Gitarre / ... mitbringen.

Informationen weitergeben
Ich hätte nicht gedacht / habe gehört/gelesen, dass Basti zum Klassentreffen kommt.
In der Einladung / Im Text / Hier steht, dass die Party im Park stattfindet.
Die anderen meinen, dass Patrick gern und viel redet.

über die eigene Person sprechen
Ich kann mich gut an meine Schulzeit / die Prüfungen erinnern.
Meine Lieblingsfächer sind/waren Englisch und Musik.
Mein Traumberuf ist/war Journalist*in.
Ich fotografiere (nicht) gerne und kann (nicht) gut kochen.
In zwei Jahren arbeite/studiere/lebe ich in Deutschland.
Ich habe (k)einen Spitznamen. Meine Freunde nennen mich ...

2 Wörter, Wendungen und Strukturen

Verben mit Reflexivpronomen

sich (an)melden	Katta hat sich noch nicht angemeldet.
sich erinnern	Der Schulausflug nach Prag war toll! Erinnerst du dich?
sich sehen	Wir haben uns lange nicht mehr gesehen!
sich kennen	Sie kennen sich noch aus der Schulzeit.
sich freuen	Freut ihr euch auch schon?

Nebensatz mit *dass*

Franzi sagt: „Paul hat in München studiert."	Franzi sagt, dass Paul in München studiert hat.
Katta meint: „Tobi hat sich nicht verändert."	Katta meint, dass Tobi sich nicht verändert hat.

Genitiv *-s*

Kennst du die Eltern von Tobi?	Kennst du Tobis Eltern?
Hast du den Salat von Caro schon probiert?	Hast du Caros Salat schon probiert?

3 Aussprache

das *-ch* im Auslaut: Ich sehe euch doch noch nach dem Kurs, oder?

Interaktive Übungen

Mobil in Münster

Münster und Fahrräder – das gehört zusammen! Die Stadt hat schon oft Preise bekommen, weil sie besonders fahrradfreundlich ist. In Münster leben 310.000 Einwohner*innen, es gibt 500.000 Fahrräder und 4.500 km Radwege in der Stadt und Region. Kein Wunder, dass sehr viele Menschen mehr als ein Rad haben: ein Rad für den Alltag und ein Rad für die Freizeit.

In Münster gibt es heute viele Fahrradparkhäuser, weil das Parken früher ein Problem war. Die Radstation am Hauptbahnhof ist mit 3.300 Parkplätzen am größten.
Für manche Menschen ist das Auto aber immer noch wichtiger als das Fahrrad, weil sie zum Beispiel auf dem Land leben. Dort gibt es nicht viele Bahn- oder Busverbindungen.

Die Radstation am Bahnhof

1 Typisch Münster

a) Sehen Sie sich die Fotos an und berichten Sie.

b) Sammeln Sie Informationen im Magazinartikel. Die Zahlen helfen.

2 Carina und Sascha

a) Welche Verkehrsmittel nutzen sie? Lesen Sie die Porträts und berichten Sie.

1.21 b) Hören Sie die Interviews. Notieren Sie Informationen und vergleichen Sie.

c) Carina oder Sascha? Ordnen Sie die Aussagen zu und berichten Sie.

3 Thema Mobilität. Machen Sie ein Wörternetz.

die Mobilität – das Fahrrad – am praktischsten

4 Rad, Auto, Bus, U-Bahn, ...? Was nutzen Sie wann und warum? Berichten Sie.

Die Fußgängerzone in Münster

Fahrräder haben Vorfahrt!

Carina Lang (22) studiert Medizin an der Universität. Mit dem Semesterticket kann sie preiswert mit dem Bus und der Bahn fahren. Aber sie hat auch zwei Fahrräder, weil sie Radfahren in Münster am praktischsten findet.

Sascha Faber (28) wohnt mit der Familie auf dem Land in der Nähe von Münster und arbeitet in der Stadt. Er fährt lieber mit dem Auto zur Arbeit, weil die Fahrt mit dem Bus viel länger dauert.

1 Ein Wochenende planen

a) **Noah möchte Alina besuchen. Welches Verkehrsmittel nimmt er? Warum? Lesen Sie den Dialog und berichten Sie.**

- Hallo Alina, ich plane gerade unser Wochenende.
- Super! Kommst du mit der Bahn oder mit dem Bus?
- Tja, am liebsten natürlich mit dem Bus, weil der am billigsten ist. Aber am besten ist heute die Verbindung mit dem Zug. Dann bin ich kurz vor halb 10 in Leverkusen.
- Ja, das ist auch gut! Dann nimm doch den Zug und schick mir eine Nachricht. Ich hole dich ab.

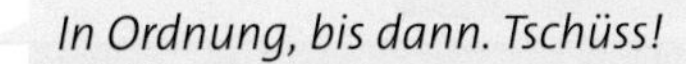

In Ordnung, bis dann. Tschüss!

Alina telefoniert mit Noah.

b) **Noahs Reiseplanung. Welche Verbindung nimmt er? Wählen Sie aus.**

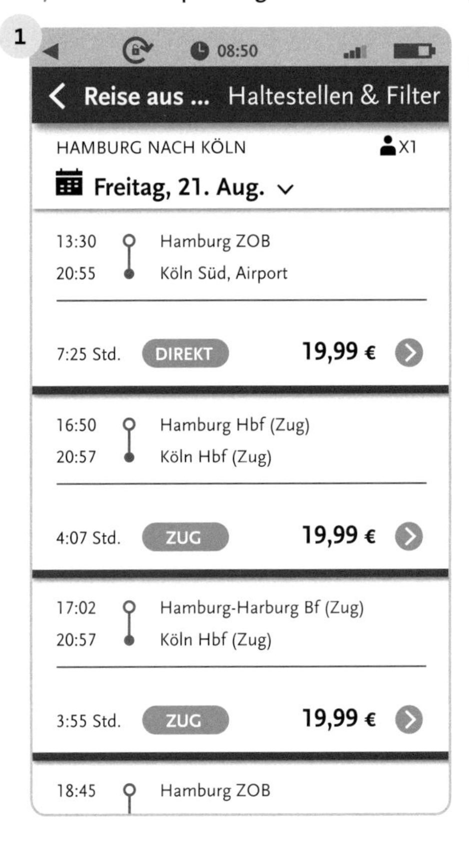

Mist! Ich habe den Zug verpasst. Ich komme jetzt mit dem IC und bin um 21:54 in Leverkusen.

☹ Schade, ich hole dich am Bahnhof ab.❤

c) **Welche Verbindung bucht Noah? Sammeln Sie Informationen zu Abfahrt, Ankunft, Dauer und Preis.**

d) **Noah kommt später. Wann und warum? Lesen Sie die Nachrichten und berichten Sie.**

2 Reisen in Deutschland und anderen Ländern

Vergleichen Sie.

... dauert länger als ... • ... ist billiger als ... • ... ist genauso schnell wie • ...

Bei uns in Argentinien dauert die Fahrt mit der Bahn viel länger als mit dem Bus und ist viel billiger.

Bei uns in Japan sind die Züge genau so teuer wie in Deutschland, aber pünktlicher.

3 Informationen im Bahnhof

a) **Was kann man den Mitarbeiter fragen? Sehen Sie sich das Foto an und sammeln Sie.**

Wo fährt der ICE nach Köln ab?

b) **Vergleichen Sie die Dialoge mit Ihren Fragen aus a).**

1 Entschuldigung, wo fährt der ICE um 13:09 ab?
Aus Gleis 9. Der ICE hat aber leider 20 Minuten Verspätung.

2 Kann ich mit der Fahrkarte auch einen anderen Zug nehmen?
Nein, das geht leider nicht. Die Fahrkarte ist nur für diesen Zug gültig.

3 Muss ich umsteigen?
Ja, in Köln. Der Zug nach Bonn fährt dann aus Gleis 9.

4 Wann fährt der nächste Zug nach Köln-Deutz?
In 15 Minuten aus Gleis 4.

c) **Orte, Zeiten, Gleise. Variieren Sie die Dialoge in b).**

4 *Busfahren ist am billigsten*

a) **Mobilität und Reisen. Sprechen Sie schnell.**

Busfahren Bahnfahren Autofahren Radfahren Skateboardfahren	ist finde ich	am bequemsten. am billigsten. am besten. am interessantesten. am teuersten.

12

b) ***Am billigsten*. Sammeln Sie Superlative auf den S. 22–25.**

1 lang – länger – am längsten
2 groß – größer – ...
3 praktisch – praktischer – ...
4 schnell – schneller – ...
5 billig – billiger – ...
6 gut – besser – ...

c) **Reiseverbindungen. Was ist am billigsten / am schnellsten / ...? Lesen Sie die Informationen in 1b) und berichten Sie.**

Der ICE ist am teuersten.

5 Das Europa-Quiz

a) **Fragen Sie. Ihr/e Partner/in antwortet.**

1 Welcher Berg ist am höchsten? — der Mont Blanc / die Zugspitze / der Feldberg
2 Welche Stadt ist am größten? — Paris/Berlin/Warschau
3 Welcher Fluss ist am längsten? — die Donau / der Ebro / der Po
4 Welche Universität ist am ältesten? — Bologna/Heidelberg/Prag
5 Welche Hauptstadt ist am kleinsten? — Valletta/Luxemburg/Kopenhagen

Am höchsten ist ...

b) **Mein Land / meine Stadt / meine Region. Bereiten Sie ein Quiz vor und fragen Sie im Kurs.**

1 *Ich fahre am liebsten nach London, weil ...*

a) **Gründe nennen. Sprechen Sie schnell.**

Ich fahre am liebsten nach	London, Wien, Paris, Zürich, ...	weil das Wetter dort am schönsten ist. weil die Restaurants dort am besten sind. weil die Museen dort am interessantesten sind. weil man dort am billigsten shoppen kann. weil die Clubs dort am coolsten sind.

b) **Sammeln Sie die Nebensätze mit *weil* auf den S. 22–26 und markieren Sie die Verben.**

c) **Vergleichen Sie die Sätze mit *weil* mit den Sätzen mit *dass* in Einheit 1, S. 13. Ergänzen Sie die Regel.**

2

Regel: In Nebensätzen mit *dass* oder *weil* steht das Verb ______________________.

2 *... nach Paris, weil ...*

1.22

a) **Hören Sie die Sätze und lesen Sie mit. Markieren Sie die Intonation wie im Beispiel.**

1 Ich fahre gern nach Paris.

Ich fahre gern nach Paris, weil ich Französisch lerne.

2 Ich plane ein Wochenende in Prag.

Ich plane ein Wochenende in Prag, weil ich dort eine Freundin habe.

3 Ich nehme drei Äpfel mit.

Ich nehme drei Äpfel mit, weil ich unterwegs immer Hunger habe.

b) **Hören Sie die Sätze aus a) noch einmal und lesen Sie mit. Markieren Sie die Pausen (|).**

c) **Lesen Sie die Sätze aus a) laut. Achten Sie auf die Intonation und die Pausen.**

3 Eine Woche, drei Städte

a) **Sie sind in Frankfurt am Main und möchten mit der Bahn drei Städte in Nord- oder Süddeutschland besuchen. Sie haben eine Woche Zeit. Recherchieren Sie Fahrpläne und Sehenswürdigkeiten und planen Sie das Programm.**

Die Reiseplanung
(Stralsund > Rostock > Lübeck)

08. August
7:58 Abfahrt Frankfurt/M. Hauptbahnhof
15:53 Ankunft Stralsund Hauptbahnhof
17:00 Spaziergang am Hafen
...

09. August
09:11 Abfahrt mit dem Bus vom Hotel zum OZEANEUM
...

Im OZEANEUM in Stral-

Stralsund finde ich toll, weil es dort das Aquarium Ozeaneum gibt.

b) **Präsentieren Sie Ihre Ergebnisse. Die anderen kommentieren.**

Klasse! Das finde ich auch interessant!

4 Arbeiten im Zug – ein Interview

a) **Name? Beruf? Arbeitsplatz? Lesen Sie das Interview schnell und sammeln Sie.**

Arbeitsplatz aktuell

Im Fokus: Arbeiten bei der Bahn

Leni Stadler ist Kundenbegleiterin bei der SBB, das ist die Schweizerische Bundesbahn AG. Wir haben nachgefragt.

Frau Stadler, seit wann arbeiten Sie als Kundenbegleiterin bei der SBB?

Ich arbeite jetzt schon seit vier Jahren als Kundenbegleiterin. Ich habe die Ausbildung und dann die Prüfung bei der SBB gemacht. Das hat acht Monate gedauert.

Auf welchen Strecken fahren Sie besonders oft?

Ich fahre regelmäßig von Zürich nach Bellinzona oder nach Genf. Auf der Strecke wechseln wir die Sprachen: Von Deutsch nach Italienisch oder Französisch.

Oh, das ist interessant. Wie viele Sprachen sprechen Sie denn?

Also, ich spreche Deutsch, Englisch und Französisch, und im Moment lerne ich noch Italienisch. Für den Job braucht man mindestens zwei Sprachen. Unsere Ansagen sind mehrsprachig, weil unsere Kundinnen und Kunden international sind.

Leni Stadler kontrolliert Billets.

Welche Aufgaben haben Sie im Zug?

Ich kontrolliere Billets, mache Durchsagen und berate die Kundinnen und Kunden. Manche haben ihr Velo dabei und brauchen noch ein Velobillet.

Was lieben Sie an Ihrer Arbeit?

Ich mag Menschen und fahre gern mit ihnen durch die Schweiz. Das Land ist so schön: Wälder, Berge, Seen, Städte. Und ich sehe das alles jeden Tag. Am liebsten im Winter. Dann haben wir Schnee.

Interview von Johannes Wolff

b) **Ausbildung, Orte, Sprachen, Aufgaben. Sammeln Sie im Wörternetz und vergleichen Sie.**

1.23

c) **Welche Informationen sind neu? Hören Sie das Interview. Notieren Sie und vergleichen Sie.**

d) **Schweizer Deutsch verstehen. Was heißt *Ticket*, was heißt *Fahrrad*? Der Text hilft.**

5 Die Bahn in Redewendungen

a) **Lesen Sie die Dialoge und ordnen Sie sie den Bildern zu.**

a Beeil dich! Der Kurs beginnt um acht.
Es ist höchste Eisenbahn.

b Ich habe gestern im Kurs nur Bahnhof verstanden.

c Akzeptieren Sie die Hausaufgabe noch?
Es tut mir leid, das ist jetzt zu spät. Der Zug ist abgefahren.

b) **Welche Redewendung aus a) passt zu welcher Situation? Ordnen Sie zu.**

1 ◯ Alle haben laut und viel zu schnell gesprochen.

2 ◯ Komm schnell! Wir müssen los.

3 ◯ Es tut mir leid, es gibt keine Tickets für das Eishockeyspiel mehr.

Auf Englisch heißt „Es ist höchste Zeit.": „It's high time".

c) **Wie heißen die Redewendungen aus a) in Ihrer Sprache? Übersetzen Sie grob und vergleichen Sie.**

d) **Gibt es Redewendungen zum Thema Bahn auch in Ihrer Sprache? Berichten Sie.**

1 Mobil in Münster

a) **Münster in Zahlen. Lesen Sie den Magazinartikel auf S. 22 noch einmal und sammeln Sie Informationen.**

a 500.000 **b** 4.500 **c** 310.000 **d** 3.300

a In Münster gibt es ...

b) **Wie ist das in Münster? Beantworten Sie die Fragen.**

1 Warum hat die Stadt Münster schon oft Preise bekommen?
2 Welcher Fahrradparkplatz in Münster ist am größten?
3 Wie viele Fahrräder haben viele Menschen in Münster?
4 Welche Probleme gibt es mit Bus- und Bahnverbindungen auf dem Land?

c) **Was bedeuten die Wörter und Wendungen? Kreuzen Sie an.**

1 Münster ist *fahrradfreundlich.*
- **a** ◯ Es gibt einen Bahnhof.
- **b** ◯ Es gibt viele Fahrradwege.
- **c** ◯ Es gibt sehr viele Parkhäuser für Autos.

2 Münster hat schon oft *Preise bekommen.*
- **a** ◯ Die Stadt war oft Sieger.
- **b** ◯ In Münster kann man günstig einkaufen.
- **c** ◯ Münster hat schon oft Geld bekommen.

3 Viele Menschen *wohnen auf dem Land.*
- **a** ◯ Sie wohnen in einem Dorf.
- **b** ◯ Sie wohnen in Kleinstädten.
- **c** ◯ Sie wohnen in einer Stadt.

4 *Kein Wunder*, dass ...!
- **a** ◯ Keiner weiß, dass ...
- **b** ◯ Keiner sagt, dass ...
- **c** ◯ Es ist klar, dass ...

2 Carina und Sascha im Interview

Wer sagt was? Lesen Sie die Porträts auf S. 23 und kreuzen Sie an.

	Carina	Sascha
1 Wie finden Sie die Verkehrssituation in Münster?		
a Sehr gut. Ich wohne in der Stadt und habe eigentlich keine Probleme.	◯	◯
b Na ja, ich möchte eigentlich lieber mit dem Bus in die Stadt fahren.	◯	◯
2 Welche Verkehrsmittel nutzen Sie jeden Tag?		
a Ich fahre immer mit dem Auto in die Stadt. Für mich gibt es keine Alternative.	◯	◯
b Das Fahrrad. Das ist am schnellsten.	◯	◯
3 Haben Sie oft Parkplatzprobleme?		
a Ja, im Zentrum finde ich oft keinen Parkplatz.	◯	◯
b Eigentlich nicht so oft. Aber manchmal muss ich mein Rad lange suchen!	◯	◯
4 Was kann die Stadt für Sie noch besser machen?		
a Nichts. Es gibt schon sehr viele Radwege.	◯	◯
b Wir brauchen dringend bessere Busverbindungen!	◯	◯
5 Warum fahren Sie nicht mit dem Bus?		
a Ich bin gern flexibel.	◯	◯
b Bei uns fahren nicht so viele Busse.	◯	◯

3 Unterwegs

a) **Verbinden Sie. Es gibt neun Möglichkeiten.**

1 eine Verbindung
2 eine Fahrkarte
3 mit dem Bus / mit der Bahn
4 Verspätung

a buchen
b suchen
c fahren
d kaufen
e haben

Mit der Bahn fahren

b) **Ergänzen Sie die Minidialoge mit Wortverbindungen 1–4 aus a).**

1 Fährst du über Frankfurt nach Köln? *Nein, ich habe eine andere Verbindung.*

2 Hast du schon eine Fahrkarte? Nein, ich muss noch ______

3 Nimmst du den Bus? Nein, ______

4 Kommt dein Zug pünktlich an? Nein, ______

1.24 c) **Hören Sie die Minidialoge aus b) und kontrollieren Sie.**

4 *Komm, wir fahren nach ...!*

1.25 a) **Noah und Alina unterhalten sich. Was planen sie? Hören Sie den Dialog und kreuzen Sie an.**

1 ◯ Eine Radtour nach Hamburg. 2 ◯ Eine Woche Urlaub. 3 ◯ Ein Wochenende in Münster.

b) **Was ist richtig? Hören Sie noch einmal und wählen Sie Gründe aus.**

1 Noah kommt freitags immer spät bei Alina an,
a ◯ weil die Fahrt ziemlich lange dauert.
b ◯ weil der Bus immer Verspätung hat.

2 Alina fährt oft mit der Bahn durch Münster,
a ◯ weil sie dort Freunde besucht.
b ◯ weil sie Noah in Hamburg besucht.

3 Alina findet es schade,
a ◯ dass Noah nicht viel Zeit für sie hat.
b ◯ dass Noah nächsten Samstag in Münster ist.

4 Noah sagt,
a ◯ dass er noch nie in Münster war.
b ◯ dass Münster näher als Leverkusen ist.

c) **Was recherchiert Noah für das Wochenende? Notieren Sie weitere Möglichkeiten.**

Bus- und Bahnverbindungen, ...

5 Uhrzeiten und Preise

1.26 a) **Wann fährt der Zug ab? Hören Sie die Minidialoge und kreuzen Sie an.**

1	2	3	4	5
a ◯ 20:30 Uhr	a ◯ 19:00 Uhr	a ◯ 15:55 Uhr	a ◯ 11:00 Uhr	a ◯ 17:05 Uhr
b ◯ 08:30 Uhr	b ◯ 07:00 Uhr	b ◯ 15:30 Uhr	b ◯ 23:00 Uhr	b ◯ 18:05 Uhr

1.27 b) **Welche Preise hören Sie? Hören Sie den Dialog und kreuzen Sie an.**

1	2	3	4	5
a ◯ 23,90 €	a ◯ 35,90 €	a ◯ 32,90 €	a ◯ 26,90 €	a ◯ 133,60 €
b ◯ 29,90 €	b ◯ 39,90 €	b ◯ 22,90 €	b ◯ 36,90 €	b ◯ 143,60 €

c) **Hören Sie den Dialog aus b) noch einmal und ergänzen Sie das Ziel, die Uhrzeiten und die Preise.**

Sie fahren mit der Bahn nach ______[1]. Sie fahren um ______[2] Uhr am Morgen ab und wollen um ______[3] Uhr zurückfahren. Die Hin- und Rückfahrt kostet für zwei Personen ______[4] Euro.

6 An der Information

a) **Lesen Sie den Fahrplan und ergänzen Sie.**

MÜNCHEN Hbf > PARIS			X1
Bahnhof/Haltestelle	Zeit	Gleis	Produkt
München Hbf	06:29	1	ICE
Paris Est	13:16	7	
München Hbf	06:29	1	ICE 692
Stuttgart Hbf	08:45	10	
Umsteigezeit 25 Minuten			
Stuttgart Hbf	09:10	8	TGV 9576
Paris Est	13:16	7	

1 Abfahrt in *München*
2 Uhrzeit ______
3 Gleis ______
4 umsteigen in ______
5 Umsteigezeit ______
6 Ankunft in ______
7 Uhrzeit ______
8 Gleis ______

b) **Ergänzen Sie die W-Fragen.**

1 *Wann fährt der ...*
Der nächste Zug nach Paris fährt morgen um 06:29 Uhr.

2 ______
Sie kommen um 13:16 Uhr an.

3 ______
Sie müssen in Stuttgart umsteigen.

4 ______
Die Fahrkarte kostet 79,90 Euro.

5 ______
Die Fahrkarte können Sie im Reisezentrum kaufen. Das ist dort.

Kundenberaterin am Infoschalter

1.28

c) **Hören Sie den Dialog an der Information und kontrollieren Sie.**

7 *Wann kommst du denn?*

1.03

a) **Videokaraoke. Sehen Sie sich das Video an und antworten Sie.**

b) **Tag? Verkehrsmittel? Abfahrt? Ankunft?**
Sehen Sie sich das Video noch einmal an und notieren Sie.

Tag: Freitag, ...

8 Julia fährt am Wochenende nach Hause

1.29

a) **Flüssig sprechen. Hören Sie und sprechen Sie nach.**

1 abfahren – um 6:00 Uhr in Kiel abfahren – Ich fahre um 06:00 Uhr in Kiel ab .
2 umsteigen – um 07:20 Uhr in Hamburg umsteigen – Ich steige um 7:20 Uhr in Hamburg um.
3 ankommen – um 14:00 Uhr in München ankommen – Ich komme um 14:00 Uhr in München an.
4 abholen – am Hauptbahnhof abholen – Ich hole dich am Hauptbahnhof ab.

b) **Markieren Sie die trennbaren Verben wie im Beispiel.**

9 Ein Quiz

a) **Raten Sie mal! Lesen Sie die Fragen und kreuzen Sie eine Antwort an.**

1 Welche Stadt ist am größten?

a ◯ Bogotá.
b ◯ Tokio.
c ◯ Warschau.

2 Welcher Zug ist am schnellsten?

a ◯ Der chinesische SMT in Shanghai.
b ◯ Der japanische Shinkansen.
c ◯ Der französische TGV.

3 Welches Land ist am längsten?

a ◯ Die USA.
b ◯ Indien.
c ◯ Chile.

4 Welcher Berg ist am höchsten?

a ◯ Der Mont Blanc.
b ◯ Der Mount Everest.
c ◯ Der Kilimandscharo.

5 Welche Stadt ist am ältesten?

a ◯ Damaskus.
b ◯ New York.
c ◯ Rom.

Im Jahr 2021 ist der Shanghai Maglev Train am schnellsten. Er fährt bis zu 430 Kilometer in einer Stunde!

Chile liegt in Süd-amerika und ist von Norden nach Süden 4.329 Kilometer lang. Kein anderes Land ist länger als Chile!

Die japanische Hauptstadt Tokio ist am größten. Dort leben mehr als 9 Millionen Menschen!

Der Mount Everest im Himalaya in Asien ist mit 8.848 Metern am höchsten. Das sind fast neun Kilometer!

Die syrische Hauptstadt Damaskus ist am ältesten. Man sagt, sie ist schon über 3.500 Jahre alt!

b) **Lesen Sie die Kurzinformationen und vergleichen Sie mit Ihren Angaben in a).**

10 Adjektivpaare wiederholen

a) **Ergänzen Sie das Gegenteil wie im Beispiel.**

1 groß - ______	4 selten - *oft*	7 schnell - ______
2 kurz - ______	5 gut - ______	8 schwer - ______
3 nah - ______	6 viel - ______	9 billig - ______

b) **Schreiben Sie wie im Beispiel. Die Adjektivpaare aus a) helfen.**

1 Von Hamburg ist Berlin näher als München.
2 Die Verbindung um 14:07 Uhr ist teurer als die Verbindung um 14:38 Uhr.
3 Die Fahrt von Bern nach Basel ist kürzer als die Fahrt von Bern nach Zürich.
4 Ich besuche meine Freunde öfter als meine Eltern.
5 Am Tag fahren mehr Züge als in der Nacht.
6 Das Wetter in Madrid ist besser als in London.
7 Oslo ist größer als Kopenhagen.
8 In Amsterdam gibt es mehr Fahrräder als in Münster.
9 Ein Motorrad ist schwerer als ein Fahrrad.

1 Von Hamburg ist München weiter als Berlin.

11 Sabine Schneider unterwegs

a) **Was ist richtig? Lesen Sie das Porträt und kreuzen Sie an.**

Sabine Schneider (26) ist Architektin und arbeitet in einem Büro in der Innenstadt von Hamburg. Sie fährt immer mit der U-Bahn zur Arbeit, weil die U-Bahn schnell und praktisch ist. „Morgens kann ich in der U-Bahn noch ein bisschen schlafen. Und abends kann ich mich entspannen", sagt Sabine. Sie braucht nur 30 Minuten in die Innenstadt. Vom U-Bahnhof Rathaus geht sie zu Fuß zur Arbeit, weil das gesünder ist. Nur im Winter oder bei Regen nimmt Sabine den Bus.

Sabine Schneider in der U-Bahn

1 ◯ Sabine arbeitet im Rathaus in Hamburg.
2 ◯ Sie liest morgens in der U-Bahn gerne die Zeitung.
3 ◯ Mit der U-Bahn braucht sie mehr als eine halbe Stunde in die Innenstadt.
4 ◯ Sie geht von der U-Bahn Haltestelle meistens zu Fuß ins Büro.
5 ◯ Sabine fährt im Winter manchmal mit dem Auto zur Arbeit.

b) **Korrigieren Sie die falschen Aussagen.**

12 Satzakzent

1.30

a) **Hören Sie die Sätze und lesen Sie mit. Markieren Sie die Intonation wie im Beispiel.**

1 Wir brauchen jeden Tag Verkehrsmittel, weil Mobilität im Leben wichtig ist.
2 Stimmt. Die meisten Menschen nutzen das Fahrrad, weil es billig ist.
3 Ich selbst fahre gern Rad, weil es mir Spaß macht.
4 Und es gibt hier viele Fahrradparkhäuser, weil diese Stadt fahrradfreundlich ist.
5 Aber manche Menschen fahren lieber Auto, weil es am schnellsten ist.

b) **Hören Sie noch einmal und sprechen Sie nach.**

13 Mobil in der Stadt. **Verbinden Sie die Sätze wie im Beispiel.**

1 Ich gehe oft zu Fuß. Das ist gesund.
2 Ich fahre gern mit der U-Bahn. Das ist in der Stadt am schnellsten.
3 Ich nehme manchmal den E-Roller. Das macht viel Spaß.
4 Ich fahre am liebsten mit dem Fahrrad. Das ist für mich am praktischsten.

1 Ich gehe oft zu Fuß, weil ...

14 Die Bahn in Redewendungen.

1.31

Hören Sie und ordnen Sie die Wendungen den Dialogen zu.

a ◯ Der Zug ist abgefahren.
b ◯ Es ist höchste Eisenbahn.
c ◯ Ich verstehe nur Bahnhof.

Fit für Einheit 3?

1 Mit Sprache handeln

über Mobilität sprechen

Unsere Stadt ist sehr fahrradfreundlich. Wir haben viele Fahrradwege.
Es geht nicht ohne Auto, weil wir im Dorf keine Busverbindung haben.
Student*innen können mit dem Semesterticket fahren. Das ist preiswert.

Entschuldigung, wann fährt der nächste Zug nach Köln? Um 11:37 Uhr.
Muss ich umsteigen? Ja, in Frankfurt.
Ich komme jetzt doch mit dem Bus, weil ich den Zug verpasst habe.

Verkehrsmittel vergleichen

Mit dem Fahrrad bin ich am schnellsten.
Die Fahrt mit dem Zug ist genauso teuer wie mit dem Bus.
Bei uns in Japan sind die Züge pünktlicher als in Deutschland.

eine Reise planen

Kommst/Fährst du mit dem Bus oder mit der Bahn? Mit dem Bus. Das ist am billigsten.
Wann kommst du in Münster an? Um 10:27 Uhr. Holst du mich ab?
In Stralsund besuchen wir das OZEANUM und besichtigen die Altstadt.
Die Abfahrt ist um 8 Uhr. Die Ankunft ist um 16 Uhr. Diese Verbindung ist am besten.

2 Wörter, Wendungen und Strukturen

Wortfeld Mobilität

der Verkehr, die Verkehrsmittel, fahrradfreundlich, das Fahrradparkhaus, die Fußgängerzone, der ICE, die Busverbindung

Komparation

schnell – genauso schnell wie – schneller als – am schnellsten
gut – genauso gut wie – besser als – am besten
groß – genauso groß wie – größer als – am größten

der Superlativ mit *am*

Ich fahre am liebsten nach Salzburg. Die Stadt finde ich am schönsten.
In Europa ist der Mont Blanc am höchsten. Er ist 4.810 Meter hoch.
Die Fahrt mit dem Bus dauert am längsten.

Nebensätze mit *weil*

Ich fahre mit dem Rad. Das ist am schnellsten. Ich fahre mit dem Rad, weil das am schnellsten ist.
Ich fahre mit dem Auto. Ich habe keine Alternative. Ich fahre mit dem Auto, weil ich keine Alternative habe.

3 Aussprache

Intonation und Pausen in Haupt und Nebensätzen: Ich fahre gern nach Leverkusen.

Ich fahre gern nach Leverkusen, weil Alina dort wohnt.

Interaktive Übungen

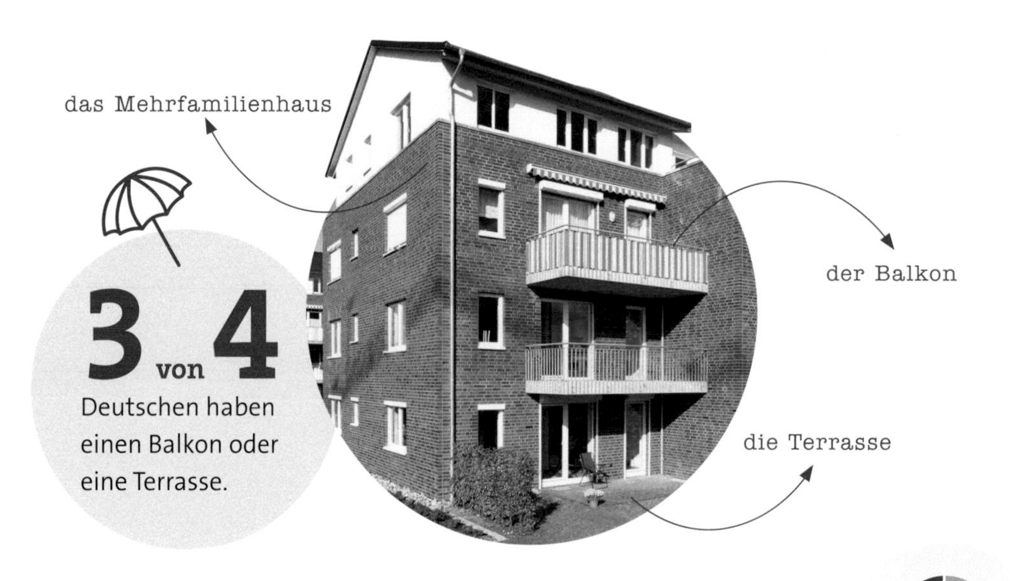

3 von **4**
Deutschen haben einen Balkon oder eine Terrasse.

Viele Mieter *innen zahlen mehr als

1/3 Miete

ein Drittel
vom Einkommen pro Monat für die Miete.

Viele Deutsche wohnen in Mehrfamilienhäusern mit **drei bis zehn** Wohnungen. **Ein Viertel** wohnt in Wohnblocks oder Hochhäusern, nur **ein Drittel** wohnt in Einfamilienhäusern.

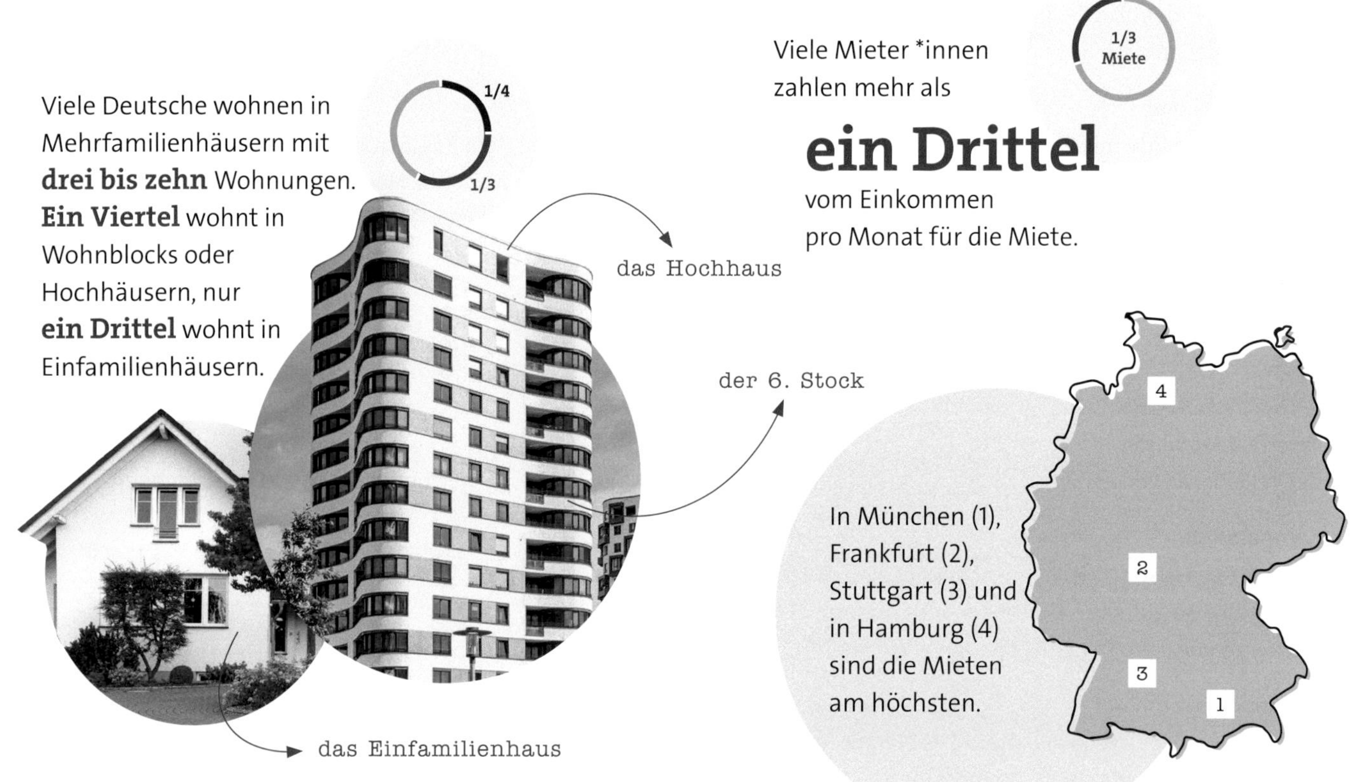

In München (1), Frankfurt (2), Stuttgart (3) und in Hamburg (4) sind die Mieten am höchsten.

3 *Zimmer, Küche, Bad, ...*
Eine Mietwohnung hat im Durchschnitt drei Zimmer und ist 71 Quadratmeter (m²) groß.

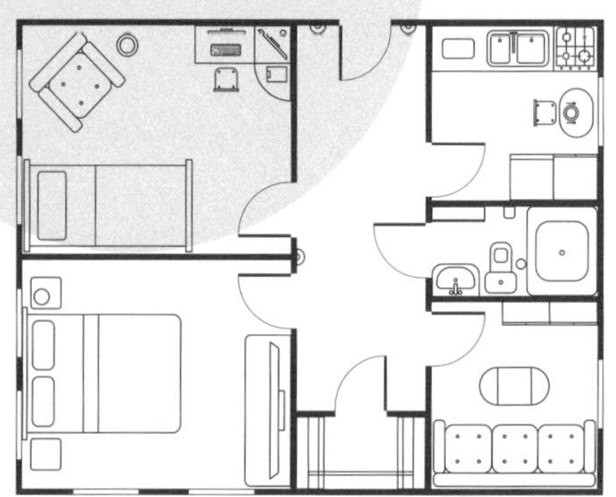

Elf Millionen
Menschen in Deutschland fahren jeden Tag mindestens 30 Minuten zur Arbeit.

54 von 100
Einwohnern wohnen zur Miete – mehr als in anderen europäischen Ländern.

HIER LERNEN SIE:
- über Wohnen sprechen
- eine Wohnung suchen
- Kleinanzeigen schreiben
- eine Hausordnung kommentieren
- sagen, was verboten oder erlaubt ist

Wohnen in Deutschland

Zur Arbeit eine Stunde – (k)ein Problem?

» Wir fühlen uns sehr wohl hier. «
D. Goller, 38

Über 18 Millionen Menschen in Deutschland fahren täglich mehr als 17 Kilometer von der Wohnung zur Arbeit und zurück – das ist Europa-Rekord!
Jobs, Theater, Clubs und Restaurants – viele Menschen ziehen in die Großstädte, weil sie hier arbeiten oder das Kulturangebot nutzen wollen. Besonders Berlin, München, Frankfurt und Stuttgart sind im Trend. Aber die Mieten sind hoch, weil es zu wenige Wohnungen gibt. Das Wohnen auf dem Land ist oft günstiger und das Pendeln zur Arbeit ist heute für viele normal. Auch Dietmar Goller pendelt. Seine Frau und er wohnen in Merching. Sie haben eine Drei-Zimmer-Wohnung in einem Mehrfamilienhaus. „Wir fühlen uns sehr wohl hier. Die Wohnung ist schön, die Nachbarn sind nett und alle im Haus dürfen einen Hund haben", freut sich Dietmar Goller. Aber es nervt ihn, dass er pendeln muss. Er fährt jeden Tag von Merching zur Arbeit nach München. Das sind 69 Kilometer. Früher ist er mit dem Auto gefahren, aber er hat sich oft über die Staus und die anderen Autofahrer geärgert. Heute fährt er eine Stunde mit der Bahn. „Die Miete für unsere 88 m²-Wohnung ist niedriger als in München. Aber ich verliere jeden Tag viel Zeit, weil das Pendeln so lange dauert", sagt Dietmar Goller.

1 Wohnen in Deutschland
a) Sammeln Sie Informationen zu den Zahlen 54 – 3 – 1/3 – 11 Millionen in der Grafik links und vergleichen Sie.
b) Was erstaunt oder wundert Sie (nicht)? Was finden Sie normal? Kommentieren Sie.
Ich hätte nicht gedacht, dass ...
Mich wundert, dass ...

2 In Merching wohnen, in München arbeiten
a) Lesen Sie den Magazinartikel und erklären Sie den Begriff *pendeln*.
b) *Wo, was, wie oft, wie lange, wie viel, was nervt, ...?* Beschreiben Sie Dietmar Gollers Situation.

3 Täglich mehr als 17 km von der Wohnung zur Arbeit
a) **Finden Sie das weit?** Wie lange brauchen Sie zur Arbeit, zum Supermarkt, ...? Wie weit ist das? Vergleichen Sie.
b) In der Großstadt oder auf dem Land – wo möchten Sie wohnen? Sammeln Sie Pro- und Kontra-Argumente.

4 Zehn Wörter zum Wortfeld *wohnen*. Markieren Sie auf S. 34–35 und lernen Sie die Wörter.

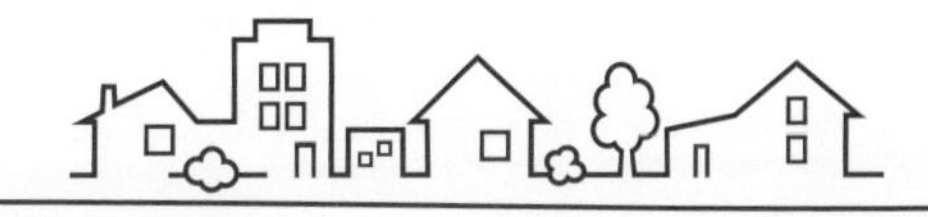

Meine Wohnung

Was muss Ihre Wohnung haben? Was muss in der Nähe sein?
Markieren Sie mindestens drei Angaben und berichten Sie.

Für mich ist ein Bad mit Badewanne wichtig.

Ein Sportplatz muss in der Nähe sein.

2 Eine Wohnung finden

a) *Freunde fragen, ein Immobilienbüro anrufen, ...* Wo und wie kann man eine Wohnung finden?

b) Abkürzungen verstehen.
Lesen Sie die Anzeige, erklären Sie die Abkürzungen und beschreiben Sie die Wohnung.

3-ZKB, BLK, 2. OG,
Keller, Nähe HBF
79 m², 790 €+NK, 2 MM KT
Tel: 0162 2089982

4,5-Zi
Innen
680 €+N
Tel: 01

Die Wohnung hat drei Zimmer, eine ...

3 Größe, Kosten, ...

a) Wie kann man nach Wohnungsinformationen fragen? Sammeln Sie Fragen.

Wie hoch sind die Nebenkosten?

Wie viel kostet ...

Gibt es ... in der Nähe?

b) Wählen Sie eine Anzeige. Ihr Partner/Ihre Partnerin fragt mit den Fragen aus a). Sie antworten.

Schöne Wohnung sucht neue Mieter

44791 Bochum (Zentrum), Blumenstr.
✓ Bad mit Fenster, Keller

395 €	50,45 m²	2 Zimmer
Kaltmiete	Wohnfläche	ab 01.11.
103,55 € Nebenkosten	1150 € Kaution	

Anbieter kontaktieren

Merken | Notizen

Bochum-Zentrum, ruhige Whg.
3 ZKB, 79,5 m², 3. OG, BLK
S-Bahn 5 min, Supermarkt 3 min.
KM 650 €, NK 225,75 €, Kaution 3 MM
frei ab sofort

König-Immobilien, Tel. 0162 2089982

Nette Nichtraucher-WG (2 f/1 m)
sucht fröhlichen Mitbewohner
1 Zi. mit BLK! 16 m², möbliert
Miete 215 € + 95 € NK
Uni mit Bus 370 in 10 min., ab 15.09.

Tel. Felix 0162 2081430 / Jane 0162 2090503

Tel. Felix 0162 2081430 / Jane 0162 2090503

Tel. Felix 0162 2081430 / Jane 0162 2090503

4 Eine Zwei-Zimmer-Wohnung in Zittau

1.32

Hören Sie und sprechen Sie nach. Achten Sie auf *z*.

- Ich suche eine Zwei-Zimmer-Wohnung in Zittau.
- Hier! Zweihundertzweiundzwanzig Euro Kaltmiete.
- Zweihundertzweiundzwanzig Euro für eine Zwei-Zimmer-Wohnung in Zittau?!
- Oh, entschuldige. Das sind die Nebenkosten.

Minimemo
z → [ts]

Einen Besichtigungstermin vereinbaren

a) Wer sucht was? Lesen Sie die Such-Anzeige und berichten Sie.

Junges Paar und kleiner Hund suchen altes Haus oder neue 2–3 ZKB in Bochum bis 1.000 € warm.
Tel. 0162 2083640

1.33 b) Hören Sie das Telefongespräch mit Dimitris Michelakis.
Um welche Wohnung aus 3b) geht es? Ergänzen Sie die Informationen.

c) Welche Redemittel hören Sie? Markieren Sie und vergleichen Sie.

d) Wechselspiel. Sie interessieren sich für Wohnung 1. Fragen Sie und machen Sie einen Besichtigungstermin. Ihr Partner/Ihre Partnerin ist der Vermieter/die Vermieterin und antwortet. Wechseln Sie die Rollen. Fragen und antworten Sie zu Wohnung 2.

1
Neue 3 ZKB, 977,60 €
im Zentrum von Bochum
Tel. 0162 2082784

2
Helle, sonnige 2 Zi-Whg. sucht ruhigen Mieter, Nähe Bahnhof, **566,73 € + NK**
Mail: 2ZiWhg@example.net

Die Wohnungsbesichtigung

1.04

a) Was ist für Lena und Dimitris wichtig? Was fragt Dimitris?
Sehen Sie sich das Video an und sammeln Sie.

b) Passt die Wohnung zu Lena und Dimitris?
Warum (nicht)? Begründen Sie.

Die Wohnung passt zu Lena und Dimitris, weil sie eine ... hat.

Ich denke nicht, dass sie passt. Es gibt keine ...

Altes Haus sucht junge Familie

a) Kleinanzeigen in Zeitungen und im Internet. Sprechen Sie schnell.

Netter Student Junges Paar Große Familie	sucht	großen Garten / neuen Mitbewohner neue Garage / schöne Wohnung helles Zimmer / kleines Haus alte Möbel / schöne Lampen
Fröhliche Großeltern	suchen	

11.1

b) Markieren Sie die Adjektive ohne Artikel in der Einheit. Ergänzen Sie.

Singular	Nom.	der: klein**er** Hund	das: jung__ Paar	die: schön__ Wohnung
	Akk.	den: groß__ Garten	das: alt__ Haus	die: groß__ Familie
Plural	Nom/Akk.	die: alt__ Möbel / schön__ Lampen / hell__ Zimmer		

Flohmarkt

Was suchen Sie – was wollen Sie verkaufen? Schreiben Sie Anzeigen und fragen Sie nach.

Suchen & Verkaufen
Altes Sofa sucht neues Zuhause
Info: *sula78@example.com*

Suchen & Verkaufen
Verkaufe günstigen Laptop, suche großen Monitor
Info: *0162 2084453*

Suchen & Verkaufen
Suche alten Kühlschrank, biete neuen Fernseher
Info: *c.ventura@example.com*

Die Hausordnung

a) Was ist eine Hausordnung? Welche Regeln gibt es? Lesen Sie die Landeskunde-Box und berichten Sie.

b) Dürfen Mieter das (√) oder dürfen sie das nicht (X)? Lesen Sie die Hausordnung und entscheiden Sie.

1 ◯ Jedes Wochenende grillen die Nachbarn auf dem Balkon.

2 ◯ Gestern haben die Kinder ein Zelt hinter dem Haus aufgebaut.

3 ◯ Ein Nachbar spielt mittags E-Gitarre.

4 ◯ Frau Otto stellt den Kinderwagen immer in den Fahrradkeller.

Hausordnung, Franzstraße 35, Bochum

1. Die Ruhezeiten sind von 13 bis 15 Uhr und von 22 bis 7 Uhr.
2. Das Spielen von Musikinstrumenten ist in den Ruhezeiten verboten.
3. Das Spielen im Treppenhaus ist verboten.
4. Kinder dürfen auf der Wiese spielen, sie dürfen Zelte aufbauen.
5. Das Abstellen von Fahrrädern, E-Rollern oder Kinderwagen im Treppenhaus ist verboten. Bitte nutzen Sie den Fahrradkeller.
6. Schuhe, Kommoden oder Schirme dürfen nicht im Treppenhaus stehen.
7. Das Grillen auf den Balkons ist verboten.
8. Haustiere dürfen keinen Lärm machen und nicht riechen.

Ihre Hausverwaltung

Kinderwagen im Treppenhaus

14

c) Was dürfen die Mieter, was dürfen sie nicht (= ist verboten)? Sammeln Sie Sätze in der Hausordnung und markieren Sie wie im Beispiel.

... ist erlaubt.

	Position 2		Satzende
Kinder	dürfen	im Garten	zelten.
Man	darf	auf den Balkons	nicht grillen.

Lerntipp
dürfen = ist erlaubt
nicht dürfen = ist verboten.

d) Die Mieter dürfen (nicht) ... Welche Regeln finden Sie gut, welche stören Sie? Kommentieren Sie die Hausordnung.

Ich finde (nicht) gut, dass ...

Mich stört, dass man nicht grillen darf.

Mich wundert, dass ...

2 *wohnen – das Wohnen*

13.2

a) Aus Verben Nomen machen. Sammeln Sie Beispiele in der Einheit und ergänzen Sie die Nomen.

wohnen – *das Wohnen* spielen – ______ putzen – ______
pendeln – ______ grillen – ______ leben – ______

b) Wie heißt der Artikel? Ergänzen Sie die Regel.
Regel: Aus Verben Nomen machen. Der Artikel ist immer ______.

c) Was ist hier verboten? Was ist erlaubt? Lesen Sie die Schilder vor. Ihr Partner/Ihre Partnerin kommentiert.

Das Rauchen ist hier verboten.

Stimmt, hier darf man nicht rauchen.

3 Das nervt!

a) *Sich ärgern, sich freuen* ... Was nervt Sie im Haus? Sprechen Sie schnell.

Ich ärgere mich oft über
Ich freue mich über

meine Nachbarn / laute Musik / das Bellen von Hunden /
Lärm im Treppenhaus / den Müll im Fahrradkeller / die Kinder /
Ordnung / Ruhe im Haus / ...

10

b) *Sich freuen auf/über, sich interessieren für*... Reflexive Verben mit Präpositionen. Sammeln Sie in der Einheit und markieren Sie wie im Beispiel.

Lena und Dimitris interessieren sich für die Wohnung.
Dietmar Goller hat sich über die Staus geärgert.

Lerntipp
sich interessieren für / sich freuen auf... Reflexive Verben immer mit Präpositionen lernen.

4 Das sieht gemütlich aus!

a) *Warm, entspannt, fröhlich* ... Beschreiben Sie die Fotos.

1

2

3

4

1.34

b) Gemütlichkeit. Machen Sie das auch? Hören Sie. Wer die Situationen nicht kennt, bitte wieder setzen!

5 Wir machen es uns auf dem Balkon gemütlich!

a) Was machen Sie auf dem Balkon? Berichten Sie.

Wir essen oft auf dem Balkon.

Rauchen!

Ich stelle dort Sachen ab.

Ich habe keinen Balkon, aber meine Freunde ...

b) Lesen Sie den Magazinartikel. Sammeln Sie Aktivitäten auf dem Balkon und kommentieren Sie.

Garten & Balkon

Der Balkon ist das zweite Wohnzimmer!

Die Deutschen verbringen ihre Freizeit gerne auf dem Balkon. Kein Wunder – hier kann man es sich richtig gemütlich machen! Die Deutschen lieben es grün. Für (5) die grüne Oase auf dem Balkon gibt es bunte Blumen und Pflanzen im Gartencenter. Das Angebot ist groß, und neue Stühle, Tische oder Sofas kann man auch gleich kaufen. Vom Frühling bis zum Herbst sitzen die Deutschen mit Familie (10) und Freunden auf dem Balkon oder genießen einen gemütlichen Abend zu zweit. Für manche ist „Balkonien" sogar ein Urlaubsziel. Auch das Feiern auf dem Balkon ist ganz o.k. – man darf nur nicht die Nach- (15) barn stören oder man lädt sie einfach ein!

Blumen auf dem Balkon – die Idee ist super!

Ein Balkon ist doch kein Wohnzimmer!

c) Erklären Sie *das zweite Wohnzimmer, Balkonien* oder *die grüne Oase*.

d) *#balkonliebe* oder *#sogemütlich*. Erstellen Sie eine Bildercollage **ODER** ein Instagram-Porträt **ODER** eine Pinnwand. Präsentieren Sie im Kurs.

1 Wohnen in Deutschland

a) **Lesen Sie den Text auf S. 35 noch einmal und kreuzen Sie an.**

		richtig	falsch
1	In Berlin, München, Frankfurt und Stuttgart sind Wohnungen oft günstig.	◯	(X)
2	Viele Menschen wohnen auf dem Land und pendeln zur Arbeit in die Stadt.	◯	◯
3	Dietmar Goller und seine Frau leben in Merching. Er arbeitet in München.	◯	◯
4	Ihre Wohnung hat drei Zimmer und ist 88 m² groß.	◯	◯
5	Dietmar Goller fährt lieber mit dem Auto zur Arbeit als mit der Bahn.	◯	◯
6	Er pendelt gern zur Arbeit, weil er viel Zeit hat.	◯	◯
7	Der Weg von Merching zur Arbeit nach München ist 17 km lang.	◯	◯

b) **Korrigieren Sie die falschen Aussagen.**

1 In Berlin, München, Frankfurt und Stuttgart sind die Wohnungen oft ...

2 Wohnung gesucht!

a) **Welches Thema passt? Lesen Sie die Suchanzeige von Constanze Maurer und kreuzen Sie an.**

Junge Familie sucht ... **1** ◯ möblierte Wohnung. **2** ◯ Haus mit vier Zimmern. **3** ◯ 4-ZKB.

Conni M.

▶ **Wohnen in Leipzig – Wohnung, Haus, WG**

Gestern um 19:32 Uhr

Hallo! Wir müssen umziehen. Mein Mann hat einen neuen Job in Leipzig gefunden. Jetzt suchen wir eine helle und große 4-Zimmer-Wohnung in
5 Leipzig-Lindenau. Die Küche muss groß sein. Das Bad soll eine Badewanne und ein Fenster haben. Im Wohnzimmer brauchen wir viel Platz für unsere Möbel. Die Wohnung muss auch eine Terrasse und einen kleinen Garten haben. Wir freuen uns über einen schönen Park in der Nähe. Habt ihr eine Idee? Bitte meldet euch! Am Wochenende können wir uns gern Wohnungen ansehen.
10 Viele Grüße, Constanze

6 Personen gefällt das — 3 Kommentare

b) **Lesen Sie die Suchanzeige noch einmal und ergänzen Sie die Zeilennummer(n) wie im Beispiel.**

1 Die Familie möchte in Lindenau wohnen. (*4–5*)

2 Die Familie wünscht sich eine große Küche. (__)

3 Das Badezimmer soll hell sein. (__)

4 Die Familie wünscht sich eine Terrasse und einen Garten. (__)

5 Die Wohnung soll nicht möbliert sein. (__)

6 Am Wochenende hat die Familie Zeit für eine Wohnungsbesichtigung. (__)

3 Wohnungsanzeige

a) Welche Informationen stehen in einer Wohnungsanzeige? Sammeln Sie Abkürzungen in den Anzeigen auf S. 36–37.

2. OG, KM ...

b) Lesen Sie die Anzeige und erklären Sie die Abkürzungen.

2-ZKB in Nürnberg
56 m², 2. OG, BLK
zentrale Lage, HBF 12 min
KM 600 € + NK, KT 2 MM
Tel. 0162 2084453

2-ZKB = Zwei Zimmer, Küche, Bad

c) Beschreiben Sie die Wohnung aus b).

Die Wohnung hat zwei Zimmer ...

4 *Wir interessieren uns für die Wohnung*

a) Mieter gesucht. Lesen Sie die Anzeigen und ordnen Sie die passenden Überschriften zu.

1 ◯ WG-Zimmer mit Balkon sucht neuen Mieter!

2 ◯ Moderne 3-Zimmer-Wohnung in Hamburg-Eppendorf

3 ◯ Wohnung im Zentrum von Bonn-Beuel ab sofort frei

a ◯
Zentrale 2-ZKB,
EG, sonnige Terrasse
600 € KM, NK 150 €
Tel. 0162 2081430

b ◯
Neue, helle 3 Zi-Whg.
ab sofort zu vermieten!
70 m², große Küche
Tel. 040 32519967

c ◯
Großes 20 m² Zimmer,
Balkon, möbliert,
KM 250 €, NK 65 €
Tel. 0162 2089982

1.35–1.37

b) Hören Sie die Telefongespräche und ordnen Sie die Anzeigen in a) den Gesprächen zu.

c) Hören Sie das Gespräch 1 noch einmal und notieren Sie die neuen Informationen.

d) Welche Redemittel hören Sie? Hören Sie das Gespräch 3 noch einmal. Kreuzen Sie an.

1 (X) Ich interessiere mich für die 2-Zimmer-Wohnung in ...

2 ◯ Ist die Wohnung noch frei?

3 ◯ Wie groß ist die Wohnung?

4 ◯ Gibt es einen Balkon?

5 ◯ Wie hoch ist die Kaution?

6 ◯ Hat die Wohnung einen Keller?

7 ◯ Ist eine Haltestelle in der Nähe?

8 ◯ Wie hoch ist die Kaltmiete und wie hoch sind die Nebenkosten?

5 Die Wohnungsbesichtigung

1.05

a) Videokaraoke. Sehen Sie sich das Video an und antworten Sie.

b) Sehen Sie sich das Video noch einmal an. Ergänzen Sie dann die Notizen.

2-Zimmer-Wohnung, ... m², ... OG, Aufzug

Balkon, Bad mit ......

Kaltmiete: ...... Nebenkosten: ...... Kaution: ......

6 Biete schöne und große Wohnung. **Hören Sie und sprechen Sie nach.**

1.38

1 Wohnung – schöne Wohnung – Makler bietet schöne Wohnung.

2 Garten – kleiner Garten – Große Familie sucht kleinen Garten.

3 Internet – schnelles Internet – Die Wohnung hat schnelles Internet.

4 Mitbewohnerin – nette Mitbewohnerin – WG sucht nette Mitbewohnerin.

5 Garage – große Garage – Familie sucht große Garage.

6 Haus – altes Haus – Neue Mieter suchen altes Haus.

7 Unsere Hausordnung

1.39

a) **Welche Regeln stehen in der Hausordnung? Hören Sie und kreuzen Sie an.**

1 ◯ Die Mieter dürfen auf dem Balkon nicht grillen.

2 ◯ Hunde sind im Haus verboten.

3 ◯ Es gibt Ruhezeiten: die Mittagsruhe und die Nachtruhe.

4 ◯ Die Mieter müssen das Treppenhaus einmal pro Woche putzen.

5 ◯ Die Kinder dürfen hinter dem Haus spielen.

6 ◯ Die Mieter dürfen ihre Fahrräder nur im Keller abstellen.

7 ◯ Die Mieter dürfen hinter dem Haus nicht rauchen.

b) **Was dürfen die Mieter (√) und was dürfen sie nicht (X)? Hören Sie noch einmal, sehen Sie sich die Bilder an und entscheiden Sie.**

a ◯

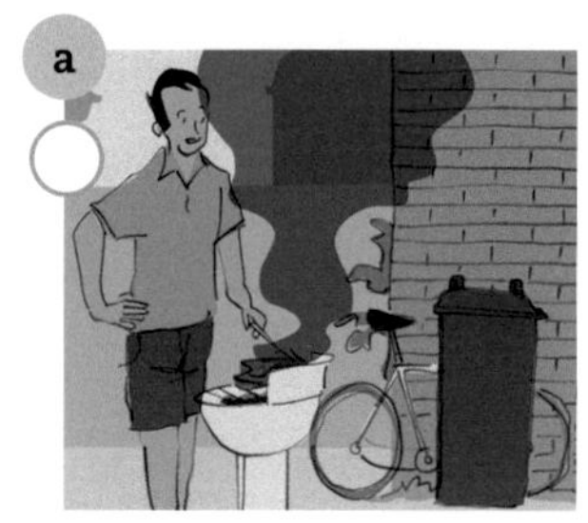

b ◯

c ◯

d ◯

c) **Beschreiben Sie die Bilder aus b).**

a Die Mieter dürfen hinter dem Haus ...

d) **Markieren Sie das Modalverb im Nebensatz wie im Beispiel.**

1 Man darf auf dem Balkon nicht grillen. → Mich stört, dass man auf dem Balkon nicht grillen darf.

2 Die Kinder dürfen im Garten hinter dem Haus zelten. → Ich finde gut, dass die Kinder im Garten hinter dem Haus zelten dürfen.

3 Die Mieter dürfen in den Ruhezeiten keine Wäsche waschen. → Ich finde gut, dass die Mieter in den Ruhezeiten keine Wäsche waschen dürfen.

4 Man darf die Fahrräder nur im Keller abstellen. → Mich stört, dass man die Fahrräder nur im Keller abstellen darf.

e) **Was stört Sie? Was finden Sie gut? Schreiben Sie wie in d).**

1 Die Mieter müssen das Treppenhaus einmal pro Woche putzen.

2 Die Kinder dürfen auf dem Spielplatz hinter dem Haus spielen.

3 Man darf hinter dem Haus nicht rauchen.

4 Die Mieter dürfen hinter dem Haus grillen.

8 Verboten oder erlaubt?

a) **Was ist verboten? Was ist erlaubt? Schreiben Sie Sätze wie im Beispiel.**

1 Das Essen ist hier ...

1 
2 
3 
4 
5 

6 

b) **Wie kann man das anders sagen? Ergänzen Sie passende Sätze wie im Beispiel.**

1 Das Parken ist hier verboten.
2 Das Essen und Trinken ist hier erlaubt.
3 Das Grillen ist hier erlaubt.
4 Das Zelten ist hier verboten.
5 Das Telefonieren ist hier verboten.
6 Das Spielen ist hier verboten.

1 Man darf hier nicht parken. / Das Parken ist hier nicht erlaubt. ...

9 *Ich ärgere mich über ...*

a) **Olivia schreibt eine E-Mail an ihren Freund Lasse. Worüber schreibt sie? Lesen Sie die E-Mail und kreuzen Sie an.**

1 ◯ über die Wohnungssuche 2 ◯ über ihre neue Wohnung 3 ◯ über ihre Möbel

Hallo Lasse,

wie geht's dir? Es tut mir leid, dass ich mich so lange nicht bei dir gemeldet habe. Aber ich hatte sehr viel zu tun. Ich bin in eine neue Wohnung gezogen. Die Wohnung ist im dritten Stock. Sie hat einen kleinen Balkon, eine große Küche und es gibt auch eine Badewanne. Sie ist wirklich sehr schön, aber ich ärgere mich oft über meine Nachbarn. Sie hören laute Musik, das nervt. Ich ärgere mich auch über die Fahrräder im Treppenhaus. Aber ich freue mich über den Hund von der Mieterin im Erdgeschoss. Ich gehe manchmal mit ihm spazieren. Ich freue mich auch über meinen gemütlichen Balkon. Dort sitze ich oft und lese ein Buch oder höre Musik. Ich freue mich schon auf deinen Besuch! :)

Liebe Grüße von Olivia

b) **Lesen Sie die E-Mail noch einmal und markieren Sie die reflexiven Verben mit Präpositionen wie im Beispiel.**

c) **Olivia ärgert sich / freut sich ... Warum? Notieren Sie.**

Sie ärgert sich über ihre Nachbarn, weil ... / Sie freut sich über ...

d) **Was passt zusammen? Verbinden Sie und markieren Sie die reflexiven Verben mit Präpositionen wie im Beispiel.**

1 Morgen ist Freitag.
2 Heute hat Klaus Geburtstag.
3 Meine Freunde suchen eine neue Wohnung.
4 Die Sonne scheint.
5 Morgen kommt meine Freundin.
6 Hat eure neue Wohnung einen Balkon?

a Er freut sich über seine Geschenke.
b Ich freue mich auf ihren Besuch.
c Freust du dich auch über das schöne Wetter?
d Wir freuen uns auf das Wochenende.
e Freut ihr euch über den Balkon?
f Sie freuen sich auf die Wohnungsbesichtigung.

10 Das sieht aber gemütlich aus!

a) Selbsttest. Lesen Sie die Sätze und ergänzen Sie die Adjektive im Akkusativ.

~~kalt~~ • nett • bequem • warm • ruhig • interessant

1 Im Sommer liebe ich *kaltes* Bier.

2 Nach der Arbeit höre ich gern ______ Musik.

3 Ich mag ______ Gespräche mit meinen Nachbarn.

4 Abends trage ich gern ______ Kleidung und trinke auf dem Sofa Tee.

5 ______ Sonne, ______ Buch – ich liebe Urlaub auf Balkonien!

b) Welche Verben passen? Ordnen Sie zu. Die Texte und Anzeigen in der Einheit helfen.

waschen • suchen • spielen • vereinbaren • kaufen • ~~verlieren~~ • bezahlen • putzen

1 Zeit *verlieren*

2 eine Wohnung ______

3 die Miete ______

4 E-Gitarre ______

5 das Treppenhaus ______

6 Stühle, Tische oder Sofas ______

7 die Wäsche ______

8 einen Besichtigungstermin ______

11 Upcycling – ein Wohntrend

a) Was ist Upcycling? Lesen Sie den Instagram-Post und die Kommentare. Kreuzen Sie an.

1 ◯ alte Möbel kaufen 2 ◯ Möbel gemütlich machen 3 ◯ alte Möbel neu machen

Luisa94: Aus alt mach neu! Kennt ihr Upcycling? Neue Möbel kaufen ist zu teuer. Ich habe meine alten Stühle bunt angemalt. Ich finde sie jetzt super modern! Wie findet ihr die Idee? #upcycling #ausaltmachneu
die.mascha Tolle Idee! Die Stühle sehen super aus.
anton24: Wow, die Stühle sind echt schön geworden. Gute Arbeit!!
katiii: Hm, aber die Stühle sehen nicht so gemütlich aus ...
Jaska_North: @katiii: Große Kissen machen die Stühle bequem. Super modern, tolle Arbeit @Luisa94!
Tommy86: Naja, schön bunt, aber immer noch altmodisch.

Gefällt 98 Mal  

b) Sind die Kommentare pro (+) oder kontra (-) Upcycling?

c) Wie finden Sie die Idee von Luisa94? Lesen Sie den Instagram-Post noch einmal und schreiben Sie eigene Kommentare.

Die Stühle sehen ... / Ich finde die Stühle ... / Die Idee ist ...

Fit für Einheit 4?

1 Mit Sprache handeln

über Wohnen sprechen
Wir wohnen in einem Mehrfamilienhaus. Unsere Wohnung hat 100 m² und einen großen Balkon.
Die Miete ist nicht sehr hoch. Wir fühlen uns hier sehr wohl.

Was muss Ihre Wohnung haben? — Für mich ist eine große Küche wichtig.
Was muss in der Nähe sein? — Ein Park, ein Supermarkt, ...

eine Wohnung suchen
Wie groß ist die Wohnung?
Ist die Wohnung noch frei?
Wie hoch ist die Kaution / die Warmmiete?
Hat die Wohnung einen Keller?

eine Hausordnung kommentieren
Ich finde (nicht) gut, dass es Ruhezeiten gibt.
Mich stört, dass man nicht grillen darf.
Mich wundert, dass Hunde im Haus verboten sind.

2 Wörter, Wendungen und Strukturen

Wohnungsinformationen – Abkürzungen verstehen

Whg.	die Wohnung
2 ZKB	2 Zimmer, Küche, Bad
BLK	der Balkon
1. OG	1. Obergeschoss / 1. Etage / 1. Stock
KM	die Kaltmiete
NK	die Nebenkosten
KT	die Kaution
MM	die Monatsmiete

Adjektive ohne Artikel
Große Familie sucht kleinen Garten.
Fröhliche Großeltern suchen großes Haus.
Junges Paar sucht schöne Wohnung.
Netter Student sucht alte Möbel.

reflexive Verben mit Präpositionen
sich freuen auf/über — Ich freue mich auf deinen Besuch. / Wir freuen uns über deinen Besuch.
sich ärgern über — Er ärgert sich über seine Nachbarn.
sich interessieren für — Sie interessieren sich für die Wohnung.

aus Verben Nomen machen
spielen – das Spielen
grillen – das Grillen

sagen, was verboten oder erlaubt ist
Das Spielen ist hier erlaubt.
Die Kinder dürfen hier spielen.
Das Grillen ist hier verboten / nicht erlaubt.
Die Mieter dürfen hier nicht grillen.

3 Aussprache

das -z-: Ich suche eine **Z**wei-**Z**immer-Wohnung in **Z**ittau. Die Nebenkosten sind **z**weihundert**z**weiund**z**wan**z**ig Euro.

Interaktive Übungen

HIER LERNEN SIE:
- über Handys und Medien sprechen
- eine Grafik kommentieren
- indirekt nachfragen
- die eigene Meinung sagen

Medien-Monitor

Deutschland in Zahlen

Radio hören
100 Minuten am Tag

fernsehen
211 Minuten am Tag

Online-Videos sehen
24 Minuten am Tag*
*kostenlose Videos

Videospiele spielen

30 Minuten am Tag

Internet nutzen

101 Minuten am Tag

Bücher lesen

26 Minuten am Tag

Das höre ich gern!

Podcasts liegen voll im Trend

Podcasts hören, E-Books lesen oder Online-Videos sehen – Medien gehören zum Alltag. Wir nutzen sie zum Recherchieren, zum Arbeiten und zum Entspannen. Wir lesen, hören, sehen und schreiben den ganzen Tag. Egal ob Bücher, Zeitungen, Radio, Fernsehen oder digitale Medien wie Blogs, Podcasts oder Social Media. Die Medien verändern sich, und wir kommunizieren heute anders als vor zehn Jahren.

Wir lesen z. B. lieber kurze Kommentare als lange Artikel. Wir schreiben lieber kurze Nachrichten als lange E-Mails. Und wir lieben Podcasts.

Das Hören von Podcasts liegt voll im Trend. Vielen gefällt das Podcast-Angebot, weil es interessante Themen gibt wie z. B. Fitness, Reisen oder Politik. Genau diese Themen kann man suchen und dann hören. Podcasts sind auch beliebt, weil man viel lernen kann. Der Trend geht weiter: lieber Sprachnachrichten als Textnachrichten. Wir tippen nicht mehr, wir sprechen lieber eine Nachricht. Das spart Zeit. Die große Frage ist also, ob wir in der Zukunft noch weniger und kürzer schreiben. Was ist der nächste Trend?

der Bluetooth-Kopfhörer

einen Podcast downloaden

das Magazin

einen Artikel lesen

ein Selfie machen

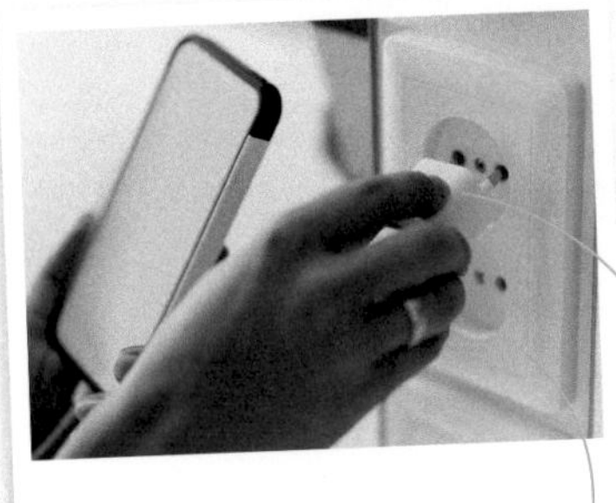

das Handy aufladen

eine App installieren

das Smartphone

die Handykamera

die Steckdose

das Ladekabel

1 **Medien im Alltag**

a) Welche Medien nutzen Sie oft, selten oder nie? Berichten Sie.

Ich sehe nie fern.

Ich höre selten Radio.

b) Was machen Sie mit dem Smartphone? Fragen und antworten Sie.

Ich mache Fotos.

Mein Handy weckt mich jeden Morgen.

2 **211 Minuten.** Sammeln Sie Informationen im Medien-Monitor und kommentieren Sie.

211 Minuten am Tag fernsehen? Das sind ja mehr als drei Stunden! Ich finde, das ist sehr viel.

3 **Lesen, hören oder fernsehen?**

a) Lesen Sie den Artikel. Markieren Sie die Medien.

b) Sammeln Sie die Trends. Vergleichen Sie.

c) Und Sie? Welche Medien haben Sie diese Woche schon genutzt?

Ich habe gestern einen Podcast gehört.

4 **Eine Party?** Lesen Sie den Cartoon. Haben Sie die Situation auch schon erlebt? Wie haben Sie reagiert?

5 **Was ist der nächste Trend?** Was denken Sie?

Ich denke/meine, der nächste Trend ist/sind ...

Ich habe gelesen/gehört, dass ...

1 Ein Gerät – tausend Aktivitäten

a) Was machen die Personen? Sehen Sie sich das Foto an und beschreiben Sie.

Sie postet ein Foto.

1.40

b) Wozu nutzen die Leute ihr Handy? Hören Sie und kreuzen Sie an.

1 ◯ zum Fotos posten
2 ◯ zum Telefonieren
3 ◯ zum Fotos liken
4 ◯ zum Chatten
5 ◯ zum Überweisen
6 ◯ zum Nachrichten schicken
7 ◯ zum Dateien downloaden
8 ◯ zum Recherchieren
9 ◯ zum Selfies machen
10 ◯ zum Fahrkarten kaufen
11 ◯ zum Scannen
12 ◯ zum Lernen

c) ***Wozu …? Zum …, aber nicht/selten/nie zum …*** **Fragen und antworten Sie wie im Beispiel.**

3

- Wozu benutzt du dein Handy?
- Zum Chatten, aber selten zum Telefonieren. Und du? Wozu benutzt du dein Handy?
- Zum Lernen, aber nie zum Scannen. Und du?
- Ich benutze mein Handy zum …

Lerntipp

Aus Verben Nomen machen:
posten – das Posten – zum Posten
Aber: zum Fotos posten

2 Englische Wörter auf Deutsch

1.41

a) Hören Sie und lesen Sie mit. Achten Sie auf die Vokale.

1 posten
2 downloaden
3 chatten
4 scannen
5 liken
6 der Podcast
7 das Online-Video
8 der Blog
9 die Social Media
10 das E-Book
11 die Bluetooth-Kopfhörer
12 das Smartphone
13 das Selfie

1.42

b) Hören Sie noch einmal und sprechen Sie nach.

3 Mediensprache Englisch

a) Sammeln Sie Wörter auf S. 46–48 und vergleichen Sie.

b) Wie heißen die Verben in anderen Sprachen?

Scannen heißt auf …

Auf Italienisch sagt man „Io chatto". Das heißt „Ich chatte".

Darf ich ...?

a) Wer möchte was machen? Lesen Sie die Mini-Dialoge und berichten Sie.

Darf ich das Foto posten?

Wie bitte, was hast du gefragt?

Darf ich das Video herunterladen?

Was hast du gesagt?

Er hat gefragt, ob er das Foto posten darf.

Ich möchte wissen, ob ich das Video herunterladen darf.

b) Erlaubt oder verboten? Was darf man wo? Berichten Sie wie im Beispiel.

1  telefonieren

2  Dokumente kopieren

3 

im Internet recherchieren

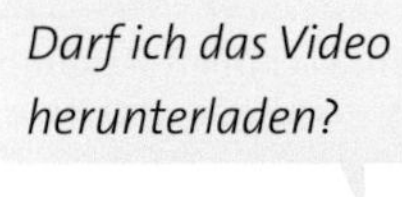

4  Videos herunterladen

5  fotografieren

6  E-Mails lesen

Kannst du mir sagen, ob ich im Unterricht telefonieren darf?

Nein, das ist verboten.

4.1

c) Markieren Sie die indirekten Fragen mit *ob* in a) und auf S. 46–47 und ergänzen Sie die Regel.

Regel: Indirekte Fragen mit *ob*: Der Nebensatz beginnt mit ________ und das Verb steht ________________.

d) Was darf man wo (nicht)? Schreiben Sie Orte und Tätigkeiten auf Kärtchen. Fragen und antworten Sie wie im Beispiel.

im Café	telefonieren
auf dem Balkon	essen
...	Musik hören

Weißt du, ob man auf dem Balkon Musik hören darf?

Ja, das ist erlaubt. Aber nicht zu laut!

Mein Handy und ich

Bringen Sie die Bilder in eine Reihenfolge und erzählen Sie die Geschichte. Nehmen Sie sich mit dem Smartphone auf und präsentieren Sie im Kurs. ODER Mein Medien-Tag. Beschreiben Sie und präsentieren Sie im Kurs.

Am Morgen hat der Wecker nicht geklingelt, weil mein Handy aus war. Ich habe zu lange geschlafen und war zu spät in der Universität. Dann war der Akku von meinem Laptop leer und ich hatte kein Ladekabel.

1 Eine neue Nummer

a) **Überfliegen Sie die E-Mail. Wer schreibt wem? Was ist das Thema?**

an: bianca.schubert@example.com

Hey Bianca,

ich habe schon lange nichts mehr von dir gehört. Wie geht's dir? Meine Eltern haben mir ein neues Smartphone geschenkt und jetzt habe ich eine neue Nummer. Und ich habe auch eine neue Adresse.

Ich bin nach Bochum gezogen. Dario hat mir beim Umzug geholfen. Ich wohne seit einer Woche mit ihm zusammen. Hier ist es chaotisch. Mein Vater bringt mir morgen ein Regal für meine Bücher. Aber ich habe noch nicht alle Umzugskartons ausgepackt. Kannst du mir am Wochenende helfen? Passt dir das?

Ich kann dir dann auch deine Bücher geben. Das letzte Mal hast du uns doch die Bücher für unsere Reise geliehen. Dario und ich haben sie alle gelesen. Du kennst Dario noch nicht, oder? Das muss sich jetzt endlich mal ändern. Schreibst du mir, ob du am Wochenende Zeit hast?

Liebe Grüße auch von Dario. Bis bald und dicke Umarmung,
deine Aurore

PS: Ich schicke dir im Anhang ein paar Bilder von der Wohnung. Schön, oder?

b) **Aurore, Aurores Vater, Bianca oder Dario? Lesen Sie die E-Mail und ergänzen Sie.**

1 ______________ ist nach Bochum gezogen.
2 ______________ hat ihnen Bücher gegeben.
3 ______________ bringt ihr ein neues Regal.
4 ______________ sind gute Freundinnen.
5 ______________ hat ihr beim Umzug geholfen.
6 ______________ kennen sich nicht.

c) ***Wem?*** **Sprechen Sie die Sätze wie im Beispiel.**

Bianca soll ihr in der Wohnung helfen. — *Wem?* — *Bianca soll Aurore in der Wohnung helfen.*

2 Im Büro

a) **Was machen die Personen? Beschreiben Sie das Bild.**

b) **Fragen und antworten Sie wie im Beispiel.**

Gibst du Bringen Sie	mir dir ihm ihr uns	den Kopfhörer / das Buch / das Tablet? die Konsole / den USB-Stick? die Dokumente / den Kugelschreiber / das Ladekabel? die Ordner / den Laptop / die Boxen?	Ja, gern. Nein, das geht leider nicht. Einen Moment, bitte. Ja, gleich. Ja, sofort.

3 Ich helfe dir gern

a) **Lesen Sie die Mini-Dialoge laut. Markieren Sie die Personalpronomen im Dativ.**

Schicken Sie mir bitte den Kontakt. — *Ich schicke Ihnen den Kontakt sofort.*

Gibst du mir bitte den Laptop? — *Hier bitte.* — *Danke dir.*

Geht ihr mit uns ins Kino? — *Ja, mit euch gehen wir am liebsten.*

b) **Sammeln Sie Personalpronomen im Dativ auf S. 50–51 und ergänzen Sie.**

Nominativ	ich	du	er/es/sie	wir	ihr	sie/Sie
Dativ			/ihm/ihr			ihnen/Ihnen

4 Online immer und überall

Kennen Sie das auch? Lesen Sie den Artikel und kommentieren Sie.

Mach mal eine Handy-Pause!
Chatten, posten, liken - wie viele Posts, E-Mails, Videos und Nachrichten hast du heute schon gelesen, gehört, gesehen und geschrieben? Das Smartphone ist wichtig, keine Frage. Immer kommen neue Nachrichten, Freunde schreiben, der Online-Shop schickt Informationen, der neue Podcast ist online. Untersuchungen zeigen: Wir checken alle 18 Minuten unser Handy. Das ist stressig, weil wir nie Ruhe haben. Kennst du das auch? Dann mach doch mal das Handy aus! Hier sind Tipps für die Zeit ohne Handy, für dein Handy-Detox.

Mein Freund ist immer online. Das nervt. — *Warum nervt dich das? Das ist doch ganz normal.*

Immer online sein! Ich glaube, das ist nicht gesund. Ich mache mein Handy abends aus. — *Ich habe mein Smartphone immer an. Ich liebe Chatten. Ich möchte immer mit Freunden in Kontakt sein.*

5 Ein Tag ohne Handy – ein Experiment

Was kann man ohne Handy alles machen? Schreiben Sie Tipps für Freunde. Sammeln Sie Ideen und präsentieren Sie. ODER Probieren Sie es aus. Was machen Sie ohne Handy? Beschreiben Sie Ihren Tagesablauf.

Tipps:
Leg das Handy abends ab 19 Uhr weg.
Mach lieber ...

Mein Tagesablauf:
Um 7 Uhr kaufe ich eine Zeitung, ich lese die Nachrichten nicht online. Am Vormittag treffe ich mich mit Freunden. Ich telefoniere nicht.

1 Ein Glossar. **Lesen Sie und ergänzen Sie die Begriffe von S. 46–47.**

1 Ein *E-Book* ______ ist ein digitales Buch.
2 Einen ______ kann man kostenlos im Internet hören oder downloaden.
3 Eine ______ ist ein digitales Programm. Das Wort ist eine Abkürzung.
4 Ein ______ ist z. B. ein digitales Tagebuch im Internet.
5 Eine ______ ist eine gesprochene Nachricht.
6 Ein ______ und eine ______ braucht man zum Aufladen.

2 Medien im Alltag nutzen

a) **Richtig oder falsch? Lesen Sie den Text und die Grafik auf S. 46 und kreuzen Sie an.**

	richtig	falsch
1 Lange Textnachrichten sind ein digitaler Trend.	○	⊗
2 Podcasts sind digitale Medien.	○	○
3 Die Deutschen surfen weniger als eine Stunde am Tag im Netz.	○	○
4 Nachrichten sprechen dauert länger als Nachrichten schreiben.	○	○
5 In Deutschland sehen die Menschen täglich fast eine halbe Stunde Online-Videos.	○	○
6 Digitale Medien verändern die Kommunikation.	○	○
7 Der Medien-Monitor zeigt, dass die Deutschen mehr Radio hören als fernsehen.	○	○

b) **Korrigieren Sie die falschen Aussagen in a).**

1 ... sind ein digitaler Trend.

3 Was machst du mit deinem Smartphone?

a) **Welche Nomen und Verben passen zusammen? Markieren Sie.**

1 einen Podcast — downloaden – hören – installieren
2 ein Selfie — posten – lesen – machen
3 eine App — herunterladen – installieren – surfen
4 einen Zeitungsartikel — spielen – lesen – kommentieren
5 einen Blog — lesen – hören – schreiben
6 ein Video — sehen – posten – nutzen
7 eine Nachricht — chatten – schicken – schreiben
8 eine Datei — downloaden – spielen – schicken
9 einen Kommentar — liken – lesen – recherchieren
10 ein Rezept — recherchieren – überweisen – suchen

b) **Was macht Ines? Sehen Sie sich die Bilder an und beschreiben Sie. Die Wörter aus a) helfen.**

a ______
b ______
c ______

a

b

c

4 Soziale Netzwerke. **Was kann man mit diesen Apps machen? Lesen Sie den Blog und notieren Sie.**

1 Spotify: *Musik hören*
2 YouTube: ______
3 Facebook: ______
4 TikTok: ______
5 WhatsApp: ______
6 Instagram: ______

Top Apps
von Jan Helbig

Welche Apps nutzen wir täglich? Ist *Facebook* noch im Trend? Ja, *Facebook* und auch *Instagram* gehören immer noch zu unserem Alltag. Das Posten, Liken und Kommentieren von Fotos sind beliebte Aktivitäten in sozialen Netzwerken. Aber Chatten ist am
5 beliebtesten. Mit *WhatsApp* schicken wir jeden Tag Text- und Sprachnachrichten. „Zum Musikhören ist *Spotify* super", sagen viele Leute. In der App findet man auch Hörbücher und Podcasts, und man kann sie herunterladen. Die Lieblingsmusik speichert man direkt in der App. Auf *YouTube* sehen wir kostenlose Videos. Das Videoangebot ist groß: von politischen Themen bis Rezepte und Kochtipps ist alles dabei. Videos downloaden geht aber nicht immer.
10 *TikTok* ist aktuell sehr beliebt bei jungen Leuten. Es ist eine App zum Posten von kurzen Handy-Videos. Aber wir alle wissen, dass Social Media-Trends kommen und gehen.

5 Schreibt man das groß oder klein? **Markieren Sie die richtige Form.**

1 Wollen wir heute Abend telefonieren/Telefonieren?
2 Ist das downloaden/Downloaden von Filmen im Internet verboten?
3 Mit Online-Banking kann man schnell mit dem Handy Geld überweisen/Überweisen.
4 Zum Vokabeln lernen/Lernen nutze ich Bluetooth-Kopfhörer.
5 Ich nutze eine App zum kaufen/Kaufen von Fahrkarten. Das ist einfach und bequem.

6 Wozu nutzt Elsa ihren Laptop? **Beschreiben Sie.**

Elsa nutzt ihren Laptop zum Nachrichten lesen, ...

7 Medienwörter

1.43

a) **Wie spricht man die Verben auf Deutsch aus? Hören Sie und sprechen Sie nach.**

Englisch	Deutsch		Ihre / eine andere Sprache
like	liken	Wie viele Personen haben dein Foto gelikt?	
post	posten	Ich poste keine Selfies.	
download	downloaden	Das Spiel kannst du kostenlos downloaden.	
scan	scannen	Ich habe alle Dokumente gescannt.	
chat	chatten	Wie lange chattest du am Tag?	

b) **Wie heißen diese Wörter in Ihrer / einer anderen Sprache? Ergänzen Sie in der Tabelle in a).**

c) **Ergänzen Sie die Minidialoge mit den Verben aus a).**

1 Wie oft siehst du eigentlich deinen Freund? *Chattet* ______ ihr oft?
Ich sehe ihn leider nur am Wochenende. Er ______ nicht gern, aber wir telefonieren oft.

2 Bea ______ den ganzen Tag Fotos von Essen auf Instagram.
Ja, das nervt! Ich ______ ihre Fotos nie.

3 Ich möchte ein Online-Video auf meinem Computer speichern. Kannst du mir helfen?
Kein Problem, ich kann das Video für dich ______.

4 Herr Waseda, haben Sie schon die Dokumente für die Konferenz morgen ______?
Ja, ich habe Ihnen gerade eine E-Mail mit den Dokumenten geschickt.

1.44

d) **Hören Sie und kontrollieren Sie.**

8 Unterwegs in Wien

1.45

a) **Was macht Chris beruflich? Hören Sie und kreuzen Sie an.**

Chris arbeitet als ... 1 ◯ Lehrer. 2 ◯ Reiseführer. 3 ◯ Programmierer.

b) **Chris und/oder die Touristen? Hören Sie noch einmal und kreuzen Sie an.**

1 Chris ⊗ die Touristen ⊗ ... machen Touren durch Wien mit dem E-Roller.
2 Chris ◯ die Touristen ◯ ... hat sein Handy immer dabei.
3 Chris ◯ die Touristen ◯ ... können die Tickets nur online kaufen.
4 Chris ◯ die Touristen ◯ ... sieht die Reservierungen auf dem Smartphone.
5 Chris ◯ die Touristen ◯ ... sehen die Route und den Treffpunkt auf der App.

Chris, 24

c) **Was sagt Chris? Schreiben Sie Nebensätze mit *dass*.**

1 Chris sagt, dass er und die Touristen die Touren durch Wien mit dem E-Roller machen.

9 Die WG-Party

a) **Wer fragt was? Sehen Sie sich das Bild an und ordnen Sie zu.**

1 ◯ Dürfen wir das WLAN-Passwort haben?
2 (d) Gibst du mir deine Handynummer?
3 ◯ Gibt es hier etwas zu Essen?
4 ◯ Soll ich die Schuhe ausziehen?
5 ◯ Macht ihr die Musik mal lauter?
6 ◯ Hast du eine neue Brille?
7 ◯ Möchtest du etwas trinken?
8 ◯ Habt ihr mein Handy gesehen?

a b c d e f g h

b) **Was haben die Personen gefragt? Schreiben Sie indirekte Fragen wie im Beispiel.**

1 Wir möchten wissen, ob wir das WLAN-Passwort haben dürfen.

2 Ich habe gefragt, ... / 3 Kannst du mir sagen, ... / 4 Ich weiß nicht, ...

10 *Wie bitte? Was hast du gesagt?*

1.06

a) **Videokaraoke. Sehen Sie sich das Video an und antworten Sie.**

b) **Welche Kommunikationsprobleme gibt es? Sehen Sie sich das Video noch einmal an und kreuzen Sie an.**

1 ◯ Ich habe kein Netz.
2 ◯ Es ist laut.
3 ◯ Mein Akku ist fast leer.
4 ◯ Tobi kann mich nicht sehen.
5 ◯ Ich kann Tobis Fotos nicht herunterladen.
6 ◯ Tobis WLAN ist schlecht.
7 ◯ Ich kann Tobi nicht hören.
8 ◯ Tobis Kamera funktioniert nicht.

11 Eine Nachricht von Bianca. **Lesen Sie die E-Mail auf S. 50 noch einmal. Lesen Sie dann die Nachricht und ergänzen Sie die Personalpronomen im Dativ.**

~~mir~~ • mir • dir • dir • euch • euch • uns

Hallo Aurore, tolle Fotos! Die Wohnung gefällt *mir* [1] sehr. Ich helfe ______ [2] gern. Passt ______ [3] Samstag ab 10:00 Uhr? Schickst du ______ [4] noch die Adresse? Schön, dass ______ [5] die Bücher gefallen. Ich leihe ______ [6] gern noch mehr. Wollen wir Samstag frühstücken? Ich kann ______ [7] frischen Kaffee mitbringen. Endlich lerne ich Dario kennen. Bis bald, Bianca

12 Selbsttest

a) **Lesen Sie die Sätze und ergänzen Sie die Pronomen *mir* oder *dir*.**

1 Wie geht's *dir* ?
2 Kann ich ________ helfen?
3 Die Fahrkarte gehört ________ .
4 Mein Laptop gefällt ________ .
5 Passt es ________ am Samstag?

a Hast du am Samstag Zeit?
b Ich mag meinen Computer.
c Was kann ich für dich tun?
d Alles gut bei dir?
e Das ist mein Zugticket.

b) **Was passt zusammen? Verbinden Sie.**

13 Medien im Alltag

a) **Welche Medien benutzt Thomas täglich und wozu? Ordnen Sie die Bilder den Aktivitäten zu.**

1 ◯ Podcasts hören
2 ◯ lernen
3 (*a*) Nachrichten lesen
4 ◯ chatten
5 ◯ recherchieren
6 ◯ fernsehen

a

7:00–7:30 Uhr, das Tablet

b

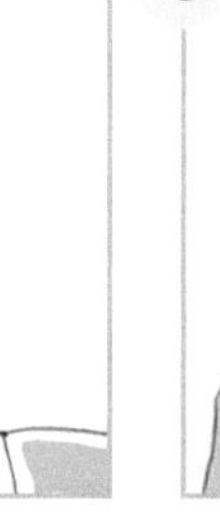
8:00–12:00 Uhr, die Bücher

c
12:15–13:00 Uhr, das Handy

d

14:30–16:00 Uhr, den Laptop

e

18:00–18:30 Uhr, die Kopfhörer

f

21:00–23:00 Uhr, den Fernseher

b) **Was, wann und wozu? Beschreiben Sie den Tagesablauf von Thomas wie im Beispiel.**

a) Von 7:00 bis 7:30 Uhr benutzt Thomas sein Tablet zum Nachrichten lesen. ....

14 Wie oft? Wie lange in 30 Minuten? **Machen Sie das Experiment und berichten Sie. Die Redemittel helfen.**

auf die Uhr sehen
ein Foto liken
telefonieren
chatten

Was haben Sie mit Ihrem Smartphone gemacht?

fotografieren
E-Mails checken
im Internet recherchieren
... ________

Ich habe zwei Mal auf die Uhr gesehen ... .

Fit für Einheit 5?

1 Mit Sprache handeln

über Handys und Medien sprechen

Podcasts liegen voll im Trend. Vielen gefällt das Angebot.
Ich mache mit meinem Handy Online-Banking. Ich nutze es zum Überweisen.
Viele Menschen schicken lieber Sprachnachrichten als Textnachrichten.
Ich poste Fotos und chatte mit meinen Freunden.
Hast du das WLAN-Passwort?

eine Grafik kommentieren

30 Minuten am Tag Videospiele spielen ist wenig.
Ich spiele immer ...
211 Minuten am Tag sehen die Deutschen fern.
Ich finde, das ist sehr viel.
Das stimmt. Ich sehe nie fern, aber ich sehe oft Online-Videos.

die eigene Meinung sagen

Mein Freund ist immer online. Das ist nicht gesund.
Warum? Ich finde das ganz normal.
Ich checke alle 20 Minuten mein Handy. Ich finde das wichtig.
Das Smartphone ist wichtig. Keine Frage!

2 Wörter, Wendungen und Strukturen

Medienwörter

der Monitor, das Ladekabel, die Steckdose, der Akku
das Handy aufladen, eine App installieren, ein Video downloaden/herunterladen

indirekt nachfragen

Hast du Netz?
Ich möchte wissen, ob du Netz hast.
Darf man im Unterricht telefonieren?
Kannst du mir sagen, ob man im Unterricht telefonieren darf?

Nominalisierungen mit *zum*

Wozu benutzt du dein Handy?
Ich benutze mein Handy zum Telefonieren und zum Chatten.
Wozu nutzt du deinen Laptop?
Zum Arbeiten und zum Recherchieren.

Personalpronomen im Dativ

Bianca soll Aurore helfen.
Bianca soll ihr helfen.
Sie hat Aurore und Dario Bücher geliehen.
Sie hat ihnen Bücher geliehen.
Geht ihr mit uns ins Kino?
Ja, mit euch gehen wir am liebsten.
Gibst du mir bitte den Kopfhörer?
Hier, bitte.
Ich danke dir.

3 Aussprache

englische Wörter auf Deutsch: liken – posten – downloaden – scannen – chatten – die App – Social Media

Interaktive Übungen

1 Autogrammjagd

a) **Wer ist zuerst fertig? Fragen Sie und sammeln Sie Unterschriften.**

	Unterschrift
1 Interessierst du dich für Fußball?	
2 Warst du schon einmal auf einem Klassentreffen?	
3 Hast du dich gestern mit Freunden getroffen?	
4 Ärgerst du dich manchmal über deine Nachbarn?	
5 Machst du oft Sport? Bewegst du dich viel?	
6 Fährst du mit dem Bus zum Unterricht?	

b) **Berichten und vergleichen Sie.**

Piotr interessiert sich für Fußball.

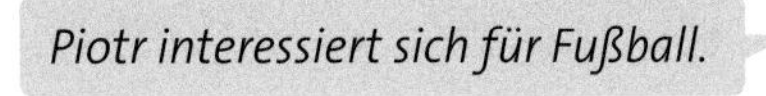

Maria auch!

---

2 Wörterkette. **Wie viele Wörter schaffen Sie in 60 Sekunden? Schreiben Sie jedes Wort nur einmal.**

Beispiel langweilig Gemüse Enkel lesen neu Universität teuer ...

---

3 *Den Laptop nutze ich manchmal*

a) **Sehr oft, manchmal, nie. Welche Medien nutzen Sie wie oft? Ordnen Sie fünf Medien zu.**

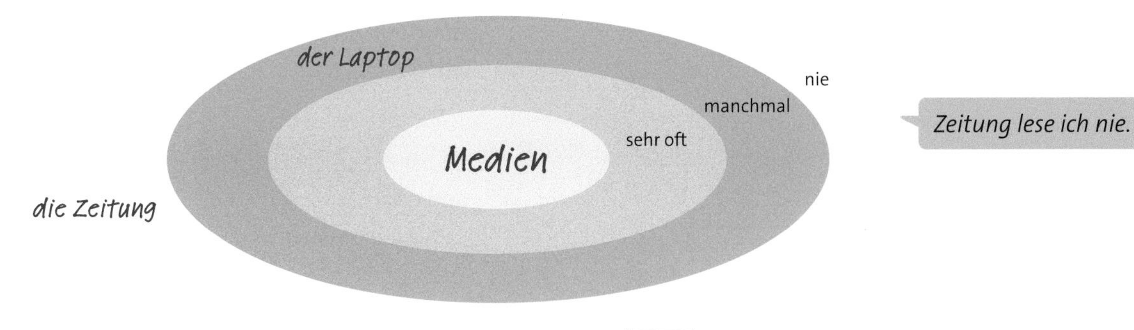

b) ***Wozu ...? Zum ...?* Vergleichen Sie. Machen Sie eine Hitliste ODER eine Wortwolke.**

Das Smartphone nutze ich zum Fotografieren, und du?

Ja, ich auch, und zum ...

---

4 Aussagen wiederholen und kommentieren. **Arbeiten Sie mit einem Partner / einer Partnerin.**

Aussage	**wiederholen**	**kommentieren**
Ärzte sagen, Sport macht fit.	*Soso, Ärzte sagen, dass Sport fit macht.*	*Ich finde auch/nicht, dass Sport fit macht.*
	Aha, der Arzt sagt, dass ...	*Ich denke auch/nicht, dass ...*

5 Fragen am Bahnhof und im Zug

a) **Sprechen Sie schnell.**

Können Sie mir bitte sagen, Wissen Sie vielleicht, Darf ich Sie fragen,	ob	man hier telefonieren darf? am Bahnhof ein Geldautomat ist? der Zug in Darmstadt hält? man hier Fotos machen darf? hier das Rauchen erlaubt ist? man hier mit Kreditkarte zahlen kann? es einen Zug von Hamburg nach Büsum gibt?

b) **Formulieren Sie drei Fragen aus a) direkt. Ihr Partner / Ihre Partnerin wählt eine passende Antwort.**

6 *Hast du ...?*

a) **Kombinieren Sie Nomen und Adjektive.**

alt • neu • elegant • blau

der Zug • das Sofa • die Wohnung • die Freunde

1. ein blauer Zug 2. eine neue ...

b) **Fragen Sie Ihren Partner / Ihre Partnerin.**

Hast du einen alten Zug?

Nein, hast du eine neue Wohnung?

Ja! Und hast du ...?

7 Na logo!

a) **Ordnen Sie die Sätze zu.**

1. Es regnet.
2. Ich finde die Wohnung schön.
3. Dimitris ruft den Makler an.
4. Karol möchte ein Selfie mit Insa machen.
5. Ich bin zu oft und zu lange am Handy.
6. Katta und Tobi treffen sich alle fünf Jahre.

a Er ist Insas Freund.
b Ich mache jetzt mal einen Tag Pause.
c Sie hat einen Balkon.
d Ich nehme einen Regenschirm mit.
e Er sucht eine neue Wohnung.
f Sie haben zusammen Abi gemacht.

b) **Markieren Sie die Ursachen wie in a). Formulieren Sie *weil*-Sätze.**

Dimitris ruft den Makler an, weil ...

8 Lustige Kursevaluation

a) **Wie sind Personen oder Sachen? Notieren Sie sieben Adjektive.**

1. laut 2. süß 3. ...

b) **Ergänzen Sie die Adjektive im Text. Achten Sie auf die Endung und lesen Sie Ihren Text laut vor.**

Wir haben einen __________ [1] A2-Kurs. Die Kursteilnehmerinnen und Kursteilnehmer sind __________ [2] und haben viel Spaß. Wir lesen __________ [3] Magazinartikel und machen __________ [4] Übungen. Unser/e Lehrer/in ist manchmal __________ [5], aber ganz oft __________ [6]. Ich mag meinen __________ [7] Kurs sehr ☺.

Hier wohnen wir. Willkommen zu Hause!

1 Das Hochhaus. Beschreiben Sie das Bild und die Stimmung.

2 Wir wohnen hier!

a) Orte in und vor dem Haus. Lesen Sie die Porträts und machen Sie ein Wörternetz. Welche Wörter kennen Sie noch? Vergleichen Sie.

b) Alter, Beruf, Familie, Lieblingsort? Stellen Sie eine Person vor.

c) Was bedeutet das Wort *Zuhause* für die Person? Lesen Sie und vergleichen Sie.

Zuhause

Iwan
24 Jahre
Bachelor-Student
10. Etage

Zuhause ist für mich die Wohnung von meinen Eltern in St. Petersburg. Dort gibt es immer etwas Leckeres und meine Geschwister sind da. Zuhause ist für mich auch ein Gefühl.
Ich bin seit drei Jahren in Deutschland und studiere hier. Die Wohnung ist praktisch und günstig, aber sie ist nicht mein Zuhause. Hier wohne ich in einer WG, wir wohnen zu dritt. Meine Mitbewohner sind sehr nett. Die anderen Nachbarn kenne ich nicht, aber das ist auch o.k. so.
Am liebsten mag ich unseren Balkon. Wir haben einen tollen Ausblick auf die Stadt. Hier oben kann man in Ruhe lesen, Kaffee trinken oder mit den Mitbewohnern reden.

Sven
46 Jahre
Mechatroniker
4. Etage

Meine Familie ist mein Zuhause, also meine Frau Katja und unser Sohn Timo. Und natürlich auch diese Wohnung, das Haus, der Garten und die Nachbarn.
Ich glaube, mein Lieblingsort ist die Bank im Garten. Dort trifft man die Nachbarn oder kann abends ein Buch lesen oder ein Bier trinken. Manchmal grillen wir alle zusammen im Garten. Das finde ich schön! Hier leben viele Menschen und man ist nie allein.

Margot
73 Jahre
Rentnerin
1. Etage

Zuhause bedeutet für mich Ruhe. Am liebsten bin ich in meiner Küche. Ich trinke einen Kaffee oder Tee und schaue aus dem Fenster. In meiner Küche ist es immer warm und gemütlich. Ich habe einen Stuhl direkt am Fenster. So kann ich die Kinder und Nachbarn im Garten sehen und hören.
Ich fühle mich nicht alleine. Das ist schön. Andere Menschen sind für mich auch ein Zuhause. Ich lebe allein und bin glücklich, dass ich so gute Nachbarn habe. Ich wohne schon sehr lange hier und kenne fast alle.

3 *Willkommen zu Haus*

a) Welche Personen leben in dem Haus?
Sehen Sie sich das Musikvideo an und sammeln Sie.

b) *Ein Ort für ...* Lesen Sie das Gedicht, schreiben Sie weiter und vergleichen Sie.

Das kann man mit Porträts und Videos machen

- eigene Porträts schreiben
- die Stimmung im Video beschreiben
- eine Foto-Collage zum Thema erstellen
- ein Video machen und präsentieren

1 Eine lange Geschichte

1.07

a) **Endlich findet Nico seine Tante Yara. Sehen Sie sich das Video an, ergänzen Sie weitere Informationen und berichten Sie.**

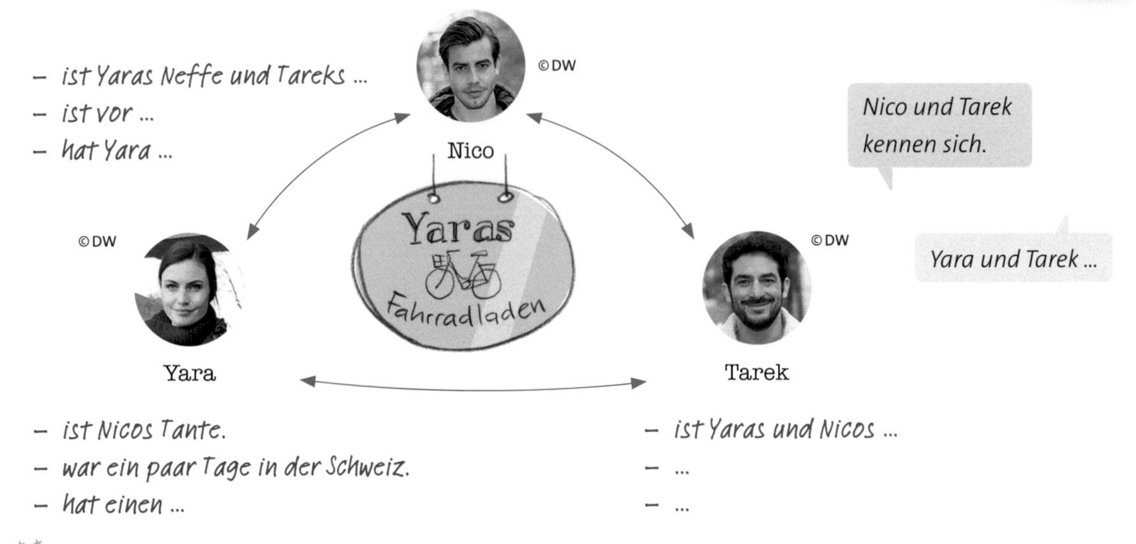

b) ***Das verstehe ich.*** **Was meint Tarek? Sehen Sie sich die Szene im Restaurant noch einmal an und kommentieren Sie.**

Yara und Tarek im Restaurant „Das Marek“

Ich glaube Tarek meint, dass ...

Vielleicht denkt er, ...

Das kann (nicht) sein, weil ...

c) ***Auf keinen Fall!*** **Was möchte Nico (nicht)? Lesen Sie die Aussagen und kommentieren Sie wie im Beispiel.**

Nico will auf keinen Fall zurück nach Spanien.

Das stimmt. Nico möchte auf jeden Fall in Deutschland bleiben.

d) **Lesen Sie die Angebote und sehen Sie sich die letzte Szene noch einmal an. In welchem Hotel übernachtet der Mann? Kreuzen Sie an und berichten Sie.**

e) **Wer ist der Mann im Hotel? Sammeln Sie Ideen.**

2 Zimmer frei

a) **Probleme in der Wohngemeinschaft. Lesen Sie den WG-Plan und berichten Sie wie im Beispiel.**

Lisa hat das Bad noch nicht ...

Sebastian muss die Blumen noch ...

Nina hat die Flaschen schon weggebracht.

WG-Plan	2.–9. November
Nina:	Küche putzen ✓
	Flaschen wegbringen ✓
Sebastian:	Wohnzimmer aufräumen
	Blumen gießen
Lisa:	Bad putzen
	Müll rausbringen

b) **Nie, manchmal oder immer? Berichten Sie über Ihre Aufgaben. Die Angaben helfen.**

1.08

c) **Lisa hat eine Idee. Welche? Sehen Sie sich das Video an, kreuzen Sie an und vergleichen Sie.**

1 ◯ Wir gehen alle ins Marek und feiern dort.

2 ◯ Nico kann bei uns einziehen.

3 ◯ Nico braucht Geld. Er kann für uns putzen.

4 ◯ Wir räumen jetzt alle zusammen auf.

In der WG in der Wagnergasse

d) **Was meint Nina? Ordnen Sie passende Bedeutungen zu und vergleichen Sie.**

1 ◯ Schön, dich zu sehen!

2 ◯ Sagt mal, ist das euer Ernst?

3 ◯ Oh, also in einem Monat.

4 ◯ Das schaffen wir schon selber.

e) **Nina spricht sehr schnell. Sprechen Sie die Sätze 1–4 aus d) zuerst langsam, dann immer schneller.**

f) ***Das feiern wir im Marek!*** **Sehen Sie sich die Szene im Marek noch einmal an. Welche Wendungen hören Sie? Kreuzen Sie an.**

◯ *Herzlichen Glückwunsch, Nico!*

◯ *Auf Nicos neue Wohnung!*

◯ *Alles Gute, Nico!*

◯ *Ich gratuliere dir!*

◯ *Das ist ja eine tolle Nachricht!*

◯ *Zum Wohl!*

g) ***Das ist ja toll!*** **Lesen Sie die Situationen laut vor. Ihre Partnerin / Ihr Partner reagiert mit passenden Wendungen aus f).**

h) **Der Mann aus dem Hotel. Wer ist er? Was will er? Warum ist er so genervt? Sehen Sie sich die Szene im Marek noch einmal an, notieren Sie und berichten Sie.**

Das ist ...

Pepe Gonzales, ...

....

....

3 Viel zu tun

a) Nico hat bis jetzt bei Inge gewohnt. Morgen zieht er in die Wagnergasse um und Inge ist wieder allein. Sie langweilt sich oft. Was kann sie tun? Machen Sie Inge Vorschläge.

Ich sitze den ganzen Tag nur zuhause ...

Gehen Sie doch mal ins Kino.

Machen Sie doch mal ...

1.09

b) Max macht auch einen Vorschlag. Sehen Sie sich die Szene im Marek an und berichten Sie.

c) Welches Angebot haben die drei gebucht? Lesen Sie die Angebote, sehen Sie sich die Szene im Marek noch einmal an und berichten Sie.

d) Ein Tag in Bingen am Rhein. Was kann man dort machen? Recherchieren Sie Aktivitäten, Sehenswürdigkeiten, Preise und Fotos. Präsentieren Sie Ihren Plan.

e) Sebastian hilft Nico beim Umzug. Was haben die beiden heute schon gemacht? Sehen Sie sich die Bilder an und berichten Sie.

Sebastian und Nico haben ein großes Auto ....

f) Inge hat Stress. Welche Wendungen benutzt Sie? Sehen Sie sich die zweite Szene an und kreuzen Sie an.

1 ◯ Ich habe nur ganz wenig Zeit.
2 ◯ Ich möchte nicht lange stören.
3 ◯ Ich muss gleich wieder los.
4 ◯ Ich will euch nicht von der Arbeit abhalten.
5 ◯ Ich habe auch überhaupt keine Zeit.
6 ◯ Ich muss auch schon weiter.

g) Lesen Sie die Aussagen 1–6 aus f). Immer zwei Aussagen sind ähnlich. Verbinden Sie.

„Ich habe nur ganz wenig Zeit" ist so ähnlich wie ...

h) Ein paar Kleinigkeiten. Was hat Inge Nico mitgebracht? Wozu braucht er das? Berichten Sie und kommentieren Sie wie im Beispiel.

Inge hat Nico/ihm eine Tasse mitgebracht.

Die Tasse braucht er zum Kaffeetrinken.

Die Serie „Nicos Weg" in voller Länge mit interaktiven Übungen und zahlreichen weiteren Materialien gibt es kostenlos bei der Deutschen Welle: **dw.com/nico**

Goethe-Zertifikat A2: Lesen

Der Prüfungsteil Lesen hat vier Teile mit 20 Aufgaben. Sie lesen einen Artikel aus einer Zeitung, eine Informationstafel in einem Kaufhaus, eine E-Mail und Anzeigen aus dem Internet. In den Teilen 1–3 müssen Sie jedes Mal a, b oder c ankreuzen.
In Teil 4 müssen Sie eine Anzeige einer Aufgabe zuordnen. Für jede Aufgabe gibt es nur eine richtige Lösung. Sie haben 30 Minuten Zeit. Wörterbücher und Mobiltelefone sind nicht erlaubt.

Lesen Teil 1: **Sie lesen in einer Zeitung diesen Text. Wählen Sie für die Aufgabe die richtige Lösung a, b oder c.**

Helene Fischer - der Pop-Star privat

Die 1984 in Krasnojarsk in Sibirien geborene deutsche Pop-Sängerin steht gern auf der Bühne und singt für ihre Fans. Aber privat ist sie ein ganz normaler Mensch. Sie joggt gern und liebt Schokolade. Glücklich ist sie, wenn sie Zeit mit ihrer Familie und ihrem Freund verbringen kann. Ihre Fans fragen sich, ob sie bald heiratet.

1 Helene Fischer… a ist glücklich. b will bald heiraten. c läuft gern.

Lesen Teil 2: **Sie lesen die Informationstafel in einem Einkaufszentrum. Lesen Sie die Aufgaben und den Text. In welchen Stock gehen Sie? Wählen Sie die richtige Lösung a, b oder c.**

Einkaufszentrum Neckar

4. Stock	CDs & DVDs, Computer, Notebooks & Tablets, Smartphones, Restaurant, Toiletten
3. Stock	Alles für die Küche, Sportmode für Damen und Herren, Taschen & Koffer
2. Stock	Damenmode, Herrenmode, Schuhe, Bücher, Bettwäsche

6 Sie möchten ein Handy kaufen. a 2. Stock b 3. Stock c anderer Stock

Lesen Teil 3: **Sie lesen eine E-Mail. Wählen Sie für die Aufgabe die richtige Lösung a, b oder c.**

Liebe Bianca,
ich habe schon lange nichts mehr von dir gehört. Rüdiger hat mir gesagt, dass du eine neue Stelle in Münster hast. Herzlichen Glückwunsch! Du weißt ja, dass unser 10-jähriges Klassentreffen in zwei Wochen stattfindet. Ich habe mich schon angemeldet und hoffe, du kommst auch.
Viele Grüße von Daniela

11 Daniela möchte wissen, ob …
a das Klassentreffen in zwei Wochen stattfindet.
b Bianca eine neue Stelle hat.
c Bianca zum Klassentreffen kommt.

Lesen Teil 4: **Sechs Personen suchen im Internet nach Urlaubsmöglichkeiten. Lesen Sie die Aufgaben und die Anzeigen a bis f. Welche Anzeige passt zu welcher Person? Für eine Aufgabe gibt es keine Lösung. Markieren Sie so: X.**

16 Martina möchte in den Sommerferien eine Radreise machen. ☐
17 Klaus möchte sein neues Rad in den Urlaub mitnehmen und eine Fahrradkarte buchen. X

a

www.radsport.example.de
*Sie wollen mit dem **Rad Urlaub** machen? Bei uns sind Sie richtig. Wie bieten Rad-Reisen zu den schönsten Zielen in Deutschland. Viel Spaß!*

b

www.fahrräder.example.de
Sie suchen ein neues **Rad**? Wir haben, was Sie brauchen: Räder für jeden Tag, **Reiseräder** oder **E-Bikes**. Wir beraten Sie gern.

Tipps zum Prüfungsteil Lesen auf einen Blick

HIER LERNEN SIE:
- berufliche Veränderungen beschreiben
- Vor- und Nachteile nennen, zustimmen oder ablehnen
- einen Lebenslauf lesen und schreiben
- telefonieren, formelle E-Mails schreiben

Alles neu, alles anders?!

Computer und Internet verändern die Arbeitswelt

Mit der Digitalisierung entstehen viele neue Berufe, andere verändern sich. So z. B. der kreative Beruf von Paula Wessely (42), Hochzeitsfotografin. Früher hat sie Fotos von Hochzeiten gemacht und im Labor entwickelt. „Heute sind Fotos out. Die Paare möchten lieber ein Hochzeitsvideo", erzählt sie. Sie filmt die Hochzeit von der Trauung am Vormittag bis zur Party am Abend. Dann schneidet und vertont sie das ganze Video zu Hause am Computer. „Das ist kein 8-Stunden-Job und ohne Computer geht es nicht", sagt sie. Seit der Ausbildung zur Fotografin muss sie sich immer wieder in die aktuelle Technik einarbeiten. „Ich filme jetzt auch mit der Drohne. Bilder von oben sind bei den Hochzeitspaaren absolut in", fasst sie die letzten beruflichen Veränderungen zusammen. Sie arbeitet viel im Homeoffice. „Das ist ein Vorteil, aber mir fehlen die lieben Kolleginnen und Kollegen. Ich sehe sie oft nur in der Videokonferenz, nicht beim Kaffee. Das ist schade", findet Paula. Die neue Arbeitssituation liegt aber voll im Trend: Immer mehr Menschen arbeiten digital und mobil von zuhause oder unterwegs. Der genaue Arbeitsort ist heute oft egal, man braucht nur einen Laptop und Internet. Nicht egal ist die Arbeitszeit. „Man muss aufpassen, dass sich Arbeit und Freizeit nicht dauernd mischen", meint Paula. „Ab und zu muss ich abschalten. Nach der Ruhe mag ich auch den stressigen Job wieder!"

Paula Wessely, Hochzeitsfotografin

1 So will ich arbeiten!

a) Lesen Sie und ergänzen Sie die Sketchnote.

b) Markieren Sie in der Sketchnote und kommentieren Sie.

Ich möchte mit ... arbeiten.

Für mich sind feste Arbeitszeiten wichtig.

2 Berufliche Veränderungen

a) Beschreiben Sie die Fotos.

b) Lesen Sie den Magazinartikel. Ordnen Sie den Fotos Textstellen zu und formulieren Sie eine Bildunterschrift.

c) Sammeln Sie Aufgaben, Arbeitsorte und Arbeitszeiten von Paula Wessely. Kommentieren Sie.

Bei Paula Wessely hat sich (nicht) viel verändert.

Früher hat sie ..., heute arbeitet sie ...

Veränderungen sind doch normal.

3 Zwei Berufe im Interview

2.02 a) Hören Sie den Podcast. Notieren Sie die Veränderungen und vergleichen Sie.

Timur unterrichtet ...

Samira füllt die Patientendokumentationen am Computer aus. Früher hat sie ...

b) Vor- und Nachteile nennen. Welche Redemittel hören Sie im Podcast? Markieren und vergleichen Sie.

c) Welche Vor- und Nachteile hat die Digitalisierung für Samira und Timur? Sammeln und kommentieren Sie. Die Redemittel aus b) helfen.

Es ist ein Nachteil, dass alle lange vor dem Computer sitzen.

Ich finde auch, dass die elektronische Dokumentation ein Vorteil ist.

1 Schule, Ausbildung, Arbeit, ...

Haben Sie schon einmal einen Lebenslauf geschrieben? Welche Informationen waren wichtig? Berichten Sie. **ODER** Lesen Sie den Lexikoneintrag. Welche Informationen erwarten Sie im Lebenslauf? Sammeln und vergleichen Sie.

2 Fragen und Antworten zum Lebenslauf

a) Lesen Sie den Lebenslauf von Felix Hochberger und notieren Sie Informationen zu den Fragen A. Ihr Partner / Ihre Partnerin notiert Informationen zu den Fragen B.

b) Fragen und antworten Sie im Wechsel. Wo finden Sie die Informationen?

Von August 2012 bis Juli 2015 hat er ... Das steht unter Ausbildung und Studium.

Lebenslauf

Felix Hochberger

Anschrift	Elisabeth-von-Thadden-Str. 32, 51373 Leverkusen
E-Mail	felix.hochberger@example.com
Mobil	0162 / 2090503
Geburtsdatum/-ort	29.12.1994 in Köln

Berufserfahrung und Praktika

Seit 05/2020	Gartenbauingenieur bei der Firma Gartenbau Schöller, Leverkusen • Einkauf von Pflanzen, Planung von Pflanzterminen, Mitarbeit bei der Kostenkalkulation und -kontrolle
03/2019 – 08/2019	Praktikum bei der Firma Hardy Plants in Banbury, Großbritannien
08/2015 – 07/2016	Gärtner in der Gärtnerei Landsiedel, Erfurt • Pflanzen pflegen, Kund*innen beraten

Ausbildung und Studium

09/2016 – 03/2020	Gartenbau (Bachelor of Science, B.Sc.) Fachhochschule (FH) Erfurt, Abschlussnote: 1,9
08/2012 – 07/2015	Ausbildung zum Gärtner bei der Firma Gartenbau Schulte, Köln

Schulausbildung

06/2012	Schiller Gymnasium, Köln Allgemeine Hochschulreife/Abitur, Note: 2,6

Sprachen & EDV-Kenntnisse

Deutsch	Muttersprache
Englisch	C1
Französisch	B1
Microsoft Office	Microsoft-Zertifikat in Word, Excel und PowerPoint

Hobbys

Marathon laufen, Musik machen, mein Hund

Checkliste Lebenslauf

- ○ Klare Überschriften
- ○ Persönliche Angaben (Name, Anschrift, Geburtsdatum und -ort)
- ○ Angaben zur Schulbildung (oft nur letzter Abschluss)
- ○ Angaben zum Studium oder zur Ausbildung (was, wo, wie lange?)
- ○ Angaben zu Berufserfahrungen und Praktika
- ○ Angaben zu Sprachen und besonderen Kenntnissen
- ○ Hobbys/Interessen
- ○ Ort, Datum, Unterschrift
- ○ In Deutschland oft ein professionelles (!) Foto

c) Checkliste Lebenslauf. Vergleichen Sie mit Felix Hochbergers Lebenslauf. Was fehlt? Kreuzen Sie an.

3 *Bei der Firma, zur Party, ...*

28.1

a) Lesen Sie den Merksatz und markieren Sie die Präpositionen auf den S. 66 und 68. Sprechen Sie den Merksatz halblaut nach.

Von aus, bei, mit nach von, seit, zu kommst immer mit dem Dativ du.

Minimemo

zum:	zu + dem
zur:	zu + der
beim:	bei + dem
vom:	von + dem

b) Eine Eselsbrücke. Welche hilft Ihnen? **ODER** Zeichnen Sie eine eigene und vergleichen Sie.

4 Vom Gärtner zum Gartenbauingenieur

2.03

a) Was mag Felix Hochberger im Beruf? Was findet er wichtig? Hören Sie das Interview. Kreuzen Sie an und vergleichen Sie.

- ◯ die Sicherheit
- ◯ das lange Studium
- ◯ die gute Arbeitsatmosphäre
- ◯ den festen Arbeitsablauf
- ◯ die Arbeit im Büro
- ◯ das Geld
- ◯ die flexible Arbeitszeit
- ◯ die Arbeit draußen
- ◯ die netten Kolleg*innen
- ◯ den frühen Arbeitsbeginn
- ◯ den täglichen Kundenkontakt
- ◯ die feste Arbeitszeit
- ◯ die wissenschaftliche Perspektive
- ◯ das kurze Praktikum

b) Und Sie? Was ist für Sie (auch/noch) wichtig? Ergänzen Sie Ihre Sketchnote auf den Seiten 66–67. Die Angaben in a) helfen.

Ich arbeite von 7:00 bis 15:30.
Ich mag die feste Arbeitszeit, weil ...

5 *Den ewigen Stress, ...*

a) Hören Sie, lesen Sie mit und sprechen Sie nach.

11.2

b) Sammeln Sie Adjektive mit bestimmtem Artikel im Nominativ und Akkusativ auf den S. 66–69. Machen Sie eine Tabelle und vergleichen Sie. Was ist anders? Ergänzen Sie die Regel.

Regel: ______________________________

c) Schreiben Sie zwei Sätze wie in a). Lesen Sie vor, die anderen sprechen nach.

6 *Die Ausbildung, die Erfahrung, ...*

a) Nomen mit *-ung* knacken. Lesen Sie den Lerntipp und notieren Sie die Verben.

die Begrüßung – ____________ die Bewegung – ____________ die Wiederholung – ____________

13.3

b) Sammeln Sie Beispiele in der Einheit und ergänzen Sie die Regel.

Regel: Nomen mit *-ung*, Artikel immer ____________.

Lerntipp
In Nomen mit *-ung* ist oft ein Verb.

c) Hören Sie und lesen Sie mit. Achten Sie auf die Konsonanten *ng*.

1 Mit der Digitalisierung entstehen viele Veränderungen im Beruf.
2 Ich habe eine Ausbildung gemacht und Erfahrung gesammelt.

d) Hören Sie noch einmal und ergänzen Sie die Regel.

Regel: Bei den Endungen *-ung* im Singular und *-ungen* im Plural klingt *ng* wie

◯ ein Laut. ◯ zwei Laute.

7 Mein CV

a) Schule, Ausbildung, Studium, Arbeit? Was haben Sie wann gemacht? Sammeln Sie Informationen und schreiben Sie Ihren Lebenslauf.

b) Stellen Sie Ihrem Partner / Ihrer Partnerin Fragen. Notieren und berichten Sie.

c) Was hat Sie (nicht) gewundert/überrascht? Kommentieren Sie.

Ich habe nicht gewusst, dass ... *Mich hat überrascht, dass ...* *Ich finde es spannend, dass ...*

Kommunikation am Arbeitsplatz

Telefonieren oder eine E-Mail schreiben. Was machen Sie lieber? Warum? Der Schüttelkasten hilft.

geht (nicht) schnell • man hat (keine) Zeit zum Formulieren • man kann Fragen (nicht) sofort klären • man muss (nicht) auf die Uhrzeit achten • ich fühle mich (nicht) sicher/wohl • ist (nicht) persönlich

Ich schreibe lieber E-Mails, weil ich ...

Beim Telefonieren fühle ich mich ...

Telefonieren ist super. Das geht schnell.

Beim Mailen muss man ...

2 Telefonieren trainieren

2.04

a) **Hören Sie das Telefongespräch und kreuzen Sie die richtigen Aussagen an.**

1 ◯ Felix Hochberger spricht mit Verena Strasser.
2 ◯ Frau Nolte möchte mit Frau Strasser sprechen.
3 ◯ Felix Hochberger ruft an, weil er Blumen bestellen möchte.
4 ◯ Er möchte keine Nachricht hinterlassen.
5 ◯ Er kann Frau Nolte heute um 14:00 Uhr oder morgen um 10:30 Uhr anrufen.
6 ◯ Felix Hochberger ruft Verena Strasser noch einmal an.

Verena Strasser am Telefon

b) **Verena Strasser macht eine Telefonnotiz. Hören Sie noch einmal und ergänzen Sie die Informationen.**

TELEFONNOTIZ		Von *V. Strasser* An
Anruf von		Mitteilung *möchte wissen, ob ...*
Datum *28.09.2021*	Zeit *11:20*	
Firma		
Telefon *0162 2090503*		
◯ ruft wieder an	◯ wünscht Rückruf	
◯ wünscht Termin	◯ Rückruf dringend	

c) **Fassen Sie die Informationen in b) zusammen und informieren Sie Frau Nolte.**

Frau Nolte, Herr ... hat ...

d) **Welche Redemittel benutzen Frau Strasser und Herr Hochberger am Telefon? Hören Sie noch einmal und markieren Sie.**

3 Am Telefon

Wechselspiel. Üben Sie. Partner*in A beginnt. Partner*in B antwortet. Partner*in A kontrolliert.

Kann ich Herrn Spitzer sprechen?

a) **Spielen Sie den Dialog. Schreiben Sie eine Telefonnotiz und informieren Sie Herrn Spitzer.**

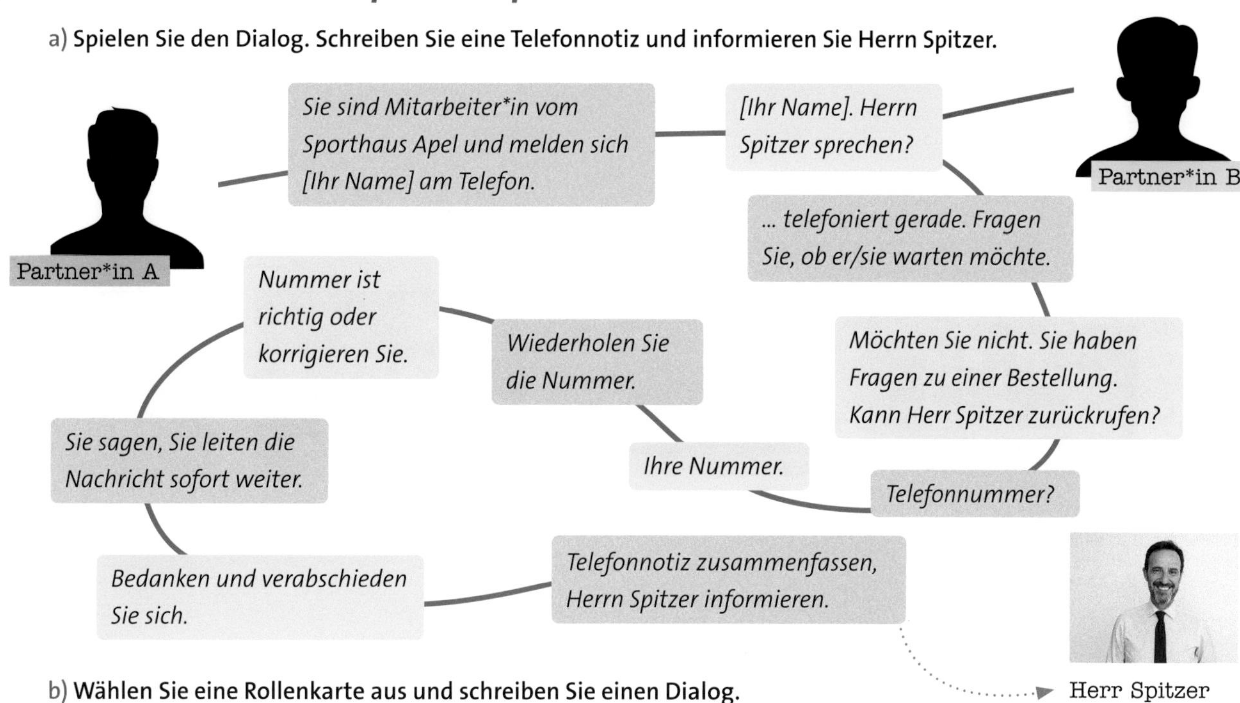

b) **Wählen Sie eine Rollenkarte aus und schreiben Sie einen Dialog.**

c) **Präsentieren Sie Ihren Dialog aus b). Die anderen schreiben die Telefonnotiz.**

Eine E-Mail an Herrn Nowotny

a) **Was steht wo? Lesen Sie die E-Mail, verbinden Sie wie im Beispiel und beantworten Sie die Fragen.**

1 der Empfänger: Wer bekommt die E-Mail?
2 der Absender: Wer hat die E-Mail geschrieben?
3 die Anrede
4 der Betreff: Was ist das Thema?
5 der Text: Was soll Herr Nowotny machen?
6 der Anhang: Die PDF-Datei
7 der Gruß
8 die Signatur: Woher kommt die E-Mail?

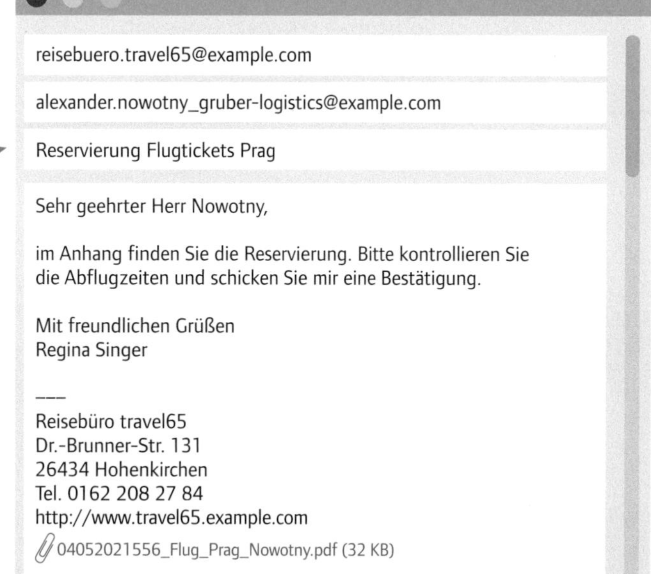

reisebuero.travel65@example.com
alexander.nowotny_gruber-logistics@example.com
Reservierung Flugtickets Prag

Sehr geehrter Herr Nowotny,

im Anhang finden Sie die Reservierung. Bitte kontrollieren Sie die Abflugzeiten und schicken Sie mir eine Bestätigung.

Mit freundlichen Grüßen
Regina Singer

Reisebüro travel65
Dr.-Brunner-Str. 131
26434 Hohenkirchen
Tel. 0162 208 27 84
http://www.travel65.example.com
04052021556_Flug_Prag_Nowotny.pdf (32 KB)

b) **Die Flugzeiten sind in Ordnung. Schreiben Sie eine E-Mail an Frau Singer vom Reisebüro travel65.**

Formell oder informell?

Sehr geehrte Damen und ..., weil ich niemanden kenne.

Auf Spanisch schreibt man ... Das ist sehr formell.

a) **Welche Anrede und welchen Gruß verwenden Sie in den Situationen? Ordnen Sie zu und begründen Sie.**

b) **Formelle Anreden und Grüße in anderen Sprachen. Sammeln und vergleichen Sie.**

c) **Wählen Sie eine Situation aus a) und schreiben Sie die E-Mail. ODER Schreiben und spielen Sie den Dialog am Telefon.**

1 Die Arbeit

a) **Lesen Sie und ergänzen Sie die Gegenteile.**

1 drinnen – ____________

2 fest – ____________

3 der Vorteil – ____________

4 ____________ – ablehnen

5 ____________ – zu Hause

6 ____________ – heute

b) **Sehen Sie sich die Fotos an. Vergleichen Sie mit der Sketchnote auf S. 66–67 und ergänzen Sie die Sätze.**

1 Ich möchte mit ____________.

2 In meinem Job ____________.

3 Am meisten ____________.

4 Am liebsten ____________.

2 *Alles neu, alles anders?!* Was ist richtig? Lesen Sie den Magazinartikel auf S. 66 noch einmal und kreuzen Sie an.

1 Mit der Digitalisierung ...
- a (X) entstehen viele neue Berufe.
- b ( ) findet man schwerer einen Job.
- c ( ) gibt es weniger Arbeitsplätze.

2 Paula Wessely ist Hochzeitsfotografin. Sie ...
- a ( ) geht auf Partys.
- b ( ) filmt Trauungen.
- c ( ) programmiert am Computer.

3 In ihrem Job hat sie ...
- a ( ) keinen Urlaub.
- b ( ) feste Arbeitszeiten.
- c ( ) flexible Arbeitszeiten.

4 Nach der Ausbildung muss man ...
- a ( ) nichts Neues mehr lernen.
- b ( ) sich in neue Technik einarbeiten.
- c ( ) ein Studium machen.

5 Im Homeoffice kann man ...
- a ( ) jeden Tag Kolleg*innen treffen.
- b ( ) immer unterwegs sein.
- c ( ) von zu Hause arbeiten.

6 Paula Wessely ist die Arbeitszeit ...
- a ( ) egal. Sie braucht keine Pausen.
- b ( ) nicht egal. Sie muss auch abschalten.
- c ( ) sehr wichtig. Sie möchte wenig arbeiten.

3 Arbeiten mit dem Computer

2.05

a) **Samira (S) oder Timur (T)? Lesen Sie die Sätze. Hören Sie noch einmal und ordnen Sie zu.**

1 (T) ist der Meinung, dass wir immer mehr digitale Medien nutzen.

2 ( ) meint, dass man mit dem Handy mehr übt.

3 ( ) findet, dass die Dokumentation mit dem Computer schneller geht.

4 ( ) sagt, dass man mit dem Computer Informationen gut austauschen kann.

5 ( ) findet, dass die digitalen Medien teuer sind.

6 ( ) meint, dass sie heute länger am Computer sitzt als früher.

b) **Wie verändert der Computer die Arbeitswelt? Ergänzen Sie.**

schneller • Internet • ~~Dokumentation~~ • austauschen • Handy • Vorteil • online • speichern

1 Der Computer verändert die *Dokumentation.*

2 Man kann alle Informationen ______ und ______.

3 Mit dem Computer geht alles viel ______ als früher.

4 Die elektronische Dokumentation ist ein ______.

5 Viele Übungen für den Unterricht sind heute ______. Sie sind immer da.

6 Die Schülerinnen und Schüler brauchen nur ein ______ und ______.

c) **Wie kann man zustimmen (+) oder ablehnen (-)?**

1 (+) Das finde ich auch.
2 ( ) Nein, das denke ich nicht.
3 ( ) Das sehe ich nicht so.
4 ( ) Das stimmt.
5 ( ) Das sehe ich auch so.
6 ( ) Das sehe ich ganz anders.
7 ( ) Genau, du hast recht.
8 ( ) Das ist nicht richtig.
9 ( ) Das finde ich nicht.

2.06

d) **Hören Sie die Sätze aus c) und sprechen Sie nach.**

4 Informationen im Lebenslauf. **Welche Überschrift steht nicht im Lebenslauf? Kreuzen Sie an.**

1 (X) Pläne für die Zukunft
2 ( ) Berufserfahrung und Praktika
3 ( ) Schulausbildung
4 ( ) Ausbildung und Studium
5 ( ) Sprachen
6 ( ) EDV-Kenntnisse
7 ( ) Musik und Sport
8 ( ) Hobbys
9 ( ) Familie und Freunde

5 Martins Traumjob

a) **Was ist richtig? Lesen Sie und kreuzen Sie an.**

Martin arbeitet jetzt bei Media-Print. ( ) **richtig** ( ) **falsch**

„Seit der Schulzeit träume ich von der Arbeit mit Medien. Ich interessiere mich sehr für Kommunikation und habe auch Medienmanagement studiert. Ich war vom Studium positiv überrascht. Jetzt habe ich mich bei den Medien-Agenturen in Köln beworben. Ich hoffe, dass ich eine Einladung von der Firma Media-Print bekomme. Mit dem Arbeitsplatz habe ich dann sehr gute Perspektiven."

Martin, 29

b) **Markieren Sie die Nomen mit Dativpräpositionen in Martins Aussage wie im Beispiel.**

c) **Ergänzen Sie wie im Beispiel.**

1 die Schulzeit: *seit der Schulzeit*
2 die Arbeit: ______
3 das Studium: ______
4 die Medien-Agenturen: ______
5 die Firma: ______
6 der Arbeitsplatz: ______

6 Selbsttest

a) **Ergänzen Sie die Artikel.**

Paula Wessely, Hochzeitsfotografin

Mit *der* [1] (die) Digitalisierung verändern sich die Berufe. Paula macht Fotos und Videos von ______ [2] (die, Pl.) Paaren und bei ______ [3] (die, Pl.) Partys. Nach ______ [4] (die) Feier arbeitet sie mit ______ [5] (der) Computer und sucht aus ______ [6] (die, Pl.) Fotos die schönsten aus. Paula arbeitet gern im Homeoffice, aber sie möchte gern mit ______ [7] (die, Pl.) Kolleginnen und Kollegen Kaffee trinken.

b) **Ergänzen Sie die Dativpräpositionen.**

~~von~~ • von • zur • zur • mit • beim • seit • bei

Früher hat Paula Wessely Fotos *von* [1] Hochzeiten gemacht. Sie filmt die Hochzeit ______ [2] der Trauung am Vormittag bis ______ [3] Party am Abend. ______ [4] der Ausbildung ______ [5] Fotografin muss sie sich immer wieder in die aktuelle Technik einarbeiten. „Ich filme jetzt auch ______ [6] der Drohne. Bilder von oben sind ______ [7] den Hochzeitspaaren absolut in. Ich sehe die Kolleg*innen oft nur in der Videokonferenz, nicht ______ [8] Kaffeetrinken. Das ist schade", findet Paula.

c) **Vergleichen Sie Ihre Angaben in b) mit dem Magazinartikel auf S. 66.**

7 Checkliste zum Lebenslauf. **Was gehört zusammen? Verbinden Sie. Der Lebenslauf auf S. 68 hilft.**

Überschrift	Inhalt	Checkliste
1 Felix Hochberger	**a** 09/2016 – 03/2020 Gartenbau (Bachelor of Science, B.Sc.) Fachhochschule (FH) Erfurt ...	**A** Angaben zur Schulbildung
2 Berufserfahrung und Praktika	**b** Marathon laufen, Musik machen, mein Hund	**B** Persönliche Angaben
3 Ausbildung und Studium	**c** Anschrift: Elisabeth-von-Thadden-Str. 32, 51373 Leverkusen E-Mail: ...	**C** Hobbys/Interessen
4 Schulausbildung	**d** Deutsch Muttersprache Englisch C1 ... Microsoft Office Microsoft-Zertifikat in Word, Excel und ...	**D** Angaben zum Studium oder zur Ausbildung
5 Sprachen & EDV-Kenntnisse	**e** 06/2012 Schiller-Gymnasium, Köln Allgemeine Hochschulreife/Abitur ...	**E** Angaben zu Berufserfahrungen und Praktika
6 Hobbys	**f** Seit 05/2020 Gartenbauingenieur bei der Firma Gartenbau Schöller ...	**F** Angaben zu Sprachen und besonderen Kenntnissen

8 Wichtig im Beruf

a) **Verbinden Sie die Gegenteile.**

1 im Büro arbeiten	**a** flexible Arbeitszeiten
2 feste Arbeitszeiten	**b** später Arbeitsbeginn (die Spätschicht)
3 die Sicherheit	**c** im Homeoffice / draußen arbeiten
4 früher Arbeitsbeginn	**d** flexibler Arbeitsablauf
5 fester Arbeitsablauf	**e** die Unsicherheit

b) **Welches Verb passt nicht? Streichen Sie durch.**

1 ein Video	schneiden – vertonen – fotografieren
2 Geld	mitkommen – verdienen – bezahlen
3 flexible Arbeitszeiten	haben – wollen – sollen
4 nette Kolleg*innen	sitzen – treffen – haben

c) **Wortverbindungen aus b). Sammeln Sie in der Einheit.**

Sie schneidet und vertont das Video ...

9 *Ich mag den netten Chef*

a) **Welche Form ist richtig? Markieren Sie.**

1 Felix trifft den jung/jungen Kollegen.
2 Schalte bitte das laute/lauten Handy ab.
3 Carla beendet das langes/lange Studium.
4 Kannst du bitte die netten/nette Chefin anrufen?
5 Er findet die festen/feste Arbeitszeiten langweilig.

2.07

b) **Hören Sie die Sätze und ergänzen Sie die Adjektive im Akkusativ.**

kaputt • neu • flexibel • ewig

1 Ich mag den ______ Stress nicht.
2 Wir müssen das ______ Fenster reparieren.
3 Er findet die ______ Arbeitszeiten super.
4 Sie finden die ______ Büros in der dritten Etage.

10 Die Bewerbung für die Ausbildung. **Nomen mit *-ung* knacken. Ergänzen Sie.**

1 die Begrüßung – *begrüßen*
2 die Bewerbung – ______
3 die Wiederholung – ______
4 die Ausbildung – ______
5 die Entschuldigung – ______
6 die Wohnung – ______

11 *Telefonieren trainieren*

a) **Ordnen Sie den Dialog.**

a ◯ Danke. Ich rufe dann noch einmal an. Auf Wiederhören!
b ◯ Oh, das kann Ihnen nur Frau Nolte sagen. Möchten Sie eine Nachricht hinterlassen?
c ◯ Blumenhaus Book, Verena Strasser, guten Tag!
d ◯ Ich habe Blumen bestellt und möchte wissen, ob ich sie schon abholen kann.
e ◯ Tut mir leid, Frau Nolte ist in einem Termin. Kann ich Ihnen helfen?
f ◯ Nein, danke. Wann kann ich bitte mit Frau Nolte sprechen?
g (2) Guten Tag, hier ist Felix Hochberger von Gartenbau Schöller. Kann ich bitte mit Frau Nolte sprechen?
h ◯ Heute gegen 14:00 Uhr. Oder Sie versuchen es morgen um 10:30 Uhr noch einmal.

b) **Kontrollieren Sie mit dem Hörtext auf S. 270.**

12 Ein Videogespräch mit dem Kollegen

1.10

a) **Videokaraoke. Sehen Sie sich das Video an und antworten Sie.**

b) **Worum geht es? Sehen Sie sich das Video noch einmal an und kreuzen Sie an.**

1 Ihr Kollege und Sie sind	**a** ◯ im Homeoffice.	**b** ◯ im Büro.
2 Im Videotelefonat geht es um	**a** ◯ eine Bestellung.	**b** ◯ eine Bewerbung.
3 Herr Berger möchte	**a** ◯ die Bestellung ändern.	**b** ◯ den Liefertermin ändern.
4 Sie sollen	**a** ◯ Herrn Berger anrufen.	**b** ◯ Herrn Berger treffen.

13 Wie kann ich Ihnen helfen?

a) **Ergänzen Sie die Wendungen am Telefon.**

für Ihre Hilfe • guten Tag • zurückrufen • Können Sie mich • in einem Termin • eine Frage • kann ich Ihnen helfen

Visio-Designs, Andreas Petzold, ____________________!

Hallo, hier ist Hao Liu. Ich habe ____________________.

Wie ____________________?

____________________ mit Herrn Seitinger verbinden?

Leider ist Herr Seitinger gerade ____________________. Kann er Sie ____________________?

Ja bitte, das ist nett. Vielen Dank ____________________. Auf Wiederhören!

Sehr gern, auf Wiederhören!

2.08

b) **Hören Sie und kontrollieren Sie.**

14 Sie oder du? **Welche E-Mail ist formell und welche informell? Ergänzen Sie passende Anreden und Grüße.**

helga.stein@example.com

____________________,

am Sonntag feiere ich meinen Geburtstag zu Hause im Garten. Bist du dabei?

____

deine Oma

info_maier@example.de

____________________,

wir bestätigen Ihre Bestellung vom 17.03.2020.

Vielen Dank für Ihren Einkauf.

____

Maier GmbH

Fit für Einheit 6?

1 Mit Sprache handeln

berufliche Veränderungen beschreiben
Früher hat sie Fotos gemacht und im Labor entwickelt, heute macht sie Videos.
Seit der Ausbildung zur Fotografin muss sie sich immer wieder in die aktuelle Technik einarbeiten.
Bei mir hat sich beruflich (nicht) viel verändert.

Vor- und Nachteile nennen
Ich denke, dass ... ein Vorteil/Nachteil ist/sind.
Ich finde, ... ist/sind ein Vorteil/Nachteil, weil ...
Es ist ein Vorteil/Nachteil, dass ...
... hat/haben den Vorteil/Nachteil, dass ...

zustimmen
Das denke/finde ich auch.
Das sehe ich auch so.
Ja, du hast recht.

ablehnen
Nein, das denke/finde ich nicht.
Das sehe ich (ganz) anders.
Das sehe ich nicht so.

über neue Informationen sprechen
Ich habe nicht gewusst, dass ... / Mich hat überrascht, dass ... / Ich finde es spannend, dass ...

einen Lebenslauf lesen und schreiben
Berufserfahrung und Praktika
Seit ... Gartenbauingenieur bei der Firma ...

Telefonieren im Beruf
Müller GmbH, Sabine Otte, guten Tag. Ich rufe an, weil ... / Ich habe eine Frage. / Es geht um ...
Ich möchte mit Herrn/Frau ... sprechen.
Tut mir leid, ... ist in einem Termin / telefoniert gerade.

2 Wörter, Wendungen und Strukturen

Nomen mit *-ung*
die Ausbildung – ausbilden, die Begrüßung – (sich) begrüßen

formell
Sehr geehrte Damen und Herren, ...
Vielen Dank für Ihre Antwort.
Mit freundlichen Grüßen

informell
Hallo/Liebe/r ..., ...
Viele/Liebe Grüße

Präpositionen mit Dativ
aus dem Büro anrufen, bei der Hochzeit fotografieren, mit den Kolleg*innen sprechen, seit der Ausbildung arbeiten, zu den Kund*innen fahren

Adjektive mit bestimmtem Artikel im Nominativ und Akkusativ
Ich mag den flexiblen Arbeitsablauf.
Ich muss das kaputte Fahrrad reparieren.
Er findet die langen Nachtschichten anstrengend.
Sie finden die neuen Büros schön.

3 Aussprache

das *-ng-*: Mit der Digitalisieru**ng** entstehen viele Veränderu**ng**en im Beruf. Ich habe eine Ausbildu**ng** gemacht und Erfahru**ng**en gesammelt.

Interaktive Übungen

HIER LERNEN SIE:

- über das Lesen sprechen
- Bilder beschreiben
- Bücher und Autor*innen vorstellen
- einen biografischen Text lesen und schreiben

Lesen statt surfen – das Buch lebt!

Buch aktuell

Die aktuellen Zahlen vom Buchmarkt zeigen, dass auch mit Internet und YouTube die meisten Menschen in Deutschland, Österreich und in der Schweiz genauso viele Bücher wie früher lesen. Sie lesen heute auch E-Books, aber das klassische Buch ist bei den Leserinnen und Lesern noch immer sehr beliebt. Im letzten Jahr kauften sie in Buchhandlungen und im Internet für etwas mehr als 8 Milliarden Euro Bücher und für ca. eine Milliarde Euro E-Books. Das waren fast 360 Millionen Bücher und 33 Millionen E-Books. Interessant ist, dass Frauen mehr Bücher kauften als Männer – vor allem Krimis und Romane. Männer interessierten sich besonders für Sachbücher wie z. B. Biografien und Reiseliteratur.

Bei den Jugendlichen zwischen 12 und 19 Jahren gibt es leider einen negativen Trend. Sie lesen in ihrer Freizeit weniger Bücher als früher.

Und wo lesen die Leserinnen und Leser? Die Menschen lesen überall: Unterwegs in Bus und Bahn, zuhause auf dem Sofa oder im Bett, in Bibliotheken, im Café, im Urlaub.

Robert Hauck

Gründe, warum Lesen wichtig ist

Die Leseforscherin Susanne Graber nennt sieben Gründe, warum Lesen für Jung und Alt wichtig ist.

1\. Lesen reduziert Stress.

2\. Leser*innen haben im Leben oft mehr Erfolg.

3\. Lesen ist gut für die Kreativität.

4\. Lesen macht glücklich.

5\. Leser*innen haben einen größeren Wortschatz.

6\. Lesen hilft beim Schreiben.

7\. Leser*innen haben gute Smalltalk-Themen auf Partys. Das macht sie attraktiv.

In der Stadtbibliothek

Leseort und Treffpunkt – die Bibliothek

Die ca. 9.400 großen und kleinen Bibliotheken in Deutschland sind wichtig für das Leben und die Kultur. Dort können die Menschen mit einem Bibliotheksausweis z. B. Bücher, E-Books, CDs und DVDs ausleihen, Literatur recherchieren oder Zeitungen und Zeitschriften lesen. In vielen Bibliotheken gibt es auch Autor*innenlesungen und Ausstellungen. Sie sind Orte für Bildung und Kommunikation. Und der Vorteil ist: Man kann sie kostenlos nutzen.

1 Leseorte

a) Beschreiben Sie die Fotos. Die Redemittel helfen.

Im Foto in der Mitte liest eine Frau eine Geschichte vor. Die Kinder hören zu.

b) Wie finden Sie die Leseorte? Kommentieren Sie.

Ich lese auch gern in Cafés. Ein Kaffee und ein schönes Buch – das finde ich echt gemütlich.

Also ich lese nie in Cafés. Da ist es zu laut.

2 *Das Buch lebt!*

a) Lesen Sie den Magazinartikel. Sammeln Sie Informationen zum Buchmarkt und zu den Leserinnen und Lesern.

b) Welche Informationen haben Sie (nicht) überrascht? Kommentieren Sie.

Ich hätte nicht gedacht, dass Bücher noch so beliebt sind.

Ich habe mir schon gedacht, dass ...

3 *Ich lese ...*

2.09 a) Eine Umfrage. Wo und was lesen die Personen? Hören Sie, notieren und berichten Sie über Orte und Bücher.

b) Was lesen Sie gerade? Berichten Sie.

4 Gute Gründe für das Lesen. Fragen und antworten Sie im Kurs.

Glaubst du, dass Lesen Stress reduziert?

Nein, das glaube ich nicht. Und du?

5 Leseort Bibliothek

a) Was kann man in Bibliotheken machen? Sammeln Sie.

b) Gehen Sie in eine Bibliothek? Warum (nicht)? Welche Angebote nutzen Sie oft/selten/...? Berichten Sie.

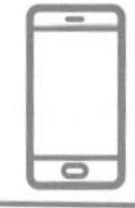

1 Liest du gern ...?

Fragen und antworten Sie.

Liest du gern	Romane/Krimis/Sachbücher? Zeitungen/Zeitschriften? auf einem Tablet / auf einem E-Reader? in der Bahn / in der Bibliothek / im Urlaub?	Ja, (sehr) gern. Ja, manchmal schon. Na ja, es geht so. Eigentlich nicht. Nein, Krimis / ... mag ich (überhaupt) nicht.

2 Die Buchhandlung Blohm empfiehlt

a) **Überfliegen Sie die Buchtipps und markieren Sie Titel, Autor*in und Thema. Berichten Sie.**

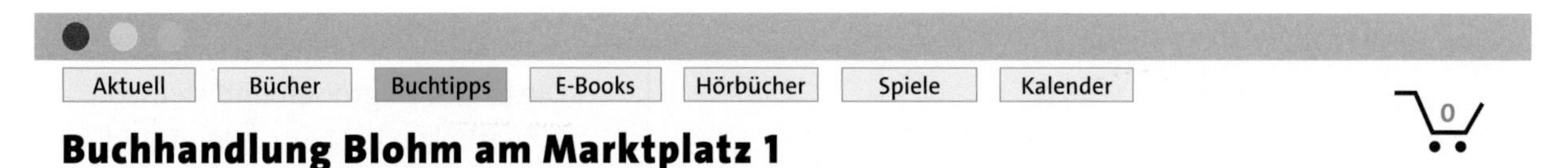

Buchhandlung Blohm am Marktplatz 1

Von uns für Sie. Entdecken Sie Ihr nächstes Lieblingsbuch!

Bella Germania aus dem Jahr 2016 ist der erste Roman von Daniel Speck. Er war sofort ein Bestseller. Daniel Speck erzählt eine Familiengeschichte zwischen Italien und Deutschland in drei Generationen. Sie beginnt 1954 in Mailand. Dort verlieben sich der junge deutsche Ingenieur Vincent und seine Dolmetscherin Guiletta. Sie können aber nicht heiraten, weil Guiletta schon mit Enzo verlobt ist. Sie kann Vincent aber nicht vergessen ...
Daniel Speck hat eine tragische, aber wunderbare Liebesgeschichte geschrieben - perfekt für den Urlaub.

Verlag S. Fischer,
624 Seiten, 12,00 €.
Alle Empfehlungen von Britta Jäger

Die Geschichten über Kommissar Marthaler von Jan Seghers gehören für mich zu den besten Krimis in Deutschland. Bis jetzt hat er sechs Bände geschrieben. Sie spielen alle in Frankfurt. *Ein allzu schönes Mädchen* aus dem Jahr 2004 ist der erste Fall für Marthaler. Er ist mit seiner Freundin im Urlaub. Da bekommt er einen Anruf von der Polizei. Ein Fahrradfahrer hat im Frankfurter Stadtwald einen Toten gefunden. Marthaler und sein Team ermitteln. War das „allzu schöne Mädchen“ die Mörderin? Jan Seghers schreibt sehr spannende Krimis.

Verlag rororo,
480 Seiten, 10,00 €.
Alle Empfehlungen von Jonas Ziegler

Haben Bäume eine eigene Sprache und können sie „reden“? Müssen Baumkinder in die Schule gehen? Diese und noch viele andere Fragen beantwortet der bekannte Autor und Förster Peter Wohlleben in seinem Sachbuch *Hörst du, wie die Bäume sprechen?* In seinem ersten Buch für Kinder stellt er den Wald und seine Bewohner vor. Wohlleben beschreibt in einfacher Sprache und mit vielen Fotos wie die Bäume Informationen austauschen können. Er nennt es das „wood wide web“. Das Buch hat mich begeistert. Für Kinder ab sechs Jahren.

Verlag Friedrich Oettinger
128 Seiten, 18,00 €.
Alle Empfehlungen von Karen Niemann

b) **Ein Buch vorstellen. Wählen Sie ein Buch aus. Welche Redemittel nutzen die Buchtipps? Markieren Sie im Text und vergleichen Sie.**

c) **Stellen Sie Ihr Buch aus b) vor. Die Redemittel helfen.**

3 Meine Buchempfehlung

... ist ein Roman von ...

Schreiben Sie eine Buchempfehlung und stellen Sie das Buch vor. ODER **Autor*in, Titel, Thema, Verlag, Seitenzahl, Preis. Recherchieren Sie einen Besteller im Internet. Zeigen Sie das Buch und berichten Sie.**

4 Alte Literatur mit aktuellen Themen?

Goethe, Shakespeare, Cervantes. Welche Literaturklassiker kennen Sie? Welche haben Sie gelesen? Wie finden Sie sie? Kommentieren Sie.

Bei uns in ... ist ... sehr berühmt. Alle müssen seine Bücher lesen. Ich persönlich finde ...

In der Schule haben wir Hamlet von Shakespeare gelesen. Das hat (keinen) Spaß gemacht.

5 Eine Liebesgeschichte

a) **Autor, Orte, Hauptpersonen, Probleme. Lesen Sie den Artikel aus einem Literaturlexikon und sammeln Sie.**

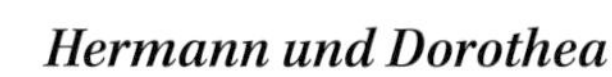

Hermann und Dorothea

Hermann und Dorothea von Johann Wolfgang von Goethe gehört zu den Literaturklassikern in Deutschland. Goethe veröffentlichte das Buch im Jahr 1797.

Inhalt

Die Geschichte spielt in einer kleinen Stadt in der Nähe von Straßburg. Es geht um Liebe, Krieg und Flucht. Die junge Dorothea ist auf der Flucht. Sie muss ihre Heimat in Frankreich verlassen, weil es dort Krieg gibt. Ihre Eltern sind tot. Sie reist allein und ohne Geld mit anderen Flüchtlingen von Frankreich über den Rhein. Dort lernt Hermann die schöne Frau kennen. Er ist der Sohn von reichen Eltern. Er bringt den Flüchtlingen Lebensmittel und alte Kleider. Hermann verliebt sich sofort in Dorothea und sagt seinen Eltern, dass er sie heiraten will. Die Mutter freut sich, aber der Vater ist gegen die Hochzeit. Hermann soll zuerst die Welt kennenlernen und dann eine junge Frau mit viel Geld aus einer guten Familie heiraten. Das möchte Hermann aber nicht. Da hat er eine Idee: Dorothea soll bei ihm zu Hause arbeiten. Hermanns Vater merkt dann, dass Dorothea und sein Sohn sich wirklich lieben. Zum Schluss gibt es ein Happy End: Hermann und Dorothea dürfen heiraten.

Wirkung

Hermann und Dorothea war sofort ein großer Erfolg. Viele kennen das Buch heute noch aus dem Deutschunterricht in der Schule.

b) **Schreiben Sie Fragen und antworten Sie wie im Beispiel.**

Warum muss Dorothea flüchten? Leben Dorotheas Eltern noch?

Dorothea muss flüchten, weil ...

6 Literaturklassiker noch aktuell?

Ist *Hermann und Dorothea* immer noch aktuell? Warum (nicht)? Lesen Sie die Zeitungsnotiz und diskutieren Sie.

Eine Welt im Chaos und die große Liebe

Goethes *Hermann und Dorothea* kommt am 23. Juni ins Theater nach Weimar. Peter Rauch liest, Dorothee Krause und Georg Bölk machen die Musik.

7 Liebesgeschichten

Welche kennen und mögen Sie? Wer sind die Hauptpersonen? Welche Probleme gibt es? Berichten Sie.

Ich bin ein großer Fan von Telenovelas und Serien. In meiner Lieblingssendung ... geht es um ... Die Hauptpersonen sind ...

... gehört zu meinen Lieblingsbüchern. Da geht es um ... Die Hauptpersonen sind ... Das Problem ist ...

1 Goethe – Ein Leben für die Kunst

a) **Stationen im Leben von Goethe. Lesen Sie den Artikel und sammeln Sie Informationen in der Zeitleiste.**

1749	von 1765	bis 1771	ab 1775	1786	1788	1806
in Frankfurt geboren	...	...	...	...	...	...

Johann Wolfgang von Goethe

war ein deutscher Dichter und Naturforscher. Er lebte von 1749 bis 1832. Er studierte von 1765–1768 Jura in Leipzig und dann in Straßburg. Aber er interessierte sich mehr für Literatur und Kunst als für den Anwaltsberuf. Er beendete sein Studium 1771 und arbeitete dann als Anwalt in Frankfurt und Wetzlar. Im Sommer 1772 verliebte er sich in die junge Charlotte Buff, als er sie auf einem Tanz kennenlernte. Für Goethe war es aber eine unglückliche Liebe, weil sie schon verlobt war. Über diese unglückliche Liebe verfasste er seinen ersten Roman *Die Leiden des jungen Werthers*. Der Roman machte ihn über Nacht in ganz Europa berühmt.

Ab Oktober 1775 lebte er in Weimar und arbeitete dort als Minister in der Regierung von Herzog Carl August. 1786 reiste Goethe für zwei Jahre nach Italien. Goethe hatte viele Freundinnen, aber er war nur einmal verheiratet. 1806 heiratete er Christiane Vulpius. Sie hatten einen Sohn, August.

Goethe verfasste viele berühmte Gedichte, Theaterstücke und Romane. Er beschäftigte sich auch mit den Naturwissenschaften und veröffentlichte das Buch *Zur Farbenlehre*. 1788 lernte er Friedrich Schiller kennen. Sie waren gute Freunde, sie besuchten sich oft und arbeiteten an vielen Texten zusammen.

Goethe war ein Genie mit vielen Interessen. Auch heute hat er noch viele Leser*innen.

b) ***... studierte in ... / lebte in ... / arbeitete als ...*** **Sammeln Sie typische Wörter und Wendungen für biografische Texte.**

c) **Eine Autorin / Einen Autor vorstellen. Recherchieren Sie und machen Sie Notizen. Die Wendungen in a) und b) helfen.**

2 *Lebte, reiste, arbeitete, ...*

a) **Sprachschatten. Lesen Sie laut und kommentieren Sie wie im Beispiel.**

Goethe
- lebte von 1775 bis 1832 in Weimar.
- studierte Jura in Leipzig und Straßburg.
- arbeitete als Anwalt in Frankfurt und Wetzlar.
- verfasste die *Leiden des jungen Werthers*.
- reiste nach Italien.

Ach, er lebte in Weimar?

Ja, er lebte in Weimar.

b) **Markieren Sie die Verben im Präteritum in 1a) und ergänzen Sie.**

16.2

		leben	reisen	arbeiten
Singular	ich/er/sie	lebte	___	___
Plural	wir/sie	lebten	___	___

c) **Ergänzen Sie den Lerntipp.**

Regelmäßige Verben im Präteritum:

ich/er/sie: Verbstamm plus: ___ wir/sie: Verbstamm plus ___ Verben mit Verbstamm -*t* am Ende: plus ___

3 Goethe in Weimar – drei berühmte Orte

2.10

a) **Lesen Sie die Texte aus einem Reiseführer. Hören Sie dann die Erklärungen von einer Stadtführerin. Präteritum oder Perfekt? Vergleichen und ergänzen Sie.**

Goethe wohnte 50 Jahre lang im Haus am Frauenplan 1. Herzog Carl August schenkte ihm das große Haus im Jahr 1794.

Goethe liebte die Natur. Er war oft in seinem Gartenhaus im Park an der Ilm. Dort arbeitete er auch an seinen Gedichten und Theaterstücken.

Goethe leitete viele Jahre lang das Theater in Weimar. Dort führten Goethe und Schiller viele berühmte Theaterstücke auf.

schriftlich (im Reiseführer): ____________________

mündlich (die Stadtführerin): ____________________

b) **Hören Sie die Stadtführerin noch einmal und notieren Sie weitere Informationen zu Goethes Wohn- und Gartenhaus und zum Theater. Vergleichen Sie.**

In seinem Wohnhaus haben ihn ...

4 *Als Goethe* ... Fünf Fakten über Goethe

a) **Wechselspiel. Partner*in A liest den Satzanfang, Partner*in B beendet den Satz.**

5.1

b) **Markieren Sie in a) die Verben in den Hauptsätzen und in den Nebensätzen mit *als*. Ergänzen Sie die Regel.**

Regel: Im Nebensatz mit *als* steht das Verb ____________________.

Lerntipp

Nebensätze mit *als* gibt es nur in der Vergangenheit.

5 Jahreszahlen

2.11

a) **Hören Sie die Kurzbiografie von Goethe und achten Sie auf die Jahreszahlen.**

Johann Wolfgang von Goethe wurde 1749 geboren. Ab 1775 lebte er in Weimar. 1786 reiste er für zwei Jahre nach Italien. 1806 heiratete er Christiane Vulpius. Er lebte bis 1832.

2.12

b) **Hören Sie die Jahreszahlen noch einmal und sprechen Sie nach.**

1749 – 1775 – 1786 – 1806 – 1832

2.13

c) **Jahreszahlen sprechen. Markieren Sie den Wortakzent und kontrollieren Sie mit dem Audio.**

1968 – 1989 – 1995 – 2001 – 2015 – 2020

6 Eine Biografie

Fassen Sie die Informationen über Goethe oder eine berühmte Person aus Ihrer Stadt mündlich zusammen.

ODER Wer ist das? Bereiten Sie ein Quiz vor. Schreiben Sie vier bis fünf Sätze über eine berühmte Person mit den Verben aus 2 a). Die anderen raten.

1 Thema Lesen. **Machen Sie ein Wörternetz.**

in der Bibliothek – die Leseorte – Bücher lesen – die Lieblingsbücher – der Krimi

2 Mein Leseort. **Sehen Sie sich die Bilder auf S. 78 an und ordnen Sie die Aussagen zu.**

a ◯ „Meine Mutti weiß nicht, dass ich nachts lese."
b ◯ „Ich lese am liebsten im Garten oder im Park."
c (1) „Ein Kaffee und ein Buch sind für mich die perfekte Kombination."
d ◯ „Ich fahre jeden Tag mit der U-Bahn zur Arbeit. Die Fahrzeit nutze ich zum Lesen."
e ◯ „Ich sitze fast täglich in der Bibliothek. Zum Lernen brauche ich Ruhe."
f ◯ „Ich lese meinen Kindern oft Bücher vor."

3 Fakten zum Buchmarkt. **Lesen Sie den Text auf S. 78 noch einmal und beantworten Sie die Fragen.**

1 Lesen Menschen heute weniger als früher?
2 Wie viele digitale Bücher hat man letztes Jahr in Deutschland gekauft?
3 Welche Bücher kaufen Frauen vor allem?
4 Wo lesen die Menschen?
5 Wie ist der Trend bei den Jugendlichen?
6 Wo kaufen Menschen Bücher?

1 Im Text steht, dass ...

4 Warum lesen Sie? **Schreiben Sie Gründe wie im Beispiel. Der Text auf S. 79 hilft.**

Ich lese gerne, weil Lesen glücklich macht.

5 Wir feiern das Buch

2.14

a) **Hören Sie den Radiobeitrag. Was ist richtig? Kreuzen Sie an. Es gibt mehrere Möglichkeiten.**

1 Was ist das Thema?
a ◯ *der Welttag des Buches*
b ◯ die Frankfurter Buchmesse
c ◯ Lesefeste in Österreich

2 Wann ist dieser Feiertag?
a ◯ am 23. April
b ◯ am 22. August
c ◯ jedes Jahr im Oktober

3 Wer organisiert Veranstaltungen?
a ◯ Verlage
b ◯ Buchhandlungen und Bibliotheken
c ◯ nur Schulen

4 Was gehört zum Programm?
a ◯ Autor*innenlesungen
b ◯ Buchvorstellungen
c ◯ Konzerte in Schulen

b) ***Der Welttag des Buches* in Ihrem Land / in anderen Ländern. Wo? Wann? Wer? Wie? Recherchieren Sie im Internet, machen Sie Notizen und berichten Sie im Unterricht.**

6 Wie heißt das auf Deutsch?

a) **Lesen Sie und ergänzen Sie die Sätze mit passenden Begriffen. Die Texte auf S. 80–81 helfen. Zwei Wörter passen nicht.**

der Verlag • die Bibliothek • die Buchhandlung • die Buchempfehlung • die Autorin • die Leser*innen

1 Eine ______________________ schreibt Bücher.

2 Ein ______________________ veröffentlicht Bücher, Zeitschriften oder Zeitungen.

3 ______________________ kaufen und lesen Bücher.

4 In einer ______________________ gibt es oft auch Kalender, Hörbücher und Postkarten.

b) **Bücherwürmer und Leseratten lesen gern und viel. Wie nennt man diese Menschen in Ihrer Sprache / in anderen Sprachen?**

In ... / Bei uns sagt man ... .

die Leseratte

der Bücherwurm

7 Buchempfehlungen

a) **Lesen Sie die Posts und ordnen Sie die Bücher zu.**

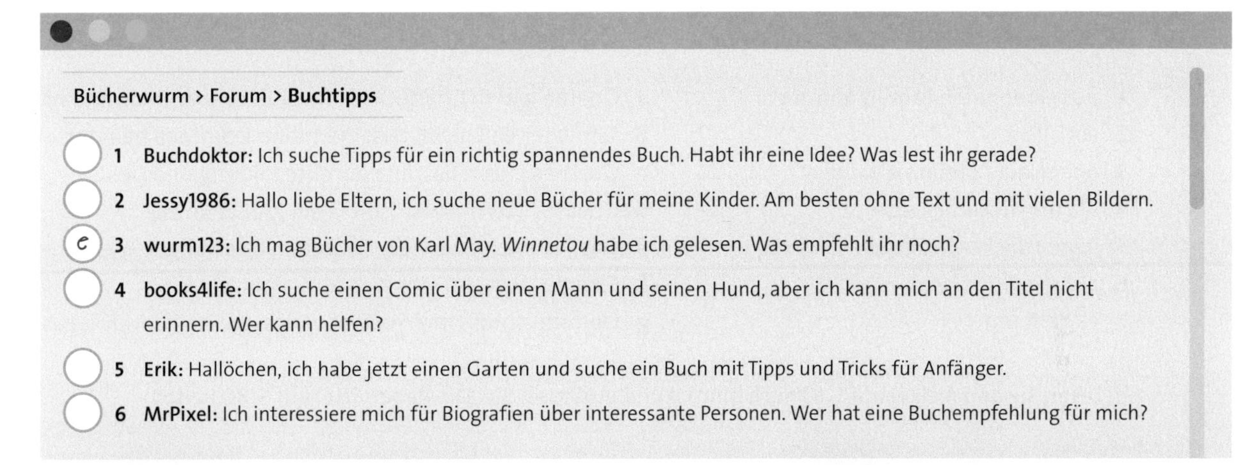

Bücherwurm > Forum > **Buchtipps**

( ) **1 Buchdoktor:** Ich suche Tipps für ein richtig spannendes Buch. Habt ihr eine Idee? Was lest ihr gerade?

( ) **2 Jessy1986:** Hallo liebe Eltern, ich suche neue Bücher für meine Kinder. Am besten ohne Text und mit vielen Bildern.

(e) **3 wurm123:** Ich mag Bücher von Karl May. *Winnetou* habe ich gelesen. Was empfehlt ihr noch?

( ) **4 books4life:** Ich suche einen Comic über einen Mann und seinen Hund, aber ich kann mich an den Titel nicht erinnern. Wer kann helfen?

( ) **5 Erik:** Hallöchen, ich habe jetzt einen Garten und suche ein Buch mit Tipps und Tricks für Anfänger.

( ) **6 MrPixel:** Ich interessiere mich für Biografien über interessante Personen. Wer hat eine Buchempfehlung für mich?

a

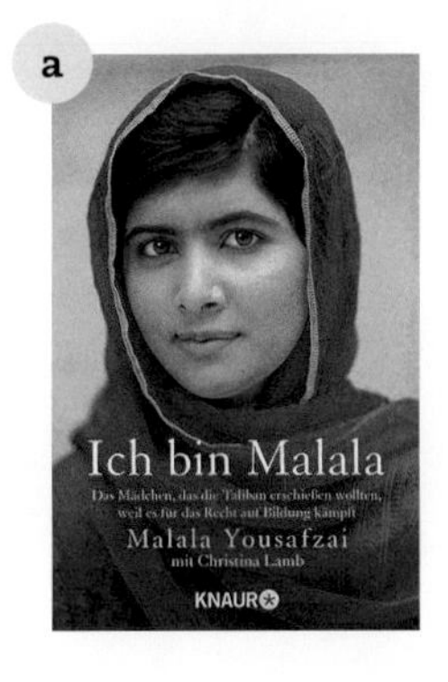

b

c

d

e

b) **Krimi oder ...? Ordnen Sie die Bücher aus a) zu.**

1 ___ die Biografie

2 ___ der Roman

3 ___ der Krimi

4 ___ der Ratgeber

5 ___ das Bilderbuch

8 Auf dem Bücherflohmarkt

1.11

a) **Videokaraoke. Sehen Sie sich das Video an und antworten Sie.**

b) **Richtig oder falsch? Sehen Sie sich das Video noch einmal an und kreuzen Sie an.**

		richtig	falsch
1	Sie interessieren sich für Literaturklassiker.	○	⊗
2	Die Verkäuferin empfiehlt Ihnen einen Krimi von Jan Seghers.	○	○
3	Sie kennen den Autor nicht. Sie wissen aber, dass alle seine Bücher in Frankfurt spielen.	○	○
4	Die Verkäuferin bietet Ihnen das Buch für nur zwei Euro an.	○	○
5	Sie kaufen das Buch nicht und wollen eine weitere Buchempfehlung.	○	○
6	Sie lesen gerne Romane. Nur Biografien mögen Sie überhaupt nicht.	○	○

c) **Sehen Sie noch einmal und ergänzen Sie *echt, doch* und *eigentlich*.**

1 Ja, aber ____________ suche ich einen Krimi.
2 Oh, das sind ja __________ viele.
3 Seine Krimis sind __________ spannend.
4 Die spielen __________ alle in Frankfurt, oder?
5 Nein, ich lese ____________ nur Biografien und Krimis.

9 Goethe und die Liebe

a) **Ordnen Sie die Sätze den Wendungen zu.**

1 aus einer guten Familie kommen
2 vor allem
3 über Nacht berühmt werden
4 die unglückliche Liebe
5 gegen die Hochzeit sein
6 auf der Flucht sein
7 es geht um

a Goethe war in Charlotte Buff verliebt, aber Charlotte nicht in ihn.
b Der Vater will nicht, dass Hermann Dorothea heiratet.
c Goethes Eltern hatten eine gute Bildung und Geld.
d Goethes *Werther* war sofort ein großer Erfolg.
e Das Thema ist die Liebe zwischen zwei jungen Menschen.
f Goethe lebte am längsten in Weimar.
g Dorothea muss ihre Heimat verlassen, weil dort Krieg ist.

b) **Lesen Sie den Artikel auf S. 81 noch einmal und ergänzen Sie. Die Redemittel auf S. 80 helfen.**

Hermann und Dorothea ist eine Geschichte von ... / Sie spielt in ... / Es geht um ... .

c) **Wie finden Sie die Liebesgeschichte? Schreiben Sie Ihre Meinung.**

Ich persönlich finde .... / Mir gefällt ... (nicht), ...

10 Nomen und Verben. **Ergänzen Sie und vergleichen Sie mit S. 80–81.**

1 *die Reise* – reisen
2 die Flucht – ____________
3 die Arbeit – ____________
4 die Liebe – ____________
5 ____________ – informieren
6 die Veröffentlichung – ____________
7 ____________ – anrufen
8 die Empfehlung – ____________
9 die Sprache – ____________
10 die Hochzeit – ____________

11 *Vater und Sohn* – Bildergeschichten von e.o.plauen. **Lesen Sie die Informationen in der Zeitleiste und schreiben Sie eine kurze Biografie über Erich Ohser.**

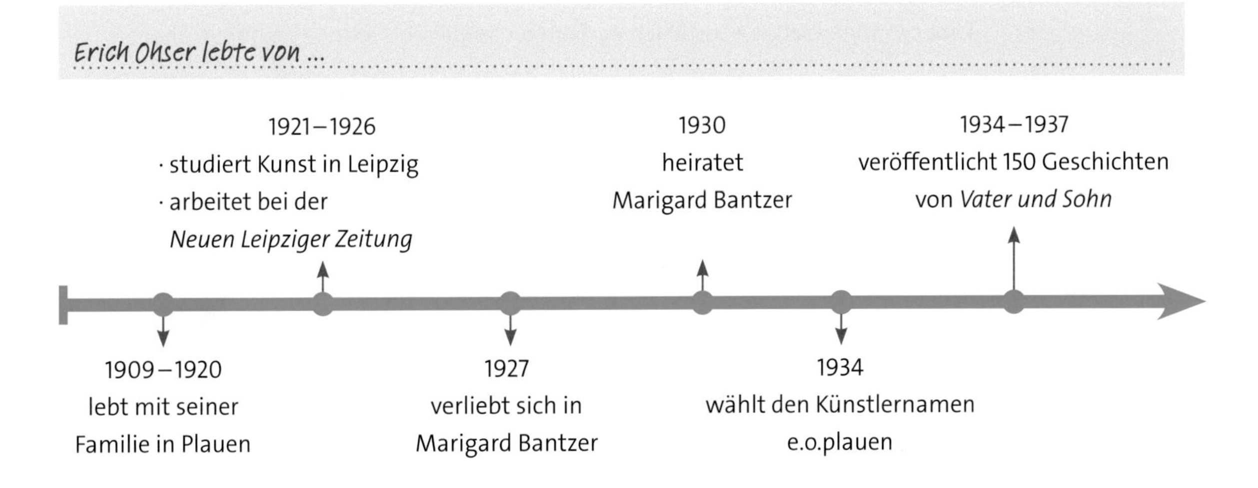

12 Eine Bildergeschichte von *Vater und Sohn*

a) **Sehen Sie sich die Bildergeschichte an und ordnen Sie die Texte.**

a Bild ◯ Der Vater stellt also das Buch in das Regal zurück. „Ich möchte ein sehr dickes Buch", sagt der Sohn. Und der Vater sucht ein Buch von Goethe.

b Bild (1) Der Sohn fragt seinen Vater: „Kann ich ein Buch haben?"

c Bild ◯ Aber als der Vater die Haustür öffnet, wundert er sich noch mehr. Sein Sohn hat andere Pläne ...

d Bild ◯ „Ich brauche noch zwei, bitte", sagt der Sohn. Er spaziert mit den drei Büchern auf dem Kopf nach draußen.

e Bild ◯ Der Vater wählt ein Buch aus. „Hier. Lies Robinson Crusoe", sagt er. Der Sohn antwortet: „Das Buch ist nicht dick genug."

f Bild ◯ „Mein Sohn will Goethe lesen?", wundert sich der Vater. Er freut sich sehr.

b) **Markieren Sie die Verben in a). Schreiben Sie den Text im Präteritum.**

Gestern fragte der Sohn seinen Vater: „Kann ich ein Buch haben?" ...

2.15 c) **Kontrollieren Sie mit dem Hörtext.**

2.16 d) **Hören Sie die Verben im Präteritum und sprechen Sie nach. Achten Sie auf *-te*.**

1 wählte **2** suchte **3** stellte **4** wunderte **5** öffnete **6** spazierte **7** sagte **8** fragte

13 Ingeborg Bachmann – eine Kurzbiografie

a) **Lesen Sie die Kurzbiografie und ergänzen Sie die Verben im Präteritum.**

kennenlernen • leben • besuchen • arbeiten • studieren • reisen • veröffentlichen

Ingeborg Bachmann (25. Juni 1926 bis 17. Oktober 1973) war eine erfolgreiche österreichische Dichterin und Romanschriftstellerin aus Klagenfurt (Österreich). Dort ______[1] sie auch die Schule bis 1944. Sie ______[2] von 1945 bis 1959 Philosophie, Germanistik und Psychologie in Innsbruck, Graz und Wien.
5 Ihre ersten Gedichte ______[3] sie 1948 in der Zeitschrift „Lynkeus".
Im Oktober 1950 ______[4] sie nach Paris, im Dezember nach London.
In Wien ______[5] sie bis 1951 in der Redaktion von Radio Rot-Weiß-Rot.
Von 1953 bis 1957 war sie als freie Schriftstellerin in Italien. Am 3. Juli 1958 ______[6] Ingeborg Bachmann den Schweizer Schriftsteller Max Frisch in
10 Paris ______[7]. Für vier Jahre, von 1958 bis 1962, ______[8] sie zusammen:
Ingeborg Bachmann schrieb in ihrem Leben viele berühmte Gedichte und Romane.
Das Hörspiel „Der gute Gott von Manhattan" und der Roman „Malina" sind international berühmt.

2.17

b) **Hören Sie und kontrollieren Sie in a).**

c) **Wann war das? Lesen Sie die Biografie noch einmal und ergänzen Sie die Sätze mit *als*.**

Max Frisch kennenlernen • 33 Jahre alt sein • in Italien wohnen • ihre ersten Gedichte veröffentlichen

Position 1 – Hauptsatz	Position 2 – Nebensatz
1 Ingeborg Bachmann war 22 Jahre alt,	*als ...*
2 Es war 1958,	
Position 1 – Nebensatz	**Position 2 – Hauptsatz**
3	beendete sie ihr Studium.
4	arbeitete sie als freie Autorin.

d) **Tauschen Sie die Haupt- und Nebensätze in c) wie im Beispiel.** *Als ..., war Ingeborg Bachmann 22 Jahre alt.*

14 Als Christiane und Goethe sich kennenlernten

a) **Personen, Orte und Jahreszahlen. Lesen Sie den Artikel und sammeln Sie Informationen.**

Christiane Vulpius (1765–1816) war aus Weimar. Sie hatte einen Bruder, Christian August. Er besuchte das Weimarer Gymnasium und studierte an der Universität in Jena. Christiane lernte Lesen und Schreiben, aber nicht in der Schule. Die Familie hatte sehr wenig Geld. Ihr Bruder verfasste in Jena Gedichte, Romane und Theaterstücke. Als Schriftsteller hatte er aber keinen Erfolg. Er suchte Goethes Hilfe und schickte Christiane mit einem Brief zu ihm. So lernte sie Goethe kennen. Sie verliebten sich und bald lebte Christiane mit Goethe in seinem Haus zusammen. Sie heirateten aber erst 1806. *Weiterlesen >*

b) **Schreiben Sie den Text im Perfekt und spielen Sie Stadtführer/in. Nehmen Sie sich mit dem Handy auf.**

Fit für Einheit 7?

1 Mit Sprache handeln

über das Lesen sprechen
Ich gehe gern in die Bibliothek und lese dort internationale Zeitschriften.
Glaubst du, dass Lesen Stress reduziert?
Bücherwürmer und Leseratten lesen gern und viel.
Ich interessiere mich für Literaturklassiker und Romane. Krimis mag ich überhaupt nicht.
Ich bin ein großer Fan von ...

Bilder beschreiben
Auf dem Bild/Foto oben rechts / unten links kann man ... sehen.

Buchtipps geben
Ich suche einen richtig spannenden Krimi.
Können Sie mir ein Buch mit Tipps und Tricks für Blumen und Pflanzen empfehlen?
Jan Seghers schreibt echt gute Krimis.
Das große Gartenbuch hat mich sofort begeistert.
Kennen Sie das?

Bücher vorstellen
Mein Lieblingsbuch ist ... von ... / Mir gefällt ... von ...
... ist ein Krimi von ...
Es geht um ... / Die Handlung spielt in ...
Es ist ein spannender Roman. / interessantes Sachbuch.

Autor*innen vorstellen
... ist ein bekannter Autor / eine bekannte Autorin aus ...
Er/Sie schreibt ...
Seine/Ihre Bücher handeln von ...
Er/Sie hat schon viele Bestseller geschrieben.

2 Wörter, Wendungen und Strukturen

Bücher
das Bilderbuch, der Ratgeber, der Reiseführer, die Biografie, das Hörbuch

regelmäßige Verben im Präteritum
Goethe lebte von 1775 bis 1832 in Weimar. Er studierte Jura. 1786 reiste er nach Italien und arbeitete dort an Theaterstücken. Er verfasste viele Gedichte und Romane.

Nebensätze mit *als*
Christiane Vulpius war 23 Jahre alt, als sie Goethe kennenlernte.
Als Christiane Vulpius Goethe kennenlernte, war sie 23 Jahre alt.

3 Aussprache

Jahreszahlen: siebzehnhundertvierundneunzig – 1794, achtzehnhundertsechs – 1806

Interaktive Übungen

„Ach, die sind ja süß!“

Haben Sie das auch gedacht? Kein Wunder! Katzen leben schon sehr lange mit Menschen zusammen und sind heute die beliebtesten Haustiere. Sie schlafen viel, sind meistens sehr leise und wir dürfen ihr weiches Fell streicheln. Katzen spielen auch sehr gern und wissen ganz genau, was sie wollen. Das finden wir oft besonders niedlich oder lustig.

Aber die witzigen Mitbewohner brauchen auch gutes Futter, viel Liebe, Zeit und Pflege. Manchmal müssen sie zum Tierarzt und das kann ziemlich teuer sein. Fragen Sie sich also vor dem Kauf, ob eine Katze oder ein Kater wirklich das richtige Haustier für Sie ist.

Neu auf www.katz&maus.example.com

Katzen-Quiz

Wissen Sie, wie alt Katzen werden, was sie in der Natur am liebsten fressen oder warum sie miauen? Machen Sie den neuen Wissenstest auf unserer Webseite!

1 Süß, niedlich oder ...?

a) *Katzen sind* ... Sammeln Sie und kommentieren Sie.

2.18 b) Hören Sie die Umfrage und ergänzen Sie Ihr Ergebnis in a).

2 Erster Platz, zweiter Platz, ...

1.12–1.15 a) Sehen Sie sich die Katzenvideos an und machen Sie eine Hitliste.

b) Geben Sie den Gewinner-Videos passende Titel und vergleichen Sie.

c) Wie finden Sie Katzenvideos? Kommentieren Sie.

3 Katzen brauchen ...

Lesen Sie den Magazinartikel und das Gewinnspiel. Markieren Sie und berichten Sie.

4 Katzen-Quiz

Machen Sie das Quiz und kommentieren Sie.

Ich habe (schon / noch nie) gehört/gelesen, dass ...

Ich hätte nicht gedacht, dass ...

5 Haustiere

a) Wählen Sie ein Tier aus, recherchieren Sie und bereiten Sie ein Haustier-Quiz wie in 4 vor.

b) Präsentieren Sie Ihr Quiz. Die anderen raten.

Mitmachen und gewinnen!

Noch mehr Katzenvideos ...

Wie immer suchen wir auch in diesem Monat wieder das lustigste Katzenvideo. Machen Sie mit und gewinnen Sie tolle Preise! Für das beste Video gibt es eine praktische Transportbox, der zweite Preis ist ein 5 kg-Paket mit Katzenfutter und der dritte Preis das neueste Katzenbuch von Susanne Sanders.

Schicken Sie Ihr Video bis zum 31. Juli an: redaktion@katz&maus.example.com.

Katz & Maus gratuliert den Gewinner*innen aus dem Juni-Heft:

Auch im letzten Monat haben unsere Leser*innen wieder viele tolle Katzenvideos geschickt. Die besten zeigen wir auf unser Webseite.

1. Platz

Kater Franz von Martin Deutz aus Bochum findet seine Brille cool!

2. Platz

Kätzchen Miez und Maunz von Petra Jaschke aus Dresden besichtigen das neue Katzenklo.

3. Platz

Katze Lily von Ina Meier aus Flensburg googelt Mäuse.

1 In der Zoohandlung

2.19

a) Ines Lau recherchiert für einen Zeitungsartikel.
Hören Sie das Gespräch und kreuzen Sie die Themen an.

In der Zoohandlung Heinzel

- ◯ Pflegeprodukte
- ◯ Tiere für Kinder
- ◯ Zoobesuche
- ◯ Futter
- ◯ Ausbildung

b) *Der kleinste ..., das beste ...* Hören Sie noch einmal und wählen Sie aus.

1 Viele Kinder finden, dass Kaninchen a) (X) die niedlichsten b) ◯ die günstigsten Haustiere sind.

2 Für Meerschweinchen und Hamster ist Gemüse a) ◯ die billigste b) ◯ die beste Nahrung.

3 Für Katzen ist a) ◯ das teuerste b) ◯ das neueste Shampoo nicht immer gut.

4 Ein echter Tierfreund ist für Bodo Heinzel a) ◯ der größte b) ◯ der beste Kunde.

c) Haustiere. Fragen und antworten Sie wie im Beispiel.

Welches Futter ist am teuersten?

Das Katzenfutter ist das teuerste Futter.

2 Zoohandlung Heinzel in neuen Räumen

a) Lesen Sie den Zeitungsartikel, wählen Sie passende Überschriften aus und vergleichen Sie.

....

„Wir haben uns schon lange gefragt, wo der beste Ort für eine größere Zoohandlung ist. Hier haben wir endlich viel Platz für die Tiere, das Zubehör, das Futter und viele andere Produkte“, sagt Bodo Heinzel.

5 ....

Man fragt sich gleich, welche Produkte für Kleintiere es hier nicht gibt. In einem langen Regal liegen kleine und große Bälle für Hunde, Katzen und Vögel. An den Wänden hängen Hundeleinen in vielen Farben und Größen. Aber 10 natürlich gibt es hier nicht nur Zubehör. Es gibt auch viele Kleintiere, Futter und verschiedene Pflegeprodukte.

....

Hunde und Katzen kann man hier nicht kaufen. Bodo Heinzel begründet, warum das so ist: „Sie brauchen viel 15 Platz, Bewegung und Zeit. Das brauchen die Kleintiere natürlich auch, aber nicht so viel. Und sie machen weniger Arbeit“, meint der freundliche Zoohändler. „Den Tieren muss es auch im Geschäft gut gehen!“

....

20 Wissen Sie schon, was Sie am Samstag machen? Dann öffnet Heinzels neue Zoohandlung im Einkaufszentrum am Park um 10 Uhr endlich die Türen. Die Heinzels freuen sich schon und hoffen sehr, dass viele Gäste kommen!

Ines Lau

4

b) Markieren Sie die indirekten Fragen im Artikel in a) und auf S. 90/91. Ergänzen Sie die Regel.

Regel: In indirekten Fragen mit *Fragewort* und mit *ob* steht das konjugierte Verb am ______________.

3 Haustiere

a) *Wie? Was? Wo? Warum?* Notieren Sie vier Fragen.

1. Wie alt wird eine Katze?

2. Was ...

b) Fragen und antworten Sie mit Ihren Fragen aus a) wie im Beispiel.

Wie alt wird eine Katze?

Wie bitte?

... möchte wissen, wie alt eine Katze wird.

Ach so. Ich glaube, 12 bis 16 Jahre.

4 Welches Tier passt zu dir?

a) Partnerinterview. Sehen Sie sich die Tabelle an. Fragen Sie wie im Beispiel und kreuzen Sie die Antworten an.

Kannst du mir sagen, was du mit dem Tier machen möchtest?

Ich möchte ein Tier zum ...

Heinzels Haustierampel

1 Was möchtest du mit dem Tier machen?								
◯ Beobachten	🙂	🙂	🙂	🙂	😐	🙂	🙂	🙂
◯ Spielen	🙂	🙂	🙂	🙂	😐	😐	😐	🙁
◯ Streicheln	🙂	🙂	😐	😐	😐	😐	😐	🙁
◯ Spazierengehen	🙂	🙁	🙁	🙁	🙁	🙁	🙁	🙁
2 Wie viel Zeit hast du jeden Tag für das Tier?								
◯ Eine halbe Stunde	🙁	🙁	🙁	🙁	🙁	🙁	🙁	🙂
◯ Eine Stunde	🙁	😐	🙂	🙂	🙂	😐	😐	🙂
3 Wie viel kannst du im Monat für das Tier ausgeben?								
◯ 20 Euro	🙁	🙁	🙁	🙁	😐	🙁	🙁	😐
◯ 50 Euro	🙁	😐	😐	😐	😐	😐	😐	🙂
◯ 100 Euro	🙂	🙂	🙂	🙂	🙂	🙂	🙂	🙂
4 Wie lange möchtest du mit dem Tier zusammenleben?								
◯ 4–10 Jahre	🙂	🙂	🙂	🙂	🙁	🙂	🙂	🙂
◯ länger als 10 Jahre	🙂	🙂	😐	😐	🙁	😐	😐	🙂

🙂 *Das ist möglich.* 😐 *Das ist schwierig.* 🙁 *Das ist nicht möglich.*

b) Sehen Sie sich das Ergebnis an und empfehlen Sie (k)ein Haustier. Berichten Sie und geben Sie Gründe für Ihre Entscheidung an.

Ich empfehle ... (k)einen Hund, weil ...

Für ... ist ein Wellensittich oder ein Kanarienvogel das beste Haustier, weil ...

5 Bellen und Miauen in anderen Sprachen. Vergleichen Sie.

Auf Deutsch bellt ein Hund so: Wau, wau! Und eine Katze macht Miau!

Meow!

Blaff, blaff!

6 Mein Haustier ODER Haustiere in meinem Land

a) Recherchieren Sie und bereiten Sie eine Präsentation vor. Die Tipps und Redemittel helfen.

b) Stellen Sie Ihre Präsentation vor.

Eine Suchanzeige

a) Wer hat meinen Hund gesehen? Lesen Sie die Anzeige und ergänzen Sie.

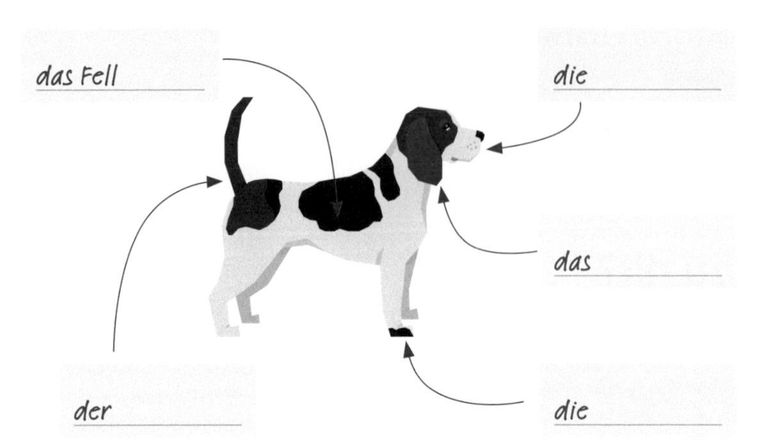

Otto ist weg!

Unser Hund ist am 2. Mai im Stadtpark weggelaufen. Otto hat braune Ohren, eine schwarze Pfote, sehr kurzes Fell und einen braunen Schwanz. Wir vermissen unseren kleinen Liebling mit der weißen Schnauze!

Wer hat Otto gesehen?

Bitte melden Sie sich:

0162 2082784 | 0162 2082784 | 0162 2082784 | 0162 2082784 | 0162 2082784 | 0162 2082784

b) *Ich suche* ... **Sprechen Sie schnell.**

11.3

Ich suche	einen Hund eine Katze	mit einem kurzen/langen/braunen/schwarzen/weißen Schwanz. mit einem kurzen/langen/braunen/schwarzen/weißen Ohr. mit einer braunen/schwarzen/weißen Schnauze. mit kleinen/großen/braunen/schwarzen/weißen Pfoten.

2 Ein Anruf im Tierheim

2.20

a) Hören Sie das Telefongespräch und ergänzen Sie die Gesprächsnotiz.

Paula Spitzweg
Tel: 0162 ____________
sucht ihren Hund Otto.

Landeskunde

In D-A-CH gibt es viele Tierheime. Dort warten viele Kleintiere auf ein neues Zuhause, weil ihre Besitzer z. B. zu wenig Platz oder keine Zeit für sie hatten. Für alte oder kranke Haustiere ist die Situation oft sehr schwierig, weil die meisten Menschen lieber ein junges, gesundes Tier möchten.

b) Ist Otto im Tierheim? Vergleichen Sie die Hunde mit Ihren Notizen in a). Kommentieren Sie.

Der Hund mit der grauen Schnauze ist nicht Otto.

Dieser Hund hat vier schwarze Pfoten. Das ist auch nicht Otto.

3 *Mein Papagei ist weg!*

a) ***Au, äu, eu, ei, ai.*** **Lesen Sie den Dialog und markieren Sie die Diphthonge.**

- Guten Morgen. Hier ist das Tierheim Mainz. Sie sprechen mit Klaus Häussler.
- Guten Morgen Herr Häussler. Hier ist Paula Seifert. Mein Papagei ist weg!
- Oh, das tut mir sehr leid! Wie sieht Ihr Papagei denn aus?
- Er ist blau und hat einen gelben Kopf.
- O. k. Kann er auch sprechen?
- Ja. Er sagt am liebsten „Schnauze, Paula!“, aber eigentlich ist er sehr freundlich.

2.21

b) Hören Sie den Dialog und achten Sie auf die Diphthonge.

c) Spielen Sie den Dialog.

Wir suchen ein neues Zuhause

a) Piano, Nala und Jacky. Lesen Sie die Profile, sammeln Sie Informationen und vergleichen Sie.

Der kleine **Piano** ist ein besonders fitter und aktiver Hund. Seine Besitzerin hat ihn in Italien am Strand gefunden. Leider hat sie nicht genug Platz und kann nicht oft mit dem jungen Hund spielen. Piano ist jetzt 13 bis 16 Monate alt, mag andere Hunde, aber keine Katzen. Am liebsten möchte er in einem Haus mit Garten wohnen.

Hündin **Nala** ist schon vier Monate im Tierheim, weil ihr Besitzer krank ist. Sie ist zwei Jahre alt, sehr lieb und kann gut in einer Wohnung leben. Aber sie ist nicht gern alleine. Mit dem rechten Ohr hört sie nicht viel. Nala fährt gern Auto, mag lange Spaziergänge im Park und braucht ein ruhiges Zuhause mit netten Menschen.

Jacky hat man vor einem Jahr an einer Autobahn gefunden. Er war sehr krank, aber mit der guten Pflege im Tierheim geht es ihm schon viel besser. Jacky ist vier oder fünf Jahre alt, sehr intelligent und braucht klare Regeln, sehr viel Liebe und Bewegung. Mit den anderen Tieren im Tierheim und mit kleinen Kindern hat er Probleme.

Name	Piano	Nala	Jacky
Alter		2 Jahre	
Beschreibung			sehr intelligent
im Tierheim, weil ...	zu wenig Platz, ...		
hat Probleme mit ...			
braucht ...			

b) Hundefreund*innen. Lesen Sie die Profile, ordnen Sie den Personen einen Hund aus a) zu und begründen Sie.

Piano passt zu ..., weil ...

Ich finde/meine ... passt zu ..., weil ...

c) *Ich suche ...* Üben Sie Minidialoge wie im Beispiel.

das Meerschweinchen • die Katze • die Hamster (Pl.) • aktiv • klein • süß • niedlich • fit

Ich suche einen großen Hund.

Was möchtest du mit einem großen Hund machen?

Mit dem großen Hund möchte ich spielen und laufen.

Lerntipp

Nach Artikeln im Dativ ist die Adjektivendung immer *-en*.

Hund, Katze, Vogel, ...

Wählen Sie ein Tier aus, suchen Sie ein Foto und schreiben Sie eine Suchanzeige wie in 1 a). **ODER** Schreiben Sie ein Profil wie in 4.

1 Haustier Katze

a) **Ordnen Sie in jeder Zeile passende Angaben aus der Wortwolke zu.**

sauber
klettern
miauen
gute Pflege
viel Liebe
leise
der Futternapf
interessant
in Wohnungen
einen Tierarzt
schlafen
in der Stadt
viel Zeit
auf Bauernhöfen
die Transportbox
süß
neugierig
witzig
gutes Futter
klein
der Katzenkorb
in der Natur
niedlich
nervig
toll
spielen
in Häusern
weich
das Katzenklo

1 Dort leben Katzen: *in der Natur, ...* ____________________

2 Das brauchen Katzen: ____________________

3 Das machen Katzen: ____________________

4 So sind Katzen: ____________________

b) **Ergänzen Sie weitere Informationen in a) oder in der Wortwolke.**

c) **Lieblingsmitbewohner Nr. 1. Wählen Sie in a) passende Informationen aus und ergänzen Sie den Magazinartikel. Es gibt viele Möglichkeiten.**

Katzen sind nicht nur bei uns in Deutschland die beliebtesten Haustiere. Wir leben gern mit ihnen *in Wohnungen* [1] zusammen, aber man trifft sie hier auch ____________ [2] oder ____________ [3]. Die meisten Menschen mögen Katzen, weil sie so ____________ [4] und ____________ [5] sind. Ganz kleine Kätzchen sind besonders ____________ [6]. Wie die großen Katzen ____________ [7] sie viel und ____________ [8] auch sehr gern. Als Haustiere brauchen Katzen gutes Futter, ____________ [9], ____________ [10] und ____________ [11]. Sie wollen keine Probleme mit Ihrer Katze haben? Dann müssen ____________ [12] und ____________ [13] immer sauber sein! 🐾

2 *Klein, kleiner, am kleinsten*

a) Ergänzen Sie die Adjektive 1–7 wie im Beispiel.

1	klein	*kleiner*	am kleinsten		*größer*	
2		*mehr*				
3		besser				
4	lang					
5		teurer				
6			am leisesten			
7	beliebt			*unbeliebt*	*unbeliebter*	*am unbeliebtesten*

b) Gegenteile. Ergänzen Sie in a) wie im Beispiel.

schlecht • laut • kurz • günstig • groß • ~~unbeliebt~~ • wenig

3 Mitmachen und gewinnen!

a) Welche Antwort ist richtig? Kreuzen Sie an.

Großes Gewinnspiel mit attraktiven Preisen

Machen Sie mit!

1 Das Meerschweinchen heißt so,
- **a** ◯ weil es das kleinste Schwein ist.
- **b** ◯ weil es über das Meer gekommen ist.
- **c** ◯ weil es Salzwasser mag.

2 Die meisten Hamster werden
- **a** ◯ 2–3 Jahre alt.
- **b** ◯ 4–8 Jahre alt.
- **c** ◯ 9–15 Jahre alt.

3 Für Papageien ist Obst und Gemüse
- **a** ◯ die beste Nahrung.
- **b** ◯ kein gutes Futter.
- **c** ◯ besonders ungesund.

4 Welches Tier hat die längsten Ohren?
- **a** ◯ Ein Meerschweinchen.
- **b** ◯ Ein Kaninchen.
- **c** ◯ Ein Hamster.

5 Der Goldfisch ist
- **a** ◯ das beliebteste Haustier.
- **b** ◯ der leiseste Mitbewohner.
- **c** ◯ der teuerste Fisch.

6 Der größte Vogel in Heinzels Zoohandlung ist
- **a** ◯ ein Wellensittich.
- **b** ◯ ein Kanarienvogel.
- **c** ◯ ein Papagei.

Und das können Sie gewinnen:
1. Preis: sportliche Hundeleine (**6 x** richtig)
2. Preis: praktischer Futternapf (**5 x** richtig)
3. Preis: schöner Katzenkalender (**4 x** richtig)
4. Preis: gesundes Vogelfutter (**3 x** richtig)

b) Was haben Sie gewonnen? Ordnen Sie die Gewinne (6 x – 3 x) den Fotos zu und kontrollieren Sie Ihr Ergebnis aus a) auf S. 101.

a ◯  **b** ◯   **c** ◯  **d** ◯ 

4 *Der größte ..., das kleinste ...*

a) **Markieren Sie die Superlative in 3a), sammeln Sie weitere Beispiele in der Einheit und machen Sie eine Tabelle.**

Singular	Plural
das kleinste Schwein, ...	*die meisten Hamster,* ....

b) **Sehen Sie sich die Angaben in der Tabelle in a) noch einmal an. Wie heißt die Adjektivendung? Ergänzen Sie.**

Singular: ____________ Plural: ____________

c) **Superlative. Wählen Sie passende Adjektive aus und ergänzen Sie wie im Beispiel.**

unbeliebt • teuer • viel • klein • laut

1 In vielen Zoos sind die kleinen Graupapageien *die* ____________ Tiere.

2 Ein japanischer Koi kann über 10.000 € kosten. Er ist ____________ Fisch.

3 Singapura Katzen werden nur 20 cm groß. Sie sind ____________ Katzen.

4 ____________ Pferde brauchen täglich nur drei Stunden Schlaf.

5 Die Hausmaus ist für sehr viele Menschen ____________ Mitbewohner.

5 **Hören Sie und sprechen Sie nach. Achten Sie auf die Diphthonge.**

2.22

1 Mitbewohner – ein unbeliebter Mitbewohner – Die Hausmaus ist ein unbeliebter Mitbewohner.

2 weich – ein weiches Fell – Meine Katze hat ein weiches Fell.

3 Fisch – ein teurer Fisch – Der japanische Koi ist ein teurer Fisch.

6 In der Zoohandlung Heinzel

2.23

a) **Lesen Sie die Fragen und hören Sie das Gespräch zwischen Ines Lau und Bodo Heinzel noch einmal. Welche Fragen beantwortet Herr Heinzel? Kreuzen Sie an.**

1 (X) Gibt es in der Zoohandlung Heinzel auch Tiere?

2 ( ) Wann öffnet Heinzels neue Zoohandlung im Einkaufszentrum am Park?

3 ( ) Welche Haustiere finden Kinder am niedlichsten?

4 ( ) Sind die teuren Pflegeprodukte für Hunde und Katzen wirklich gut?

5 ( ) Brauchen Hamster und Meerschweinchen auch so viel Zubehör wie Goldfische?

6 ( ) Welche Kundinnen und Kunden sind die besten?

b) **Ines Lau hat Bodo Heinzels Antworten kurz notiert. Lesen Sie ihre Notizen und ordnen Sie passende Fragen aus a) zu.**

Interview Heinzel, Zoohandlung im EKZ am Park

a ( ) *nicht immer, Katzen brauchen kein Shampoo*

b ( ) *Kaninchen, zum Spielen und Streicheln*

c ( ) *nein, und das Futter ist auch günstig*

d ( ) *echte Tierfreunde*

e ( ) *kleine Haustiere ja, keine Hunde oder Katzen*

7 *Können Sie mir sagen, ...*

a) **Heinzels Kunden stellen viele Fragen. W-Frage (W) oder Satzfrage (S)? Kreuzen Sie an.**

		W	S
1	Haben Sie auch kleine Kätzchen?	○	○
2	Welche Hundeleine ist am längsten?	○	○
3	Wie alt sind diese Papageien?	○	○
4	Dürfen Kaninchen Milch trinken?	○	○
5	Wo finde ich Zubehör für Fische?	○	○
6	Ist dieses Futter auch für kleine Hunde gut?	○	○

Herr Heinzel berät eine Kundin

b) **Manchmal ist es in der Zoohandlung sehr laut. Dann fragen die Kund*innen noch einmal nach. Ergänzen Sie die indirekten Fragen wie im Beispiel.**

1 Ich möchte wissen, *ob Sie auch kleine Kätzchen haben.*

2 Können Sie mir sagen, *welche Hundeleine am längsten ist?*

3 Wissen Sie, ______________________________

4 Ich frage mich, ______________________________

5 Können Sie mir sagen, ______________________________

6 Wissen Sie, ______________________________

8 *Haben Sie mein Kaninchen gesehen?*

1.16

a) **Videokaraoke. Sehen Sie sich das Video an und antworten Sie.**

b) ***Wie sieht es denn aus?*** **Sehen Sie sich das Video noch einmal an und ergänzen Sie die Notiz.**

c) **Im Tierheim. Ist Lotta dabei? Vergleichen Sie die Kaninchen mit Ihren Notizen aus a).**

1 ○ 2 ○ 3 ○ 4 ○ 5 ○ 6 ○

9 *In der Kleintierpraxis*

a) Sammeln Sie Informationen zu den Punkten 1–4 im Magazinartikel und notieren Sie die Zeilennummer(n).

1 Gründe für den Besuch in der Sprechstunde: ______

2 So arbeitet das Team in der Praxis: ______

3 Häufige Probleme: ______

4 Ein wichtiger Rat für alle Tierfreunde: ______

Sprechstunde in der Kleintierpraxis

Dr. Olga Novak-Langer

In einer ruhigen Straße in Köln liegt die Kleintierpraxis von Dr. Olga Novak-Langer. Jeden Tag bringen Menschen ihre Haustiere in die Sprechstunde, weil sie sich verletzt haben, krank sind oder eine Kontrolluntersuchung brauchen.

Die Tierärztin und ihr Team haben viel Erfahrung und sind mit den kleinen und großen Patienten sehr vorsichtig. Sie wissen, dass die meisten Tiere mit der fremden Situation Probleme haben. „Wir nehmen uns viel Zeit für unsere Patienten, weil jedes Haustier anders ist", sagt Dr. Novak-Langer. „Manche kennen wir schon lange, andere waren noch nie hier." Dann fragt sie die Besitzerinnen und Besitzer zuerst, wo und wie ihre Lieblinge leben. So findet sie schnell heraus, ob etwas nicht in Ordnung ist. „Besonders Hunde und Katzen sind oft zu dick und werden krank, weil sie das falsche Futter bekommen und sich nicht genug bewegen. Meistens können wir dann mit einfachen Tipps helfen", sagt Dr. Novak-Langer.

Mit der richtigen Pflege können manche Tiere sehr lange leben. Der älteste Patient von Dr. Novak-Langer ist der Papagei Lolo. Er ist schon 58 Jahre alt! „Es gibt viele Gründe, warum man sich auf jeden Fall sehr gut überlegen muss, ob man ein Haustier haben möchte", meint die Tierärztin.

b) Pro (+) und Kontra (-) Haustiere. Sammeln Sie Gründe im Magazinartikel in a) und in der Einheit.

(–) Sie brauchen manchmal einen Tierarzt. Das ist teuer.

10 Mensch und Tier

a) Oft sehen Hunde und ihre Besitzer*innen ähnlich aus. Welcher Hund gehört wem? Verbinden Sie.

Balou

Wotan

Kira

Mimi

b) Beschreiben Sie die Besitzer*innen wie im Beispiel.

Ich glaube, dass Mimi der Frau mit der grünen Bluse und … gehört.

Fit für Einheit 8?

1 Mit Sprache handeln

über Haustiere sprechen

Ich finde kleine Kätzchen total süß! – Das stimmt. Kleine Katzen sind echt niedlich!
Wie alt wird eine Katze? – Eine Katze kann zwölf bis 16 Jahre alt werden.
Goldfische sind die billigsten Haustiere. – Ja, aber das Zubehör für Goldfische ist teuer.
Kannst du mir sagen, was du mit einem Haustier machen möchtest? – Ich möchte ein Tier zum Spielen, Streicheln und Spazierengehen.

ein Haustier beschreiben

Wie sieht Ihre Katze denn aus? – Sie hat braune Ohren, weiße Pfoten und einen schwarzen Schwanz. Haben Sie Miezi gesehen?

2 Wörter, Wendungen und Strukturen

Superlativ vor Nomen

Der größte Vogel in Heinzels Zoohandlung ist ein Papagei.
Ein Kaninchen ist das beste Haustier für kleine Kinder.
Die witzigste Katze gewinnt eine Transportbox.
Singapura Katzen sind die kleinsten Katzen.

indirekte Fragen mit Fragewort

Können Sie mir sagen, wo ich das Katzenfutter finde?
Wissen Sie, welches Hundeshampoo das Beste ist?
Kannst du mir sagen, was ein Goldfisch kostet?
Weißt du, wie ein Hund auf Japanisch bellt?
Wer weiß, warum Papageien sprechen können?

Adjektive mit Artikel im Dativ

Der Hund mit dem schwarzen Kopf, der hellen Schnauze und dem braunen Ohr heißt Mango.
Ich suche einen Hund mit einem schwarzen Kopf, einer hellen Schnauze und einem braunen Ohr.
Das Kätzchen mit den großen Augen ist süß!
Ich finde, ein Kätzchen mit großen Augen ist süß!

3 Aussprache

Diphthonge *au, äu, eu, ei, ai*: Guten Morgen Herr H**äu**ssler. Hier ist P**au**la S**ei**fert aus M**ai**nz. M**ei**n Papag**ei** ist weg! Er ist bl**au** und sehr fr**eu**ndlich.

Lösung Gewinnspiel

1b; 2a; 3a; 4b; 5b; 6c

Interaktive Übungen

HIER LERNEN SIE:

- eine Stadt vorstellen
- über regionale Gerichte und Spezialitäten berichten
- über Berufe am Flughafen sprechen
- Personen und Sachen beschreiben

1 eine echte Tradition:
der Apfelwein aus dem Krug

2 die Europäische Zentralbank

3 die Altstadt

4 der Frankfurter Flughafen

7 die Frankfurter Grüne Soße

5 das Nachtleben

6 die Skyline

8 die Alte Oper

9 der Wochenmarkt in
der Berger Straße

Frankfurt am Main

Weltstadt mit Tradition

„Frankfurt ist eine internationale Großstadt", sagen die einen. „Frankfurt ist gemütlich und traditionell", sagen die anderen. Ich finde, Frankfurt hat Charme, weil es so viele Gegensätze gibt. Ein Besuch in der Altstadt mit dem Rathaus ist eine Reise in die Vergangenheit. Frankfurt ist aber auch eine internationale Messestadt, die bekannt für ihre moderne Skyline mit vielen Banken und Hochhäusern ist. Wie zum Beispiel die Europäische Zentralbank (EZB). Ich finde, der Name „Mainhattan" passt wunderbar zu der Stadt am Main.

International:
Wie kommt man hin?

10 Zum Beispiel mit dem Flugzeug oder der Bahn. Der Flughafen Frankfurt Rhein-Main gehört zu den größten Flughäfen in Europa. Dort arbeiten rund 15 78.000 Menschen. Das Leben in Frankfurt ist multikulturell. In der Metropole am Main leben Menschen aus etwa 180 Nationen. Viele internationale Firmen 20 sind in Frankfurt. Die Lufthansa, die Deutsche Bahn und die Börse sind wichtige Unternehmen. International bekannt ist auch die Frankfurter Buchmesse.

25 **Kultur:**
Wo geht man hin?

Frankfurt ist bekannt für seine Museen, wie z. B. das Jüdische 30 Museum oder das Städel, das alte und moderne Kunst zeigt. Tolle Sehenswürdigkeiten sind die Alte Oper und der Dom. Kultur erlebt man aber auch in 35 Stadtvierteln wie Bornheim oder Sachsenhausen. Ich empfehle die kleinen Cafés und Geschäfte z. B. in der Berger Straße. Dort kann man wunderbar einkaufen 40 und entspannen. Am Abend kann man nicht nur toll essen, es gibt auch viele Bars und Clubs.

Tradition:
Was isst Frankfurt?

45 In Frankfurt trinkt man Apfelwein (*Ebbelwoi*). Apfelwein ist ein alkoholisches Getränk, das man aus Äpfeln macht. Ich empfehle auch die Frankfurter 50 Grüne Soße. Das traditionelle Gericht ist eine kalte Soße, die aus grünen Kräutern besteht. Man isst sie mit Kartoffeln und Ei – vegetarisch und sehr lecker. 55 Eine weitere Tradition ist der *Handkäs mit Musik*, der kein Musikinstrument ist. Es ist ein Käse, der in einer Essig-, Öl- und Zwiebelsoße liegt.

Svenja Larssen

1 **Frankfurt auf den ersten Blick.** Sehen Sie sich die Fotos an. Kommentieren Sie.
Die Skyline sieht aus wie Manhattan.
Die Altstadt finde ich schön.

2 **In Frankfurt.** Welche Orte sehen Sie? Sehen Sie sich das Video an. Sammeln und berichten Sie. 1.17

3 **Weltstadt mit Tradition**
a) Typisch Frankfurt. Lesen Sie den Magazinartikel und berichten Sie.
b) Ordnen Sie Fotos und Textstellen zu.
c) Ankommen, ausgehen und essen in Frankfurt. Sammeln Sie Informationen.
d) Aussagen über Frankfurt. Ordnen Sie die Aussagen den Textabschnitten zu.

4 **Handkäs mit Musik**
a) Was ist was? Ordnen Sie zu.
b) Hören Sie und sprechen Sie die Sätze nach. 2.24

5 **Digitale Stadt-Rallye.** Recherchieren Sie, stellen Sie die Ergebnisse vor und zeigen Sie Fotos.

Frankfurt regional

1 Frankfurter Wochenmärkte

a) **Welche Lebensmittel kaufen Sie auf dem Markt? Machen Sie ein Wörternetz.**

b) **Wo kauft Maja ein? Was mag sie? Warum? Lesen Sie den Blogartikel. Berichten Sie.**

AVOCADO BLOG
Majas Food Blog

SCHLEMMEN AUF DEM WOCHENMARKT

Frankfurt ohne Wochenmärkte: Das kann man sich nicht vorstellen! Am liebsten mag ich den Bornheimer Wochenmarkt, weil man dort regionale Produkte kaufen kann. Also direkt vom Bauern aus der Region. Ich kaufe immer am gleichen Stand, bei Familie Bruhn. Sie verkaufen Obst und Gemüse, das sie auf ihrem Hof anbauen. Die Lebensmittel sind frisch, günstig und saisonal. Erdbeeren gibt es zum Beispiel nur im Mai und im Juni Spargel, der aus der Region kommt. Das ist ja auch das Schöne. Im Winter kaufe ich Kartoffeln und Kohl und im Sommer Erdbeeren und Bohnen.
Aber ich kaufe auf dem Markt nicht nur ein. Ich treffe mich hier auch mit Freunden und Nachbarn. Wir trinken Kaffee oder Wein und essen zusammen. Es gibt viele kleine Stände, die auch kleine Gerichte verkaufen. Der Besuch auf dem Markt gehört für mich zum Wochenende!

c) **Wie beschreibt Maja regionale und saisonale Produkte im Text? Vergleichen Sie.**

Regionale Produkte sind ... | *Ja, das stimmt, und es heißt auch ...* | *Saisonal bedeutet ...*

2 Ein Interview mit Gemüsebauer Peter Bruhn

2.25

a) **Hören Sie Teil 1, ergänzen Sie den Steckbrief und berichten Sie.**

Steckbrief

Name: *Peter Bruhn* ____________ Gemüsehof seit: ____________

Beruf: ____________ Wer arbeitet auf dem Hof? ____________

Wohnort: ____________ ____________

2.26

b) **Obst und Gemüse aus der Region. Was nennt Peter? Hören Sie Teil 2 und kreuzen Sie an.**

1  die Orange
2  die Kirsche
3  die Himbeere
4  die Erdbeere
5 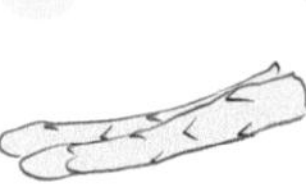 der Spargel
6  die Ananas
7  die Mango
8  die Avocado

c) **Informationen verstehen. Hören Sie noch einmal, verbinden und vergleichen Sie.**

1 Gemüsebauer ist ein Beruf,	die aus der Nähe kommen.
2 Die Gemüsekiste ist eine Box,	die nicht in Deutschland wächst.
3 Saisonales Obst ist ein Produkt,	der viel Arbeit macht.
4 Die Orange ist eine Frucht,	die man online bestellen kann.
5 Regionale Lebensmittel sind Produkte,	das zu einer bestimmten Jahreszeit wächst.

3 Personen beschreiben

a) **Lesen Sie die Sätze und markieren Sie wie im Beispiel. Sammeln Sie weitere Relativsätze auf S. 103–104.**

Hauptsatz	Relativsatz
1 Ein Gemüsebauer ist ein Mann,	der Gemüse anbaut.
2 Eine Bloggerin ist eine Frau,	die Online-Artikel schreibt.
3 Ein Schulkind ist ein Kind,	das in die Schule geht.
4 Obsthändler sind Verkäufer,	die Obst auf dem Markt verkaufen.

b) **Was ist richtig? Lesen Sie noch einmal und kreuzen Sie an.**

1 ◯ Relativsätze erklären Sachen oder Personen genauer.
2 ◯ Das Relativpronomen gehört zu einem Nomen im Hauptsatz.
3 ◯ Der Relativsatz ist ein Hauptsatz.
4 ◯ Der Relativsatz ist ein Nebensatz.

4 *Erdbeeren und Spargel ...*

a) **Hören Sie und markieren Sie die betonten Wörter.**

1 Erdbeeren und Spargel sind Lebensmittel, die aus der Region kommen.
2 Auf dem Markt gibt es viele Stände, die auch Essen verkaufen.
3 Die Gemüsekiste ist eine Box, die man online bei uns bestellen kann.
4 Ein Familienbetrieb ist ein Betrieb, der einer Familie gehört.

b) **Hören Sie und sprechen Sie nach.**

5 So isst Frankfurt

Was finden Sie lecker? Wählen Sie drei Spezialitäten aus und beschreiben Sie wie im Beispiel.

Der Frankfurter Kranz ist eine Torte. Sie besteht aus Buttercreme und Teig. Sie schmeckt gut, aber sie hat viele Kalorien.

die Kirsche der Teig die Buttercreme

Was ist ein Frankfurter Kranz?

Der Frankfurter Kranz ist eine Torte, die aus Buttercreme und Teig besteht.

Der Frankfurter Kranz ist eine Torte, die gut ...

6 Spezialitäten aus meiner Region

Notieren Sie Spezialitäten aus Ihrer Region. Recherchieren Sie Fotos und präsentieren Sie. ODER **Was sind saisonale und regionale Produkte und Gerichte in Ihrer Region? Wann gibt es was? Beschreiben Sie.**

Bei uns in ... gibt es ...

Das klingt lecker. Isst man das mit ...?

Die Mango ist eine Frucht, die man bei uns in Brasilien von Januar bis März auf dem Markt kaufen kann.

1 Menschen am Flughafen

a) **Die Fluggäste. Sehen Sie sich die Fotos an. Kennen Sie die Situation?**

Ich bin auch immer aufgeregt. Hoffentlich klappt alles!

Ich fliege auch nicht gern, weil es immer stressig ist.

Ich bin auch ganz entspannt. Endlich Urlaub!

b) **Testen Sie Ihr Wissen über den Frankfurter Flughafen und kommentieren Sie.**

Mich wundert, dass ...

2 Wer arbeitet am Flughafen?

a) **Berufe am Frankfurter Flughafen. Sehen Sie sich das Bild an. Ordnen Sie zu und ergänzen Sie.**

1 ◯ der Flugbegleiter	4 ◯ der Fluglotse	7 ◯ der Koch
2 ◯ die Pilotin	5 ◯ der Polizist	8 ◯ die Mechanikerin
3 ◯ die Zollbeamtin	6 ◯ die Sicherheitsmitarbeiterin	

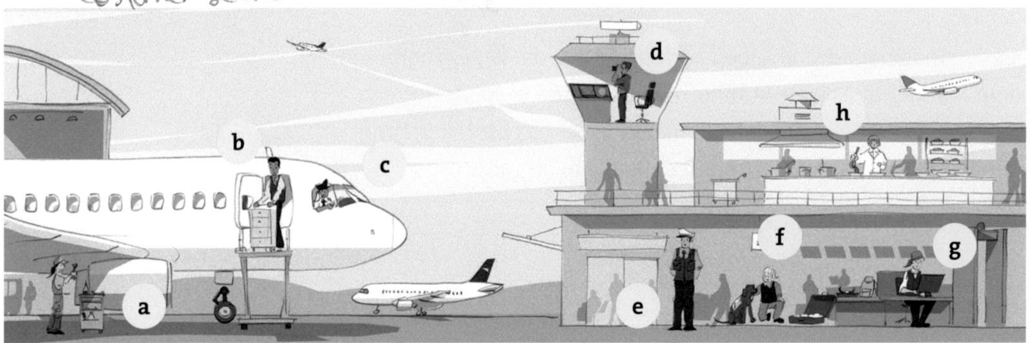

b) **Typische Sätze am Flughafen. Ordnen Sie Berufe aus a) zu. Es gibt mehrere Möglichkeiten.**

Ihr Ticket, bitte, das sagt ...

1 Ihren Ausweis, bitte.
2 Öffnen Sie bitte Ihren Koffer.
3 Haben Sie ein Taschenmesser im Koffer?
4 Möchten Sie Kaffee oder Tee?
5 Herzlich willkommen. Ich bin Ihr Co-Pilot.
6 Kommen Sie bitte einen Moment mit. Ich habe ein paar Fragen.

c) **Wählen Sie einen Beruf aus und lesen Sie das Porträt. Welchen Aussagen stimmt die Person zu? Kreuzen Sie an.**

1 der Bundespolizist

2 die Flugbegleiterin

3 die Mechanikerin

1 ◯ Ich bin immer unterwegs.
2 ◯ Ich lerne bei der Arbeit viele Leute kennen.
3 ◯ Die Arbeit macht sehr viel Spaß.
4 ◯ Ich arbeite im Schichtdienst.
5 ◯ Ich arbeite nicht gern am Wochenende.
6 ◯ Es gibt auch unfreundliche Passagiere.

d) **Lesen Sie noch einmal. Ergänzen Sie die Informationen zu Ihrer Person und vergleichen Sie.**

Ausbildung und Tätigkeit: ...	*Vorteile im Job: ...*
arbeitet am Flughafen seit ...	*Nachteile im Job: ...*

3 Spezialitäten aus aller Welt

a) **Lesen Sie und vergleichen Sie die Sätze. Markieren Sie die Relativpronomen im Akkusativ und ergänzen Sie wie im Beispiel.**

Baklava

Mate

Turrón

1 Baklava ist ein Kuchen, den ich am Flughafen in Istanbul gekauft habe.

der Kuchen = *den*

2 Mate ist ein Getränk, das ich in Buenos Aires getrunken habe.

das Getränk = ______

3 Turrón ist eine Süßigkeit, die ich in Sevilla probiert habe.

die Süßigkeit = ______

b) **Wechselspiel. Spezialitäten und Personen beschreiben.**

c) **Was haben Sie auf Flughäfen oder auf Reisen probiert? Beschreiben Sie wie in a).**

Matcha. Das ist ein grüner Tee, den ich in Japan getrunken habe.

Medovnik. Das ist eine Torte, die ich in Moskau probiert habe.

4 Ab in den Urlaub!

2.29

a) **Saskia und Thea fliegen nach Spanien. Hören Sie die Mini-Dialoge und bringen Sie die Bilder in die richtige Reihenfolge.**

a

Saskia hasst den neuen Koffer. Sie kann den Koffer nicht schließen.

b

Sie treffen den Flugbegleiter Jörg. Saskia findet ihn süß.

c

Sie bestellen einen Kaffee. Sie trinken den Kaffee schnell.

d

Saskia bekommt eine SMS von Jörg. Saskia liest sie sofort.

e

Sie haben die Tickets gebucht. Die Tickets waren günstig.

f

Saskia hat einen schweren Koffer. Sie kann ihn nicht tragen.

b) **Saskia und Thea. Lesen Sie die Bildunterschriften und berichten Sie wie im Beispiel.**

Saskia und Thea haben die Tickets gebucht, die günstig waren.

5 Souvenirs aus ...

Welche Souvenirs haben Sie wo gekauft? ODER **Welche Souvenirs kaufen Touristen in Ihrem Land? Berichten Sie.**

Ich habe eine Tasse, die ich in ... gekauft habe.

Ich habe ein Handtuch vom FC Bayern München, das ich in ...

In Südfrankreich habe ich Seife gekauft.

1 Frankfurt hat Charme

a) **Lesen Sie den Magazinartikel von Svenja Larssen auf S. 103 noch einmal und beantworten Sie die Fragen.**

1 Welche Gegensätze nennt Svenja Larssen für die Stadt Frankfurt?
2 Warum passt der Name „Mainhattan" zu der Stadt?
3 Wie viele Menschen arbeiten am Flughafen Frankfurt Rhein-Main?
4 Warum ist Frankfurt multikulturell?
5 Was kann man in der Berger Straße machen?
6 Was sind typische Frankfurter Gerichte?
7 Was kann man sich im Städel Museum ansehen?

Frankfurt ist eine internationale Großstadt, aber Frankfurt ist auch ... .

b) **Was empfiehlt Svenja Larssen? Kreuzen Sie an.**

1 ◯ die kleinen Cafés
2 ◯ die Geschäfte
3 ◯ die Grüne Soße
4 ◯ einen Besuch auf dem Flughafen

2 Frankfurt am Main an einem Tag

2.30

a) **Über welches Thema spricht Isabelle? Hören Sie den Podcast und kreuzen Sie an.**

1 ◯ der Frankfurter Flughafen
2 ◯ die Sehenswürdigkeiten in Frankfurt
3 ◯ die internationale Küche in Frankfurt
4 ◯ das Studium in Frankfurt

b) **Eine Tour durch Frankfurt. Hören Sie noch einmal und ordnen Sie die Fotos.**

a ◯

die Alte Oper

b ◯

die Altstadt

c ◯

eine Kneipe

d ◯

der Hauptbahnhof

e ◯

ein Restaurant

f ◯

die Europäische Zentralbank

c) **Das war ein schöner Ausflug! Kreuzen Sie die richtigen Aussagen an und korrigieren Sie die falschen Aussagen.**

1 ◯ Isabelle ist mit dem Zug nach Frankfurt gefahren.
2 ◯ Die Frankfurter Grüne Soße hat Isabelle nicht geschmeckt.
3 ◯ Im Restaurant haben Isabelle und Joanne Handkäs mit Musik gegessen.
4 ◯ Abends haben sie Apfelwein getrunken.

3 Frankfurter Spezialitäten

a) **Wie heißt das? Ergänzen Sie.**

1 

2 

3 

4 

1 *die* ______ 2 ______ 3 ______ 4 ______

b) **Zwei Definitionen sind richtig. Lesen Sie und kreuzen Sie an.**

1 Der Apfelwein ...

a ◯ ist ein Getränk ohne Alkohol.
b ◯ ist ein Getränk aus Äpfeln.
c ◯ heißt auch Ebbelwoi.

2 Die Grüne Soße ...

a ◯ heißt auch Gri Soß.
b ◯ ist eine warme Soße.
c ◯ besteht aus sieben grünen Kräutern.

3 Der Handkäs mit Musik ...

a ◯ ist ein Käse.
b ◯ ist ein Musikinstrument.
c ◯ liegt in einer Essig-, Öl- und Zwiebelsoße.

4 Der Zwiebelkuchen ...

a ◯ besteht aus Teig, Zwiebeln und Schinken.
b ◯ heißt auch Zwiwwellkuuche.
c ◯ ist ein süßer Kuchen.

4 Saisonal und regional

a) **Ergänzen Sie wie im Beispiel. Das Wörterbuch hilft.**

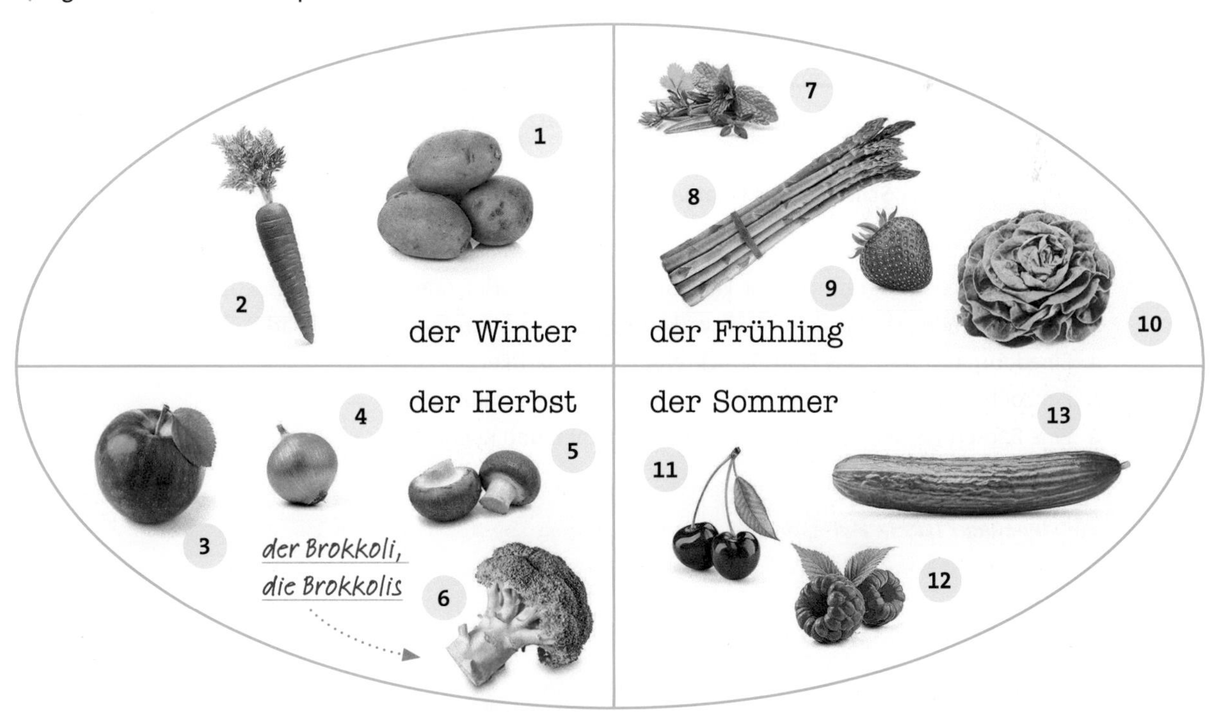

b) **Saisonal und regional. Wann isst man traditionell Grüne Soße und Zwiebelkuchen? Kreuzen Sie an.**

	im Frühling	im Sommer	im Herbst	im Winter
die Grüne Soße	◯	◯	◯	◯
der Zwiebelkuchen	◯	◯	◯	◯

5 Warum regional und saisonal?

a) **Lesen Sie den Blogartikel. Welche Aussagen sind richtig? Kreuzen Sie an.**

1 ◯ Edgar isst morgens gern einen Obstsalat oder ein Brot.
2 ◯ Orangen aus Spanien und Mangos aus Indien mag er am liebsten.
3 ◯ Aber er möchte lieber regional einkaufen.
4 ◯ Die Obst- und Gemüsekiste muss man nicht unbedingt online bestellen.
5 ◯ Im Frühling waren Spargel und Kirschen in der Kiste.
6 ◯ Im Sommer sind auch Himbeeren in der Kiste.

Edgars_Welt

Gefällt 88 Mal

Ein Obstsalat mit Mango, Orange und Banane ist ein Frühstück, das ich total lecker finde. Manchmal esse ich auch ein Brot mit Avocado und Ei. Aber es gibt ein Problem. Mangos, die aus Indien kommen, Bananen, die aus Israel kommen und Orangen, die aus Spanien
5 kommen ... Das sind mehr als 12.500 km auf dem Frühstückstisch! Das ist echt nicht regional und muss nicht jeden Morgen sein! Seit drei Monaten teste ich eine Obst- und Gemüsekiste, die man online bestellen oder auf dem Markt kaufen kann. Ich finde die Kiste super, weil es immer saisonale Produkte aus der Region gibt.
10 Im Mai war zum Beispiel frischer Spargel in der Kiste, der super geschmeckt hat. Ich freue mich schon auf die Kiste im Juli. Dann gibt es Kirschen und Himbeeren aus der Region!

b) **Der Relativsatz. Was passt? Ergänzen Sie.**

das Verb • der Relativsatz • das Relativpronomen • ein Nomen

__________ [1] ist ein Nebensatz. Im Relativsatz steht __________ [2] am Ende und __________ [3] steht am Anfang. Der Relativsatz erklärt __________ [4] im Hauptsatz.

6 Was macht ein(e)...? **Schreiben Sie Relativsätze im Nominativ wie im Beispiel.**

1 Ein Ingenieur ist ein Mann. Er entwickelt Produkte.
2 Eine Hochzeitsfotografin ist eine Frau. Sie macht Fotos und Videos von einer Hochzeit.
3 Gemüsehändler sind Verkäufer. Sie verkaufen Obst und Gemüse auf dem Markt.
4 Eine Journalistin ist eine Frau. Sie schreibt Zeitungsartikel.
5 Ein Zoohändler ist ein Mann. Er arbeitet in einer Zoohandlung.
6 Eine Bäckerin ist eine Frau. Sie backt Brot, Brötchen und Kuchen.

Ein Ingenieur ist ein Mann, der ...

7 *Günstiges Gemüse*

2.31

a) **Hören Sie und achten Sie auf ä, ö und ü.**

1 Der Frankfurter Flughafen gehört zu den größten Flughäfen in Europa.
2 Auf den Märkten gibt es Bäcker, die frische Brötchen verkaufen.
3 Günstiges Gemüse gibt es auch in vielen Gemüsegeschäften.

b) **Hören Sie noch einmal und sprechen Sie nach.**

8 Frankfurt international

2.32 a) **Internationale Küche. Hören Sie das Interview und kreuzen Sie die passenden Aussagen an.**

1 ◯ Das Restaurant von Familie Legowo heißt Makanan.
2 ◯ Im Makanan gibt es indonesisches Essen.
3 ◯ Viele Gäste haben noch nie indonesisch gegessen und freuen sich auf die Gerichte.
4 ◯ In Frankfurt gibt es viele internationale Restaurants.
5 ◯ Herr Legowo erzählt von Indonesien.
6 ◯ Die Journalistin möchte im Restaurant einen Kochkurs machen.

b) **Was ist das? Hören Sie noch einmal und beschreiben Sie die Gerichte. Das Beispiel auf S. 105 hilft.**

Rujak. Das ist ein Obstsalat mit einer Soße. Die Soße schmeckt zuerst sehr süß und dann scharf.

Ikan Bakar. Das ist ein Fischgericht mit einer scharfen Soße. Das Gericht ist in Indonesien sehr beliebt.

Rujak ist ein Obstsalat mit einer Soße, die ...

9 Wie heißen die Berufe?

a) **Ergänzen Sie.**

1 Ein Mann, der Ausweise kontrolliert.
2 Eine Frau, die im Flugzeug Getränke bringt.
3 Männer, die den Flugverkehr regeln.
4 Ein Mann, der auf Sicherheit achtet.
5 Frauen, die Koffer kontrollieren.
6 Ein Mann, der in der Küche arbeitet.
7 Eine Frau, die Flugzeuge fliegt.
8 Ein Mann, der Maschinen repariert.

▼1 B
▶3
▼6
▼7
▼8
▶4
▶2
▶5

b) **Wie heißt das Lösungswort? Ordnen Sie die markierten Buchstaben.**

Lösung: der _ _ _ _ _ _ _ _ _

10 Eine Reise nach Italien

1.18

a) **Videokaraoke. Sehen Sie sich das Video an und antworten Sie.**

b) **Sehen Sie sich das Video noch einmal an und sammeln Sie Informationen.**

- Reiseziel: Gardasee
- Reisepartner:
- Kosten:
- Verkehrsmittel:
- Aktivität:

11 Flüssig sprechen. Hören Sie und sprechen Sie nach.

2.33

1 Einen Koffer – Ich habe einen Koffer. – Ich habe einen Koffer, den ich in Lissabon gekauft habe.
2 Ein Ticket – Ich habe ein günstiges Ticket. – Ich habe ein günstiges Ticket, das ich online gekauft habe.
3 Seine Sonnenbrille – Er sucht seine Sonnenbrille. – Er sucht seine Sonnenbrille, die er in den Urlaub mitnehmen möchte.
4 Unsere Freunde – Wir treffen unsere Freunde. – Wir treffen unsere Freunde, die wir lange nicht gesehen haben.

12 *Italien war mega!*

a) **Was hat Manu aus Italien mitgebracht? Lesen Sie die Nachricht und kreuzen Sie an.**

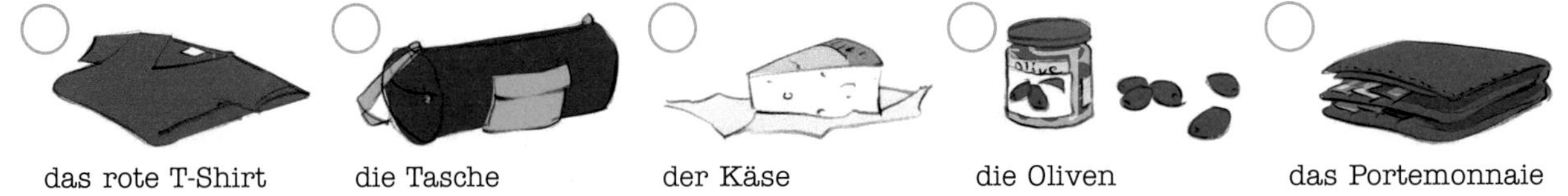

das rote T-Shirt | die Tasche | der Käse | die Oliven | das Portemonnaie

Hey Lena,
wie geht's dir? Thomas und ich hatten einen mega schönen Urlaub in Italien. Wir waren am Gardasee. Ich habe dort ein paar coole Sachen gesehen, die ich auch gekauft habe. Ich schicke dir gleich Fotos. Am besten finde ich das rote T-Shirt, das ich in einem kleinen Laden entdeckt habe. Und Thomas hat mir eine Tasche geschenkt, die ich total schön finde. Natürlich waren wir nicht nur einkaufen. Wir haben auch viele Ausflüge gemacht, waren am Strand und haben sehr gut gegessen. Ich liebe die Pizza, die man dort überall bekommt! Und ich mag den tollen Kaffee, den wir jeden Morgen zum Frühstück getrunken haben. Für dich habe ich auch noch etwas ...
Bis bald und liebe Grüße!
Manu

b) **Lesen Sie die Nachricht noch einmal und markieren Sie die Relativpronomen im Akkusativ.**

c) **Sie waren in Frankfurt. Was haben Sie dort gemacht? Was haben Sie mitgebracht? Schreiben Sie eine E-Mail an einen Freund / eine Freundin. Die E-Mail in a) hilft.**

13 Selbsttest. Verbinden Sie die Sätze mit Relativpronomen im Akkusativ.

1 Nimmst du den Salat mit Avocado? Du magst den Salat so gerne.
2 Hast du das gelbe T-Shirt gefunden? Ich habe das T-Shirt in den Schrank gelegt.
3 Ich liebe die große Tasse. Meine Freundin hat die Tasse aus Prag mitgebracht.
4 Sie nimmt viele Zeitschriften mit. Sie liest unterwegs am liebsten Zeitschriften.

Fit für Einheit 9?

1 Mit Sprache handeln

eine Stadt vorstellen
Ich finde, ... hat Charme. / Die Stadt ist bekannt für ...
Tourist*innen besuchen/kaufen besonders gern ...
Tolle Sehenswürdigkeiten sind ... / Ich empfehle einen Besuch in ...

über regionale Gerichte und Spezialitäten berichten
Der Frankfurter Kranz ist eine Torte, die viele Kalorien hat.
Die Grüne Soße besteht aus sieben grünen Kräutern. Man isst sie mit Kartoffeln.
Im Winter kaufe ich Kartoffeln und Kohl aus der Region.

über Berufe am Flughafen sprechen
Er ist Bundespolizist und arbeitet im Schichtdienst.
Die Pilotin fliegt das Flugzeug.

Personen und Sachen beschreiben
Das Städel ist ein bekanntes Museum für alte und moderne Kunst in Frankfurt.
Erdbeeren und Spargel sind Produkte, die aus der Region kommen.
Ein Zollbeamter ist ein Mann, der das Gepäck kontrolliert.

2 Wörter, Wendungen und Strukturen

Saisonale Produkte
im Frühling: der Spargel, die Erdbeeren
im Sommer: die Himbeeren, die Bohnen

regionale Spezialitäten
aus Frankfurt: der Handkäse mit Musik, der Apfelwein
aus Indonesien: Ikan Bakar

Berufe am Flughafen
der/die Flugbegleiter*in, der/die Pilot*in, der/die Sicherheitsmitarbeiter*in

Relativsätze im Nominativ

Gemüsebauer ist ein Beruf. Er macht viel Spaß.	Gemüsebauer ist ein Beruf, der viel Spaß macht.
Handkäse mit Musik ist ein Gericht. Es schmeckt gut.	Handkäse mit Musik ist ein Gericht, das gut schmeckt.
Frankfurter Grüne Soße ist eine Soße. Sie besteht aus grünen Kräutern.	Frankfurter Grüne Soße ist eine Soße, die aus grünen Kräutern besteht.

Relativsätze im Akkusativ

Ich liebe den Kaffee. Wir haben ihn jeden Morgen zum Frühstück getrunken.	Ich liebe den Kaffee, den wir jeden Morgen zum Frühstück getrunken haben.
Am besten finde ich das blaue Kleid. Ich habe es in einem kleinen Laden entdeckt.	Am besten finde ich das blaue Kleid, das ich in einem kleinen Laden entdeckt habe.
Wie findest du die rote Tasse? Ich habe sie aus New York mitgebracht.	Wie findest du die rote Tasse, die ich aus New York mitgebracht habe?

3 Aussprache

Satzakzent: Ein Gemüsebauer ist ein Mann, der Gemüse anbaut. Regionale Lebensmittel sind Produkte, die aus der Nähe kommen.

Interaktive Übungen

Wörter Spiele Training

1 Was bin ich?

a) **Sammeln Sie Berufe, Tätigkeiten und Arbeitsorte.**

Beruf	Arbeitsorte	Tätigkeit(en)
der Gärtner	*in der Gärtnerei*	*Pflanzen pflegen, Kund*innen beraten*
die Lehrerin	*in der Schule*	*Schüler*innen unterrichten, Hausaufgaben ...*

b) **Schreiben Sie jeden Beruf aus a) auf eine Karte. Mischen Sie die Karten und ziehen Sie eine. Die Gruppe fragt, Sie antworten mit *ja* oder *nein*. Nach fünfmal *nein* haben Sie gewonnen.**

Arbeiten Sie / Arbeitest du	in der Schule / in der Universität? im Krankenhaus / im Büro / ...? in der Bank / in der Werkstatt / draußen /...? bei der Firma XY / bei ...? mit älteren Menschen / mit Kindern / mit dem Computer / ...?
Verkaufen Sie / verkaufst du	Fahrkarten/Brötchen/...?
Kannst du / Müssen Sie ...	Kund*innen beraten / Autos reparieren / Fremdsprachen sprechen / Sportkurse planen / kochen / ...?

2 Neue Liebe gesucht

a) **Lesen Sie die Kontaktanzeigen. Kombinieren Sie und schreiben Sie eine.**

Kreativer, sehr sportlicher (Marathon, Fußball) Mann (29/179 cm/85 kg) möchte romantische, verrückte, fröhliche Traumfrau kennenlernen. Ein Bild ist toll! Firstdate_2022@example.de

Romantische, etwas verrückte, blonde Studentin (26) wünscht sich großen, sportlichen, sensiblen Supermann für gemeinsame Hobbys. Bitte mit Bild an 545545p.

Sportlich, elegant, attraktiv, sympathisch, intelligent, kreativ, sensibel, blond, ...	Er/Sie Mann/Frau/Mensch Ingenieur/Busfahrer/ Zahnärztin/ Katzenfreund/...	sucht wünscht sich möchte ... kennen lernen
klein, groß, fröhlich, lustig, verrückt, romantisch, ...	Sie/Ihn/Menschen Mann/Frau/Menschen Supermann/Batgirl/...	für immer / für gemeinsame Hobbys / für eine große Familie / zum Lachen / zum Glücklichsein / ...

b) **Lustig, romantisch, sportlich, ... Lesen Sie die Kontaktanzeigen laut vor und übertreiben Sie etwas.**

c) **Diskutieren Sie, wer wen treffen soll.**

Der sportliche Mann passt zu der verrückten Studentin!

Echt? Warum?

Weil er eine romantische ... sucht.

Ich finde, sie passt besser zu ...

3 Lernen mit Bewegung

a) *Das Katzenklo.* **Notieren Sie zehn Komposita aus den Einheiten 1–8. Stellen Sie sich im Kreis auf. Sprechen Sie die Wörter laut und gehen Sie im Kreis. Jede Silbe ist ein Schritt. Der rechte Fuß beginnt.**

b) **Hören Sie die Collage und notieren Sie den Satz.**

c) **Formulieren Sie einen Satz. Gruppe A geht durch den Raum und macht eine Hör-Collage wie in b). Gruppe B rät den Satz und stellt die Sprecher*innen in der richtigen Reihenfolge auf. Wechseln Sie dann.**

4 Wortsuchrätsel Tiere

a) **Finden Sie die sechs Tiernamen im Rätsel und vergleichen Sie. Die Sätze helfen.**

1 Kann man mit einem Shampoo für Hunde auch eine ... waschen?

2 Sie sind klein und weich. Kinder sind von ... immer sehr begeistert.

3 Mit einem ... muss man dreimal am Tag vor die Tür gehen.

4 Der blaue ... ist gestern aus dem Fenster geflogen. Wir haben ihn nicht mehr gefunden.

5 Mit einem ... kann man nicht sprechen. Der antwortet nicht.

6 Zum ersten Schultag habe ich einen ... bekommen. Er war sehr klein und hat am liebsten Schokolade gefressen.

← →

↑ ↓

N	G	O	L	D	F	I	S	C	H	F	D	V
B	P	W	Z	N	C	N	M	R	U	J	C	K
U	Z	F	K	U	V	R	Z	S	N	Z	L	A
V	L	Z	F	H	O	E	S	F	G	K	H	N
U	Z	U	K	D	E	T	K	N	X	Q	W	I
Q	E	B	E	P	V	S	I	Y	E	Q	O	N
E	I	U	O	N	I	M	Y	I	V	I	A	C
P	D	L	J	V	L	A	I	E	E	B	T	H
H	T	A	R	M	G	H	U	E	W	Q	U	E
V	C	Y	J	O	Q	P	K	Z	B	D	D	N
W	E	L	L	E	N	S	I	T	T	I	C	H
O	X	W	Q	Q	K	Q	K	A	Q	H	U	M
A	N	G	K	R	S	J	A	K	T	B	O	Y

b) **Markieren Sie die Präpositionen mit Dativ in a).**

5 Das erste und das letzte Mal. **Wer formuliert die meisten sinnvollen Sätze in 60 Sekunden? Verbinden Sie und vergleichen Sie.**

Als ich das erste / letzte Mal	in Deutschland war, gezeltet habe, ein Liebesgedicht gehört habe, Spaghetti gekocht habe, Fußball gespielt habe, eine Jeans gekauft habe, meine/n Partner*in gesehen habe,	habe ich mich sofort verliebt. hat die Soße nicht geschmeckt. hat es viel geregnet. hat sie nur 20 € gekostet. habe ich viel gelacht. hat meine Mannschaft gesiegt. habe ich kein Wort verstanden.

Berliner Stadtgeflüster

47 Gedichte

aus und über Berlin

1 Großstadtatmosphäre

a) Was sehen Sie? Beschreiben Sie das Titelbild von Ulrike Sallós-Sohns. Die Redemittel helfen.

2.34 b) Was hören Sie? Vergleichen Sie mit dem Bild und berichten Sie.

c) Lesen Sie, was die Malerin über ihr Bild sagt. Was meinen Sie?

Gedicht IV
von Laura Nielsen

Ich bin wieder hier

Die eine Stadt, diese eine Stadt.
Es war mal meine Stadt.
Jetzt nicht mehr, schon lange nicht mehr.
Ganz fremd ist sie mir und doch so bekannt.
5 Ich bin wieder hier.
Das erste Mal seit 15 Jahren.
Ich steige aus dem Taxi aus.
Und ich bin wieder hier.
Ich kann nicht anders, ich liebe diese Stadt.
10 Lieben, aber auch hassen. Ich kann nicht anders.
Es ist immer zu voll, zu laut, zu chaotisch.
Aber es ist auch so schön. Wo ist es so schön wie hier?
Ich bin wieder hier.
Wie es hier riecht! Wie konnte ich das vergessen?
15 So gut, und auch so schlecht. So riecht nur diese eine Stadt.
Es ist Abend. Aber richtig dunkel ist diese Stadt nie.
Sie ist hell und bunt. So viele Lichter und Farben.
Rot, gelb, blau. Und kalt und nass.
Diese Gegensätze hat nur diese eine Stadt.
20 Ich bin wieder hier.
Es ist laut, so viele Autos, Taxis, Busse, Radfahrer.
Alle sind unterwegs. Wo fahren sie alle hin?
Und ich?
Ich stehe ganz still. Ich bewege mich nicht. Ich schaue nur.
25 Schaue mir diese eine Stadt an.
Ich bin wieder hier.
Ja, endlich bin ich wieder hier.
Ich atme tief ein.
Und frage mich, wie konnte ich so lange ohne sie leben und glücklich sein.
30 Berlin. Ich bin wieder hier!

15

Das kann ich mit Bildern, Hörcollagen und Gedichten machen
- Bilder zu Gedichten zeichnen
- Texte zu Bildern schreiben
- Gedichte laut vorlesen
- Gedichte variieren oder selbst schreiben
- Geschichten zu Hörcollagen schreiben
- eigene Hörcollagen machen

2 *Diese eine Stadt*

35

a) Wo ist die Autorin? Ist sie glücklich? Hören Sie das Gedicht und berichten Sie.

b) Lesen Sie das Gedicht. Was wiederholt die Autorin? Warum?

c) Wie beschreibt die Autorin die Stadt? Lesen Sie noch einmal und sammeln Sie die Gegensätze.

d) Meine Stadt. Schreiben Sie ein Gedicht. Die Beispiele helfen.

Nicos Weg

1 Liest du gerne?

1.19

a) **Sehen Sie sich das Video an. Ergänzen Sie die Namen.**

a ○ __________ bringt Nico und Selma Deutsch bei.
b (1) __________ fragen Nico nach Pepe.
c ○ __________ freut sich über die Zusage.
d ○ __________ will wissen, was in der Post war.
e ○ __________ verspricht Selma, dass er ihr hilft.
f ○ __________ glaubt, dass Nico lügt.

©DW

Deutschunterricht im Wohnzimmer

b) **Bringen Sie die Aussagen a–f in die richtige Reihenfolge. Kontrollieren Sie mit dem Video.**

c) **Wer ist das? Partner/in A liest einen Satz vor. Partner/in B antwortet mit einer Aussage aus a) wie im Beispiel. Wechseln Sie sich ab.**

Sie hat eine neue Stelle an der Abendschule.

Das ist Lisa. Sie ...

d) ***Ich bin ihm egal.* Was sagt Nico über Pepe? Kommentieren Sie.**

Nico meint, dass Pepe in Spanien ...

Das stimmt (nicht) / ist (nicht) richtig. Er sagt auch/aber, dass sein Bruder/er ...

e) **Sport, Filme, Musik, ... Ordnen Sie passende Verben zu.**

hören • machen • spielen • sammeln • sehen • ~~lesen~~ • lernen • besuchen

1 Sport __________ 3 Musik __________ 5 Fußball __________ 7 Kulturfestivals __________
2 Filme __________ 4 Bücher *lesen* 6 Sprachen __________ 8 Comics __________

f) ***Interessierst du dich für ...?* Fragen und antworten Sie mit den Angaben aus e) wie im Beispiel.**

©DW

- Interessierst du dich für Bücher?
- Wie bitte?
- Ich möchte wissen, ob du gerne Bücher liest.
- Ja/Nein, ich interessiere mich (nicht/sehr) für Bücher / ich lese (nicht/sehr) gerne Bücher.

g) ***Zum Beispiel Romane oder Krimis.* Sehen Sie sich die Szene im Wohnzimmer noch einmal an, beobachten Sie Lisas Strategie und erklären Sie die Wörter.**

Verkehrsmittel?

Zum Beispiel ...

h) **Unterhalten Sie sich über *Nicos Weg*. Die Fragen helfen.**

Erinnerst du dich an Nicos ersten Tag in Deutschland?

Klar. Er ist am Flughafen angekommen und hat seine Tasche verloren.

2 Coole Fotos

1.20

a) Sehen Sie sich die erste Szene an, notieren Sie und vergleichen Sie.

1 Wie ist das Wetter? ______

2 Wo sind Nico und Selma? *Unterwegs,* ______

3 Wohin gehen sie? ______

4 Wer ruft Selma an? ______

5 Warum? ______

b) Beschreiben Sie die Situation. Die Angaben aus a) helfen.

Das Wetter ist ... Nico und Selma sind ...

c) Ein Foto aus Sebastians Projekt. Was beschreibt Selma? Sehen Sie sich die zweite Szene an und kreuzen Sie an.

1 ◯ der Vordergrund
2 ◯ die Kleidung
3 ◯ die Farben
4 ◯ das Wetter
5 ◯ die Personen
6 ◯ der Hintergrund
7 ◯ das Alter
8 ◯ der Beruf

d) Ein Bild beschreiben. Was tragen die Personen? Ergänzen Sie die Kleidung.

der Rock • ~~der Pullover~~ • das Kleid • die Jacke • der Anzug • das Hemd • das T-Shirt • die Hose • die Jeans

2.36

e) Hören Sie die Beschreibung, ergänzen Sie Namen und Farben. Berichten Sie.

Die Frau mit dem blauen Kleid und den blonden Haaren rechts neben Kemal heißt ...

f) Wer ist das? Wählen Sie ein Foto aus und beschreiben Sie die Person oder beschreiben Sie eine Person aus Ihrem Kurs. Die anderen raten.

3 *Darf ich ...?*

1.21

a) Inges Ausflug nach Bingen am Rhein. Wer, wo, was? Sehen Sie sich das Video an, ergänzen und vergleichen Sie.

1 Inge *sitzt in einem Restaurant. Sie nimmt ein Buch und ihre Brille aus der Tasche.*

2 Jacques *kommt ins Restaurant. Er* ____________

3 Inge und Jacques ____________

4 Jacques ____________

5 Inge ____________

6 Jacques ____________

b) *Darf ich ...?* Stellen Sie höfliche Fragen und antworten Sie höflich.

Darf ich	Sie/dich etwas fragen? mich vorstellen? mich zu Ihnen/dir setzen? Sie/dich zu einer Tasse Kaffee oder Tee einladen? Ihnen/dir ein Buch empfehlen?	(Ja,) Bitte. (Ja,) Gerne. (Nein,) Tut mir leid. (Nein,) Lieber nicht.

c) Wer ist Jacques? *Der Mann, der/den ...* Berichten Sie wie im Beispiel.

Inge hat ihn in Bingen kennengelernt.

Jacques ist der Mann, den Inge in Bingen kennengelernt hat.

d) Inge hat sich ein Buch über Hildegard von Bingen gekauft. Wer war die Frau, die vor über 900 Jahren in Bingen lebte? Lesen Sie die Kurzbiografie und berichten Sie.

Hildegard von Bingen, Briefmarke von 1979

Hildegard von Bingen (*1098, † 1179 in Bingen) war eine Dichterin, Autorin, Musikerin und frühe Naturforscherin. Im Alter von acht Jahren bringen ihre Eltern sie zur Ausbildung in ein Kloster in die Nähe von Bingen am Rhein , das sie später auch leitet. Als sie 1179 stirbt, ist sie 81 Jahre alt.

In ihrer Zeit ist Hildegard von Bingen eine ganz besondere Frau. Sie reist viel, sagt ihre oft unbequeme Meinung laut und schreibt Briefe an den Kaiser Barbarossa.

Hildegard interessiert sich für ein gesundes Leben, Krankheiten und medizinische Pflanzen. Sie weiß z. B., dass die Ringelblume bei Verletzungen hilft.

Bis heute sind ihre Gesundheitstipps, Gedichte und Musik bei vielen Menschen sehr beliebt.

die Ringelblume
(Lat. Calendula)

Hildegard von Bingen hat vor über 900 Jahren in Bingen am Rhein gelebt.

Als sie acht Jahre alt war, haben ihre Eltern sie ...

e) Welches Buch hat Inge gekauft? Was meinen Sie? Begründen Sie Ihre Wahl.

Die Serie „Nicos Weg" in voller Länge mit interaktiven Übungen und zahlreichen weiteren Materialien gibt es kostenlos bei der Deutschen Welle: **dw.com/nico**

Goethe-Zertifikat A2: Hören

Der Prüfungsteil Hören kommt nach dem Prüfungsteil Lesen und hat auch vier Teile mit 20 Aufgaben. Sie haben 30 Minuten Zeit. Wörterbücher und Mobiltelefone sind nicht erlaubt.

2.37

Hören Teil 1: **Sie hören fünf kurze Texte. Sie hören jeden Text zweimal. Wählen Sie für die Aufgaben die richtigen Lösungen a, b oder c.**

1 Wie wird das Wetter?

a Im Süden und Osten sonnig. b Im Norden ungemütlich. c Im Westen kälter.

2.38

Hören Teil 2: **Sie hören ein Gespräch. Sie hören den Text einmal. Was machen die Frau und der Mann in der Urlaubswoche? Wählen Sie für jede Aufgabe ein passendes Bild aus. Wählen Sie jeden Buchstaben nur einmal. Sehen Sie sich jetzt die Bilder an.**

6 Was machen die Frau und der Mann in der Urlaubswoche?

	6	7	8	9	10
Tag	Dienstag	Mittwoch	Donnerstag	Freitag	Samstag
Lösung	___	___	___	___	___

a 

b 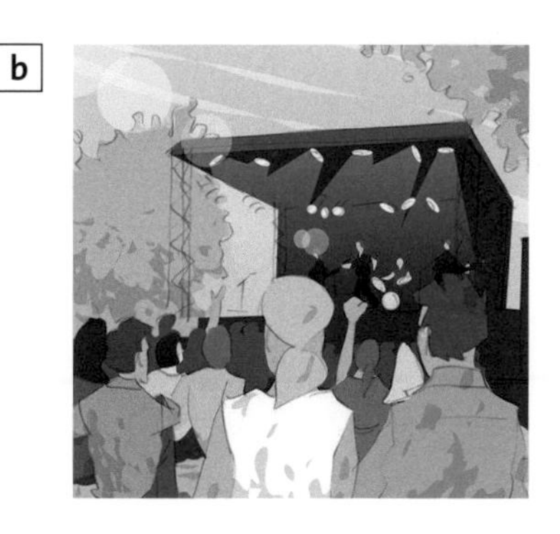

c 

2.39

Hören Teil 3: **Sie hören fünf kurze Gespräche. Wählen Sie für die Aufgaben die richtigen Lösungen a, b oder c.**

11 Mit welchem Verkehrsmittel ist der Mann nach Hamburg gekommen?

a 

b 

c 

2.40

Hören Teil 4: **Sie hören ein Interview. Sie hören den Text zweimal. Wählen Sie für die Aufgaben Ja oder Nein. Lesen Sie jetzt die Aufgaben.**

16 Herr Trung hat erst in Deutschland Deutsch gelernt.

Ja Nein

Tipps zum Prüfungsteil Hören auf einen Blick

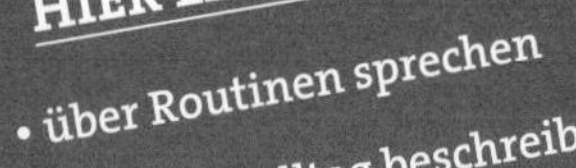

HIER LERNEN SIE:

- über Routinen sprechen
- den eigenen Alltag beschreiben
- über Aufgaben in Haushalt und Betreuung sprechen
- Alltagsgeschichten erzählen

Hörtipp aus der Redaktion:
Die Soziologin Dr. Adile Yildiz spricht im Podcast auf www.unserleben.example.de über den Alltag.

---

1 Mein Alltag

a) Sammeln Sie typische Alltagstätigkeiten. Die Fotos und die Grafik helfen.

b) Beschreiben Sie Ihre Alltagsroutinen.

Ich muss jeden Tag ...

Mein Alltag besteht aus Einkaufen, ...

2 Immer dasselbe?!

a) Was machen die Leser*innen im Alltag? Lesen Sie die Leserbriefe, markieren Sie die Routinen und vergleichen Sie.

b) Was bedeuten die Wendungen aus den Leserbriefen? Lesen Sie die Wendungen vor. Ihr Partner / Ihre Partnerin ordnet die Situation zu.

3 Alltag und ...

Lesen Sie die Definition von Alltag. Beschreiben Sie andere Tage.

4 Aus dem Alltag ausbrechen

3.02 a) Alltag pro und kontra. Hören Sie den Podcast und sammeln Sie.

b) Hören Sie noch einmal. Notieren Sie die Tipps und vergleichen Sie.

c) Sammeln Sie weitere Vorschläge für einen bunteren Alltag.

5 Welche Farbe hat Ihr Alltag?

a) Grau, bunt oder ganz anders? Wie beschreiben Sie den Alltag in anderen Sprachen? Sammeln Sie.

b) Schreiben Sie einen Leserbrief mit Beispielen aus Ihrem Alltag. Hängen Sie die Leserbriefe im Kursraum auf und kommentieren Sie.

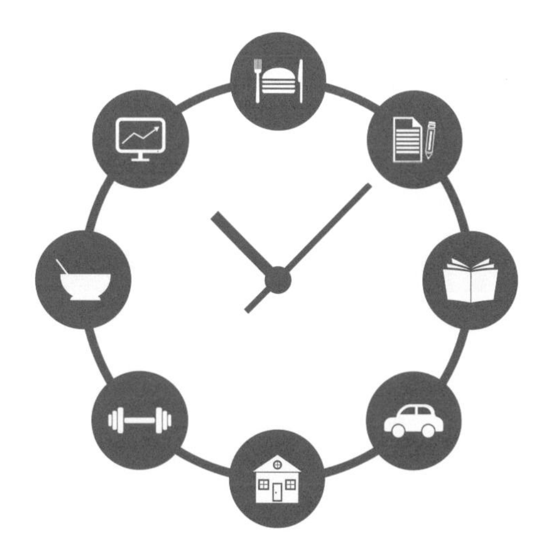

Alltag

Alle reden vom Alltag. „Immer dasselbe!", sagen viele. Aber was genau ist Alltag überhaupt? Wir haben unsere Leserinnen und Leser gefragt und vier Leserbriefe für Sie ausgewählt.

Für mich bedeutet Alltag Routine. Früh aufstehen, dann ein schnelles Frühstück, mit dem Fahrrad ins Büro, Meetings, Mails und so weiter. Es ist eigentlich immer dasselbe, und abends bin ich für Sport oder Kino meistens viel zu müde. Aber am Wochenende mache ich mit meiner Zeit, was ich will!
Maja Herder, 26, Projektmanagerin

Früher habe ich mich oft über meinen Arbeitsalltag beschwert, aber seit ich in Rente bin, fehlt er mir manchmal. Dann stelle ich mir vor, was meine Kolleginnen und Kollegen in der Firma machen. Mein Alltag sieht heute ganz anders aus. Ich koche jeden Tag für die ganze Familie und arbeite gern in unserem Garten.
Inge Harms, 68, Rentnerin

Mein Alltag macht mir Spaß, aber er kann auch echt stressig sein. Unsere Kinder sind acht Monate und zwei Jahre alt, und meine Frau arbeitet voll. Ich habe noch Elternzeit, kümmere mich um Lea und Max und mache den Haushalt: Wäsche waschen, Einkaufen, Putzen, Kochen ... Naja, da geht auch mal etwas schief.
Jan Seiler, 34, Lehrer in Elternzeit

Viele Leute ärgern sich über ihren grauen Alltag. Das verstehe ich eigentlich gar nicht. Sie haben es doch selbst in der Hand! Man kann immer und überall aus dem Alltag ausbrechen und etwas Neues ausprobieren. Ich meine, Alltag muss gar nicht grau und langweilig sein. Mein Alltag ist meistens ziemlich bunt!
Beate Gruber, 51, Versicherungskauffrau

All | tag
Substantiv, [der]
Tag, der immer die gleiche Struktur hat. Vgl. Arbeitstag, Wochentag.
Beispiele: der berufliche Alltag / der graue Alltag / aus dem Alltag ausbrechen

1 Der Alltag von Familie Born

a) Lesen Sie die Termine im Familienkalender und ergänzen Sie die Tabelle.

Anke	Torsten	Lena	Lukas
Mutter, ...		Tochter, 9 Jahre alt	
	Polizist		Kindergartenkind
Garten,			

September	Anke	Torsten	Lena	Lukas
Fr 01	19:00 Klavierkonzert	Kuchen backen!	Geburtstag: 9	
Sa 02	Party bei Lea!	putzen	11:00 Fußballspiel	
So 03	RADTOUR NACH BINGEN		Zoo mit Oma	
Mo 04	Konferenz	18:30 Yoga	16:00 Gitarre	
Di 05	Supermarkt!!	Nachtschicht	Fußballtraining	10:15 Dr. Jordan
Mi 06	Garten & Keller			Spieltreff bei Max
Do 07		Wäsche	Vokabeltest!	
Fr 08	Unterricht planen	18:30 Yoga		
Sa 09	putzen		11:00 Fußballspiel	
So 10		9:00 Klettern		Kindergartenfest
Mo 11			16:00 Gitarre	

3.03–3.05

b) Anke, Torsten oder Lena. Wählen Sie eine Person aus, hören Sie und ergänzen Sie neue Informationen in der Tabelle in a). Stellen Sie die Person vor.

Die Mutter heißt Anke. Sie ...

Lukas ist der kleine Bruder von ...

2 Und dann war plötzlich alles anders!

a) Anke hatte am 4. September einen Unfall. Sehen Sie sich das Foto an, lesen Sie die Textnachricht und berichten Sie.

War mit dem Fahrrad unterwegs und wollte noch schnell einkaufen. Habe ein Auto nicht gesehen, konnte nicht bremsen! Musste ins Krankenhaus, rechtes Bein gebrochen ...
15.03

b) *Eigentlich* ... Sprechen Sie schnell.

31

Eigentlich	musste wollte	Anke in der Woche	einkaufen / den Keller aufräumen / im Garten arbeiten / das Haus putzen / den Unterricht planen / mit Lena Vokabeln üben	, aber das konnte sie nach dem Unfall nicht mehr.

c) Wer kümmert sich jetzt um die Familie? Machen Sie Vorschläge.

3 Wir sind für Sie da!

a) **Die Familienpflegerin Dorothea Jütte. Lesen Sie das Porträt, markieren Sie wichtige Informationen über den Beruf und berichten Sie.**

Seite 15

Dorothea Jütte (48) arbeitet seit 15 Jahren im Familiendienst Bremen. Sie hat schon viele Familien in Notsituationen betreut. Die Mutter von drei erwachsenen Kindern meint: „Am Wichtigsten ist in meinem Beruf, dass man flexibel ist, gut zuhören kann, kleine Kinder mag und gern im Haushalt arbeitet. Und man darf nicht alle Sorgen nach Hause mitnehmen!"

Der Alltag geht weiter!

Familienpfleger*innen sorgen für Ordnung und kümmern sich um die Kinder

☐ Die Terrassentür ist geöffnet, in der Küche klappert Geschirr. Dorothea Jütte nimmt Tassen, Teller und Gläser aus dem Geschirrspüler und stellt sie in den Schrank. Die Tassen und Gläser nach oben, die Teller nach unten. Alles hat seinen Platz. Nach der Küche ist die schmutzige Wäsche dran. Sicher ist die Waschmaschine bald fertig. Dann noch das Bad. Und um 17 Uhr muss sie Lena aus der Musikschule abholen. Zum Bügeln hat Dorothea heute keine Zeit mehr. Morgen ist ein neuer Tag!

☐ Anke B. sitzt in der Küche. Vor ihr steht eine Tasse Tee auf dem Tisch. Die Mutter von zwei Kindern hatte einen Unfall und musste eine Woche im Krankenhaus bleiben. Seit gestern ist sie wieder zuhause, aber sie ist noch sehr schwach. Ihr rechtes Bein liegt auf einem Stuhl. Sie darf es noch nicht viel bewegen.

☐ Ankes Mann Torsten ist Polizist und arbeitet im Schichtdienst. In seinem Beruf kann er sich nicht einfach mal ein paar Tage frei nehmen und leider leben ihre Verwandten nicht in der Nähe. Aber jemand musste sich um die Kinder und den Haushalt kümmern, als Anke noch im Krankenhaus war. Torsten hat den Familiendienst angerufen. Der Familiendienst hat Frau Jütte geschickt.

☐ „Ich finde es noch etwas komisch, dass Frau Jütte den Haushalt macht und mit unseren Kindern zur Musikschule oder in den Kindergarten geht", sagt Anke. Aber sie ist auch froh, dass es das Angebot gibt und die Krankenkasse die Kosten für vier Wochen übernimmt. „Dorothea ist wirklich total nett, und in unserem Haushalt und mit meinen Kindern ist alles in Ordnung!"

b) ***Der Alltag geht weiter!*** **Lesen Sie den Artikel aus der Apotheken-Zeitschrift, ordnen Sie jedem Textabschnitt eine passende Beschreibung zu und begründen Sie Ihre Wahl.**

1 das Problem – **2** die Meinung – **3** die Lösung – **4** die Situation

c) **Lesen Sie ersten beiden Absätze noch einmal. Welches Bild passt am besten? Begründen Sie.**

d) **Aufgaben im Haushalt. Kommentieren Sie wie im Beispiel.**

Ich putze (nicht) gern das Bad. Ich wasche lieber das Geschirr ab. Am liebsten ...

Ich hasse Bügeln!

4 Krankheit, Unfall, ... und dann?

Haben Sie so eine Situation schon in Ihrer Familie oder Nachbarschaft erlebt? Wie haben Sie das geschafft? Berichten Sie. Die Redemittel helfen.

Vor ein paar Jahren war mein Opa krank. Wir mussten ...

Montagmorgen

a) **Haushalt, Arbeit, Einkaufen, Hobbys ... Was haben Sie am Montagmorgen gemacht? Notieren Sie Uhrzeiten und Tätigkeiten.**

6:45 aufstehen	7:15 aufstehen
7:15 frühstücken	7:30 Sport
7:30 mit dem Bus ...	...

b) ***Als du aufgestanden bist*** **... Vergleichen Sie Ihre Angaben aus a) wie im Beispiel.**

Ich bin um Viertel vor sieben aufgestanden.

Als du aufgestanden bist, habe ich noch geschlafen. Ich bin um Viertel nach sieben aufgestanden.

Ich habe schon Sport gemacht, als du aufgestanden bist.

2 Berichte aus dem Arbeitsalltag

a) **Lesen Sie die Berichte, ergänzen Sie die Berufe und ordnen Sie die Fotos zu.**

a 

b 

c 

1 ◯ der/die ________________/in
Jeden Montagmorgen treffen wir uns schon um sechs Uhr in unserer Zentrale. Wir decken zusammen den Tisch und bei unserem Frühstück spreche ich mit meinen Kolleg*innen über die Woche. Ich gebe ihnen Tipps für die Arbeit im Haushalt, weil ich schon seit über zehn Jahren dabei bin und viel Erfahrung habe.

2 ◯ ________________
In meinem Beruf kommt es leider auch vor, dass Kolleg*innen krank sind. Dann arbeite ich mit ihren Klassen. Ich unterrichte Mathe und Deutsch. Und in der großen Pause fahre ich oft mit meinem Auto zur nächsten Schule. Manchmal haben die Kolleg*innen schon etwas vorbereitet und ich kann mit ihrem Plan arbeiten.

3 ◯ ________________
Ich bin bei der Arbeit nie allein, weil es in unserem Arbeitsalltag viele Gefahren gibt. Mit meiner Kollegin beobachte ich den Verkehr. Manchmal gibt es Staus und jeden Tag passieren Unfälle, weil die Fahrer*innen mit ihren Autos viel zu schnell fahren. Bei ihrer Kontrolle kann es auch Probleme geben, aber die meisten sind ganz nett.

b) **Sammeln Sie Possessivartikel im Dativ in den Texten in a). Ergänzen und vergleichen Sie.**

der Alltag, im Alltag – in meinem Alltag, in deinem Alltag, in seinem ...
das Auto, im Auto – mit meinem Auto ...
...

c) ***In unserer Kantine*** **... Wo und mit wem? Sprechen Sie schnell.**

27

Ich bin	oft manchmal selten nie	mit meinem Kollegen mit deiner Chefin mit eurem Fahrer mit unseren Kunden mit meinen Schüler*innen	in unserem Konferenzraum. in unserem Labor. in unserer Werkstatt. bei unserer Sekretärin. bei unserem Direktor.

3 In meinem Alltag ...

3.06

a) **Hören Sie und lesen Sie mit. Achten Sie auf *-em, -er* und *-en*.**

In meinem Alltag bin ich oft mit unseren Kunden in unserer Werkstatt.

3.07

b) **Hören Sie die Sätze und sprechen Sie nach.**

4 Der Mann, der alles falsch gemacht hat

a) **Lesen Sie die Geschichte und ordnen Sie die Bilder.**

Ein Mann arbeitete in einer großen Firma im Büro. Wie jeden Freitagnachmittag um 16:30 Uhr wollte er eigentlich nur noch schnell die Ordner ins Regal stellen, die Pflanze gießen und die Kaffeemaschine sauber machen. An diesem Tag konnte er sich aber nicht richtig konzentrieren, weil sein Telefon ständig geklingelt hat. Und so hat er die Pflanze ins Regal gestellt und die Ordner sauber gemacht und die Kaffeemaschine gegossen. In dem Moment
5 hat er gemerkt, dass er alles falsch gemacht hat. Er wollte gerade die Pflanze aus dem Regal holen, als das Telefon schon wieder geklingelt hat. Nach dem Gespräch hat er die Kaffeemaschine ins Regal gestellt und die Pflanze geputzt. Als er gerade die Ordner gießen wollte, hat er gemerkt, dass wieder alles falsch war. In dem Moment hat auch schon wieder das Telefon geklingelt, aber der Mann hat nicht geantwortet und jetzt endlich alles richtig gemacht. Er ...

b) ***Endlich hat er alles richtig gemacht!* Erzählen Sie die Geschichte weiter.**

c) **Schreiben Sie die Geschichte von seiner Kollegin, die auch alles falsch gemacht hat. Die Geschichte aus a) hilft. Vergleichen Sie Ihre Texte.**

Seine Kollegin wollte eigentlich nur noch schnell die Milch in den Kühlschrank stellen,
ihren Terminkalender in ihre Tasche packen und die Post zum Briefkasten bringen. Aber ....

5 *Eigentlich wollte ich ...*

Manchmal geht alles schief. Beschreiben Sie so einen Tag und stellen Sie Ihren Text vor. ODER Bereiten Sie eine Fotogeschichte vor. Die anderen erzählen, was passiert ist.

1 Immer dasselbe!? **Ordnen Sie den Aussagen passende Wendungen zu.**

1 ◯ Herr Seiler hat am Wochenende endlich Zeit für sich!
2 ◯ Frau Kamp findet ihren Alltag langweilig und grau.
3 ◯ Herr Uhl putzt die Wohnung und macht den Einkauf.
4 ◯ Frau Pérez telefoniert sogar im Restaurant.
5 ◯ Frau Chan kann ihren Alltag interessanter machen.
6 ◯ Herr Jäger arbeitet nur an drei Tagen in der Woche.
7 ◯ Frau Huber meint, der Plan funktioniert nicht.
8 ◯ Herr Schmidt ist 67 und arbeitet nicht mehr.

a Das macht sie immer und überall.
b Er arbeitet in Teilzeit.
c Er ist in Rente.
d Sie macht immer dasselbe.
e Er macht den Haushalt.
f Sie glaubt, das geht schief.
g Sie hat es selbst in der Hand.
h Dann kann er machen, was er will.

2 Alltagsroutinen

a) **Der Arbeitstag von Frau Gruber. Ein Verb passt nicht. Streichen Sie es durch.**

1 zur Arbeit	fahren – ~~nehmen~~ – gehen
2 die Zeitung	kaufen – lesen – helfen
3 E-Mails	bekommen – tun – beantworten
4 Rechnungen	schreiben – mieten – prüfen
5 Mittagspause	haben – machen – warten
6 Kunden	stattfinden – besuchen – betreuen

Beate Gruber, 51, Versicherungskauffrau

b) **Wählen Sie in jeder Zeile in a) eine Nomen-Verb-Verbindung aus. Beschreiben Sie den Alltag von Frau Gruber.**

Frau Gruber fährt jeden Morgen mit dem Bus zur Arbeit. Unterwegs ...

3 Alltag und Urlaub

3.08 a) **Hören Sie den ersten Teil aus dem Podcast von Dr. Adile Yildiz noch einmal und ergänzen Sie.**

__________[1] aufstehen.

Schnell __________[2].

Im Berufsverkehr __________[3] stehen.

Arbeiten.

__________[4].

Arbeiten.

Im __________[5] im Stau stehen.

Lebensmittel einkaufen.

__________[6] machen.

Vor dem __________[7] einschlafen.

__________[8] gehen.

b) **Endlich Urlaub! Beschreiben Sie einen Urlaubstag wie in a). Sprechen Sie Ihren Text laut und nehmen Sie sich mit dem Handy auf.**

4 Familie Born

3.09 a) **Lesen Sie die Aussagen und hören Sie noch einmal, was Anke, Torsten und Lena über ihren Alltag berichten. Kreuzen Sie richtige Aussagen an.**

		richtig
1	Anke hat meistens viel zu tun, weil sie den ganzen Tag in der Schule arbeitet.	○
2	Die Vorbereitungen für die Schule macht Anke am Abend, wenn die Kinder schon schlafen.	○
3	Anke meint, dass soziale Kontakte und Bewegung in der Natur ihr gegen den Stress helfen.	○
4	Torsten kann sich manchmal um Kinder und Haushalt kümmern, weil er Schichtdienst hat.	○
5	Er sagt, dass er viel Sport macht und sich sehr für Kochbücher und Backen interessiert.	○
6	Weil Lena gerne liest, geht sie oft mit ihren Eltern und ihrem Bruder in eine Buchhandlung.	○
7	Lena freut sich besonders, wenn ihr Vater am Wochenende bei den Spielen dabei ist.	○
8	Lenas kleiner Bruder Lukas geht noch nicht in die Schule, weil er erst vier Jahre alt ist.	○
9	Weil Lukas auch schon Hobbys hat, ist Anke oft den ganzen Nachmittag mit ihm unterwegs.	○

b) **Hören Sie noch einmal und korrigieren Sie die falschen Aussagen aus a).**

Anke hat immer viel zu tun, weil sie am Vormittag ... .

5 Der Notruf

a) **Die *fünf W*. Ergänzen Sie die W-Fragen.**

1 W__________ ist der Unfall passiert?

2 W__________ ruft an?

3 W__________ ist passiert?

4 W__________ Menschen sind verletzt?

5 W*arten*__________ Sie auf unsere Fragen.

3.10 b) **Hören Sie den Notruf und kontrollieren Sie Ihr Ergebnis aus a).**

6 So ist der Unfall passiert. **Sehen Sie sich das Bild an, lesen Sie den Unfallbericht und ergänzen Sie.**

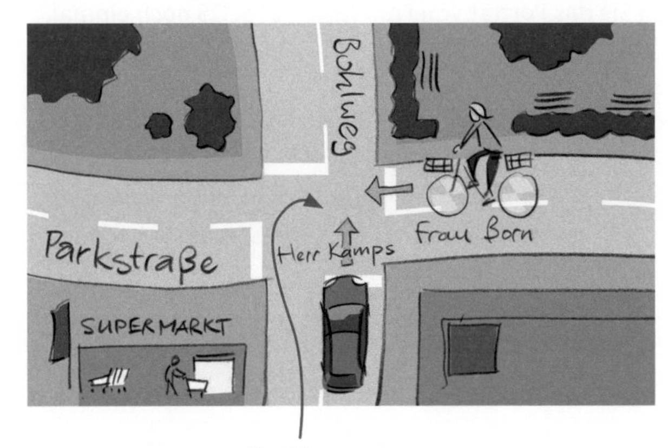

die Kreuzung

Um 13:40 Uhr war Frau Born mit ihrem Rad in der Parkstraße in Richtung Supermarkt *unterwegs*[1]. Herr Kamps wollte mit seinem Auto im Bohlweg __________[2] über die __________[3] fahren. Er achtete nicht auf die Rechts-vor-Links-Regel und __________[4] nicht. Die Radfahrerin musste ins __________[5]. Dem Autofahrer __________[6] nichts.

passierte • bremste • geradeaus • ~~unterwegs~~ • Kreuzung • Krankenhaus

7 Im Haushalt

a) **Tätigkeiten im Haushalt. Ordnen Sie die Fotos zu und ergänzen Sie die Verben.**

gießen • waschen • ~~ausräumen~~ • ~~machen~~ • bügeln • putzen • aufräumen • kochen

1 ◯ die Wäsche ____________

2 ◯ die Blumen ____________

3 ◯ das Zimmer ____________

4 ◯ die Fenster ____________

5 ◯ den Geschirrspüler *ausräumen*

6 ◯ die Betten *machen*

7 ◯ die Hemden ____________

8 ◯ das Essen ____________

b) **Haushaltsgeräte. Was ist das? Ergänzen Sie wie im Beispiel.**

1 Viele Menschen benutzen *eine Kaffeemaschine* zum Kaffeekochen.

2 In jeder Küche gibt es ____________ zum Lebensmittel kühlen.

3 Viele Haushalte haben auch ____________ zum Geschirrspülen.

4 Eigentlich braucht jeder ____________ zum Kochen.

5 Und ohne ____________ zum Wäschewaschen geht es heute nicht mehr.

der Geschirrspüler • ~~die Kaffeemaschine~~ • der Herd • der Kühlschrank • die Waschmaschine

8 Familienpflegerin Dorothea Jütte

a) ***Am wichtigsten ist in meinem Beruf, dass ...*** **Lesen Sie das Porträt von Frau Jütte auf S. 125 noch einmal. Ordnen Sie den Aussagen passende Gründe zu.**

1 Man muss flexibel sein.
2 Man muss gut zuhören können.
3 Man muss kleine Kinder mögen.
4 Man muss gern im Haushalt arbeiten.

a Familienpfleger*innen sorgen für Ordnung.
b Jede Familie und jeder Haushalt ist anders.
c Familien in Notsituationen haben Probleme.
d Die Situation ist für sie besonders schwierig.

b) **Verbinden Sie die Sätze aus a) mit *weil*.**

1 Man muss flexibel sein, weil ...

c) **Lesen Sie den Magazinartikel auf S. 125 noch einmal. Was macht Frau Jütte bei Familie Born? Markieren Sie im Text und notieren Sie.**

1 für Ordnung sorgen: *den Geschirrspüler ausräumen, Tassen, Teller...*

2 sich um die Kinder kümmern: ____________

9 Ein Brief von einer Leserin

a) **In welcher Reihenfolge (1–6) beantwortet der Brief die Fragen? Ergänzen Sie wie im Beispiel.**

a ◯ Was ist passiert?
b ◯ Welches Problem hatte sie?
c ◯ Wann ist das passiert?
d ◯ Wie hat die Familie das Problem gelöst?
e (1) Warum schreibt die Leserin den Brief?
f ◯ Was findet Frau Burke besser als früher?

Liebe Redaktion,

immer wieder lese ich Ihre Zeitschrift mit großem Interesse und möchte heute einmal Danke sagen. Der Artikel über die Familienpflegerin hat mir besonders gut gefallen. Ich weiß, wie wichtig ihre Arbeit für eine Familie in einer Notsituation ist.

1972 waren mein Bruder und ich erst vier und fünf Jahre alt, als meine Mutter einen Unfall im Haushalt hatte. Sie ist beim Fensterputzen vom Stuhl gefallen, hat sich den rechten Arm gebrochen und musste dann zehn Tage im Krankenhaus bleiben. Mein Vater konnte keinen Urlaub nehmen, weil es in seiner Firma so viel Arbeit gab. Natürlich wollten meine Eltern nicht, dass wir am Nachmittag allein sind. Aber mein Vater konnte uns auch nicht in den Betrieb mitnehmen.

Damals hatten wir noch keinen Familiendienst. Aber zum Glück hatten wir eine nette Nachbarin, die sofort Hilfe angeboten hat. Sie hat uns jeden Tag vom Kindergarten abgeholt und wir konnten bei ihr Mittag essen und mit ihren Kindern spielen, bis mein Vater von der Arbeit nach Hause kam. Ich glaube, sie hat sogar unsere Wäsche gewaschen. Weil wir keine Familienpflegerin hatten, musste mein Vater nach der Arbeit noch den Haushalt machen. Natürlich haben wir uns alle sehr gefreut, als meine Mutter endlich wieder zu Hause war.

Ich weiß nicht, ob es noch so nette Nachbarinnen oder Nachbarn gibt, die gerne helfen. Gut, dass es heute überall Familiendienste gibt!

Herzliche Grüße von einer begeisterten Leserin!

Ihre Elisabeth Burke

b) **Lesen Sie den Brief noch einmal und markieren Sie die Modalverben im Präteritum.**

10 *Als ich ein Kind war, ...*

a) **Torsten Born berichtet. Was *konnte, musste, wollte* er? Ergänzen Sie.**

1 Meine Mutter sagt, | ich *konnte* schon alleine laufen, als ich erst ein Jahr alt war.
2 Als ich zwei war, war ich sehr krank und __________ drei Wochen im Krankenhaus bleiben.
3 Mit drei __________ ich am liebsten schon in die Schule gehen. Natürlich war ich noch zu klein.
4 Als ich vier war, __________ ich meinen Namen schon ohne Fehler schreiben.
5 Mit fünf __________ wir im Kindergarten nachmittags zwei Stunden schlafen. Das war nervig.
6 Ich __________ jeden Morgen früh aufstehen und in die Schule gehen, als ich sechs Jahre alt war.
7 Als ich sieben war, __________ ich schon Polizist werden.

3.11 b) **Hören Sie und markieren Sie die Pausen in a) wie im Beispiel. Sprechen Sie nach.**

c) **Und Sie? Was konnten, mussten, wollten Sie, als Sie ein, zwei, ... Jahre alt waren? Berichten Sie wie in a).**

11 Beim Arzt

a) **Mit welchen Problemen kommen die Patient*innen in die Praxis? Ordnen Sie zu.**

a ◯ Rückenschmerzen
b ◯ Verletzung an der Hand
c ◯ Kopfschmerzen
d ◯ das Bein ist gebrochen
e ◯ Bauchschmerzen

b) **Was ist passiert? Lesen Sie die Aussagen und ordnen Sie die Personen aus a) zu.**

a ◯ Ich wollte das Mittagessen kochen und habe mich beim Zwiebeln schneiden geschnitten.
b ◯ Gestern musste ich einer Freundin beim Umzug helfen und ein Sofa in die dritte Etage tragen.
c ◯ Ich konnte heute Morgen nichts essen oder trinken. Mir ist auch total schlecht.
d ◯ Ich wollte nach der Arbeit noch schnell etwas einkaufen und hatte einen Fahrradunfall.
e ◯ Unsere Kinder hatten letzte Woche eine Erkältung. Ich glaube, jetzt bin ich dran.

12 *Was fehlt Ihnen denn?*

2.01

a) **Videokaraoke. Sehen Sie sich das Video an und antworten Sie.**

b) **Was sollen Sie tun? Was sagt der Arzt? Notieren Sie.**

Ich soll ...

13 Arbeitsalltag

a) ***Mit ...* Ergänzen Sie die Possessivartikel im Dativ wie im Beispiel.**

1 Herr Özdemir isst manchmal mittags *mit seinen* Kunden (sein, Pl.).
2 Frau Nguyen bereitet ____________ Assistentin (ihr, Sg.) die Meetings vor.
3 Frau Otte macht ____________ Kollegen (ihr, Sg.) eine Frühstückspause.
4 Frau Popow trifft sich ____________ (unser, Sg.) Chefin.
5 Herr Lauer putzt ____________ Mitarbeiter (sein, Sg.) die Fenster.

b) ***In unserer* Firma. Ergänzen Sie.**

a *in unserem* Konferenzraum
b *in unserer* Kantine
c ____________ Kaffeeküche
d ____________ Sekretariat
e ____________ Büros

c) ***Wer, mit wem, wo, was?* Ergänzen Sie in a) passende Angaben aus b).**

1 Herr Özdemir isst manchmal mittags mit seinen Kunden in unserer Kantine.

Fit für Einheit 10?

1 Mit Sprache handeln

über Alltag sprechen
Für mich bedeutet Alltag Routine. Es ist eigentlich immer dasselbe.
Alltag muss nicht grau und langweilig sein. Mein Alltag ist bunt!
Man kann immer und überall aus dem Alltag ausbrechen und etwas Neues anfangen!
Mein Alltag ist nicht stressig, aber manchmal geht auch etwas schief.

den eigenen Alltag beschreiben
Ich stehe morgens oft im Stau.
Ich bin Polizist und arbeite im Schichtdienst.
Mein Mann bringt die Kinder jeden Morgen in die Schule und holt sie mittags wieder ab.
Am Wochenende habe ich endlich Zeit für mich!

über Aufgaben in Haushalt und Betreuung sprechen
Meine Tochter ist jetzt acht Jahre alt und kann mir schon im Haushalt helfen. Sie macht jeden Morgen ihr Bett und räumt manchmal den Geschirrspüler aus.
Die Familienpflegerin putzt, kocht, räumt auf, wäscht und kümmert sich um die Kinder.
Als mein Großvater krank war, habe ich für ihn eingekauft und die Wohnung geputzt. Zum Glück musste ich nicht bügeln!

2 Wörter, Wendungen und Strukturen

Wortfeld Haushalt
die Wäsche waschen, die Hemden bügeln, das Bad putzen, den Geschirrspüler ausräumen, die Betten machen,
die Blumen gießen

Modalverben im Präteritum
Es war schon spät. Sie musste sich beeilen.
Wir wollten am Wochenende im Garten arbeiten, aber dann hat es geregnet.
Ich habe das Auto nicht gesehen und konnte nicht mehr bremsen.

Possessivartikel im Dativ
Ich bin oft mit meinem Chef bei eurem Direktor.
Ich arbeite manchmal mit meiner Kollegin in unserer Werkstatt.
Ich arbeite manchmal mit deiner Chefin in eurem Labor.
Ich esse selten mit meinen Kolleginnen in unserer Kantine.
Wir sind manchmal mit unseren Praktikanten bei unserer Direktorin.

3 Aussprache

das *-en*, *-em* und *-er* am Wortende: In mein**em** Alltag bin ich oft mit unser**en** Kunden in unser**er** Werkstatt.

Interaktive Übungen

„Es hat wie immer auf dem W:O:A geregnet, aber die Stimmung war fantastisch. Heavy Metal macht mich einfach wach und glücklich."

#nassaberschön
#GlückimSchlamm
#Gänsehautpur

Das Wacken Open Air (W:O:A) gehört zu den größten internationalen Heavy-Metal-Festivals. Es findet seit 1990 jedes Jahr am ersten Augustwochenende in Wacken in Schleswig-Holstein statt. 85.000 Besucherinnen und Besucher reisen aus der ganzen Welt an und verändern für einige Tage das gesamte Leben in dem kleinen Ort. Das Festival ist bekannt für seine gute und entspannte Stimmung. Es gibt acht Bühnen und im Programm gibt es über 200 Bands und Musikerinnen und Musiker. Vier Tage lang hören die Fans Metal- und Hard-Rock-Konzerte. Das Übernachten ist im Ticketpreis enthalten. Viele Fans schlafen in Zelten, aber es gibt auch Platz für Wohnmobile oder Autos. Auf dem Gelände gibt es Duschen und Toiletten und man kann auch Essen und Getränke kaufen. Wacken ist legendär, ein echtes Festival-Erlebnis!

HIER LERNEN SIE:

- über Musik und Festivals sprechen
- nach Preisen und Ermäßigungen fragen
- Stimmung und Begeisterung ausdrücken
- einen Bericht verstehen und schreiben

1 **Festivals.** Wie ist die Stimmung? Wer geht hin? Sehen Sie sich die Fotos an. Beschreiben Sie.

Es ist sehr voll. Viele Menschen tanzen.

Das Festival ist cool. Hier treffen sich ...

2 **Da will ich hin!**

a) Wacken. Seit wann? Wo? ... Sammeln Sie Fragen zum Artikel und antworten Sie.
ODER Lesen Sie die Fragen und antworten Sie.

b) Klassik-Festival oder SMS. Lesen Sie einen Artikel und notieren Sie. Partner*in A berichtet. Partner*in B fragt nach. Die Fragen aus a) helfen.

3 **#guteLaune.** Lesen Sie die Zitate und die Hashtags. Schreiben Sie weitere Hashtags und vergleichen Sie.

4 **Rock, Pop, Klassik, ...**

a) Sammeln Sie Musikstile in den Artikeln.

3.12 b) Was ist was? Hören Sie und vergleichen Sie.

Das ist Popmusik.

Nein, das ist Rock.

5 **Musik macht gute Laune**

3.12 a) Hören Sie die Kommentare. Stimmen Sie zu? Aufstehen. Stimmen Sie nicht zu? Sitzenbleiben.

b) Was hören Sie wann gern? Berichten und kommentieren Sie.

Beim Geschirrspülen höre ich immer Popmusik.

Ja, das macht gute Laune!

6 **Und Sie? Gehen Sie auf Festivals/in Konzerte/ ...?** Wie ist die Stimmung? Beschreiben Sie.

„Die Stimmung auf dem Schleswig-Holstein Musik Festival ist sehr entspannt, es ist gar nicht langweilig. Und man lernt viele coole Leute kennen.“

#klasseKlassik
#Entspannung

Das Schleswig-Holstein Musik Festival zählt zu den größten Klassik-Festivals Europas. Es fand zum ersten Mal 1986 statt. Jeden Sommer hört man vor allem Klassik, aber es gibt auch Pop-, Jazz- und Elektro-Konzerte. Bekannt ist das Festival für die besonderen Konzertorte. So finden die Konzerte in Norddeutschland und Dänemark z. B. auf Bauernhöfen, auf Schiffen oder in Museen statt. Das Festival präsentiert viele junge Musikerinnen und Musiker, die dort ihre Musikkarrieren starten. Das Festival ist daher auch bei jungen Leuten sehr beliebt und bekannt für seine tolle Stimmung.

Festival-Sommer spezial

Das SonneMondSterne Festival (kurz: SMS) ist das bekannteste Festival für Elektromusik in Deutschland. Hier spielen nationale und internationale DJs seit 1997 Elektromusik, manchmal auch etwas Rock- oder Popmusik. Das SMS findet jährlich am zweiten Augustwochenende mit bis zu 40.000 Besucherinnen und Besuchern in Thüringen statt. Das Festival ist beliebt, weil es direkt an einem See ist. Dort kann man die ganze Nacht zu den Shows tanzen und tagsüber im See baden oder am Strand schlafen. Das SMS dauert drei Tage und man kann auf dem Gelände zelten.

„Das SMS macht einfach gute Laune. Krasse Elektromusik und tolle Leute! Ich tanze die ganze Nacht.“

#3Tagewach
#krasseStimmung

1 Tickets bestellen

a) Name, Datum, Ort, Preis? Lesen Sie die Informationen. Berichten Sie.

03.–05. Juli	**MOLA – Sommer Rock Festival** Hannover	ab € 79,00 Weiter

3.14

b) Warum ruft Emma den Kunden-Service an? Hören Sie das Telefongespräch und berichten Sie.

c) Hören Sie noch einmal. Ergänzen Sie die Informationen. Vergleichen Sie.

Ticket- Anzahl	Preis €	im Vorverkauf €	Ermäßigung für	Bus
....	....	....	....	....

d) Emma informiert ihre Freundinnen in einer E-Mail über das Telefonat. Schreiben Sie die E-Mail und fassen Sie die Informationen aus dem Telefonat zusammen.

2 *Ich hätte gern fünf Tickets*

a) Wie geht der Dialog weiter? Lesen Sie und ordnen Sie.

Guten Tag. Was kann ich für Sie tun?

Hallo. Ich habe eine Frage. Gibt es noch Tickets für das ...?

Ja, es gibt noch Karten. Wie viele wollen Sie bestellen?

Sie haben Glück, es gibt noch Tickets im Vorverkauf. Die Tickets kosten ... Euro.

Entschuldigung, wie teuer sind die Tickets?

Gibt es Ermäßigungen für ...?

... Euro pro Ticket.

Ich hätte gern ... Tickets. Wie teuer sind die Tickets?

Ja, es gibt Ermäßigungen für ... / Nein, es gibt keine Ermäßigungen.

Dann kaufe ich gern die Tickets. Vielen Dank.

Sehr gern. / In Ordnung.

b) Spielen Sie den Dialog.

3 Nach Informationen fragen

Lesen Sie die Rollenkarten. Spielen Sie die Dialoge. Der Dialog in 2a) hilft.

4 Drei Tage Musik-Festival

a) Was nehmen Sie auf ein Musik-Festival mit? Was ist wichtig? Erstellen Sie eine Liste und vergleichen Sie.

Ich nehme Sonnencreme mit.

Am wichtigsten ist ein Zelt.

2.02

b) Vloggerin Jana gibt Festival-Tipps. Sehen Sie sich das Video an. Ergänzen Sie Ihre Liste aus a) und vergleichen Sie.

c) Was überrascht Sie? Sehen Sie sich das Video noch einmal an und kommentieren Sie.

Jana, Vloggerin

Ein Interview mit Vloggerin Jana

a) **Warum meint Jana, dass die Festivalzeit die beste Jahreszeit ist? Lesen Sie das Interview und berichten Sie.**

„Festivalzeit ist die beste Jahreszeit"

Jana ist Vloggerin und hat einen YouTube-Kanal. Sie liebt Festivals. In ihren Videos gibt sie Tipps für Anfänger und Profis.

5 *Hallo Jana. Worauf freust du dich denn in den nächsten Wochen am meisten?*

Natürlich freue ich mich auf meine Festivals. Jetzt beginnt für mich die schönste Jahreszeit: der Sommer und die Festivalzeit. In den Sommermonaten bin ich jedes Wochenende auf einem 10 anderen Festival. Ich reise von Berlin nach Krakau in Polen, dann über Prag in Tschechien nach Dresden und danach geht's weiter in den Süden.

Wow, das heißt, du bist viel unterwegs. Wie reist du denn?

Ich bin immer mit meinem Kleinbus unterwegs. Früher bin ich 15 oft mit Bussen oder Zügen gereist, aber das geht jetzt nicht mehr. Ich muss zu viele Sachen transportieren.

Warum brauchst du so viele Sachen?

Zum Arbeiten. Ich brauche meinen Laptop, meine Kamera, mein Mikrofon und vieles mehr. Ich mache ja Videos auf den 20 Festivals und nehme Interviews auf. Ich kann in meinem Bus auch gut arbeiten, das geht im Zelt nicht so richtig. Die Videos bearbeite ich dann direkt am Computer. Ich schneide sie und schreibe Texte. Danach lade ich die Videos hoch. So können meine Fans die Videos direkt in meinem Vlog sehen und kommentieren. 25

Dann können sich deine Fans ja auch freuen. Worüber berichtest du genau?

Ich gebe Festival-Empfehlungen und berichte über die Künstler*innen, die dort auftreten. Ich mache z. B. Interviews mit den DJs. Die meisten sind echt coole Typen. Ich unterhalte mich 30 super gerne über ihre Musik. Das ist für mich der schönste Job der Welt!

Für dich ist also ein Festivalbesuch Arbeit und nicht nur Spaß, oder?

Nein, Festivals bedeuten für mich immer nur Spaß, weil ich 35 meine Arbeit so gern mache.

Gibt es denn auch Dinge auf Festivals, die nicht so schön sind? Worüber ärgerst du dich z. B.?

Über den Müll! Es gibt so viel Plastik überall. Ich ärgere mich oft über die Leute, die ihren Müll nicht wieder mitnehmen. 40

b) **Festivals – Arbeit oder Spaß? Lesen Sie das Interview noch einmal. Sammeln Sie und begründen Sie.**

Es macht Jana Spaß, weil ...

Es ist auch Arbeit für sie, weil ...

Worauf ...? Worüber ...?

21

a) **Fragen und antworten Sie wie im Beispiel.**

Worauf freust du dich?	Ich freue mich auf	meinen Urlaub / mein Ticket /
Worauf wartest du?	Ich warte auf	den Sommer / das Wochenende /
Worüber freust du dich?	Ich freue mich über	das Theaterstück / das Geschenk /
Worüber ärgerst du dich?	Ich ärgere mich über	die Kälte / den Regen / den Test / ...

b) **Markieren Sie die Fragewörter und die Verben mit Präpositionen in 5a). Fragen und antworten Sie dann.**

Worauf wartet Jana schon seit Monaten?

Sie wartet auf ...

Worüber freust du dich?

Minimemo

Ich **freue mich auf** die Tickets. Ich bekomme sie morgen.
Ich **freue mich über** die Tickets. Sie waren heute in der Post.

Festivals

Berichten Sie einem Freund / einer Freundin über ein Festival in Deutschland in Ihrer Sprache. ODER **Berichten Sie auf Deutsch über ein Festival in Ihrem Land.**

1 *Laut, unbequem, aufregend, ...*

Was meinen Sie? Lesen Sie und kommentieren Sie.

1

Laut. Man hört drei Tage ohne Pause Musik. Das ist genial.

2

Unbequem. Ich brauche ein Bett.

3

Festivals sind aufregend. Ich tanze sehr gern draußen.

4

Dreckig. Der Boden ist manchmal schlammig.

5

Oft nass. Egal, wir tanzen einfach im Regen.

6

Unpraktisch. Ohne eigene Dusche und Toilette, das nervt!

2 Regen, Rock und gute Laune

a) **Lesen Sie den Festival-Bericht und ordnen Sie die Aussagen zu.**

1 Es regnete, aber es gab trotzdem Konzerte.
2 Hanno machte ein Foto von Kate aus Österreich.
3 Es spielten tolle DJs und es gab eine Lichtershow.

So war das Mola-Festival in Hannover

Ein Festival-Bericht von Hanno Paulsen, 22. Juli

○ Das Mola-Festival startete am Freitagnachmittag an der kleinen Waldbühne. Pünktlich um 17 Uhr begann das erste Konzert von meiner Lieblingsband ‚Reiser'. Das Wetter und die Stimmung waren super krass. Alle sangen laut mit und tanzten. Das war ein super Anfang, ich war total begeistert. Ab 22 Uhr machte die kleine Waldbühne zu und es spielten dann nur noch DJs auf der großen Bühne. Es gab eine tolle Lichtershow und wir tanzten draußen bis spät in die Nacht. Es war sehr voll, aber die Stimmung war genial. Die Menschen, die Lichter und die Musik – Gänsehaut pur!

○ Ganz anders war die Stimmung leider am nächsten Morgen. Es regnete von morgens bis zum späten Nachmittag. Wir besuchten trotzdem ein paar Konzerte. An der Waldbühne gab es aber leider nur Hard-Rock, die Bands waren nicht so gut. Und auch die Stimmung war noch nicht so toll. Viele blieben im Zelt. Am Abend hörte es endlich auf zu regnen und die Leute kamen nach und nach aus ihren Zelten.

○ Ab 18 Uhr wurde es wieder voll und endlich gab es eine richtige Festival-Stimmung: Es war laut und alle waren gut drauf. Am coolsten war die Show von DJane Kate aus Wien! Ich traf auch ein paar Wienerinnen, die DJane Kate kennen. Mein persönlicher Höhepunkt war, dass ich mit ihr ein Selfie machen durfte. Mein Fazit: Tolle Organisation, großartige Stimmung und fantastische Shows. Ich bin immer noch begeistert und nächstes Jahr auf jeden Fall wieder dabei!

b) **Bands, Wetter, Stimmung? Lesen Sie noch einmal und ergänzen Sie die Informationen. Berichten Sie.**

Freitagnachmittag hat die Lieblingsband von Hanno gespielt. Es war ...

Abends gab es ...

Am Samstag hat es tagsüber geregnet und die Stimmung war ...

Lerntipp

Geben, finden, wissen, sein, haben und die *Modalverben* – auch mündlich oft im Präteritum, zum Beispiel *es gab, er fand, sie wussten, wir waren, er hatte.*

c) **Unpraktisch? Nass? Aufregend? Wie fand der Autor das Mola-Festival? Vergleichen Sie.**

Das Festival war ...

Der Autor fand das Festival ...

Es gab ...

Mega gut!

3.15

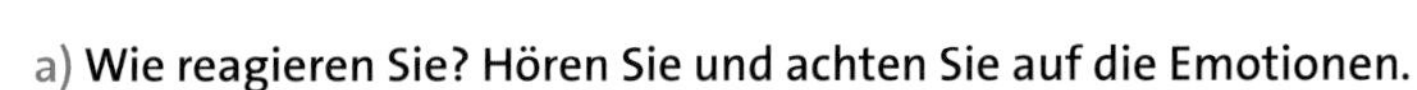

a) **Wie reagieren Sie? Hören Sie und achten Sie auf die Emotionen.**

1 Mega! **2** Krass! **3** Echt? **4** Toll! **5** Wirklich? **6** Genial!

3.16

b) **Hören Sie und sprechen Sie nach.**

DJane Kate gab eine Show

16.3

a) **Markieren Sie die Verben im Präteritum auf S. 134–138. Lesen Sie und ergänzen Sie noch weitere Sätze wie im Beispiel.**

Präteritum:	Infinitiv:
Das Festival startete am Freitagnachmittag.	starten
Es gab eine tolle Lichtershow.	geben
Es fand zum ersten Mal 1986 statt.	stattfinden

3.17

b) **Spielen Sie Echo. Hören Sie und sprechen Sie nach.**

Hanno durfte ein Selfie mit DJane Kate machen.

Krass! Hanno durfte ein Selfie mit DJane Kate machen?

Wo waren Sie?

a) **Festival oder eine andere Veranstaltung (Ausstellung/Konzert/Theater/Sportveranstaltung/...). Schreiben Sie einen Bericht. Die Fragen helfen.** ODER **Machen Sie einen Podcast und berichten Sie. Die Emotionen aus 3a) helfen.**

b) **Von wem ist der Bericht? Tauschen Sie die Berichte. Lesen Sie und raten Sie.** ODER **Hören Sie die Podcasts. Kommentieren Sie.**

Ich glaube, der Bericht ist von Erkan, weil er Sport sehr liebt.

Nein, der Text ist nicht von mir.

Ich habe deinen Podcast gehört. Echt genial! Gehst du oft auf Konzerte?

Ja, genau, der Text ist von mir. Letzen Monat war ich beim Baseball. Es war sehr interessant. Ich fand ...

1 So eine gute Stimmung!

3.18 a) **Hören Sie die Aussagen der Festivalgäste und ordnen Sie die Fotos zu.**

a 

b 

c 

b) **Hören Sie noch einmal. Ordnen Sie die Fotos den Hashtags zu.**

1 ◯ #klasseKlassik
2 ◯ #Entspannung
3 ◯ #nassaberschön
4 ◯ #krasseStimmung
5 ◯ #3Tagewach
6 ◯ #GlückimSchlamm

2 Drei Festivals in Deutschland

a) **Richtig (r) oder falsch (f)? Lesen Sie die Texte auf S. 134–135 noch einmal und ergänzen Sie.**

1 (f) Auf dem Wacken Open Air gibt es zehn Bühnen.
2 ◯ Auf dem SMS spielen nationale und internationale DJs und DJanes.
3 ◯ Auf dem W:O:A und dem SMS kann man übernachten.
4 ◯ Das Schleswig-Holstein Musik Festival gibt es seit 1968.
5 ◯ Das Schleswig-Holstein Musik Festival findet auch auf Schiffen statt.
6 ◯ Alle drei Festivals sind an einem See.

b) **Korrigieren Sie die falschen Aussagen.**

1 Auf dem Wacken Open Air gibt es ...

3 Festivals, Freunde, Freizeit

a) **Was passt nicht? Streichen Sie durch.**

1 Wie lange dauert ein Musik-Festival? ein Jahr – mehrere Tage – einen Tag
2 Was macht man auf einem Festival? tanzen – zelten – regnen
3 Wer spielt auf einem Festival? Vlogger – Bands – DJs
4 Was gibt es auf einem Festival? eine Bühne – Toiletten – einen Bahnhof

b) **Zu welcher Frage passen die Fotos? Ordnen Sie zu.**

a 

b 

c 

4 Musikstile. **Wie gefallen Ihnen die Musikstile? Schreiben Sie einen Ich-Text.**

Ich finde / Ich höre ...

zu Hause • manchmal • beim Putzen • toll - selten • jeden Abend • nervig • beim Joggen • Klassik • langweilig • Jazz • Heavy Metal • Rock • immer • Pop • beim Lernen • morgens • nie • in der Bahn • oft

5 Rockmusik oder doch lieber Klassik?

3.19

a) **Hören Sie das Radio-Interview mit Shila. Was ist das Thema? Kreuzen Sie an.**

1 ◯ Shilas erster Festival-Besuch

2 ◯ Shilas Leben als DJane

3 ◯ Shilas Alltag mit Musik

Shila im Interview

b) **Was erzählt Shila? Hören Sie noch einmal und sammeln Sie Informationen.**

1 Welchen Beruf hat Shila? ____________________

2 Welche Musikstile hört sie? ____________________

3 Wann hört sie Musik? ____________________

c) **Hören Sie noch einmal und ergänzen Sie die Sätze.**

1 Popmusik höre ich ____________________.

2 Bei der ____________________ höre ich Klassik.

3 Auf einer ____________________ höre ich Elektromusik.

4 Rockmusik höre ich auf einem ____________________.

6 *Ich hätte gern fünf Tickets.*

a) **Welches Wort passt? Ergänzen Sie.**

die Ermäßigung • der Preis • der Vorverkauf • der Kunden-Service • die Ticket-Anzahl

1 Das Ticket kostet 105€. ____________________

2 Ich hätte gern fünf Tickets. ____________________

3 Schüler*innen und Student*innen bezahlen weniger. ____________________

4 Ich habe eine Frage. Ich rufe diese Nummer an. ____________________

5 Wir müssen jetzt Tickets buchen. Später sind sie teurer! ____________________

b) **Wer sagt das? Kund*in (K) oder Verkäufer*in (V)? Ergänzen Sie.**

1 ◯ Was kann ich für Sie tun?

2 ◯ Ich hätte gern zwei Tickets.

3 ◯ Ich habe eine Frage.

4 ◯ Wie kann ich Ihnen helfen?

5 ◯ Ticketshop, Mila Otte, guten Tag.

6 ◯ Haben Sie sonst noch einen Wunsch?

7 ◯ Wie viel kostet das zusammen?

8 ◯ Wann kommen die Tickets an?

7 Wir planen zusammen

2.03

a) **Videokaraoke. Sehen Sie sich das Video an und antworten Sie.**

b) **Welche Informationen fehlen?**
Sehen Sie sich das Video noch einmal an und ergänzen Sie.

____ – ____ September	**Lollapalooza** in ____________ ______ €

8 *Entschuldigung, was kostet ein Ticket?*

a) **Lesen Sie und ordnen Sie das Telefongespräch.**

Verkäufer: Herr Rachow	Kundin: Frau Pérez
◯ Für zwei Tage kostet ein Ticket 149 €.	◯ Ich möchte fünf Tickets kaufen.
(1) Ticketshop Rachow, guten Tag. Was kann ich für Sie tun?	◯ Entschuldigung, was kostet ein Ticket?
◯ Das sind dann 745 €.	◯ O.k., vielen Dank! Dann kaufe ich jetzt die Tickets.
◯ 149 €. Wie viele Tickets brauchen Sie denn?	◯ Wie bitte? Können Sie den Preis nochmal wiederholen?
◯ Fünf Tickets kosten 745 €.	(2) Hallo, Pérez mein Name. Ich habe eine Frage zum Lollapalooza Festival. Wie teuer sind die Tickets?

3.20 b) **Hören Sie das Telefongespräch und kontrollieren Sie in a)**

c) **Wie bittet Frau Pérez um Wiederholung? Markieren Sie die Redemittel in a).**

3.21 d) **Hören Sie die Wiederholungen und sprechen Sie nach.**

9 Janas Packliste

a) **Was ist das? Ordnen Sie die Wörter 1–5 den Bildern zu.**

◯
◯
(1)
◯
◯

1 das Zelt
2 der Schlafsack und die Isomatte
3 die Regenjacke und die Gummistiefel
4 das Essen und das Camping-Geschirr
5 die Reiseapotheke

a Es regnet oft und der Boden ist schlammig.
b Ich möchte etwas essen und trinken.
c Hier schlafe, entspanne und esse ich.
d Ich brauche ein Pflaster, Kopfschmerztabletten und einen Verband.
e Ich möchte warm und bequem schlafen.

b) **Sehen Sie sich Janas Video auf S. 136 noch einmal an. Was nimmt sie auf ein Festival mit und warum? Verbinden Sie in a) mit den Sätzen a–e wie im Beispiel.**

c) **Wortfeld *Festival*. Sammeln Sie.**

Rock — Musikstile — das Festival — Tickets bestellen

10 Vloggerin Jana. **Lesen Sie das Interview auf S. 137 noch einmal. Wem stimmt Jana zu? Kreuzen Sie an.**

1 ◯ *„Für gute Videos braucht man viel Wissen: Wie filmt man mit der Kamera? Wie führe ich ein Interview? Wie schneide ich die Videos? Das kann nicht jeder."*
Madeleine, 25

2 ◯ *„Ein Festival ist nicht für jeden nur Spaß. Viele Menschen arbeiten dort. Sie organisieren, räumen auf oder verkaufen Getränke."*
Steve, 33

3 ◯ *„Vlogger*in ist kein richtiger Beruf. Man braucht dafür keine Ausbildung. Jeder kann das machen."*
Andreas, 54

11 Worauf freust du dich?

a) ***Worauf oder worüber?*** **Markieren Sie die Verben mit Präpositionen und ordnen Sie zu.**

Worauf ...?

Worüber ...?

1 Die Firma antwortet auf meinen Brief.
2 Wir informieren uns über die Festival-Preise.
3 Er berichtet über das Festival.
4 Die Kinder warten auf die Ferien.
5 Im Deutschkurs sprechen wir über die Grammatik.
6 Er bereitet sich auf die Prüfung vor.
7 Viele ärgern sich über das Wetter.

b) **Lesen Sie und sprechen Sie laut. Ergänzen Sie wie im Beispiel.**

1 sich freuen – sich freuen auf – Ich freue mich auf die Pause. ____________
2 sich ärgern – sich ärgern über – Wir ärgern uns über den Stau. *Worüber ärgert ihr euch?*
3 warten – warten auf – Sie warten auf den Bus. ____________
4 sich freuen – sich freuen über – Sie freut sich über den neuen Job. ____________

c) ***Sich freuen auf*** **... oder** ***sich freuen über*** **... Ordnen Sie zu.**

1 Nächste Woche ist das Festival. Ich freue mich auf das Festival.
2 Gestern war ich beim Fußballspiel. Ich habe mich über das tolle Spiel gefreut.
3 Mein Freund kommt morgen. Ich freue mich auf seinen Besuch.

a Es hat noch nicht stattgefunden.
b Es hat schon stattgefunden.

12 Tolle Erlebnisse

a) **Welche Überschrift passt? Lesen Sie die drei Berichte. Ordnen Sie zu.**

1 ◯ Football-Überraschung
2 ◯ Kultur in Jena
3 ◯ Kunst aus Portugal

a Am Freitag öffnete die *Galerie am Hafen* ihre Türen. Ein portugiesischer Künstler präsentierte seine Bilder. Es gab auch ein leckeres Buffet.

b Was für ein krasses Football-Erlebnis! Am Samstag spielten die *New York Giants* gegen die *Chicago Bears*. Es blieb bis zum Schluss spannend. Aber dann gewannen die Bears doch noch mit 35:30.

c Auch dieses Jahr kamen tausende Besucher*innen in die *Kulturarena* nach Jena. Hier konnte man im Juli und August mehrmals pro Woche Konzerte, Theaterstücke und Filme besuchen. Klasse!

b) **Markieren Sie die Präteritum-Formen in a) und machen Sie eine Tabelle wie im Beispiel.**

Präteritum	Infinitiv
öffnete	*öffnen*
blieb	...

13 Wie war das Festival?

a) **Ergänzen Sie die Wörter im Chat. Es gibt mehrere Möglichkeiten.**

toll • krass • echt • wirklich • mega • genial

Hey Alicia, wie war das Festival?

Das Festival war ________! Jeden Tag schien die ☀

________? Das freut mich! Und wie war die Musik?

Die Musik war ________! Einfach ________! Und das Beste: Ich habe ein Foto mit dem Sänger von meiner Lieblingsband gemacht!!

________? Das ist ja ________! Das klingt nach einem super Wochenende.

b) **Flüssig sprechen. Lesen Sie den Chat laut. Achten Sie auf die Emotionen.**

14 Das Mola-Festival

a) **Lesen Sie den Festival-Bericht auf S. 138 noch einmal. Bringen Sie die Bilder in die richtige Reihenfolge.**

a ◯
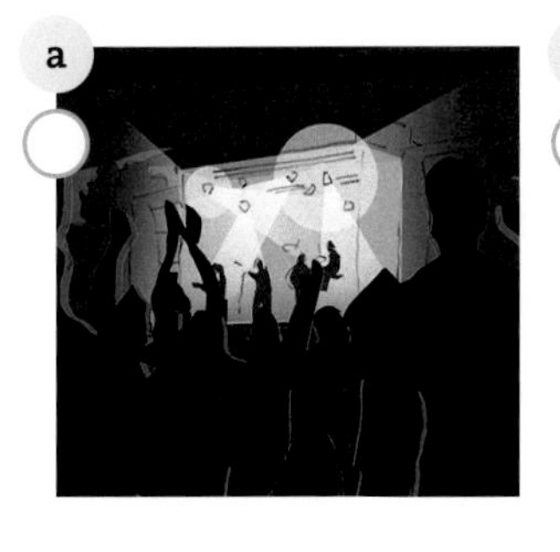

b ◯
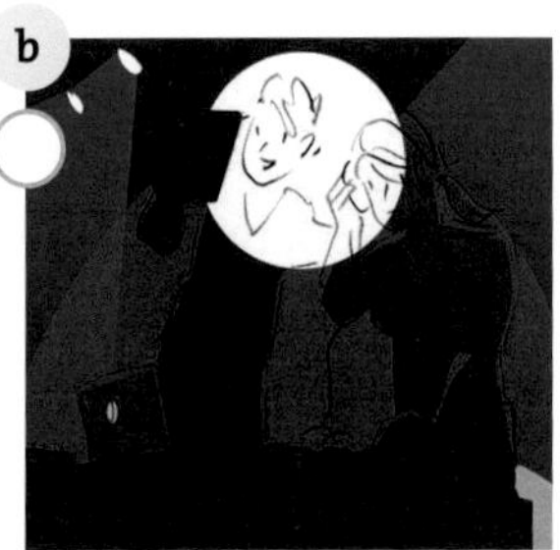

c ◯

d ◯

b) **Ordnen Sie die Wendungen den Bildern in a) zu.**

◯ es regnet, im Zelt bleiben

◯ eine Lichtshow ansehen

◯ ein Selfie machen

◯ laut mitsingen und tanzen

c) **Schreiben Sie einen Bericht wie im Beispiel.**

Letzte Woche waren wir auf dem Mola-Festival. Wir tanzten und ... laut ...

15 Ich möchte dir berichten

a) **Welche Informationen können Sie austauschen? Markieren Sie wie im Beispiel.**

1 Letztes Wochenende war ich mit meiner Freundin in einem Konzert.
2 Wir fuhren mit dem Bus zur großen Konzerthalle.
3 Die Stimmung war mega, echt toll!

b) **Tauschen Sie die markierten Informationen mit den Wendungen im Schüttelkasten. Schreiben Sie sechs Sätze.**

Gestern war ich ...

1: gestern/im Sommer/letztes Jahr // mit meinem Bruder/mit meinen Freunden/mit meiner Kollegin // auf einem Festival/in einem Museum/auf einer Party
2: mit dem Zug/mit der Straßenbahn/mit dem Fahrrad // nach Stuttgart/ins Stadtzentrum/zur Waldbühne
3: die Veranstaltung/die Musik/die Party // krass/langweilig/aufregend/entspannt

Fit für Einheit 11?

1 Mit Sprache handeln

über Musik und Festivals sprechen
... gehört zu den größten Festivals. Es findet jedes Jahr in/im ... statt.
Das Festival dauert ... Tage.
Wir packen das Zelt, den Schlafsack, die Isomatte und ... ein.
Auf dem Festival gibt es fünf Bühnen mit vielen internationalen DJs und Bands.
Das Festival war an einem See. Wir haben im See gebadet.
Ich höre am liebsten Jazz/Klassik/Rock/ ...

nach Preisen und Ermäßigungen fragen
Ich hätte gern fünf/... Tickets. Wie teuer ist ein Ticket?
Wir haben die Karten im Vorverkauf gekauft.
Gibt es Ermäßigungen für Schüler*innen/...?

Stimmung und Begeisterung ausdrücken
Die Stimmung war krass/toll/klasse/entspannt/...

2 Wörter, Wendungen und Strukturen

Worauf...? Worüber...?
Worauf freust du dich? Ich freue mich auf die Pause.
warten auf, antworten auf, aufpassen auf, sich vorbereiten auf

Worüber ärgerst du dich? Ich ärgere mich über den Regen.
sich freuen über, berichten über, sich informieren über, sprechen über

unregelmäßige Verben im Präteritum
DJane Kate gab eine Show.
Sie blieb drei Tage auf dem Festival.
Dort traf sie bekannte Musiker*innen und sprach mit ihnen über das Konzert.
Wusstest du, dass ... nächstes Jahr auf dem Festival in Wacken spielen? Toll!

um Wiederholung bitten
Entschuldigung, was haben Sie eben gesagt?
Entschuldigung, das habe ich nicht genau verstanden.
Wie bitte?

3 Aussprache

Emotionen: Mega! Krass! Echt? Toll! Wirklich? Genial!

Interaktive Übungen

HIER LERNEN SIE:
- die Umwelt beschreiben
- über Umwelt(schutz) sprechen
- Bedingungen und Folgen ausdrücken
- einen Tausch anbieten und ablehnen
- Ziele nennen

»Die Natur im Juni – das lieben wir!«

die Biene

Endlich Erdbeeren!

Spinat, Radieschen und Frühlingszwiebeln frisch aus dem Garten oder vom Markt – gesund und lecker!

Am 05.06. ist Weltumwelttag

(#WorldEnvironmentDay)

Der Weltumwelttag erinnert an die erste Weltumweltkonferenz 1972 in Stockholm und hat jedes Jahr ein Motto, z. B. 2020 „natur:verbunden". Es gibt Aktionen zum Umweltschutz, z. B. zum Recycling oder für Bienen und andere Insekten.

»Es gibt kein „weg". Wenn wir etwas wegwerfen, muss es irgendwo hingehen.«
– Annie Leonard

der Marienkäfer

Juni – Zeit für ... Sandalen!

die **Umwelt** [ʊmvɛlt], <-> (kein Pl.), was die Menschen umgibt: die Erde, das Wasser, die Luft, die Pflanzen und Tiere; die Natur / die Umwelt schützen/zerstören/verschmutzen

»Umwelt ist nicht alles. Aber ohne Umwelt ist alles nichts.«

Umwelt geht uns alle an!

Am Weltumwelttag senden die Vereinten Nationen (UN) eine Botschaft an die Welt: „Die Lebensmittel, die wir essen, die Luft, die wir atmen, das Wasser, das wir trinken, und das Klima, das unseren Planeten bewohnbar macht, kommen alle aus der Natur. [...] Wenn wir für uns selbst sorgen wollen, müssen wir für die Natur sorgen." Das heißt, dass wir die Umwelt schützen müssen. Weniger ist oft mehr: Weniger Reisen mit dem Flugzeug, mehr Fahrradfahren, weniger neu kaufen, mehr reparieren ... Was wir tun, sehen Sie im Video auf www.natur.example.de.

Buchtipp zum Weltumwelttag: Jutta Grimms Buch für alle, die weniger Plastik nutzen und und mehr selber machen wollen.

1 Das liebe ich im Juni!

a) Juni in D-AC-H. Sammeln Sie. Die Fotos helfen.

Es gibt ...

Es ist warm. / Das Wetter ist ...

b) *Endlich ...! Zeit für ...* Wählen Sie ein Foto und kommentieren Sie kurz.

c) Was machen Sie gern im Juni? Wie ist das Wetter / die Natur bei Ihnen? Was essen Sie? Was ziehen Sie an? Sammeln und berichten Sie.

Bei uns in Chile ist es im Juni ziemlich kalt.

Also, Zeit für Winterjacken!

2 Umwelt ist ... Lesen Sie den Lexikoneintrag und erklären Sie das Wort. Machen Sie eine Mindmap.

3 Wenn ich aus dem Fenster sehe, ...

Beschreiben Sie Ihre Umwelt.

Ich sehe Häuser und ...

Es riecht nach ...

4 Wir müssen die Umwelt schützen

2.04 a) Sammeln Sie Ideen im Magazinartikel und im Video. Ergänzen Sie die Mindmap aus 2.

b) *Ich finde ... (nicht so) sinnvoll, weil ...* Kommentieren und begründen Sie.

c) *Stoffbeutel statt Plastiktüten, kein Wasser in Plastikflaschen kaufen ...* Lesen Sie den Buchtipp und sammeln Sie, was Sie für die Umwelt tun können. Ergänzen Sie die Mindmap.

Ich trenne Müll, zum Beispiel Glas und Metall. Und du?

Statt mit dem Auto fahre ich oft ... .

Ich esse ...

1 Wir tauschen!

3.22

a) T-Shirts, Fußballbilder oder ...? Wer tauscht was warum? Hören Sie die Umfrage. Verbinden und vergleichen Sie.

	Wer?	Was?	Warum?
1	Der junge Mann	Hilfe im Garten gegen einen Kuchen	es war ein Spiel
2	Zwei Freundinnen	Wurstbrote in der Schule	hilft der Nachbarin gerne
3	Der ältere Mann	Fußballbilder	wollen Geld sparen
4	Die ältere Frau	nichts	isst lieber Käse
5	Das ältere Ehepaar	T-Shirts und Mützen	brauchen nichts

Die ältere Frau hat ... getauscht, weil ...

b) Formulieren Sie richtige und falsche Aussagen zu a). Die anderen stimmen zu oder korrigieren.

Der Interviewer möchte wissen, ob ...
... sagt/sagen, dass ... / ... tauscht/tauschen gern ..., weil ...

Der Interviewer möchte wissen, ob der junge Mann Fußballbilder getauscht hat.

Stimmt!

Nein, er möchte wissen, ob er schon einmal ...

c) Einen Tausch anbieten. Hören Sie die Umfrage aus a) noch einmal und markieren Sie die Redemittel.

d) Und Sie? Haben Sie schon einmal etwas getauscht? Berichten Sie.

2 Gibst du mir ...? Dann gebe ich dir ...

Wählen Sie vier Gegenstände aus, die Sie haben möchten. Bieten Sie einen Tausch an. Die Redemittel aus 1c) helfen.

Was willst du tauschen?

Gibst du mir dein/e/en ...?

Nein, das ist ...

Einverstanden!

3 Tauschen ist in, neu kaufen ist out

a) Lesen Sie den Magazinartikel. Ergänzen Sie die Einladung zur Tauschparty und vergleichen Sie.

Leben und Trends — **Entdecken**

Kleidertausch-Partys sind „in"

Wenn man Dinge teilt, dann ist das gut für die Umwelt und das Portemonnaie.

Kennen Sie das: Ihr Kleiderschrank ist voll, aber Sie haben nichts zum Anziehen? Sie brauchen dringend neue T-Shirts, und die Jacke im Geschäft war auch sooo schick! Dann sind Sie nicht allein. Jede/r Deutsche kauft im Durchschnitt 60 (!) Kleidungsstücke im Jahr. Mode macht Spaß, aber sie ändert sich schnell. Wenn wir dauernd neue Kleidung kaufen, aber viele Hosen oder T-Shirts nicht länger als zwei Jahre tragen, dann wachsen die Altkleiderberge. Das kostet viel Geld und ist sehr schlecht für die Umwelt.

Kleidertauschpartys sind eine gute Lösung. Die Teilnehmer*innen bringen Kleidung mit, die sie nicht mehr mögen, und tauschen sie gegen die Kleidung von anderen Teilnehmer*innen.

Es gibt zwei Bedingungen: Das Kleidungsstück muss sauber sein, und es darf nicht kaputt sein. Jede/r darf so viele Stücke mitnehmen, wie sie/er braucht. Wenn etwas übrigbleibt, dann bekommt eine soziale Einrichtung die Kleidungsstücke und macht etwas Neues. So können z. B. eine Jeans und ein T-Shirt ein neues Leben als Schultasche und Handyhülle beginnen. Nichts geht in den Müll, niemand muss etwas wegwerfen.

Probieren Sie also ruhig einmal eine Tauschparty in Ihrer Nähe aus oder laden Sie Freund*innen und Verwandte zum Tauschen ein.

von Jakob Meyer-Stengl

nachhaltige Mode mal anders

Infos:
mimmi-im-glueck.example.de/tauschparty

„Tauschpartys sind super - ich habe neue Klamotten, tue was für die Umwelt und lerne neue Leute kennen."
Sarah Monetti, Bremen

Einladung
Mode mal anders – Kleidertauschparty
am Samstag, 28.07., 18:00–22:00 bei mir zu Hause.
Klamotten mitbringen, tauschen und feiern!

Eure Vorteile sind:
- ungeliebte Kleidung findet neue Liebhaber*innen
- ihr spart ______
- ______
- ______

b) Was machen Sie mit Kleidung, wenn ...? Sprechen Sie schnell.

Wenn mir Kleidung nicht mehr gefällt,
Wenn mir Kleidung nicht mehr passt,
Wenn ich Hosen/T-Shirts/Jacken/... nicht mehr schön finde,

(dann) gebe ich sie in die Altkleidersammlung.
(dann) werfe ich sie in den Müll.
(dann) schenke ich sie Freunden oder Verwandten.
(dann) verkaufe ich sie im Internet.
(dann) tausche ich sie auf einer Tauschparty.
(dann) verkaufe ich sie auf dem Flohmarkt.
(dann) style ich sie um – aus Alt mach Neu!

c) Wie funktioniert eine Kleidertauschparty und warum ist sie gut für die Umwelt? Lesen Sie den Magazinartikel noch einmal und berichten Sie.

d) *Kleidung tauschen finde ich komisch. Das gibt es bei uns nicht.* Kommentieren und diskutieren Sie. Die Redemittel helfen. ODER Bücher, Tassen und Teller, Spielzeug, Möbel ... Schreiben Sie eine Einladung zu einer Tauschparty. Präsentieren Sie.

4 *Wenn ..., dann ...*

19

a) Sammeln Sie fünf Sätze mit Bedingungen und Folgen auf S. 148–149. Markieren Sie wie im Beispiel.

Wenn wir dauernd neue Kleidung [kaufen], (dann) wachsen die Altkleiderberge.

b) Was tun Sie, wenn ...? Ergänzen Sie und berichten Sie.

Bedingungen	**Folgen**
Wenn ich nichts zum Anziehen habe,	*dann ...*
Wenn ich ein/e/n tolle/s/n ... im Geschäft sehe,	
Wenn ich etwas für die Umwelt tun möchte,	
Wenn ich Energie/Geld/... sparen möchte,	

Du, wollen wir unsere Nummern tauschen?

Nein danke, ich finde meine Nummer super.

5 Umweltfreundlich handeln

Ordnen Sie und vergleichen Sie.

Wenn wir nutzen, was wir haben, dann ist das am ...

Tauschen statt kaufen, das ist umweltfreundlich!

Ich finde, ... ist besser als ...

1 Grün statt grau?

a) Ein Farb-Experiment. Sehen Sie sich beide Farben 10 Sekunden an. Welche finden Sie angenehmer? Welche tragen Sie (nicht) gern? Warum? Berichten Sie.

b) *Wenn ich an ... denke, (dann) fällt/fallen mir ... ein.* Ordnen Sie die Wörter den Farben Grün oder Grau zu. Vergleichen Sie.

Grün: ... *Grau : ...*

c) *Parks und Bäume oder Häuser und ...* Was macht Ihre Stadt grün oder grau? Berichten Sie.

Bei uns gibt es ... Das macht unsere Stadt grün.

In ... haben wir ...

Meine Stadt ist ziemlich ..., weil ...

2 Zurück zur Natur

a) Lesen Sie die Überschrift vom Magazinartikel. Was ist das Thema? Kreuzen Sie an.

1 ◯ Der Garten in der Stadt ist nur ein Traum.

2 ◯ Ein Garten in der Stadt ist nicht bezahlbar.

3 ◯ In der Stadt träumen viele vom eigenen Garten.

4 ◯ Viele Leute wollen auf dem Land leben.

Gartenmagazin

Der Traum vom eigenen Garten in der Stadt

Als mich meine Mutter aus Indien zum ersten Mal in Hamburg besuchte, wunderte sie sich über die hübschen „Slums" mitten in der Stadt: Kleine Häuser auf einer grünen Wiese mit Gemüse, Blumen und Bäumen. Wir blickten über den Zaun in einen Kleingartenverein!

Regeln mit Tradition

Der Kleingarten oder auch Schrebergarten ist ein Stück Natur mitten in der Stadt. Die Gartenbesitzer*innen bauen hier Obst und Gemüse an und erholen sich am Wochenende. Wer einen Kleingarten hat, ist Mitglied in einem Kleingartenverein. Der Verein wählt die Besitzer*innen aus, organisiert Versammlungen und Sommerfeste, damit sich die Gartennachbarn kennenlernen, und er kontrolliert die Regeln. Es gibt zum Beispiel feste Ruhezeiten, damit sich alle erholen können. Man darf nicht in den Gartenhäusern wohnen und man muss essbares Obst und Gemüse anbauen. Diese Regel hat Tradition. Sie kommt aus dem 19. Jahrhundert, als Lebensmittel teuer waren. Arme Familien arbeiteten in den Kleingärten, damit sie bezahlbares frisches Obst und Gemüse hatten.

Pflanzen pflegen, Partys feiern

Auch immer mehr junge Leute wollen raus ins Grüne und interessieren sich für einen Kleingarten. Sie wollen wissen, woher ihr Essen kommt. Sie bauen Bio-Gemüse an und stellen Insektenhotels auf, damit Bienen und Käfer in die Gärten kommen – echte, erlebbare Natur. Aber die Kleingärten sind nicht nur zum Arbeiten da. „Nein, wir liegen auch gerne in der Sonne und die Kinder spielen im Sandkasten. Oder wir grillen und feiern hier mit Freunden und Nachbarn", erklärt Kleingarten-Fan Arthur (26). Obst und Gemüse in Bio-Qualität und Partyzone – ein Kleingarten ist schon genial. Seit dem letzten Jahr haben wir auch einen und meine Mutter findet ihn einfach wunderschön.

Ila Patel

1 Kleingärten in der Großstadt

2 Im Sandkasten spielen

3 Ein „Hotel" für Insekten

b) Überfliegen Sie den Magazinartikel und ordnen Sie die Fotos passenden Zeilen zu.

c) Lesen Sie den Magazinartikel. Ergänzen Sie die Satzanfänge und berichten Sie.

Ila Patels Mutter hat gedacht, dass ...

3 Ein Garten macht viel Arbeit, oder?

3.23

a) Hören Sie das Gartenjournal. Ordnen Sie die Ziele 1–6 den Personen zu. Vergleichen Sie.

a Ole Strubinski mit Gero

b Günter Grass und Ruth Stuart

c Ira, Arthur, Isa und Leo am Grill

Die Strubinskis haben einen Garten, damit ihr Sohn ...

1 ◯ Wir arbeiten im Garten, damit wir uns mehr bewegen und aktiv bleiben.

2 ◯ Wir haben den Garten, damit unser Sohn weiß, dass Tomaten nicht im Laden wachsen.

3 ◯ Damit die Enkel spielen können, haben wir den Sandkasten gebaut.

4 ◯ Wir brauchen den Garten, damit wir Gemüse anbauen und uns entspannen können.

5 ◯ Damit alle gut zusammenleben können, haben wir im Verein einige Regeln.

6 ◯ Wir haben den Garten zusammen, damit wir die Arbeit und den Spaß teilen können.

b) Was ist richtig? Lesen Sie die Sätze in a) noch einmal und kreuzen Sie an.

Sätze mit *damit* sind ◯ Hauptsätze. ◯ Nebensätze.

c) Wo steht das Verb im Hauptsatz? Vergleichen Sie die Sätze in a).

d) Und Sie? Mit welchen Zielen machen Sie Sport, trennen Sie Müll, sparen Sie Geld, fahren Sie Rad, lernen Sie Deutsch, ...? Formulieren Sie drei *damit*-Sätze und vergleichen Sie.

Ich mache Sport, damit ich fit bleibe.

4 Das ist machbar, Herr Nachbar!

a) Sammeln Sie Adjektive mit der Endung *-bar* auf S. 150. Vergleichen Sie und ergänzen Sie die Regel.

Regel: In Adjektiven mit *-bar* steckt meistens ein ________. *-bar* heißt, man kann etwas machen.

b) Regel-Check.
Erklären Sie die Adjektive.

Verstehbar heißt, man versteht etwas, zum Beispiel eine Regel.

5 bezahlen – bezahlbar

3.24

Hören Sie und sprechen Sie nach. Achten Sie auf *-bar*.

1 bewohnen – bewohnbar
2 erleben – erlebbar
3 bezahlen – bezahlbar
4 brauchen – brauchbar
5 essen – essbar
6 verstehen – verstehbar

6 Raus ins Grüne! Zurück zur Natur! Wie sagt man das auf ...?

Gibt es die Wendungen auch in anderen Sprachen, die Sie kennen? Berichten und vergleichen Sie.

7 Ich will (k)einen Garten!

a) Erklären Sie einem Freund / einer Freundin in einer E-Mail, was ein Kleingarten ist, welche Regeln es gibt, welche Ziele die Besitzer*innen mit dem Garten haben, und warum Sie (k)einen möchten.

b) Pro oder kontra Kleingarten? Vergleichen Sie Ihre Gründe.

1 Sommer, Sonne, gute Laune

a) Was passt zusammen? Ordnen Sie zu.

a 

b 

c 

d 

1 Wir essen Obst und Gemüse aus dem Garten.
2 Sieh mal, eine Biene!
3 Endlich Zeit für Sandalen.
4 Wir haben Spaß am Strand.

b) Wie ist der Juni in D-A-CH? Kreuzen Sie an.

		a		b
1	Das Wetter ist	a ◯	immer windig und kalt.	b ◯ oft warm und sonnig.
2	Man kann	a ◯	im See oder im Meer baden.	b ◯ Ski fahren.
3	Es gibt	a ◯	frisches Obst aus dem Garten.	b ◯ heiße Schokolade mit Sahne.
4	Durch die Luft fliegen	a ◯	viele bunte Blätter.	b ◯ Bienen und Marienkäfer.

2 Umwelt und Natur

a) Was können Sie in Ihrer Umwelt sehen, hören, riechen, schmecken und fühlen? Ordnen Sie zu.

a sehen	1 die Sonne *a, e*	6 das Obst ______	11 der Wind ______
b hören	2 der Regen ______	7 die Wiese ______	12 die Blumen ______
c riechen	3 die Häuser ______	8 die Bäume ______	13 der Berg ______
d schmecken	4 die Biene ______	9 das Eis ______	14 das Blatt ______
e fühlen	5 der Fluss ______	10 der Garten ______	15 die Sandalen ______

b) Beschreiben Sie Ihre Umwelt in fünf Sätzen wie im Beispiel.

Ich sehe Bienen und bunte Blumen. Ich höre den Wind, ...

3 Das können Sie für den Umweltschutz tun!

a) Was passt zu den Fotos? Ordnen Sie zu.

1 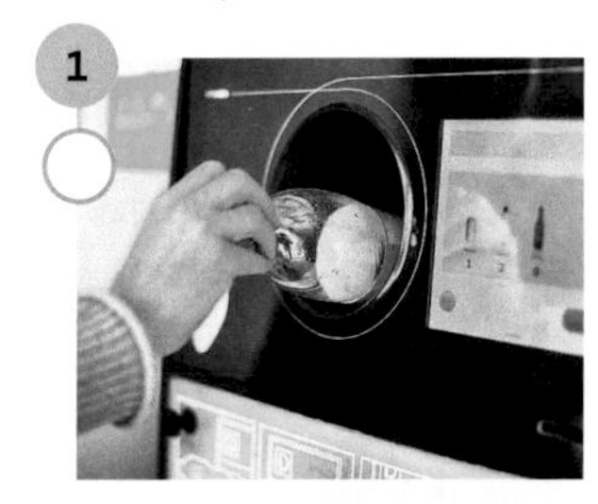

2 

Ich kann ...
- **a** Stoffbeutel benutzen.
- **b** Flaschen recyceln.
- **c** Müll trennen.
- **d** Glasflaschen benutzen.
- **e** öffentliche Verkehrsmittel benutzen.
- **f** weniger in den Urlaub fliegen.
- **g** kaputte Dinge reparieren.
- **h** regional auf dem Markt einkaufen.

3 

4 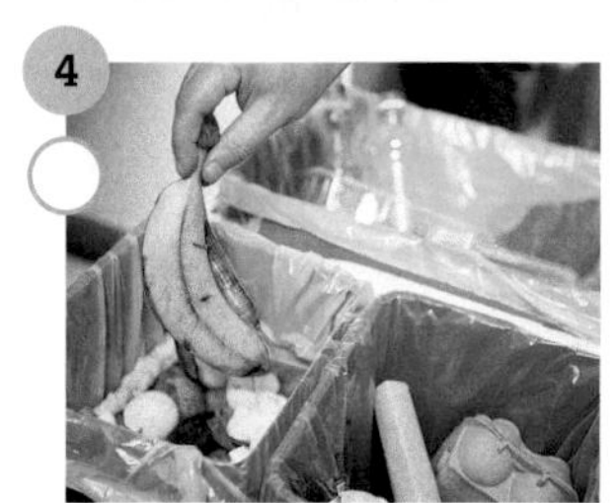

b) Lesen Sie den Magazinartikel auf S. 147 noch einmal und ergänzen Sie passende Verben.

1 eine Botschaft ______

2 frische Luft ______

3 für die Natur ______

4 weniger mit dem Flugzeug ______

5 mehr Fahrrad ______

6 weniger neu ______

c) Komposita knacken. Ergänzen Sie wie im Beispiel.

1 der Umweltschutz = *die Umwelt* + *der* ______

2 der Umwelttag = ______ + ______

3 die Umweltverschmutzung = ______ + ______

4 die Plastikflasche = *das* ______ + ______

4 *Wollen wir tauschen?*

a) Lesen Sie und ordnen Sie den Dialog.

Jerome, 27

Echt? Willst du vielleicht tauschen? ◯

Hey, du hast ja eine tolle Sonnenbrille! *1*

Hm, du möchtest also deine Sonnenbrille gegen meine Mütze tauschen? Ja gut, einverstanden! ◯

Ach, das alte Ding? Ich möchte gerne eine neue Brille haben ... ◯

Super, das freut mich! ◯

Tauschen? O.k., ich möchte gegen deine Mütze tauschen. Die gefällt mir gut! ◯

Elias, 32

3.25 **b) Hören Sie den Dialog und kontrollieren Sie in a).**

c) Was sagt man, wenn man tauschen möchte? Markieren Sie die Redemittel in a).

5 Eine etwas andere Party

a) Lesen Sie den Magazinartikel auf S. 148 noch einmal. Was passt nicht? Streichen Sie durch.

1 Kleidertauschpartys sind gut ...
- **a** für die Umwelt.
- **b** für das Portemonnaie.
- **c** ~~für die Nachbarn~~.

2 Man kauft neue Kleidung, weil ...
- **a** sie teuer ist.
- **b** die Mode sich schnell ändert.
- **c** sie schnell kaputt geht.

3 Neue Kleidung ...
- **a** ist schlecht für die Umwelt.
- **b** kostet viel Geld.
- **c** ist gut für die Altkleiderberge.

4 Wenn man Kleidungstücke tauschen will, ...
- **a** müssen sie sauber sein.
- **b** müssen sie neu sein.
- **c** dürfen sie nicht kaputt sein.

5 Man darf bei einer Kleidertauschparty ...
- **a** so viele Sachen mitnehmen, wie man braucht.
- **b** nur ein Stück mitnehmen.
- **c** keine schmutzigen Sachen mitbringen.

6 Die Kleidungsstücke kommen ...
- **a** in den Müll.
- **b** zu neuen Besitzer*innen.
- **c** zu einer sozialen Einrichtung.

b) ***Ich kaufe (keine) neue Kleidung, weil ...*** **Beenden Sie den Satz.**

6 Gehen wir auf den Flohmarkt?

2.05 a) **Videokaraoke. Sehen Sie sich das Video an und antworten Sie.**

b) **Richtig oder falsch? Sehen Sie sich das Video noch einmal an und kreuzen Sie an.**

		richtig	falsch
1	Konstantin möchte mit mir auf den Wochenmarkt gehen.	◯	⊗
2	Er möchte Sachen verkaufen, die er nicht mehr braucht.	◯	◯
3	Auf dem Markt kann man nur Klamotten verkaufen.	◯	◯
4	Konstantin holt mich mit seinem Auto ab.	◯	◯
5	Er kommt am Nachmittag zu mir.	◯	◯

c) **Korrigieren Sie die falschen Aussagen.**

7 *Wenn ..., dann ...*

a) **Lesen Sie das Interview. Welche Überschrift passt? Kreuzen Sie an.**

1 ◯ Nicks Blog 2 ◯ Immer neue Klamotten 3 ◯ Die Tauschparty

Nick ist Influencer und steht jeden Tag vor der Kamera. Wie wichtig ist ihm Kleidung? Unsere Journalistin Pia fragt nach.

Ist dir dein Aussehen als Influencer wichtig?
Ja, mein Aussehen ist mein Job. Wenn ich (5) Fotos auf Instagram oder in meinem Blog poste, dann ist coole Kleidung wichtig für mich. Aber wenn ich jedes Mal ein neues Outfit kaufe, dann wird das teuer.

Und wie machst du das? (10)
Wenn ich neue Klamotten brauche, frage ich oft meine Freunde. Wir tauschen Kleidungsstücke oder ich leihe mir etwas für einen Tag aus. Manchmal gehe ich auch auf den Flohmarkt. Hier (15) in Berlin gibt es jedes Wochenende viele Flohmärkte. Wenn ich dort etwas finde, dann freue ich mich noch mehr. Ich habe neue Kleidung und es ist auch noch preiswert!

b) **Lesen Sie das Interview noch einmal und ergänzen Sie.**

		Zeile(n)
1	Nick ist Kleidung nicht egal.	______
2	Manchmal tauscht er Klamotten mit Freunden.	______
3	Sachen vom Flohmarkt sind oft billig.	______

c) **Markieren Sie die Bedingungen im Interview in a).**

d) **Machen Sie eine Tabelle mit den Sätzen aus c). Markieren Sie die Verben im Hauptsatz.**

Nebensatz			Hauptsatz		
Wenn		Satzende	(dann)	Position 2	
Wenn	*ich Fotos auf Instagram*	*poste,*	*(dann)*	*ist*	*coole Kleidung wichtig für mich.*

e) **Und Sie? Schreiben Sie vier Sätze wie in d). Markieren Sie die Verben im Hauptsatz.**

Wenn ich Fotos poste, ... Wenn ich ein neues Outfit kaufe, ...

8 *Wenn ich kann, muss, darf, ...* **Ergänzen Sie die Modalverben wie im Beispiel.**

1 Wenn ich Ferien habe, (dann) *kann* ich ausschlafen.
2 Ich ______ warten, wenn ich den Zug verpasse.
3 Wenn du Lust hast, (dann) ______ wir ins Kino gehen.
4 Wenn ich Zeit habe, (dann) ______ ich viel reisen.
5 Wenn man krank ist, (dann) ______ man viel schlafen.
6 Wenn Mittagsruhe ist, (dann) ______ man keine laute Musik hören.

9 Grün oder Grau?

3.26

a) **Was verbinden die Personen mit den Farben? Hören Sie und ergänzen Sie.**

1 Wenn ich an Grün denke, dann fällt mir ______ ein.
2 Ich denke an ______, wenn ich an Grau denke.
3 Wenn ich an Grün denke, dann fällt mir ______ ein.
4 Mir fallen ______ von früher ein, wenn ich an Grau denke.

b) **Wo stehen die Verben? Markieren Sie in a) die Verben im Nebensatz rot und im Hauptsatz gelb.**

c) **Und was denken Sie?**

Wenn ich an Grün denke, dann ... Wenn ich an Grau denke, ...

10 Im Garten

a) **Was passt zusammen? Ordnen Sie die Bildunterschriften den Fotos zu.**

1 Obst und Gemüse anbauen
2 der Kleingartenverein
3 mit Freunden grillen
4 feste Ruhezeiten

a ◯ b ◯ c ◯ d ◯

b) **Lesen Sie den Magazinartikel auf S. 150 noch einmal. Richtig (r) oder falsch (f)? Ergänzen Sie.**

1 (r) In Hamburg gibt es Kleingartenvereine.
2 ◯ Kleingärten heißen auch Schrebergärten.
3 ◯ Dort sind die Leute meistens am Wochenende.
4 ◯ Man kann dort Obst und Gemüse kaufen.
5 ◯ Wer einen Garten hat, muss Mitglied in einem Kleingartenverein werden.
6 ◯ Im Kleingartenverein gibt es Regeln.
7 ◯ Junge Leute interessieren sich nicht für Kleingärten.
8 ◯ In einem Kleingarten darf man auch grillen und feiern.

c) **Korrigieren Sie die falschen Aussagen.**

11 *Wir lieben unseren Garten!*

a) Was passt zusammen? Verbinden Sie.

1 Damit wir fit und aktiv bleiben,
2 Wir pflanzen viel im Garten an,
3 Damit wir nicht so viel Arbeit haben,
4 Wir gehen mit unseren Kindern in den Garten,

a damit wir frisches Obst und Gemüse haben.
b arbeiten wir im Garten.
c damit sie draußen spielen können.
d teilen wir uns den Garten mit Freunden.

b) Ordnen Sie den Sätzen in a) passende Fotos zu.

a 

b 

c 

d 

c) Markieren Sie die Verben im Hauptsatz in a).

3.27 **d) Tauschen Sie die Haupt- und Nebensätze in a). Sprechen Sie laut und kontrollieren Sie mit dem Hörtext.**

1 Wir arbeiten im Garten, damit wir ...

e) Was machen Sie, damit Sie fit bleiben? Schreiben Sie vier Sätze.

Damit ich fit bleibe, ...

12 Gut machbar!

a) Ergänzen Sie wie im Beispiel.

1 denkbar – *denken* ______
2 machbar – ______
3 anbaubar – ______
4 ausleihbar – ______
5 bezahlbar – ______
6 essbar – ______
7 herunterladbar – ______
8 lesbar – ______

b) Was passt? Ergänzen Sie die Adjektive mit *-bar* aus a).

1 Deine Schrift ist nicht ______!
2 Die Pilze sind nicht gefährlich. Sie sind ______.
3 Die App für das Smartphone ist ______.
4 Das Buch ist in der Bibliothek ______.
5 Wir können das Handy nicht reparieren. Das ist leider nicht ______.
6 Mein neuer Pullover war nicht teuer, echt ______!

13 *Wollen Sie einen Garten?* Sammeln Sie Argumente für (pro) und gegen (kontra) einen eigenen Kleingarten.

pro: Ich möchte einen Kleingarten, weil ...	**kontra:** Ich möchte keinen Kleingarten, weil ...
ich frisches Obst und Gemüse anbauen möchte.	*ich die Regeln nicht mag.*
...	...

Fit für Einheit 12?

1 Mit Sprache handeln

die Umwelt beschreiben
Im Sommer ist es warm. Die Sonne scheint. Es gibt viele Bienen und Marienkäfer.
Das Wasser / Die Luft / ... ist hier (nicht) sehr sauber.

über Umwelt(schutz) sprechen
Umwelt ist nicht alles, aber ohne Umwelt ist alles nichts.
Wir müssen die Natur / die Umwelt / das Klima schützen.
Wir müssen Wasser und Energie sparen.
Umwelt geht uns alle an!
Weniger ist oft mehr!
Benutzen Sie Stoffbeutel statt Plastiktüten!
Man kann eine Plastiktüte ganz oft nutzen.
Wir trennen Müll.

einen Tausch anbieten
Wollen wir tauschen?
Gibst du mir ...? Dann gebe ich dir ...

einen Tausch annehmen
Ja, gerne. / Ja, das ist gut.
Einverstanden.

einen Tausch ablehnen
Nein, das ist kein guter Tausch.
Nein, das ist unfair, weil ...

2 Wörter, Wendungen und Strukturen

Wortfeld Garten
sich bewegen und aktiv bleiben, Obst und Gemüse anbauen, grillen, feiern und sich entspannen

Bedingungen und Folgen
Wenn mir Kleidung nicht mehr gefällt, (dann) verkaufe ich sie auf dem Flohmarkt.
Wenn man den Kühlschrank immer nur kurz aufmacht, (dann) spart man Energie und Geld.

Ziele nennen mit *damit*
Wir haben einen Kleingarten, damit wir frisches Obst und Gemüse anbauen können.
Damit wir uns draußen entspannen können, haben wir einen Kleingarten.
Wir müssen die Umwelt schützen, damit unsere Kinder sauberes Wasser und saubere Luft haben.

Adjektive mit der Endung *-bar*
lesbar — Ich kann deine Schrift nicht lesen. Sie ist nicht lesbar.
machbar — Das können wir so machen. Das ist machbar.
essbar — Es gibt auch Blumen, die essbar sind. / Nicht alle Pilze sind essbar.

3 Aussprache

die Endung *-bar*: brauch**bar**, trink**bar**, bezahl**bar**, bewohn**bar**

Interaktive Übungen

HIER LERNEN SIE:
- über Reparaturcafés sprechen
- sagen, was man wozu braucht
- Anleitungen verstehen und formulieren
- etwas reklamieren

Das „Café kaputt" in Leipzig

Reparieren im „Café kaputt"

Am 21.06.2021 feierte das Leipziger Reparaturcafé seinen siebten Geburtstag.

Seit 2014 werden im „Café kaputt" in der Merseburger Straße 102 Möbel, Elektrogeräte und Kleidung repariert. In dem Reparaturcafé treffen sich Menschen aus aller Welt, trinken zusammen Kaffee, essen Kuchen und unterhalten sich. Lisa Kuhley hat das Reparaturcafé gegründet. Sie sagt: „Im ‚Café kaputt' können Menschen mitmachen, die sich austauschen möchten. Und natürlich Leute, die etwas reparieren wollen und Hilfe brauchen."

» Lieber reparieren als neu kaufen. «
— Lisa Kuhley

Und so geht's: Die Besucher*innen bringen ihre kaputten Sachen von der Kaffeemaschine, über das Smartphone bis zur Lieblingsjacke mit ins Café. Man muss die Dinge aber tragen können, also z. B. keine Waschmaschinen oder Geschirrspüler. Für die Reparatur gibt es Werkzeuge, Nähmaschinen, Bohrmaschinen und Ersatzteile. Die kaputten Sachen werden dann von den Besucher*innen gemeinsam mit den Expert*innen repariert. Die Reparaturen sind kostenlos. Nur für Material wie Schrauben, Nägel und Ersatzteile müssen die Besucher*innen etwas bezahlen. „Das Café lebt nur, wenn uns viele unterstützen oder im Café mithelfen", sagt Lisa. „Alle können hier mitmachen und sind herzlich willkommen!"

DIE GRÜNDERIN

Die Kulturwissenschaftlerin Lisa Kuhley hat die Idee für ein Reparaturcafé von der Bloggerin Martine Postma, die 2009 in Amsterdam ein Repair Café gründete. Zusammen mit ihrer Freundin Anne Neumann entwickelte Lisa Kuhley dann das Konzept für das „Café kaputt", sammelte Geld, mietete die Räume und richtete das Reparaturcafé zusammen mit anderen Helfer*innen ein. Jetzt organisiert sie ein großes Team, sammelt Spenden für das Café und bietet viele Workshops an.

Lisa Kuhley

Wusstest du, dass ...

- selbst reparieren voll im Trend liegt?
- es weltweit mehr als 1000 Reparaturcafés gibt und ca. 500 in Deutschland?
- das „Café kaputt" 2019 einen Preis von 5.000 Euro gewonnen hat?

Klaus H.

★★★★★ **sehr zufrieden**

Letzte Woche ist mein Toaster kaputtgegangen. Mit Erwin Lindemanns Hilfe konnte ich ihn reparieren. Bin total glücklich!

Elham S.

★★★★★ **sehr zufrieden**

Das Display von meinem Handy war kaputt. Maria Funk hat es für mich in nur einer Stunde ausgetauscht. Ich habe viel Geld und Zeit gespart. Das neue Display hat nur 50 Euro gekostet.

1 Das „Café kaputt"

Was macht man im „Café kaputt"? Sehen Sie sich die Fotos an und beschreiben Sie.

Das erste Foto zeigt das „Café kaputt" von außen. Die Wände sind ... Ich glaube, dass ...

2 *Kann man das noch reparieren?*

a) Was? Wer? Warum? Wie? Überfliegen Sie den Magazinartikel und berichten Sie.

b) Lieber reparieren als neu kaufen. Wie finden Sie diese Idee?

3 Mein Hobby – Toaster reparieren!

a) Berufe. Wer macht was?

Ich backe Kuchen.

Wenn du Kuchen backst, dann ...

b) Sehen Sie sich das Video an. Welche Berufe haben die Helfer*innen? Sammeln und vergleichen Sie.

2.06

4 Reparaturcafés

a) Wie heißen „Reparaturcafés" in Ihrer Sprache?

b) Recherchieren Sie im Internet ein Reparaturcafé und berichten Sie.

Gute Stimmung im Café kaputt

Erwin Lindemann repariert einen Staubsauger

Café kaputt
Merseburger Straße 102
04177 Leipzig-Lindenau

Öffnungszeiten	
Heimwerken	Di: 18–20 Uhr
Elektro	Di: 16–18 Uhr
Textil	Do: 16–18 Uhr

1 Selbermachen liegt voll im Trend

Was machen Sie (gern) selbst? Hast du schon einmal …? Fragen und antworten Sie.

Im Sommer koche ich oft Marmelade. Meine Erdbeermarmelade ist total lecker!

Dauert das lange?

Ich kann ganz gut nähen. Ich habe schon oft Hosen kürzer gemacht, weil sie zu lang waren.

Wo hast du das gelernt?

Das ist bestimmt schwer, oder?

2 Kurse für Heimwerker*innen

a) **Lesen Sie die Kursangebote. Welcher Kurs passt zu welcher Situation? Für eine Situation gibt es keine Lösung.**

DIE NEUEN TERMINE SIND DA!

Heimwerkerkurse in unseren Werkstätten in der Buchenstraße 7

1 Die Werkzeugkiste für Anfänger*innen

Du willst endlich mal wissen, welche Zange du für welche Aufgabe brauchst, warum es unterschiedliche Schrauben gibt, wie du eine Säge oder Bohrmaschine richtig benutzt, und und und …? In diesem Kurs zeigen wir dir, wie du kleine Reparaturen selbst machen kannst.

Datum: 05.09., 14:30–18 Uhr
Kursgebühr: 40 €

2 Wir machen Frauen fit fürs Heimwerken

Sie möchten Heimwerken wie die Profis? Mit unseren Women's Night-Kursen geht das online ganz bequem von Zuhause! Die Kurse werden gestreamt und live über Facebook gesendet. Im Chat könnt ihr auch Fragen stellen, die dann von den Profis beantwortet werden.

Datum: 25.09., 18–21 Uhr
Kursgebühr: kostenlos

3 Wände und Decken richtig streichen

Hier lernen Sie:
- welche Werkzeuge Sie für das Streichen von Wänden und Decken brauchen.
- welche Fehler Sie beim Streichen nicht machen dürfen.
- welche Farben Sie gut kombinieren können.

Datum: 26.10., 9–18 Uhr
Kursgebühr: 25 €

4 Möbel bauen für Anfänger*innen

Wie baut man Möbel aus Holz? Welche Werkzeuge braucht man? Das lernen Sie hier! Nach diesem Kurs können Sie Tische, Regale, Bänke und vieles mehr selber bauen.

Kenntnisse: keine
Datum: 25.10., von 9–17 Uhr
Kursgebühr: 45 € plus Materialkosten

1 ◯ Ihre Freundin möchte einen Heimwerkerkurs machen. Sie hat eine kleine Tochter und kann abends und am Wochenende nicht weg.

2 ◯ Ihr Freund hat viele Bücher. Er braucht ein neues Regal für seine Wohnung.

3 ◯ Sie möchten lernen, wie man mit Werkzeugen richtig arbeitet.

4 ◯ Die Farbe in Ihrem Wohnzimmer gefällt Ihnen nicht mehr.

5 ◯ Sie möchten lernen, wie man ein Bad renoviert.

b) **Für welchen Kurs interessieren Sie sich (nicht)? Warum?**

Ich interessiere mich für den Kurs Möbel bauen, weil ich ein Regal aus Holz bauen möchte.

3 Schreiben, der Schreibtisch, die Schriftstellerin

3.28

a) **Hören Sie und achten Sie auf *schr-*. Gibt es *schr-* in Ihren Sprachen? Vergleichen Sie.**

3.29

b) **Hören Sie noch einmal und sprechen Sie nach.**

4 Wir renovieren das Wohnzimmer!

a) **Hypothesen vor dem Hören. Was machen Sarah und Ben in welcher Reihenfolge? Ordnen Sie die Bilder.**

1 ◯ Wände streichen

2 ◯ Löcher bohren

3 ◯ das Regal abholen

4 ◯ Farbe kaufen

5 ◯ eine Leiter leihen

6 ◯ Kaffee trinken

3.30

b) **Sarah und Ben machen einen Plan. Hören Sie den Dialog und überprüfen Sie Ihre Hypothesen in a).**

c) **Was brauchen Sarah und Ben? Hören Sie das Gespräch in b) noch einmal. Machen Sie eine Checkliste und vergleichen Sie.**

Bens Schwester: ...
Baumarkt: weiße Farbe (4 Liter Eimer), ...
Möbelhaus: ...
Paula und Murat: ...

5 Wozu ...?

a) **Ordnen Sie zu. Fragen und antworten Sie.**

1 Wozu hat Sarah einen Heimwerkerkurs gemacht?
2 Wozu brauchen Sarah und Ben eine Bohrmaschine?
3 Wozu haben sie ein Auto geliehen?
4 Wozu fahren sie zum Baumarkt?
5 Wozu brauchen sie eine Leiter?

a Um die Decke zu streichen.
b Um Farbe zu kaufen.
c Um die Möbel im Möbelhaus abzuholen.
d Um Geld für Reparaturen zu sparen.
e Um Löcher zu bohren.

b) **Markieren Sie *um ... zu* und den Infinitiv.**

1 Sarah und Ben brauchen eine Leiter, um die Decke zu streichen.
2 Um die Möbel im Möbelhaus abzuholen, haben sie ein Auto geliehen.

22

c) **Nebensätze mit *um ... zu*. Lesen Sie die Regel und kreuzen Sie an.**

Regel: Nebensätze mit *um ... zu* drücken ◯ einen Zweck und ein Ziel ◯ eine Bedingung aus.

Bei trennbaren Verben steht *zu* ◯ vor ◯ zwischen Vorsilbe und Verb.

6 Um ... zu

Kursspaziergang. Fragen und antworten Sie wie im Beispiel.

Brauchst du ein Auto?

Ja, um ...

Nein, ich brauche kein ...

7 Das mache ich selber!

Material, Werkzeug, Zeit. Was haben Sie schon selber gemacht? Bringen Sie ein Foto mit und berichten Sie. ODER **Was möchten Sie selber machen? Berichten Sie.**

1 Ein Sofa aus Paletten

a) **Wer? Was? Warum? In welcher Reihenfolge beantwortet der Online-Artikel die Fragen? Lesen Sie und berichten Sie.**

www.baumarkt.example.de

Wohnen | Bauen | Garten | Community

Möbel aus Paletten – der neue Trend

Möbel aus Paletten werden schon seit Jahren für drinnen und draußen gebaut. Sofas, Betten und Regale sind besonders beliebt. Palettenmöbel haben viele Vorteile: Sie sind günstig, gut für die Umwelt und sehen super aus. Man muss auch kein Profi sein, um sie selber zu bauen. Und so geht's:

Bauanleitung: ▼ Das brauchen Sie: ▶

a b c d

b) **Wie baut man ein Palettensofa? Ordnen Sie die Bilder in a) den Sätzen zu.**

1 ◯ Die Paletten werden mit Schrauben zusammengeschraubt.

2 ◯ Wenn die Farbe trocken ist, werden die Kissen auf das Sofa gelegt.

3 ◯ Das Palettensofa wird gestrichen – weiß, schwarz oder bunt.

4 ◯ Mit einer Bohrmaschine werden Löcher in die Paletten gebohrt.

2 Was wird hier gemacht?

30.1

a) **Aktiv oder Passiv? Lesen Sie die Sätze. Was ist anders? Vergleichen Sie und ergänzen Sie die Regel.**

1 Ben und Sarah bauen ein Sofa. → Ein Sofa wird gebaut.

2 Sarah bohrt die Löcher. → Die Löcher werden gebohrt.

Regel: Das Passiv bildet man mit dem Verb ______________ und dem Partizip II.

b) **Eine Regel kontrollieren. Markieren Sie *werden* und das Partizip II in 1 b).**

c) **Die Decke wird gestrichen. Sehen Sie sich die Bilder an und berichten Sie.**

3 Vor- und Nachteile von Palettenmöbeln

Vergleichen Sie im Kurs. Die Redemittel helfen.

Ein großer Vorteil von Möbeln aus Paletten ist, dass sie so billig sind.

Ja, aber ich finde nicht so gut, dass ...

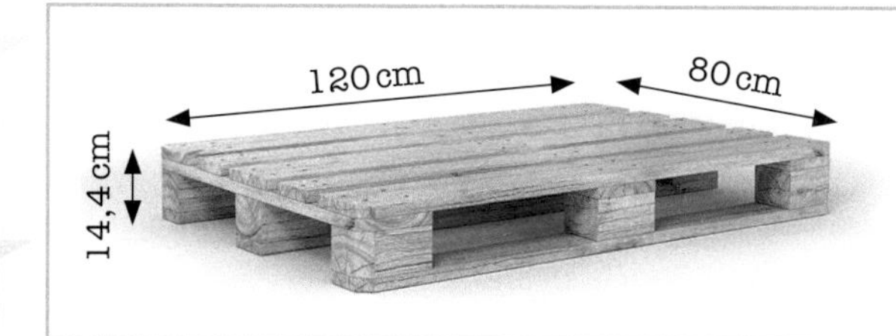

Eine Palette ist 120 cm breit, 80 cm tief und 14,4 cm hoch. Sie wiegt ca. 20 Kilo und kostet weniger als 20 Euro.

4 Wie funktioniert das?

Zuerst wird das Ladekabel angeschlossen und ...

Wie wird das Smartphone eingerichtet? Erklären Sie die Schritte einem Partner / einer Partnerin.

1

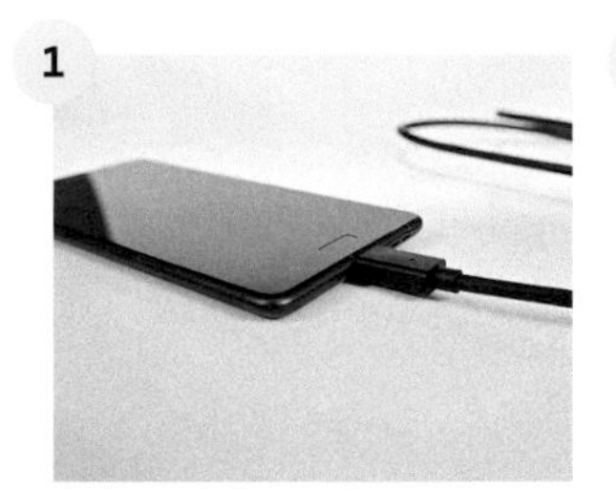

Das Ladekabel anschließen und den Akku aufladen.

2

Die Taste mehrere Sekunden drücken.

3

Die SIM-Karte ins SIM-Fach legen und die PIN eingeben.

4

Ein WLAN wählen und das Passwort eingeben. Fertig!

5 Mein Tablet funktioniert nicht – eine Reklamation

3.31

a) **Im Medienmarkt. Was ist das Problem? Was möchte die Kundin? Hören Sie und lesen Sie mit.**

- Guten Tag. Wie kann ich Ihnen helfen?
- Ich habe ein Problem mit meinem Tablet.
- Was ist denn das Problem?
- Ich kann es seit gestern nicht mehr einschalten.
- Ist der Akku geladen?
- Ja. Den habe ich gleich gecheckt.
- Darf ich mal sehen? Wenn Sie die Ein-/Aus-Taste circa zehn Sekunden lang drücken, dann startet das Gerät meistens wieder.
- Das habe ich schon probiert.
- Hm, ich glaube, es ist defekt. Dann müssen wir es leider zur Reparatur schicken. Haben Sie noch die Rechnung?
- Ja, hier bitte. Ich habe das Tablet erst vor zwei Monaten gekauft. Sehen Sie, ich habe noch Garantie. Ich möchte ein neues Gerät oder mein Geld zurück.
- Gut, dann tauschen wir es um. Ich schaue mal nach, ob wir dieses Modell noch haben. Einen Moment, bitte. Bin gleich wieder da.

Umtausch nur mit Garantie!

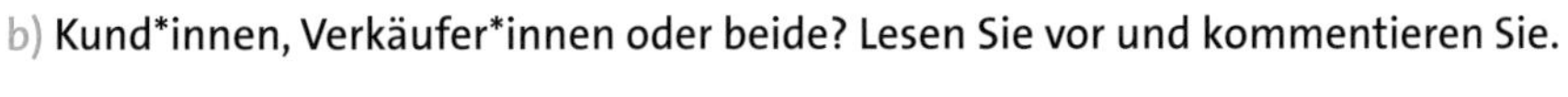

b) **Kund*innen, Verkäufer*innen oder beide? Lesen Sie vor und kommentieren Sie.**

Das sagen ...

c) **Handy, Laptop oder Computer. Variieren Sie den Dialog aus a). Die Redemittel aus b) helfen.**

6 Etwas reklamieren

a) **Wählen Sie eine Situation aus.** ODER **Beschreiben Sie eine neue Situation. Bereiten Sie den Dialog vor. Die Redemittel helfen.**

Situation 1 (Kunde/Kundin)
Gerät: Notebook, 1 Jahr alt, es gibt noch Garantie
Problem: Akku lädt nicht
Ziel: Umtausch/Geld zurück

Situation 2 (Kunde/Kundin)
Gerät: Kaffeemaschine, 4 Jahre alt, keine Garantie
Problem: macht keinen Kaffee, Starttaste kaputt
Ziel: Reparatur

Situation 3 (Kunde/Kundin)

b) **Spielen Sie den Dialog.**

1 „Café kaputt" – das Reparaturcafé in Leipzig

a) **Lesen Sie den Magazinartikel auf S. 158 noch einmal und kreuzen Sie an.**

		richtig	falsch
1	Das „Café kaputt" ist ein Eltern-Kind-Café in Leipzig.	○	⊗
2	Die Besucher*innen im „Café kaputt" kommen aus aller Welt.	○	○
3	Die Besucher*innen können ihre kaputten Sachen mit Expert*innen reparieren.	○	○
4	Die Werkzeuge müssen die Besucher*innen selbst mitbringen. Im Café gibt es nur Ersatzteile für die Reparaturen.	○	○
5	Die Besucher*innen können alle kaputten Sachen zur Reparatur mitbringen. Auch Waschmaschinen.	○	○
6	Die Reparaturen müssen die Besucher*innen nicht selbst bezahlen.	○	○
7	Die Ersatzteile für die Reparaturen sind kostenlos.	○	○
8	Martine Postma hatte die Idee für das „Café kaputt".	○	○

b) **Korrigieren Sie die falschen Aussagen.**

1 Das „Café kaputt" ist ein ...

c) **Das „Café kaputt" in Zahlen. Lesen Sie S. 158–159 noch einmal und sammeln Sie Informationen.**

a 2014
b 102
c 2009
d 18–20
e 1000
f 500
g 5.000
h 50

a Das „Café kaputt" gibt es in Leipzig seit 2014.

d) **Nomen und Verben gehören zusammen. Sammeln Sie auf S. 158–159.**

1 einen Preis ______
2 Spenden ______
3 im Trend ______
4 Räume ______
5 ein Team ______
6 Workshops ______

2 *Mein ... ist kaputt.* Ordnen Sie die Fotos den Aussagen zu.

1 ○ Meine Kaffeemaschine funktioniert nicht. Der Kaffee wird nicht richtig heiß.

2 ○ Mein Staubsauger ist kaputt. Ich glaube, es gibt ein Problem mit dem Motor.

3 ○ Meine Uhr bleibt manchmal stehen.

4 ○ Mein Handy ist vom Tisch gefallen und jetzt ist das Display kaputt.

a b c d e

3 Lieber reparieren als neu kaufen

3.32

a) **Hören Sie den Podcast von Seyan. Worüber berichtet sie?**

1 ◯ über ein Werkzeuggeschäft 2 ◯ über das „Café kaputt“ 3 ◯ über eine Reparatur

b) **„Werkzeugkiste“ – Ein Workshop im „Café kaputt“. Hören Sie noch einmal und ergänzen Sie.**

Workshop „Werkzeugkiste“

WANN? ______

WO? ______

KOSTEN? ______

die Werkzeugkiste

4 Heimwerkerkurse

a) **Was passt? Sehen Sie sich das Bild an und ordnen Sie die Wörter zu.**

1 die Wand
2 die Säge
3 die Bohrmaschine
4 das Holz
5 die Schraube
6 die Farbe
7 die Zange
8 das Bohrloch

b) **Arbeiten Sie mit der Wortliste auf S. 300–318 und ergänzen Sie die Pluralformen in a) wie im Beispiel.**

Singular	Plural
1 die Wand	*die Wände*

c) **Was passt zusammen? Ergänzen Sie die Verben und ordnen Sie dann zu.**

nähen
streichen
bohren
sägen

a die Wand ______
b die Hose ______
c das Holz ______
d das Loch ______

1 die Nähmaschine
2 die Bohrmaschine
3 die Farbe
4 die Säge

5 *Gibt es noch freie Plätze?*

3.33

a) **Lesen Sie die Kursangebote auf S. 160 noch einmal und hören Sie dann die Telefongespräche. Ordnen Sie die Gespräche den Kursen zu.**

a ◯ Die Werkzeugkiste für Anfänger*innen
b ◯ Wir machen Frauen fit fürs Heimwerken
c ◯ Wände und Decken richtig streichen
d ◯ Grundkurs Möbelbau

3.34

b) **Hören Sie das Gespräch 2 noch einmal und notieren Sie die Informationen.**

3.35

c) **Wer? Wo? Wie viel? Wann? Hören Sie das Gespräch 4 noch einmal. Welche Informationen sind richtig? Kreuzen Sie an.**

1 ◯ Clara interessiert sich für den Kurs „Wir machen Frauen fit fürs Heimwerken.“
2 ◯ Clara möchte ihre Wohnung renovieren.
3 ◯ Der Kurs ist kostenlos.
4 ◯ Der nächste Kurs findet am 26.10. statt.

6 Wände streichen ohne Stress

3.36

a) **Hören Sie und sprechen Sie nach. Achten Sie auf *str-*.**

1 die Straße **2** streichen **3** der Stress **4** streiten **5** der Strand **6** die Struktur

b) **Lesen Sie die Sätze laut. Achten Sie auf *str-*.**

1 Familie Strubinski hat Stress und streitet sich in Stralsund am Strand.
2 Frau Strauß und Herr Strobel streicheln eine Katze auf der Straße.

7 *Endlich sind wir fertig!*

a) **Lesen Sie die E-Mail. Was ist richtig? Kreuzen Sie an.**

1 ◯ Das Wochenende war stressig.
2 ◯ Es gab keine Probleme.
3 ◯ Ben und Sarah sind zufrieden.
4 ◯ Ben hat das falsche Regal gekauft.

Hi Lilli,
am letzten Wochenende haben Ben und ich endlich unser Wohnzimmer renoviert. Am Freitag sind wir mit dem Auto von Bens Schwester zum Baumarkt gefahren und haben Farbe gekauft. Danach sind wir zum Möbelhaus gefahren und haben ein Regal, einen Teppich und eine Deckenlampe gekauft.
Am Samstag haben wir die Wände gestrichen, aber wir hatten viel zu wenig Farbe. Ben ist dann noch einmal in den Baumarkt gefahren und ich wollte das Regal aufbauen. Aber stell dir vor: Die Schrauben haben gefehlt! Ich habe Ben angerufen und er ist noch einmal ins Möbelhaus gefahren. So ein Stress. Jetzt sind wir endlich fertig!
Am Sonntag haben wir Paula und Murat zum Kaffeetrinken eingeladen. Ihnen gefällt unser neues Wohnzimmer sehr gut. Du musst es dir unbedingt anschauen.
Liebe Grüße von Sarah

b) **Lesen Sie die E-Mail noch einmal und sammeln Sie Informationen.**

1 Was haben Sarah und Ben in ihrer Wohnung gemacht?
2 Was haben sie im Baumarkt und im Möbelhaus gekauft?
3 Warum musste Ben noch einmal in den Baumarkt und zum Möbelhaus fahren?

8 *Wozu brauchst du das?*

a) **Ergänzen Sie.**

die Bohrmaschine • die Schrauben • die Farbe • die Leiter

1 eine Lampe installieren: ______
2 ein Loch in die Wand bohren: ______
3 ein Regal aufbauen: ______
4 ein Zimmer streichen: ______

b) ***Wozu brauchst du ...? Um ... zu ...* Formulieren Sie Fragen und Antworten mit den Sätzen aus a).**

c) ***Ich brauche ..., um ...* Beschreiben Sie.**

1 2 3 4 5

9 Mein Palettenbett

a) **Lesen Sie den Blogartikel und sammeln Sie Informationen.**

1 Was braucht Samira für ihr neues Bett?
2 Was hat sie ausgeliehen?
3 Was hat sie gekauft?
4 Wie hat ihr die Arbeit gefallen?

Meine Wohnung wird noch schöner – endlich neue Möbel!

Habt ihr schon einmal Möbel aus Paletten gebaut? Ich wollte für mein Schlafzimmer etwas ganz Besonderes haben: ein Palettenbett. Das habe ich natürlich selbst gebaut. Wisst ihr, wie schwer eine Palette ist? Eine Palette wiegt zwischen 20 und 24 Kilo – ganz schön schwer! Zum Glück haben mir meine Freunde geholfen. Zuerst haben wir mit einer Bohrmaschine Löcher in die Paletten gebohrt. Die Bohrmaschine habe ich aus dem Baumarkt ausgeliehen. Danach haben wir die Paletten mit Schrauben zusammengeschraubt. Das geht am besten mit einem Akkuschrauber. Dann haben wir das Palettenbett grau gestrichen. Das sieht sehr modern aus. Danach haben wir gewartet, bis die Farbe trocken ist. Zum Schluss haben wir die Kissen auf das Bett gelegt – fertig!

b) ***Zuerst werden ...*** **Lesen Sie noch einmal und ergänzen Sie die Bauanleitung im Passiv.**

Schritt 1:	*Zuerst werden ...*
Schritt 2:	
Schritt 3:	
Schritt 4:	

10 Mein neues Bücherregal

3.37

a) **Hören Sie die Bauanleitung und bringen Sie die Fotos in die richtige Reihenfolge.**

a

Holzbretter streichen

b

Schrauben in die Wand schrauben

c

Löcher in die Wand bohren

d

das Regal aufhängen

e

Löcher in die Holzbretter bohren

f

Holzbretter sägen

b) **Schreiben Sie die Bauanleitung im Passiv.**

Zuerst werden die Holzbretter ...

11 Das neue Tablet. **Ordnen Sie die Bilder zu und ergänzen Sie die Verben.**

schließen • einschalten • anschließen • legen • eingeben • drücken • aufladen

1 2 3 4 5

WLAN
Passwort:
****

1 ◯ Das Ladekabel __________ und den Akku __________
2 ◯ Die SIM-Karte ins Fach __________
3 ◯ Das SIM-Fach mit der SIM-Karte __________
4 ◯ Die Taste __________ und das Tablet __________
5 ◯ Das WLAN-Passwort __________

12 *Das Handy funktioniert nicht richtig!*

a) **Lesen Sie und ordnen Sie den Dialog. Die Reklamation auf S. 163 hilft.**

a ◯ Leider funktioniert mein Handy nicht richtig.
b ◯ Gut, einen Moment, bitte.
c ◯ Guten Tag, wie kann ich Ihnen helfen?
d ◯ Die Kamera ist defekt.
e ◯ Ich möchte das Handy umtauschen.
f (1) Guten Tag.
g ◯ Das tut mir leid. Was ist denn das Problem?
h ◯ Darf ich mal sehen? Hm, ich verstehe. Wir können das Handy zur Reparatur schicken oder es umtauschen.

3.38

b) **Hören Sie den Dialog und kontrollieren Sie in a).**

13 *Ich möchte mein Geld zurück*

2.07

a) **Sehen Sie sich das Video an und antworten Sie.**

b) **Sehen Sie sich das Video noch einmal an. Welche Redemittel hören Sie? Kreuzen Sie an.**

1 ◯ Mein Ladekabel funktioniert nicht.
2 ◯ Kannst du dir das mal ansehen?
3 ◯ Was ist denn das Problem?
4 ◯ Kannst du das Display reparieren?
5 ◯ Es ist auf den Boden gefallen.
6 ◯ Da kann man nichts mehr machen.
7 ◯ Was kostet die Reparatur?
8 ◯ Rechne mal mit 120 Euro.

Fit für Einheit 13?

1 Mit Sprache handeln

über Reparaturcafés sprechen

Im Reparaturcafé treffen sich Leute, die kaputte Geräte reparieren wollen.
Dort werden kaputte Geräte repariert.
Die Reparaturen sind kostenlos, aber Ersatzteile muss man bezahlen.

Anleitungen verstehen und formulieren

Zuerst werden ...
Als nächstes werden ...
Zum Schluss werden ...

Zuerst werden Löcher in die Wand gebohrt.
Als nächstes werden die Bretter gestrichen.
Zum Schluss wird das Regal aufgehängt.

etwas reklamieren

Wie kann ich Ihnen helfen?
Was ist denn das Problem?
Haben Sie noch Garantie? / Haben Sie die Rechnung noch?

Leider funktioniert ... nicht (richtig). /
Ich glaube ... ist defekt. / Ich habe ein Problem mit ...
Ja, ich habe noch Garantie. Ich möchte ... umtauschen. /
Ich möchte mein Geld zurück.

2 Wörter, Wendungen und Strukturen

Wortfeld Werkzeug

das Werkzeug – das Werkzeug in die Werkezugkiste legen, die Säge – das Holz sägen,
die Bohrmaschine – ein Loch in die Wand bohren, die Zange – einen Nagel aus der Wand ziehen

einen Zweck ausdrücken mit *um ... zu*

Wozu brauchst du die Farbe?
Wozu brauchst du das Werkzeug?
Wozu brauchst du die Leiter?

Ich brauche die Farbe, um die Wand zu streichen.
Um meine Waschmaschine zu reparieren.
Um die Lampe zu installieren.

Präsens Passiv

Herr Lindemann repariert den Toaster.
Ich streiche die Paletten.

Der Toaster wird repariert.
Die Paletten werden gestrichen.

3 Aussprache

das *schr-*: **schr**eiben, der **Schr**eibtisch, die **Schr**iftstellerin, der **Schr**ank, die **Schr**aube

das *str-*: Familie **Str**ubinski hat **Str**ess und **str**eitet sich in **Str**alsund am **Str**and.

Interaktive Übungen

1 *Wenn ich an Natur denke, fällt/fallen mir ... ein.*

a) **Ergänzen Sie die Mindmap zum Thema Natur und Umwelt.**

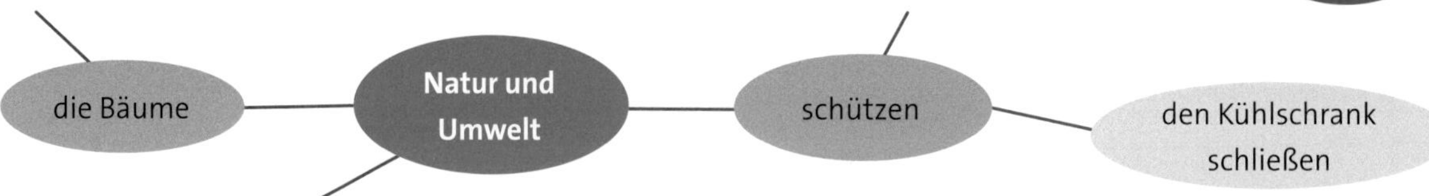

b) **Tauschen Sie die Mindmaps. Finden Sie drei gemeinsame und drei unterschiedliche Wörter.**

2 Partnerdiktat

a) **Was machen die Leute wo und warum? Sehen Sie sich das Foto an und beschreiben Sie.**

b) **Setzen Sie sich Rücken an Rücken. Diktieren Sie und schreiben Sie im Wechsel. Achten Sie auf die Aussprache.**

A

Letzten Samstag haben wir
Wir haben Müll
Alte Zeitungen, Flaschen, Dosen und
Paul hat sogar
Das will er
Ich hätte nie gedacht,
Aber jetzt ist der Park
Umweltaktionen sind
Bei der nächsten

B

bei einer Umweltaktion mitgemacht.
im Stadtpark gesammelt.
viel Plastik lagen überall.
ein altes Fahrrad gefunden.
jetzt reparieren.
dass wir so viel Müll finden.
wieder sauber.
sehr sinnvoll.
bin ich auch wieder dabei.

c) **Lesen Sie den Text noch einmal laut. Erklären Sie das Wort *die Umweltaktion*.**

3 Wörter knacken

a) **Nomen mit *-ung*. Welche Verben erkennen Sie? Vergleichen Sie.**

1 Die Anmeldung – ______
2 Die Bestellung – ______
3 Die Betonung – ______
4 Die Einladung – ______
5 Die Öffnung – ______
6 Die Prüfung – ______

b) ***lesbar, machbar* ... Erklären Sie die Adjektive wie im Beispiel.**

1 essbar
2 bewohnbar
3 trinkbar
4 bezahlbar

Lesbar heißt, dass man etwas gut lesen kann.

Aha, dann ist meine Schrift nicht gut lesbar.

4 Informationen betonen

3.39 a) Was ist hier falsch? Hören Sie und kommentieren Sie.

b) Welche Informationen sind wichtig für Sie? Lesen Sie laut und betonen Sie wichtige Informationen.

„So ein Reparaturcafé ist eine tolle Idee. Hier kann man mit den Expertinnen und Experten zusammen kaputte Geräte reparieren. Man spart Geld und lernt neue Leute kennen. Ich hätte auch gern ein Reparaturcafé in meiner Stadt."

3.40 c) Welche Informationen betont Ihr Partner / Ihre Partnerin? Es gibt mehrere Möglichkeiten. Hören Sie dann den Text und vergleichen Sie.

d) Wählen Sie einen kurzen Text aus Einheit 9–12. Lesen Sie ihn laut vor. Achten Sie auf die Betonung. **ODER** Schreiben Sie einen Text. Lesen Sie den Text laut vor. Betonen Sie wichtige Informationen.

5 Kim-Spiele

a) Ein Merk-Kim. Wer weiß die meisten Gegenstände? Sehen Sie sich das Bild 60 Sekunden an und merken Sie sich die Gegenstände. Schließen Sie das Buch, notieren Sie die Gegenstände und vergleichen Sie.

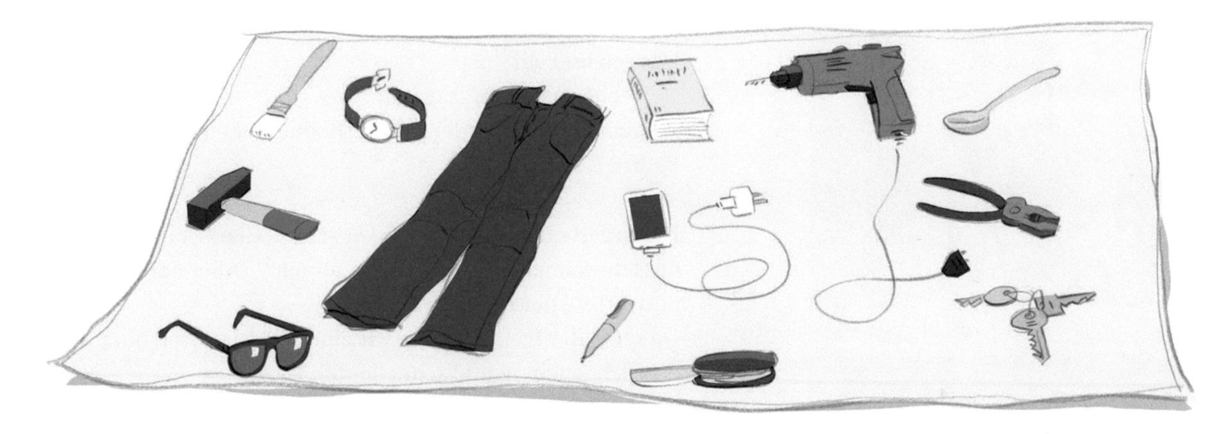

b) Ein Fühl-Kim selber machen. Wählen Sie 8–10 Gegenstände aus. Decken Sie sie zu. Die anderen fühlen die Gegenstände und raten, was unter der Decke liegt.

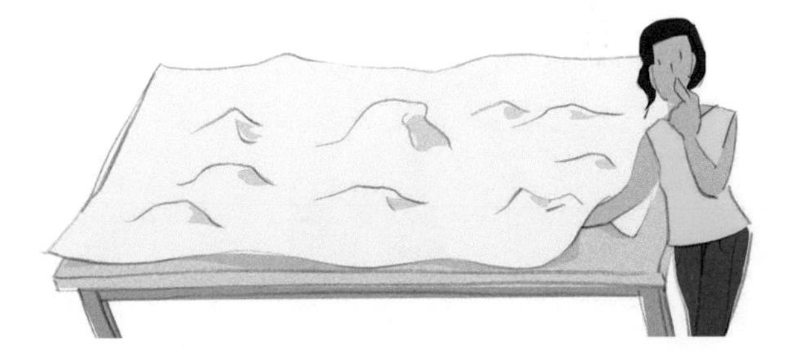

6 *Um ... zu / damit – wenn ..., dann – und/aber*

a) Wählen Sie aus und schreiben Sie sechs Sätze. Es gibt viele Möglichkeiten.

um ... zu / damit:	**1** Farben kaufen – das Zimmer streichen
	2 das Rock-Festival besuchen – Tickets reservieren
	3 Strom sparen – den Kühlschrank schließen
Wenn ..., dann:	**1** vier Paletten haben – ein Sofa bauen
	2 Smartphone kaputt sein – ins Reparaturcafè gehen
und/aber:	**1** die Umwelt schützen – (k)einen Umwelttag organisieren
	2 Essen und Trinken zum Festival mitnehmen – auch Essen und Trinken dort kaufen

b) Wer hat den besten Satz? Vergleichen Sie.

Der Hase und der Igel

Ein Märchen frei nach den Brüdern Grimm

Es war einmal ein schöner Sonntagmorgen im Herbst. Draußen schien die Sonne, die Vögel sangen und die Bienen summten. Frau Igel und Herr Igel tranken Kaffee und Herr Igel ging danach im Feld spazieren.

5 Als er noch nicht weit weg war, traf er den Hasen. Er grüßte ihn höflich: „Guten Morgen, Herr Hase." Aber der Hase antwortete nicht, weil er sehr unhöflich war. Er sagte erst nach einer Zeit: „Was machst du hier schon so früh am Morgen im Feld?"
10 „Ich gehe spazieren", sagte der Igel.
„Spazieren?", lachte der Hase. „Du mit deinen kurzen Beinen?"

Das ärgerte den Igel sehr und er sagte: „Glaubst du, dass du schneller laufen kannst als ich?" „Aber natürlich!",
15 antwortete der Hase.
Da sagte der Igel: „Machen wir einen Wettlauf. Ich bin mir sicher, dass ich gewinne und schneller bin als du."
„Das ist ja zum Lachen. Du mit deinen kurzen Beinen denkst, dass du schneller bist als ich? Komm, wir machen einen Wettlauf.
20 Was bekommt der Gewinner?"

„Ein Goldstück und eine Flasche Wein", sagte der Igel.
„Gut, fangen wir sofort an!", sagte der Hase.

„Moment", sagte der Igel. „Ich muss noch frühstücken, aber in einer halben Stunde bin ich wieder hier."

1 Die Bildergeschichte. Sehen Sie sich die Bilder an. Kennen Sie die Geschichte? Erzählen Sie. **ODER** Beschreiben Sie die Bilder.

2 Der Hase und der Igel

a) Lesen Sie das Märchen und ordnen Sie die Bilder den Textabschnitten zu.

b) Der Hase und der Igel. Beschreiben Sie die Figuren.

c) Warum verliert der Hase? Berichten Sie und kommentieren Sie.

25 Als der Igel nach Hause kam, sagte er zu seiner Frau: „Ich habe mit dem Hasen gewettet, dass ich schneller laufen kann als er. Komm mit!"

„Du bist verrückt", antwortete seine Frau.

30 „Nein, ich habe eine Idee", sagte der Igel. „Hör gut zu, ich brauche deine Hilfe. Wir machen den Wettlauf auf dem Feld. Der Hase und ich starten am Baum. Stell du dich hier an das Haus. Hier ist das Ziel. Wenn der Hase hier ankommt, dann rufst du: *Ich bin schon da!*"

Dann ging der Igel wieder zum Hasen. „Fangen wir an?", fragte 35 der Igel den Hasen. „Na, klar. Eins, zwei, drei", zählte der Hase und lief los.

Der Igel machte nur drei, vier Schritte und blieb dann bequem im Feld sitzen. Als der Hase unten am Ziel ankam, rief Frau Igel: „Ich bin schon da!" Der Hase war sehr überrascht. Er rief sofort: „Noch 40 einmal!" und lief wieder zurück. Als er am Baum ankam, rief Herr Igel: „Ich bin schon da!"

„Noch einmal!", rief der Hase und lief wieder los. Und „Noch einmal!", und „Noch einmal!". So lief der Hase noch dreiundsiebzig Mal und immer hörte er nur: „Ich bin schon da!"

45 Beim vierundsiebzigsten Mal blieb der Hase liegen. Er konnte nicht mehr aufstehen. Der Igel nahm das Goldstück und die Flasche Wein, rief seine Frau und sie gingen glücklich nach Hause.

Und wenn sie nicht gestorben sind, dann leben sie noch heute.

Das kann ich mit dem Märchen machen
- Märchen nachspielen
- ein Standbild zu einer Szene aus dem Märchen machen und die Szene erraten
- Märchen erzählen
- Märchen aus meinem Land recherchieren und vorstellen

3 Es war einmal ... Wie beginnen und enden Märchen aus Ihrem Land? Vergleichen Sie.

4 Hasenbesuch. Der Hase wacht nach einer Stunde auf und versteht immer noch nicht, was passiert ist. Er geht zum Haus von Familie Igel. Wie geht es weiter? Schreiben Sie einen Dialog und spielen Sie vor. **ODER** Schreiben Sie ein neues Ende und lesen Sie vor.

1 Das Leben geht weiter

a) …, das Problem mit dem WG-Plan auch. Was passt zu wem?
Lesen Sie die Aussagen vor, ordnen Sie zu und kommentieren Sie.

Sebastian

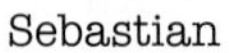
1,

Nina

Lisa

Nico

Es reicht doch aus, wenn wir nur alle zwei Wochen das Bad putzen.

Das passt zu Sebastian. Er hat nie Lust zum Putzen.

2.08

b) Sehen Sie sich das Video an und kontrollieren Sie Ihr Ergebnis aus a).

c) *Täglich, jede Woche, alle zwei Wochen* und *einmal im Monat*. Wiederholen Sie immer, was die letzte Person gesagt hat und ergänzen Sie wie im Beispiel.

Ich mache täglich Sport, kaufe jede Woche auf dem Markt ein, gehe alle zwei Wochen ins Kino und schreibe einmal im Monat einen Test.

*… macht täglich Sport, kauft …
Und ich lerne täglich Vokabeln, spiele jede Woche …*

d) Lisa hatte Stress. Die anderen haben ihr geholfen. Sprechen Sie schnell.

Als Lisa	den Unterricht vorbereitet hat, die Hausaufgaben korrigiert hat, zur Arbeit gefahren ist, in der Abendschule unterrichtet hat,	hat Sebastian das Bad geputzt. hat Nico das Wohnzimmer aufgeräumt. hat Nico das Geschirr abgewaschen. hat Nina den Müll rausgebracht. hat Nina die Flaschen weggebracht.

e) Lisa macht das wieder gut. Berichten Sie wie im Beispiel. Die Angaben in d) helfen.

Wenn Lisa (wieder) mehr Zeit / weniger Stress hat, (dann) putzt sie für Sebastian das Bad.

f) Inge ist aus Bingen am Rhein zurück und kommt wieder ins Marek. Was wollen Max und Tarek wissen? Was erzählt Inge? Schreiben Sie einen Dialog mit vier Fragen und spielen Sie die Szene vor.

Hallo Inge! Wie …?

War das Hotel gut?

Naja, das Wetter war …

g) Sehen Sie sich die Szene im Marek an und vergleichen Sie mit Ihren Dialogen. Was ist gleich? Was ist anders? Berichten Sie.

Max und Tarek haben Inge nicht gefragt, ob das Hotel gut war.

h) *Jacques ist …* Sehen Sie sich die zweite Szene noch einmal an. Was erzählt Inge (nicht)? Notieren Sie und berichten Sie.

2 Das macht Spaß!

a) **Lesen Sie die Bildbeschreibung, vergleichen Sie mit dem Foto und markieren Sie fünf weitere Fehler.**

Das ist ein Foto von Nico und Selma. Sie sind in einem Park am Fluss. Es ist Frühling. Die Bäume haben schon viele Blätter verloren und das Wetter ist an diesem Tag besonders schön. Im Vordergrund sieht man noch andere Personen, die im Park grillen. Nico und Selma sind in der Bildmitte. Sie sitzt auf einem Fahrrad und er läuft links neben ihr. Sie machen eine Radtour. Man sieht, dass es ihnen viel Spaß macht!

b) **Korrigieren Sie den Text aus a) und vergleichen Sie.**

Das ist ein Foto von Nico und Selma. Sie sind in einem Park am Fluss. Es ist Herbst. ....

2.09

c) **Sehen Sie sich das Video an und verbinden Sie die Sätze.**

1	Ein Naturtalent nennt man eine Person,	**a**	wenn man etwas braucht.
2	Man muss die Bremse ziehen,	**b**	das Selma noch nicht kannte.
3	Manchmal muss man andere fragen,	**c**	wenn man bremsen möchte.
4	Nico hat ein Talent,	**d**	die etwas sehr schnell lernt.

d) **Welche (Natur-)Talente gibt es in Ihrem Kurs? Sammeln Sie und berichten Sie.**

... hat ein Talent für das Kuchenbacken. Ihre Torten sind super lecker!

Das stimmt. Und ... hat ein Talent für Sprachen. Er/Sie konnte schon als Kind ...

e) **Nico braucht eine Gitarre. Wie kann er am besten fragen? Wählen Sie einen Vorschlag aus, lesen Sie vor und vergleichen Sie.**

Hallo, ...

3.41

f) ***Sowieso* ... Hören Sie, achten Sie auf die Satzmelodie und sprechen Sie nach.**

1 Ohne Musik kann ich nicht tanzen. – Ohne Musik kann ich sowieso nicht tanzen.
2 Wir haben hier nichts zu sagen. – Wir haben hier sowieso nichts zu sagen.
3 Ich weiß nicht, wie ich das schaffen soll. – Ich weiß sowieso nicht, wie ich das schaffen soll.
4 Ich gehe gleich noch einkaufen. – Ich gehe gleich sowieso noch einkaufen.
5 Ich habe morgen keine Zeit. – Ich habe morgen sowieso keine Zeit.

g) **Wie sagt man die Sätze mit *sowieso* aus f) in Ihrer Sprache? Übersetzen Sie.**

h) ***Ich melde mich bei dir.* Lesen Sie Selmas Nachricht. Wie kann Nico antworten? Schreiben Sie eine Nachricht an Selma und lesen Sie sie vor.**

3 Nico und Selma

2.10

a) Worüber sprechen Max und Tarek? Sehen Sie sich die Szene im Marek an. Kreuzen Sie an und vergleichen Sie.

1 ◯ Sie diskutieren über die Bundesliga und ihre Fußballhelden.
2 ◯ Max und Tarek wollen bald heiraten und sprechen über die Hochzeitsfeier.
3 ◯ Sie haben Das Marek vor zehn Jahren gegründet und denken über eine Jubiläumsparty nach.
4 ◯ Sie planen eine neue Webseite für Das Marek und brauchen noch Fotos von allen Mitarbeiter*innen.

b) Jubiläum, Hochzeitstag, Geburtstag, Zahnarzt, Prüfung, ... Haben Sie schon einmal einen wichtigen Termin (fast) vergessen? Was ist passiert? Berichten Sie.

Ich habe einmal fast den Geburtstag von meiner besten Freundin vergessen. Aber dann ...

3.42

c) *Bloß nicht!* Aussagen stärker machen. Hören Sie, markieren Sie die Betonung und sprechen Sie nach.

1 ◯ Komm bloß nicht!
2 ◯ Mach das bloß nicht!
3 ◯ Freu dich bloß nicht zu früh!
4 ◯ Sag ihm bloß nichts!

d) Wie gehen die Aussagen weiter? Ordnen Sie passende Sätze in c) zu und vergleichen Sie.

e) Selma vergisst ihr Handy. Was passiert dann? Ergänzen Sie die Bildergeschichte und berichten Sie.

f) Sehen Sie sich das Video weiter an und vergleichen Sie mit Ihrem Ergebnis aus e).

Die Serie „Nicos Weg" in voller Länge mit interaktiven Übungen und zahlreichen weiteren Materialien gibt es kostenlos bei der Deutschen Welle: **dw.com/nico**

Goethe-Zertifikat A2: Schreiben

Der Prüfungsteil Schreiben hat zwei Teile. Sie müssen eine SMS und eine E-Mail schreiben. Sie haben für beide Prüfungsteile zusammen nur 30 Minuten Zeit. Wörterbücher und Mobiltelefone sind nicht erlaubt.

Schreiben Teil 1: **Sie sind in der U-Bahn und schreiben eine SMS an ihren Freund Ahmed.**

- Entschuldigen Sie sich, dass Sie zu spät kommen.
- Schreiben Sie, warum.
- Nennen Sie einen neuen Ort und eine neue Uhrzeit für das Treffen.

Schreiben Sie 20 bis 30 Wörter.
Schreiben Sie zu allen drei Punkten.

Schreiben Teil 2: **Ihre Chefin, Frau Wojcik, wird bald 50. Sie hat Ihnen eine Einladung zu ihrer Geburtstagsfeier geschickt. Schreiben Sie Frau Wojcik eine Antwort.**

- Bedanken Sie sich für die Einladung und sagen Sie, dass Sie gern kommen.
- Fragen Sie, ob Sie jemanden mitbringen dürfen.
- Fragen Sie nach dem Weg.

Schreiben Sie 30 bis 40 Wörter.
Schreiben Sie zu allen drei Punkten.

Tipps zum Prüfungsteil Schreiben auf einen Blick

HIER LERNEN SIE:

- über Wanderurlaub sprechen
- Wörter in D-A-CH verstehen
- Beratungsgespräche führen
- Emotionen ausdrücken
- auf Emotionen reagieren
- einen Film beschreiben

Hüttengerichte – die Top 5

- der Kaiserschmarren
- die Speckknödel
- die Käsespätzle
- die Brotzeit
- der Apfelstrudel

Ist das jetzt eine Brotzeit, eine Jause oder ein Znüni?

„Zu Fuß kann man besser schauen."

(Paul Klee, Maler, *1879, † 1940)

Von Hütte zu Hütte

Wanderparadies Österreich

Wanderer und Wanderinnen erleben die Natur und das Wetter sehr intensiv. Es ist kein Wunder, dass Wandern boomt. Österreich ist das ideale Ziel für einen Wanderurlaub. Seine neun Bundesländer bieten Wanderern und Wanderinnen hohe Berge, saubere Seen und schöne Dörfer. 784 Berggipfel in Österreich sind über 3.000 Meter hoch – der höchste ist der Großglockner (3.798 m).

Das Bundesland Tirol hat 24.000 Kilometer Wanderwege für Wanderprofis und Anfänger*innen. Sieben von zehn Tourist*innen kommen zum Wandern. Viele lieben Hüttenwanderungen. Man wandert zwei bis sieben Tage lang und übernachtet jeden Abend in einer anderen Hütte. „Klar, das Wandern ist anstrengend. Aber die Aussicht auf die Berge ist traumhaft", meint Silvy Lehner, die durch Tirol wandert. Sie hat in einer Berghütte übernachtet. „Der Kaiserschmarren und die Käsespätzle zum Abendessen waren lecker. Und die Hüttenwirte Mona und Sepp haben sich gut um die Gäste gekümmert."

Ein Highlight ist immer die Sonnenaufgangswanderung. „Es ist wunderschön, wenn die Sonne früh am Morgen auf die Berge scheint. Das genieße ich und vergesse, dass meine Füße weh tun", erzählt David Kogl, Silvys Freund und Wanderpartner. „Kein Urlaub ohne Berge!", da sind sich David und Silvy sicher. Sie machen schon Pläne für eine Herbstwanderung um den Hahnkampl (2.082 m) im Karwendelgebirge.

David und Silvy beim Bergwandern

1 **Die Berghütte, der See, ...**
Beschreiben Sie das Foto und die Stimmung.

2 **In Bayern heißt es *Brotzeit*, in Österreich und in der Schweiz ...?**
a) Recherchieren Sie im Internet und berichten Sie. Das Foto hilft.
b) Wählen Sie ein Hüttengericht und beschreiben Sie.
... ist ein Gericht, das man aus ... macht.

3 **Wanderparadies Österreich**
a) Lesen Sie den Magazinartikel und sammeln Sie Informationen zu den Zahlen 784, 3.798, 24.000 und *sieben von zehn*. Berichten Sie.
b) Erklären Sie *die Hüttenwanderung, die Berghütte, die Sonnenaufgangswanderung.*
c) Wortfamilie *-wander-*. Sammeln Sie Wörter im Magazinartikel.

4 **Und Sie?** Wandern Sie gern? Waren Sie schon einmal in den Bergen? Berichten Sie.
Bei uns gibt es keine Berge, aber im Wald kann man auch wandern.

5 **Erklären Sie das Zitat von Paul Klee.**
Paul Klee meint, dass ...
Wenn man zu Fuß geht, dann ...

1 Urlaub im Tannheimer Tal in Tirol

a) Wo liegt das Tannheimer Tal? Was kann man dort im Sommerurlaub tun? Sammeln Sie im Prospekt und berichten Sie.

Das Tannheimer Tal – Erholung pur

Durch Wälder wandern, auf Berggipfel steigen – das hilft gegen Stress und ist super für die Fitness! Das Tannheimer Tal auf 1.100 Metern Höhe bietet seinen Gästen viel Abwechslung: Hier kann man wandern, klettern oder an einem See die traumhafte Natur genießen. Für Fahrradfans gibt es Touren mit dem Mountainbike oder dem E-Bike. Und danach schmecken unsere Spezialitäten richtig gut! Probieren Sie unbedingt mal Käsespätzle, Speckknödel oder einen köstlichen Kaiserschmarren!

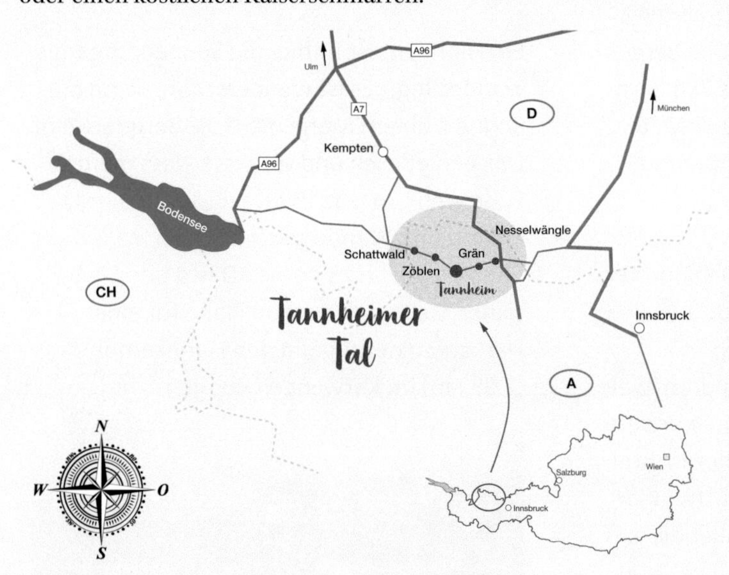

b) Wo sind Silvy und David und was planen sie? Wohin wollen sie gehen? Hören Sie und notieren Sie. Der Prospekt in a) hilft.

4.02

c) Auf welche Fragen finden Sie auf der Webseite eine Antwort? Markieren Sie und vergleichen Sie.

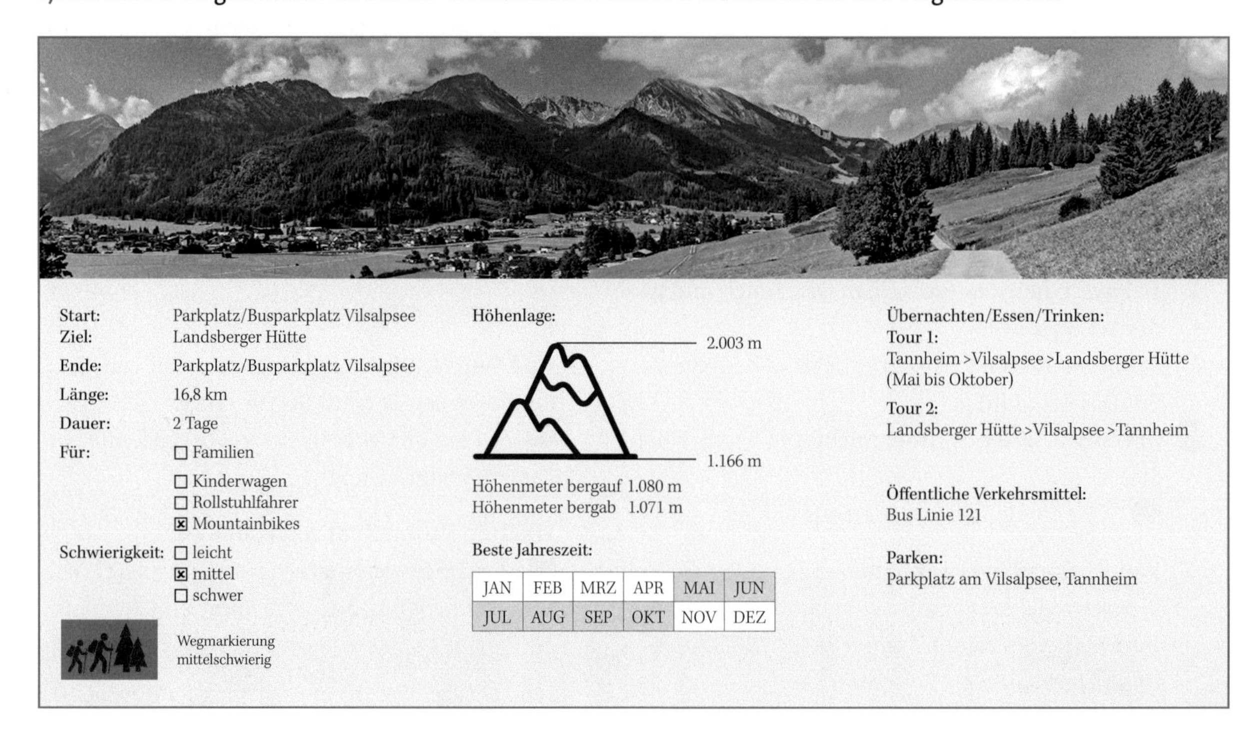

Start: Parkplatz/Busparkplatz Vilsalpsee
Ziel: Landsberger Hütte
Ende: Parkplatz/Busparkplatz Vilsalpsee
Länge: 16,8 km
Dauer: 2 Tage
Für:
☐ Familien
☐ Kinderwagen
☐ Rollstuhlfahrer
☒ Mountainbikes

Schwierigkeit:
☐ leicht
☒ mittel
☐ schwer

Wegmarkierung mittelschwierig

Höhenlage:
2.003 m
1.166 m

Höhenmeter bergauf 1.080 m
Höhenmeter bergab 1.071 m

Beste Jahreszeit:

JAN	FEB	MRZ	APR	MAI	JUN
JUL	AUG	SEP	OKT	NOV	DEZ

Übernachten/Essen/Trinken:
Tour 1:
Tannheim > Vilsalpsee > Landsberger Hütte (Mai bis Oktober)
Tour 2:
Landsberger Hütte > Vilsalpsee > Tannheim

Öffentliche Verkehrsmittel:
Bus Linie 121

Parken:
Parkplatz am Vilsalpsee, Tannheim

2 In der Touristeninformation

a) **Hören Sie das Gespräch und beantworten Sie die offenen Fragen aus 1c).**

4.03

b) **Redemittel analysieren. Lesen Sie die Redemittel und ordnen Sie die Kategorien zu.**

Landeskunde

In Österreich
Begrüßung: Grüß Gott! / Servus!
Verabschiedung: Servus!/Baba! / Auf Wiederschauen!

sich bedanken und verabschieden • fragen und nachfragen • über Preise und Zeiten informieren • Hinweise und Tipps geben • Beratung und Hilfe anbieten

__________________: Was kann ich für Sie tun? / (Wie) Kann ich Ihnen helfen?

__________________: Wir möchten wissen, ob/wann/wo ... / Wir möchten / hätten gerne Informationen über ... / Wann/Wo fährt ... ab? / Wo startet ...? / Wie lange ...? / Ist die Tour ...? / Wie viel kostet ...? / Was muss man mitnehmen? / Wo kann man ... leihen/kaufen/reservieren? / Wo kann man übernachten / etwas trinken/essen? / Habe ich Sie richtig verstanden, dass ...?

__________________: Waren Sie schon mal ...? / Sehen Sie mal hier. / Ich zeige Ihnen ... auf der Karte / am Computer. / Sie gehen am besten durch/um ... / Nehmen Sie ... gegen die Sonne / den Regen mit. / Wandern Sie nie ohne ... / Die Aussicht ist ... / Schlafsäcke/E-Bikes/Wanderschuhe leihen / kaufen Sie am besten bei/in ... / Sie müssen ... anrufen / eine E-Mail schreiben / Sie können bei uns reservieren.

__________________: Die Fahrt / Die Wanderung / Der Spaziergang dauert (nur) ... / Abfahrt ist um ... / ... dauert ungefähr ... / ... kostet ... € für Erwachsene. / Erwachsene bezahlen ... €, Kinder ... €.

__________________: Vielen Dank für die Infos/Tipps/Wanderkarte. / Danke, Sie haben uns sehr geholfen. / Bitte, gerne. / Servus!/Baba! / Viel Spaß!

c) **Hören Sie noch einmal und markieren Sie die Redemittel in b).**

3 *W wie Wanderweg*

4.04

Hören Sie, lesen Sie mit und sprechen Sie nach. Achten Sie auf w.

1 **W**ir möchten **w**issen, **w**o **w**ir **w**andern können.
2 **W**ir **w**ollen einen **W**anderurlaub für **W**anderprofis buchen.
3 **W**aren Sie schon mal im **W**inter im **W**anderparadies Österreich?
4 **W**ollen Sie eine **W**anderkarte für die **W**anderwege kaufen?

4 *Durch den Wald nie ohne ...*

28.2

a) **Lesen Sie die Hinweise. Markieren und vergleichen Sie die Präpositionen. Ergänzen Sie die Regel.**

Durch den Wald nie ohne eine Flasche Wasser wandern!
Gegen die Sonne Sonnencreme für die ganze Familie mitnehmen!
Anfänger wandern besser um den Berg und genießen die Aussicht!

Regel: Die Präpositionen *durch, ohne, gegen, für, um* immer mit __________________.

b) **D-O-G-F-U. Eine Regel kontrollieren. Sammeln Sie weitere Beispiele auf S. 178–181. Vergleichen Sie.**

5 Aktiv in den Bergen

Ich möchte ... Kommst du mit?

a) **Wählen Sie eine Aktivität und finden Sie eine Partnerin / einen Partner mit Ihren Urlaubswünschen.**

b) **Welche Informationen brauchen Sie? Wählen Sie die passenden Situationskarten. Schreiben und spielen Sie das Gespräch in der Touristeninformation.**

1 Eine Geschichte in sechs Bildern

a) *Wütend, traurig, glücklich, ängstlich, überrascht*. Ordnen Sie die Emotionen den Situationen zu.

a 
wütend

b 
traurig

c 
glücklich

d 
ängstlich

e 
überrascht

1 

2 

3 

4 

5 

6 

b) Sie kennen *Heidi*? Erzählen Sie die Geschichte. Die Zeichnungen helfen. ODER Sie kennen *Heidi* noch nicht? Beschreiben Sie die Bilder. Die Emotionen aus a) helfen.

Das kleine Mädchen sieht … aus.

Die Frau ist streng.

c) Emotionen ausdrücken, auf Emotionen reagieren. Ordnen Sie zu.

 4.05

d) Hören Sie und üben Sie mit einer Partnerin / einem Partner. Die Redemittel in c) helfen. ODER Emotionen verstehen. Ihre Partnerin / Ihr Partner sieht … aus. Reagieren Sie.

2 Heidi – Der Film

a) Lesen Sie die Filmbeschreibung und ordnen Sie den Bildern aus 1a) passende Textzeilen zu.

Movie life stellt vor

Heidi (2015) *ein Film von Alain Gsponer (Regie)*

Heidi ist ein Film aus dem Jahr 2015. Er basiert auf den Romanen, die Johanna Spyri 1880 und 1881 geschrieben hat.
Im Film geht es um Heidi, die bei ihrem Großvater in den Schweizer Bergen lebt. Das kleine Mädchen liebt die Berge sehr und passt am liebsten mit dem Geißen-Peter auf die Ziegen auf. Plötzlich kommt Heidis Tante Dete und bringt sie nach Frankfurt zu der reichen Familie Sesemann. Klara Sesemann ist gelähmt. Sie kann nicht gehen und sitzt im Rollstuhl. Heidi und Klara werden gute Freundinnen und Heidi lernt lesen und schreiben. Das Kindermädchen, Fräulein Rottenmeier, mag Heidi nicht und ist sehr streng. Aber Klaras Vater und der Diener Sebastian schließen sie schnell in ihr Herz. Heidi vergisst den Großvater nicht und auch die Berge fehlen dem Kind. Sie ist sehr traurig. Großmutter Sesemann versteht das kleine Mädchen gut und schickt sie in die Berge zurück. Im Winter ziehen Heidi und der Großvater ins Dorf. Heidi besucht die Schule und bringt dem Geißen-Peter das Lesen bei. Im Frühjahr kommen Klara und die Großmutter auf die Alp. Peter ist wütend auf Klara und macht ihren Rollstuhl kaputt. Er glaubt nicht, dass Heidi ihn genauso gern hat wie Klara. Ohne Rollstuhl muss sie das Gehen wieder lernen und Heidi und Peter helfen ihr. Vater und Großmutter Sesemann sehen, dass Klara wieder laufen kann, und sind überglücklich. Am Ende zeigt der Film eine fröhliche Heidi, die über die Wiesen rennt.
Movie life meint: „Wir gratulieren dem Filmteam: Tolle Bilder, tolle Schauspieler*innen – Heidi ist ein Film für die ganze Familie!“

b) *Heidi, Peter, der Großvater, Klara, Großmutter Sesemann, Fräulein Rottenmeier* – Wer ist wer im Film? Sammeln Sie Informationen in der Filmbeschreibung und berichten Sie.

3 Heidi (2015) – Der Trailer

a) Wählen Sie Suchwörter aus der Filmbeschreibung. Recherchieren Sie den Filmtrailer im Internet.

Heidi

Ich habe ... eingegeben, und du?

b) Sehen Sie sich den Trailer an und ergänzen Sie Ihre Informationen in 2b).

c) *Meine Filmfigur ist/hat/mag/lebt ...* Beschreiben Sie eine Filmfigur zuerst allgemein, dann immer genauer. Die anderen raten. ODER Wer bin ich? Stellen Sie Fragen zur Filmfigur. Die anderen antworten mit *Ja./Nein.* oder mit *Warm. / (Sehr) Heiß. / (Ganz) Kalt.*

4 *Fehlen, lieben, vergessen, ...*

a) Ergänzen Sie die Sätze mit Informationen aus der Filmbeschreibung in 2a).

1 Das kleine Mädchen liebt ____________ (A) sehr.
2 Heidi vergisst ____________ ( ) nicht.
3 Auch die Berge fehlen ____________ ( ).
4 Großmutter Seesemann versteht ____________ ( ) gut.
5 Heidi besucht ____________ ( ).
6 Peter macht ____________ ( ) kaputt.
7 Heidi und Peter helfen ____________ ( ) beim Gehen.
8 *Movie life* gratuliert ____________ ( ).

b) Akkusativ (A) oder Dativ (D)? Ergänzen Sie in a). Markieren Sie dann die Verben und vergleichen Sie.

Minimemo
Akkusativ oder Dativ?
Das Verb entscheidet!

Lerntipp
Auf die Verben achten: *fehlen* + Dativ: *Du fehlst mir!*
lieben + Akkusativ: *Ich liebe dich!*

c) Wie sagt man *Du fehlst mir!* und *Ich liebe dich!* in anderen Sprachen? Übersetzen Sie und vergleichen Sie.

5 Einen Film beschreiben

a) Markieren Sie die Redemittel aus der Filmbeschreibung in 2a).

b) Einleitung, Hauptteil, Schluss. Markieren Sie in der Filmbeschreibung und vergleichen Sie.

c) Beschreiben Sie die Hauptfiguren in *Heidi* und erzählen Sie, was im Film passiert. ODER Beschreiben Sie Ihren Lieblingsfilm / Ihren letzten Kinofilm / einen interessanten Film im Fernsehen oder im Internet. Die Redemittel helfen.

1 Eine Hüttenwanderung durch Tirol

a) **Lesen Sie den Magazinartikel auf S. 179 noch einmal. Ergänzen Sie die Informationen.**

1 Österreich ist das ideale Ziel für ______________________.

2 Der höchste Berg in Österreich ______________________.

3 Bei einer Hüttenwanderung übernachtet man ______________________.

4 Silvy Lehner sagt, dass eine Hüttenwanderung ______________________.

5 David Kogl meint, eine Sonnenaufgangswanderung ______________________.

6 Silvy und David wollen im Herbst ______________________.

b) **Komposita. Bestimmen Sie wie im Beispiel.**

der Wanderurlaub • die Brotzeit • das Hüttengericht • die Hüttenwanderung • der Wanderpartner • die Wanderwege • das Abendessen • die Berghütte • die Herbstwanderung • die Sonnenaufgangswanderung

die Sonnenaufgangswanderung → die Sonne / der Aufgang (→ aufgehen) / die Wanderung (→ wandern)

die Berghütte → der Berg / die Hütte

2 *Ich habe wirklich einen tollen Job!*

a) **Was ist das Thema? Überfliegen Sie Monas Blogartikel und kreuzen Sie an.**

1 ◯ ihre ersten Gäste 2 ◯ ihre Aufgaben als Hüttenwirtin 3 ◯ ihr neues Gericht

Mein Leben als Hüttenwirtin

Puh, das war heute wieder ein anstrengender Tag! Fragt ihr euch, was eine Hüttenwirtin den ganzen Tag so macht? Jeden Tag kommen neue Gäste. Viele von ihnen sind Hüttenwanderer, die auch bei uns übernachten möchten. Zuerst begrüße ich die neuen Gäste und zeige ihnen ihre Betten. Die meisten Gäste möchten dann etwas essen. Sie haben großen Hunger, weil sie den ganzen Tag gewandert sind. Und was schmeckt am besten? Ich empfehle unseren Gästen oft Kaiserschmarren mit Apfelmus oder Käsespätzle. Manchmal sitzen mein Mann Sepp und ich nach dem Essen mit den Gästen zusammen. Wir geben ihnen Tipps für die Wanderung oder erzählen von unseren Erfahrungen. Viele Gäste interessiert das sehr! Die meisten wandern am nächsten Morgen weiter. Vor der Abreise mache ich ihnen ein Frühstück. Viele Gäste nehmen für den Weg eine Jause mit, die ich vorbereite. Nach der Abreise räume ich auf und mache die Betten. Wie ihr seht, habe ich immer viel zu tun und treffe jeden Tag interessante Menschen aus der ganzen Welt. Ich habe wirklich einen tollen Job! ☺

Wir sind ein tolles Team!

b) **Was ist richtig? Lesen Sie Aussagen und kreuzen Sie an. Korrigieren Sie die falschen Aussagen.**

1 ◯ Mona ist Hüttenwirtin. Sie arbeitet jeden Tag in einer anderen Hütte.

2 ◯ Die Gäste bleiben mehrere Tage und kommen jeden Abend zur Hütte zurück.

3 ◯ Viele Gäste interessieren sich für die Tipps und Erfahrungen von Mona und Sepp.

4 ◯ Mona liebt ihren Beruf, denn auf der Hütte ist es jeden Tag sehr ruhig und entspannt.

1 Mona ist Hüttenwirtin. Jeden Tag kommen neue Gäste in ihre Hütte.

3 Die beliebtesten Hüttengerichte. **Die Brotzeit, die Jause oder das Znüni? Lesen Sie die Informationen in Aufgabe 2b) auf S. 179 noch einmal und ergänzen Sie die Tabelle.**

	das Znüni	die Brotzeit	die Jause
Das Gericht kommt aus ...	....	....	....
Es besteht aus ...	....	....	....
Man isst es ...	*um*	....	....

4 *Wir müssen endlich unsere Hüttenwanderung planen!*

a) **Hören Sie den Hörtext in Aufgabe 1b) auf S. 180 noch einmal und kreuzen Sie an.**

		richtig	falsch
1	Silvy und David planen einen Ausflug nach Innsbruck.	◯	⊗
2	Für die Hüttenwanderung müssen sie Schlafplätze auf den Hütten reservieren.	◯	◯
3	David und Silvy suchen in einem Prospekt nach Vorschlägen für die Hüttenwanderung.	◯	◯
4	Sie möchten von Tannheim zur Landsberger Hütte wandern. Bis zum Vilsalpsee fährt ein Bus.	◯	◯
5	Auf der Landsberger Hütte kann man etwas essen, aber es gibt keine Schlafplätze.	◯	◯
6	Die Reservierung im Internet funktioniert nicht. Nach dem Frühstück gehen sie zur Touristeninformation.	◯	◯

b) **Korrigieren Sie die falschen Aussagen.** *1 Silvy und David planen ...* ....

c) **Wer kann hier wandern? Sehen Sie sich die Webseite in Aufgabe 1c) auf S. 180 noch einmal an und kreuzen Sie an.**

1 ◯ Chris und Elvira haben ein kleines Kind. Sie brauchen einen Kinderwagen.
2 ◯ Julia hat kein Auto. Sie fährt mit den öffentlichen Verkehrsmitteln.
3 ◯ Familie Schmidt möchte im Februar einen tollen Wanderurlaub machen.
4 ◯ Jürgen ist Wanderprofi und mag schwierige Wanderwege.
5 ◯ Orhan und Kaja haben wenig Zeit und möchten einen Tagesausflug machen.
6 ◯ Thomas und Astrid möchten eine Fahrradtour in den Bergen machen.

5 Eine Hüttenwanderung in Südtirol

2.11

a) **Videokaraoke. Sehen Sie sich das Video an und antworten Sie.**

b) **Sehen Sie sich das Video noch einmal an. Beschreiben Sie einer Freundin / einem Freund in einer E-Mail, was Manu im Urlaub machen möchte. Die Fragen helfen.**

Termin/Ort Wann fährt Manu in den Urlaub? Wohin fährt er?
Aktivitäten Was macht er dort? Was nimmt er mit?
Essen/Trinken Welches Gericht empfiehlt er?

6 Ein Gespräch in der Touristeninformation führen

a) **Lesen Sie das Gespräch in der Touristeninformation und ordnen Sie die Kategorien zu.**

1 Beratung und Hilfe anbieten
2 sich bedanken und verabschieden
3 Begrüßung
4 fragen und nachfragen
5 über Preise und Zeiten informieren
6 Hinweise und Tipps geben

Servus! Grüß Gott!	2
Was kann ich für Sie tun?	
Wir möchten einen Spaziergang zum Traualpsee machen. Wie lange dauert die Tour?	
Der Spaziergang dauert nur circa eine Stunde. Am besten fahren Sie hier von Tannheim mit dem Bus zum Vilsalpsee. Von dort laufen Sie durch den Wald zum Traualpsee.	
Sehen Sie mal hier. Ich zeige es Ihnen auf der Karte. Das ist wirklich ein schöner Weg.	
Super, vielen Dank! Auf Wiederschauen! Gern, viel Spaß! Baba!	

b) **Lesen Sie den Dialog und ordnen Sie.**

Servus! Kann ich Ihnen helfen?

◯ Super, das machen wir. Danke für die Infos und Tipps.

Die Wanderung dauert ungefähr zwei Stunden. Kennen Sie schon das Restaurant am See? Dort können Sie Pause machen.

◯ Wir möchten eine Wanderung um den Vilsalpsee machen. Wie lange dauert die Tour?

Am besten fahren Sie mit dem Bus von Tannheim. Er hält direkt am Vilsalpsee.

◯ Vielen Dank! Auf Wiederschauen!

Bitte, gerne. Viel Spaß und Baba!

◯ Nein, aber das klingt toll! Das merken wir uns. Wie kommen wir am besten zum Vilsalpsee?

7 Morgen geht's los!

a) **Was nimmt Silvy für ihren Wanderurlaub mit? Lesen Sie die E-Mail an Elif und kreuzen Sie an.**

1 ◯ Bustickets
2 ◯ Wanderschuhe
3 ◯ einen Schlafsack
4 ◯ ein Kissen
5 ◯ Getränke
6 ◯ warme Kleidung
7 ◯ Sonnencreme
8 ◯ eine Sonnenbrille

Hi Elif,

morgen geht's endlich los! David und ich beginnen unsere Hüttenwanderung. Wir fahren mit dem Bus zum Vilsalpsee und gehen durch den Wald zum Traualpsee. Dann wandern wir um den Berg weiter zur Landsberger Hütte. Ich freue mich schon total auf die Wanderung! Durch die Wälder – herrlich! Für die Übernachtung in der Hütte brauchen wir einen Schlafsack und Socken oder Hüttenschuhe. Man darf in der Hütte keine Wanderschuhe tragen. Die Mitarbeiterin in der Touristeninformation hat uns auch gesagt, dass wir für die Tour viel Sonnencreme gegen die Sonne brauchen. Und: Wir sollen nie ohne eine Jacke (im Sommer!) und eine Flasche Wasser in den Bergen wandern. Ich schicke dir später Fotos.

Liebe Grüße von Silvy

b) **Markieren Sie die Präpositionen mit Akkusativ in a).**

c) **Selbsttest. Lesen Sie die Sätze und ergänzen Sie die Präpositionen.**

durch • ohne • gegen • für • um

1 Morgen wandern wir _________ den Vilsalpsee.
2 _______ eine Flasche Wasser gehen wir nicht wandern.
3 Zuerst gehen wir _________ den Wald.
4 _________ die Sonne brauchen wir Sonnencreme.
5 Wir brauchen eine Jacke _________ die Wanderung.

8 Das überrascht mich! **Sehen Sie sich die Fotos an. Ordnen Sie den Personen passende Aussagen zu.**

1 Ich bin total sauer!
2 Was für eine Überraschung!
3 Ich habe große Angst!
4 Ich bin echt traurig!
5 Ich bin einfach nur glücklich!

a ◯ b ◯ c ◯ d ◯ e ◯

9 Heidi – Der Film

a) **Lesen Sie die Filmbeschreibung in Aufgabe 2a) auf S. 182 noch einmal und sammeln Sie Informationen zu den folgenden Punkten.**

Titel: ______
Jahr: ______
Personen: ______
Regie: ______
Romane von: ______

b) **Ordnen Sie die Filmausschnitte. Die Filmbeschreibung in Aufgabe 2a) auf S. 182 hilft.**

a ◯ Heidi fehlen die Berge und ihr Großvater. Großmutter Sesemann versteht sie und schickt Heidi zurück in die Berge.
b (1) Heidi lebt mit ihrem Großvater in den Schweizer Bergen. Sie passt am liebsten mit Peter auf die Ziegen auf.
c ◯ Klara und die Großmutter kommen auf die Alp. Sie besuchen Heidi und den Großvater.
d ◯ Heidis Tante Dete bringt sie zur Familie Sesemann nach Frankfurt. Heidi lernt Klara kennen. Sie werden gute Freundinnen und Heidi lernt Lesen und Schreiben.
e ◯ Vater und Großmutter Sesemann sind überglücklich, dass Klara wieder laufen kann.
f ◯ Heidi und Großvater Sesemann ziehen ins Dorf. Heidi besucht die Schule und bringt Peter das Lesen bei.
g ◯ Peter ist wütend auf Klara und macht ihren Rollstuhl kaputt. Klara muss das Gehen wieder lernen. Heidi und Peter helfen ihr.

10 Die Heidi-Bücher von Johanna Spyri

a) Lesen Sie die Biografie von Johanna Spyri und ergänzen Sie passende Verben im Präteritum.

leben (2x) • unterrichten • gehen • sein (2x) • haben • bekommen • heiraten • ziehen (3x) • ~~lernen~~ • schreiben • helfen

Johanna Spyri – ihre Welt waren die Berge

Johanna Spyri _______ [1] eine Schweizer Autorin. Sie _______ [2] von 1827 bis 1901. Ihr Vater _______ [3] Arzt und ihre Mutter Dichterin. Sie _______ [4] mit ihren Eltern und ihren fünf Geschwistern in einem kleinen Ort bei Zürich. Mit 15 Jahren _______ [5] sie zu ihrer Tante nach Zürich. Sie _______ [6] zur Schule und *lernte* [7] Französisch. Nach ihrer Schulzeit _______ [8] sie zurück in ihren Heimatort. Sie _______ [9] ihre jüngeren Geschwister und _______ [10] ihrer Mutter im Haus. 1851 _______ [11] sie Bernhard Spyri. Mit ihrem Mann _______ [12] sie zurück nach Zürich und _______ [13] einen Sohn. Ihren ersten Erfolg als Autorin _______ [14] sie erst mit 52 Jahren. Im Jahr 1879 _______ [15] sie das erste Buch über Heidi. Die Geschichten sind bis heute sehr beliebt.

b) Welche Fragen beantwortet die Biografie? Lesen Sie noch einmal und kreuzen Sie an.

1 ◯ Wann wurde Johanna Spyri geboren?
2 ◯ Wo lebte die Autorin mit ihrem Mann und Sohn?
3 ◯ Warum zog sie mit 15 Jahren zu ihrer Tante?
4 ◯ Wann schrieb sie das erste Buch über *Heidi*?

11 Ein Film, zwei Meinungen

a) Wie viele Sterne geben Jörg und Mia? Zwei oder fünf? Markieren Sie die Sterne.

Alpen-Jörg

★★★★ **Heidi – was für ein toller Film!**

Ich liebe den Film *Heidi* von Alain Gsponer. Der Film basiert auf den Romanen von Johanna Spyri. Die Geschichte erzählt von Heidi und ihren Erlebnissen. Am besten gefallen mir die tollen Bilder von den Schweizer Bergen. Die Aussicht vergesse ich bestimmt nie. Einfach traumhaft!

Mia P.

★★★★ **Ich habe mehr erwartet …**

Heidi – der Film. Habt ihr ihn auch schon gesehen? Alle lieben ihn, nur ich nicht. Ich habe das Buch schon fünfmal gelesen und habe mich total auf den Film gefreut. Aber mir fehlen so viele tolle Szenen aus dem Buch. Ich kann dem Filmteam nicht gratulieren!

b) Verben mit Dativ (D) oder Verben mit Akkusativ (A)? Ergänzen Sie.

1 ◯ Heidi liebt die Berge.
2 ◯ Heidi hilft der kranken Klara beim Gehen.
3 ◯ Heidi besucht die Schule im Dorf.
4 ◯ Die Berge fehlen dem Mädchen sehr.
5 ◯ Großmutter Sesemann schickt das Mädchen in die Schweiz zurück.
6 ◯ *Movie life* gratuliert den Schauspieler*innen.

Fit für Einheit 14?

1 Mit Sprache handeln

über Wanderurlaub sprechen
Österreich ist das ideale Ziel für einen Wanderurlaub.
Die Aussicht auf die Berge ist traumhaft.
Ich genieße die Aussicht und vergesse, dass meine Füße wehtun.
Wir haben in einer Berghütte übernachtet und Käsespätzle gegessen.

Wörter in D-A-CH verstehen
Grüß Gott! Servus! Baba!

Beratungsgespräche führen
Was kann ich für Sie tun? / Kann ich Ihnen helfen?
Wir möchten eine Wanderung / einen Spaziergang in/zum ... machen.
Wie lange dauert die Tour/Wanderung?
Wo startet ...? Wann fährt ...? Wo kann man ...?
Die Wanderung / Der Spaziergang dauert ...
Sehen Sie mal hier. / Ich zeige Ihnen ... /
Sie fahren am besten ... / Sie gehen am besten durch ...
Vielen Dank für die Infos/Tipps.
Danke, Sie haben uns sehr geholfen.

Emotionen ausdrücken und auf Emotionen reagieren
Ich bin stinksauer!
Warum bist du denn so sauer? / Sei nicht wütend!
Ich bin total glücklich!
Schön, dass du (so) glücklich bist.
Das ist (so) traurig!
Tut mir leid, dass du (so) traurig bist.

einen Film beschreiben
Ich stelle den Film ... von ... vor. / Der Regisseur heißt ...
Der Film / Die Handlung spielt in ... / Der Film handelt von ... / Im Film geht es um ...
... ist ein Film für die ganze Familie.
Ich finde, dass der Film / die Schauspieler*in ... / Mir hat ... besonders gut gefallen.

2 Wörter, Wendungen und Strukturen

Wortschatz Emotionen
traurig, wütend, glücklich, überrascht, ängstlich

Präpositionen mit Akkusativ
durch den Wald, ohne eine Flasche Wasser, gegen die Sonne, für die Wanderung, um den See

Verben mit Akkusativ
Heidi liebt die Berge.
Sie vergisst ihre Heimat nie.
Er macht einen Wanderurlaub.
Großmutter Sesemann versteht das Mädchen.

Verben mit Dativ
Die Berge fehlen ihr sehr.
Der Kaiserschmarren schmeckt mir am besten.
Hüttenwanderungen gefallen den Touristen sehr.
Wir gratulieren dem Filmteam.

3 Aussprache

das *w*-: **W**ir möchten **w**issen, **w**o **w**ir **w**andern können. **W**ir **w**ollen einen **W**anderurlaub für **W**anderprofis buchen.

Interaktive Übungen

HIER LERNEN SIE:
- über Freundschaften sprechen
- sich streiten und sich vertragen
- über Geschenke sprechen
- statistische Angaben machen
- Tipps geben und kommentieren

Das ist Freundschaft!

Egal ob ganz nah

oder

ganz fern,

in schönen Momenten

oder

in schweren Zeiten,

in jungen Jahren

oder

im hohen Alter.

Zusammen lernen.

Zusammen lachen.

Zusammen sein.

Warum wir Freunde brauchen

Braucht jeder Mensch Freundinnen und Freunde? Macht Freundschaft gesund? Kann man Freundschaft erkennen? Verändern die sozialen Medien unsere Beziehungen? Ein Interview mit der Soziologin Saskia Barber.

Frau Barber, warum ist Freundschaft so wichtig?
Freundschaft gehört zum Leben. Freunde spielen neben der Familie und der Arbeit eine wichtige Rolle im Alltag der Menschen.

„Freunde machen glücklich und gesund."

Studien zeigen, dass Menschen mit engen Freundschaften gesünder sind und länger leben als Menschen ohne Freunde. Freunde sind für uns da, in guten und in schlechten Zeiten. Und so wissen wir, dass wir nicht alleine sind.

Wie definieren Sie Freundschaft?
Als Soziologin definiere ich Freundschaft als eine freiwillige und persönliche Beziehung. Das bedeutet, dass sich zwei Menschen mögen. Sie verbringen gern Zeit miteinander, sie treffen sich gern und sie vertrauen sich. Die Zeit spielt dabei eine wichtige Rolle.

Warum meinen Sie, dass Zeit wichtig ist? Können Sie das genauer erklären?
Echte Freundschaft braucht Zeit. Studien zeigen, dass Menschen mindestens 140 Stunden zusammen verbringen müssen, um Freunde zu werden. Beste Freunde brauchen mindestens 300 Stunden. Aber Freundschaft wird nicht in jedem Land gleich definiert. In Deutschland dauert es länger, bis man eine Person einen Freund oder eine Freundin nennt. In den USA geht das z. B. schneller.

„Amerikaner nennen viel mehr Menschen ‚friends' als zum Beispiel Deutsche."

Sind die Kontakte in sozialen Netzwerken richtige Freunde?
Ja, natürlich. Es ist eine neue Form von Freundschaft. In Social Media kann man sich heute einfach treffen oder unterhalten. Man tauscht Nachrichten, Fotos und Videos aus und nimmt so am Alltag von Freunden teil, die z. B. weit weg leben.

Saskia Barber, Soziologin

1 **Freundschaft heißt ...**
Wählen Sie ein Foto aus und beschreiben Sie.
Freundschaft bedeutet, dass ...

2 **Mein bester Freund – Meine beste Freundin**
a) Hören Sie die Aussagen und ordnen Sie passende Fotos zu. (4.06–4.08)
b) Warum sind beste Freund*innen wichtig? Hören Sie noch einmal, notieren und berichten Sie.

3 ***Warum wir Freunde brauchen***
a) Vier Fragen. Lesen Sie die Einleitung des Magazinartikels und antworten Sie.
b) Wie definiert die Soziologin Freundschaft? Lesen Sie den Magazinartikel und vergleichen Sie.
Die Soziologin definiert Freundschaft als ...
c) 140 oder 300 Stunden? Was meinen Sie?
Ich finde nicht, dass Freundschaft viel Zeit braucht.
Mich überrascht, dass ...

4 **Und Sie?**
a) Welcher Aussage stimmen Sie zu? Kommentieren Sie.
Genau. Das finde ich auch richtig.
Nein, das stimmt nicht. Ich finde, ...
b) Beschreiben Sie Ihren besten Freund / Ihre beste Freundin. Die Fragen helfen.

Ich will mich nicht streiten, aber ...

Beste Freundinnen

a) **Jasmin und Alba sind beste Freundinnen. Wo sind sie? Wie ist die Stimmung? Beschreiben Sie das Foto. Die Redemittel helfen.**

Jasmin und Alba umarmen sich. Sie ...

Das Café ...

2.12

b) **Was machen Jasmin und Alba im Café? Worüber sprechen sie? Sehen Sie sich das Video an und vergleichen Sie.**

c) **Aussehen, Charakter, ... Wählen Sie den Chef oder den Freund. Sehen Sie noch einmal, notieren und berichten Sie.**

2.13

d) **Was ist das Problem? Sehen Sie sich den zweiten Teil des Videos an. Beschreiben und kommentieren Sie.**

Ich denke, das Problem ist ...

Ich hätte (nicht) gedacht, dass ...

Mich erstaunt, dass ...

Am Tag danach

4.09

a) **Alba und Jasmin telefonieren. Hören Sie und ordnen Sie.**

a ◯ Alba ist total sauer.
b ◯ Jasmin und Alba lachen zusammen.
c ◯ Jasmin entschuldigt sich.
d (1) Jasmin findet Vincent doof.
e ◯ Alba möchte sich nicht streiten.
f ◯ Die Freundinnen streiten sich.

b) **Welche Redemittel benutzen Alba und Jasmin? Hören Sie noch einmal und markieren Sie.**

Die Freundinnen haben sich wieder vertragen

Wer sagt was über wen? Wählen Sie eine Person aus und beschreiben Sie die anderen zwei Personen.

nie zufrieden • nett • kritisch • freundlich • lustig • hat viel Humor • wir lachen oft zusammen • ich kann ihr/ihm vertrauen • ...

Alba ist immer ...
Ich mag (nicht), dass sie ...

... ist meine beste Freundin.
Ich kann ihr immer vertrauen.

Sich streiten und sich vertragen

Wählen Sie eine Situation aus. Schreiben Sie und spielen Sie den Dialog. Achten Sie auf die Emotionen.
ODER **Beschreiben Sie eine Situation, in der Sie auf einen Freund / eine Freundin sauer waren, und wie Sie sich wieder vertragen haben.**

Ich schenke ihr ein Buch

a) Was sind gute Geschenke für Freundinnen und Freunde? Sammeln Sie und vergleichen Sie.

b) Wie finden Sie die Geschenke in dem Artikel? Lesen, markieren und kommentieren Sie.

Bücher finde ich langweilig.

Ich freue mich immer über ein Buch. Aber Socken finde ich doof.

Top Geschenke für die besten Freunde

Deine beste Freundin hat bald Geburtstag und du hast keine Ahnung, was du ihr schenken kannst? Dein bester Freund feiert bald ein großes Fest. Aber was kauft man einem Freund, der schon alles hat? Konzertkarten, eine gemeinsame Radtour, Bücher oder Socken sind oft eine gute Idee. Manchmal sind aber kleine Geschenke die besten: Schick ihr eine schöne Karte, back ihm einen Kuchen, ...
5 Hier sind ein paar Tipps von unseren Leser*innen:

„Ich schenke meiner besten Freundin gern Aktivitäten. Letztes Jahr habe ich ihr Karten für ein Fußballspiel gekauft. Ich habe ihr am Geburtstag die Tickets gegeben und wir sind direkt zum Spiel gegangen. Sie hat sich sehr gefreut, weil es eine Überraschung war. Das kann ich sehr empfehlen." **Markus, 25 Jahre**

„Mein bester Freund hatte dieses Jahr einen besonderen Geburtstag: 40 Jahre. Da musste ich ihm auch etwas
10 Besonderes schenken. Ich habe ihm ein Fotobuch mit Fotos von uns und einen Gutschein für ein Abendessen geschenkt." **Mascha, 43 Jahre**

Typische Geschenke

Wer schenkt wem was? Sprechen Sie schnell.

Er Sie	schenkt kauft	ihr ihm	Parfüm/Blumen/ ... Konzertkarten/Kinokarten / ... einen Gutschein für ein Frühstück im "Café Glück" / ...

Ich schenke ihr ...

a) Lesen Sie den Lerntipp und markieren Sie die Verben mit Dativ und Akkusativ in 1b).

b) Lesen Sie die Beispiele und ergänzen Sie die Regel.

24

Nominativ (Wer?)	Verb	Dativ (Wem?)	Akkusativ (Was?)
Markus	schenkt	seiner Freundin	Karten.
Markus	schenkt	ihr	Karten.
Mascha	schenkt	ihrem besten Freund	ein Fotobuch.
Mascha	schenkt	ihm	ein Fotobuch.

Lerntipp
Schenken, kaufen, bringen, geben, zeigen, wünschen, leihen immer mit **Dativ** und **Akkusativ**.

Regel: In Sätzen mit Dativ- und Akkusativergänzung steht _______________ vor _______________.

c) Sprachschatten. Geschenke bei Ihnen im Kurs. Wer schenkt wem was? Fragen und antworten Sie wie im Beispiel.

Ich schenke Tian einen Stift.

Ah, du schenkst ihm einen Stift? Ich schenke Marta Kinokarten.

Du schenkst ihr Kinokarten? Toll. Ich schenke Mirko einen Kuchen.

Keine gute Idee?

Was darf man in Ihrem Land nicht schenken? Vergleichen Sie.

Bei uns in China schenkt man keine Uhren.

Bist du Single?

4.10

Wer hat welchen Beziehungsstatus? Hören Sie, ordnen Sie zu und vergleichen Sie.

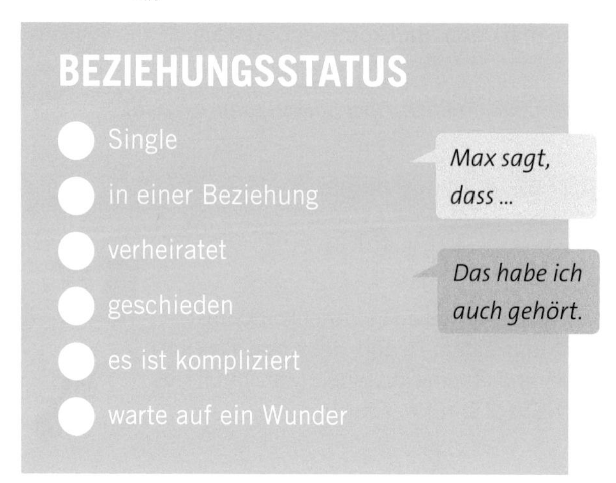

1 
Alina

2 
Max

3
Marina

4 
Elias und Kira

2 Single oder verheiratet?

a) Lesen Sie die Grafik. Ergänzen Sie die Auswertung und vergleichen Sie.

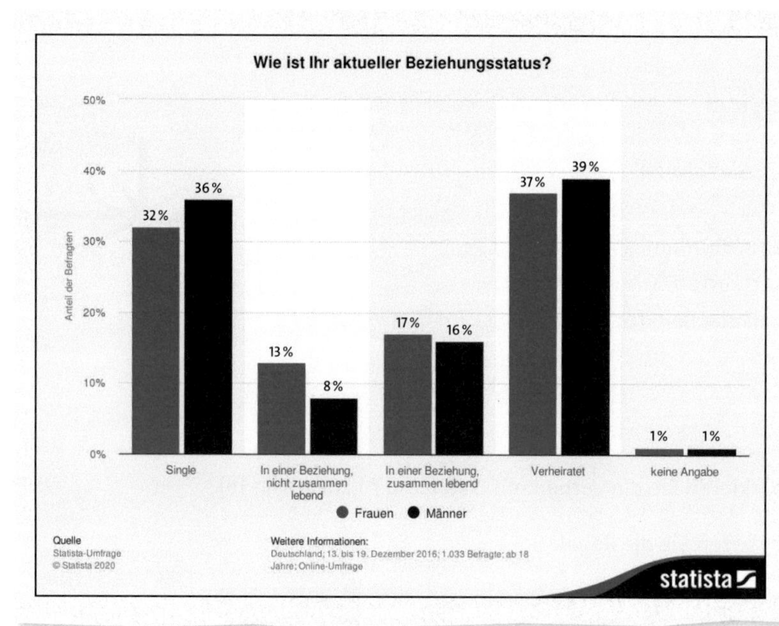

1) 36 % der Männer sind Single.
2) 13 % der Frauen sind in einer Beziehung, aber leben nicht mit dem Partner / der Partnerin zusammen.
3) ___ % der Frauen sind verheiratet.
4) 32 % der Frauen sind ___ .
5) Genau ein Drittel (33 %) der Männer und Frauen sind in einer Beziehung und leben zusammen.
6) ___ % der Männer sind verheiratet.
7) 2 % der Personen haben keine Angaben gemacht.
8) 8 % der ___ sind in einer Beziehung, aber leben nicht mit dem Partner / der Partnerin zusammen.

b) Was überrascht Sie? Kommentieren Sie.

Ich hätte nicht gedacht, dass ...

Mich überrascht, dass ...

3 Helga und Holger sind verheiratet

4.11

a) Aussprache *h*. In welchen Wörtern hören Sie *h*? Markieren Sie.

1 ◯ verheiratet
2 ◯ die Beziehung
3 ◯ das Handy
4 ◯ haben
5 ◯ die Hochzeit
6 ◯ das Ohr
7 ◯ der Humor
8 ◯ halten
9 ◯ ihm
10 ◯ ihr
11 ◯ der Hund
12 ◯ das Heft
13 ◯ helfen
14 ◯ der Stuhl

b) Hören Sie noch einmal und sprechen Sie nach.

4 Neue Freunde finden

Wo kann man neue Leute kennenlernen? Sammeln Sie und vergleichen Sie. Die Fotos helfen.

5 Wie treffe ich neue Freunde?

a) Wohin ist Martin Sommerfeld umgezogen? Wie war sein erster Monat in der neuen Stadt? Lesen Sie den Magazinartikel und vergleichen Sie.

Tipp des Monats

Neu in der Stadt?

Ein neuer Job in einer neuen Stadt, aber keine Kontakte? Das kannst du ändern!

Vor drei Jahren habe ich einen neuen Job in Stuttgart angefangen. Ich war neu in der Stadt. Nach vier Wochen habe ich mich sehr allein gefühlt. Mein einziger Freund war der Hund des Nachbarn. Keiner hat mich angerufen oder eingeladen. Die Kolleginnen und Kollegen waren sehr nett, aber niemand hatte Zeit für einen neuen Freund. Ich habe mich nur einmal mit einer Kollegin und ihrem Freund getroffen. Der Partner der Kollegin hat mir ein paar Tipps gegeben. Und so habe ich dann auch neue Freunde gefunden. Diese Tipps können auch dir helfen:

1) Die Facebook-Gruppe „Ich bin neu in der Stadt". Diese Gruppe organisiert Treffen für Personen, die neu in der Stadt sind. Es gibt immer eine Person, die sympathisch ist. Am Ende des Treffens könnt ihr Nummern austauschen oder euch noch einmal verabreden.
2) Das MeetUp. Das MeetUp ist eine Online-Plattform. Jede Gruppe hat ein Thema. Die Themen der Gruppen sind sehr vielfältig, z. B. Essen, Literatur oder Sport.
3) Vereine. Etwas mehr als die Hälfte (53 %) der Menschen in Deutschland sind in einem Verein aktiv. Hier kannst du Freundinnen und Freunde finden, z. B. im Sportverein. Ich habe den Verein der Gartenfreunde gefunden und habe dort zwei tolle Freunde kennengelernt.

von Martin Sommerfeld

b) Vergleichen Sie die Tipps des Autors mit Ihren Vorschlägen aus 4 und berichten Sie.

Der Autor empfiehlt ...

6 *Tipp des Monats*

a) Was denken Sie? Sprechen Sie schnell.

Die Tipps Die Vorschläge	der Seite des Artikels des Autors	helfen mir (nicht). empfehle ich (nicht) weiter. finde ich (nicht) interessant/spannend/...

Lerntipp
des: Nomen + s

7.2

b) Ergänzen Sie die Artikel im Genitiv. Kontrollieren Sie mit der Grafik in 2a) und mit dem Magazinartikel in 5a).

1 der Monat: der Tipp _____ Monats
2 die Kollegin: der Partner _____ Kollegin
3 das Treffen am Ende _____ Treffens
4 die Gruppen: die Themen _____ Gruppen
5 die Menschen: 53 % _____ Menschen
6 die Männer: ein Drittel _____ Männer

7 Tipps geben

Wählen Sie eine Situation aus. Ihr Partner / Ihre Partnerin gibt Tipps. Sie kommentieren. Die Redemittel helfen.

Sie sind seit einem Monat in einer neuen Stadt und möchten neue Freunde finden.

Sie sind Single und suchen nette Leute für Freizeitaktivitäten.

Sie langweilen sich oft. Ihre Freund*innen haben keine Zeit.

1 Freundschaft ist ...

a) **Schreiben Sie Gegensatzpaare wie im Beispiel.**

im hohen Alter • in der Freizeit • in schweren Zeiten • ~~fern~~ •
in der Schule • in schönen Momenten • ~~nah~~ • in jungen Jahren

nah – fern, ...

b) **Lesen Sie die Aussagen und ordnen Sie passende Fotos zu.**

◯ *Freundschaft kennt keine Kilometer.*

◯ *Du bist immer bei mir.*

◯ *Zusammen schaffen wir das!*

◯ *Meine beste Freundin ist wie eine Schwester.*

1

2

3

4

c) **Kommentieren Sie die Aussagen mit den Gegensatzpaaren aus a).**

Freundschaft kennt keine Kilometer. Egal ob nah oder fern.

2 Warum wir Freunde brauchen. **In welcher Zeile finden Sie die Informationen? Lesen Sie den Magazinartikel auf S. 191 noch einmal und ergänzen Sie.**

		Zeile(n)
1	Freunde, Familie und Arbeit sind wichtig für Menschen.	____
2	Wer Freunde hat, ist nicht so oft krank.	____
3	Freunde sind immer für uns da, egal ob man glücklich oder traurig ist.	____
4	Sehr gute Freundschaften brauchen viel Zeit.	____
5	Freundschaft bedeutet in jedem Land etwas anderes.	____
6	In sozialen Netzwerken kann man mit Freunden in Kontakt bleiben.	____

3 Mein bester Freund – Meine beste Freundin

a) **Was bedeutet Freundschaft für Sie? Lesen Sie und kreuzen Sie vier Aussagen an.**

1 ◯ zusammen Spaß haben
2 ◯ über Probleme reden
3 ◯ die gleichen Klamotten gut finden
4 ◯ in der Nähe wohnen
5 ◯ zusammen in den Urlaub fahren
6 ◯ die gleichen Interessen haben
7 ◯ sich jeden Tag sehen
8 ◯ sich etwas schenken

b) **Was noch? Ergänzen Sie die Liste in a).**

c) **Was haben Sie in a) angekreuzt? Warum?**

... ist mein bester Freund / meine beste Freundin, weil ...

4 Jasmin und Alba im Café. **Machen Sie ein Wörternetz.**

im Café

das Getränk

die Cola

der Kellner, die Kellnerin

5 Nie wieder Single

a) **Sehen Sie sich das Video in Aufgabe 1b) auf S. 192 noch einmal an. Beantworten Sie die Fragen.**

1 Warum heißt das Video „Nie wieder Single"? ______

2 Wie geht es Alba? Warum? ______

3 Was gefällt Jasmin an ihrem Job? ______

b) **Der Freund (F) oder der Chef (C)? Ergänzen Sie.**

1 ◯ ist perfekt
2 ◯ ist nie zufrieden
3 ◯ ist großartig
4 ◯ sieht gut aus
5 ◯ sagt nicht Danke
6 ◯ lächelt nicht
7 ◯ kann kochen
8 ◯ ist sportlich

c) **Lesen Sie die Sätze laut vor. Achten Sie auf die Emotionen. Das Video hilft.**

1 ◯ Er ist großartig. Er ist eigentlich perfekt.
2 ◯ Ich bin so glücklich. Nie wieder Single!
3 ◯ Er sieht so gut aus.
4 ◯ Egal, was ich mache, alles ist falsch.
5 ◯ Mein Chef ist nie zufrieden. Nie!
6 ◯ Ihr kennt euch?

d) **Jasmin (J), Alba (A) oder Vincent (V)? Ergänzen Sie in c).**

6 *Sich streiten und sich vertragen.* **Hören Sie das Telefongespräch von Alba und Jasmin in Aufgabe 2a) auf S. 192 noch einmal. Wann streiten sie sich und wann vertragen sie sich? Verbinden Sie.**

1 Ich kann nicht verstehen, dass du mir nicht glaubst.
2 Ich will mich nicht streiten.
3 Das habe ich doch gar nicht gesagt!
4 Was ist eigentlich los mit dir?
5 Komm, vertragen wir uns wieder.

a sich streiten
b sich vertragen

7 *Du bist immer zu spät!*

2.14

a) **Videokaraoke. Sehen Sie sich das Video an und antworten Sie.**

b) **Was ist richtig? Kreuzen Sie an. Es gibt mehrere Möglichkeiten.**

1 Sie sind sauer, weil ...
a ◯ Caro immer zu spät kommt.
b ◯ Caro Sie nicht angerufen hat.
c ◯ Sie auf Caro warten mussten.

2 Caro war zu spät, weil ...
a ◯ sie den Bus verpasst hat.
b ◯ sie den Fahrplan nicht gelesen hat.
c ◯ sie nicht Fahrrad fahren wollte.

c) **Was bedeuten die Sätze? Lesen Sie und kreuzen Sie an.**

1 Ich bin echt sauer. a ◯ Ich bin sehr wütend. b ◯ Das finde ich nicht gut.
2 Es gibt doch Fahrpläne. a ◯ Lies den Fahrplan! b ◯ Ich brauche einen Fahrplan.
3 Ist jetzt auch egal. a ◯ Ich möchte mich vertragen. b ◯ Das interessiert mich nicht.

8 Was soll ich ihm schenken?

a) **Was schenkt Angelo gern? Lesen Sie und kreuzen Sie an. Es gibt mehrere Möglichkeiten.**

1 ◯ nur Dinge, die man kaufen kann
2 ◯ Kochrezepte
3 ◯ Erlebnisse
4 ◯ Geld
5 ◯ seine Zeit
6 ◯ ein Buch

Angelo, 31

Egal ob zum Geburtstag oder einfach so – ich finde Schenken toll, weil ich meine Familie und meine Freunde mag. Sie freuen sich, wenn ich ihnen etwas schenke. Und wenn sie glücklich sind, bin ich auch glücklich. Meinem Vater schenke ich Süßes. Schokolade schmeckt ihm am besten. Meiner Oma schenke ich Zeit. Ich helfe ihr im Haushalt und ich höre ihr gern zu, wenn sie von früher erzählt. Meine Geschwister sind kein Problem. Ihnen schenke ich einen Ausflug. Aber ich habe noch keine Ahnung, was ich meinem Freund dieses Jahr zum Geburtstag schenken soll.

b) **Markieren Sie alle Formen im Dativ in a) wie im Beispiel.**

c) **Was sagt Angelo? Ergänzen Sie die Tabelle wie im Beispiel.**

Nominativ (Wer?)	Verb	Dativ (Wem?)	Akkusativ (Was?)
Angelo	schenkt	______	Schokolade.
	hilft	______	im Haushalt.
	schenkt	*seinen Geschwistern / ihnen*	einen Ausflug.

9 *Was schenkst du ...?* Fragen und antworten Sie wie im Beispiel.

1 *Was schenkst du Julius?*
Ich schenke ihm eine Flasche Wein.
2 *Was leihst du ...*
......
3 ......
......
4 ......
......
5 ......
......
6 ......
......
7 ......
......
8 ......

1

Julius – schenken

2

Verena – leihen

3

Lina – kaufen

4

Lotte – schicken

5
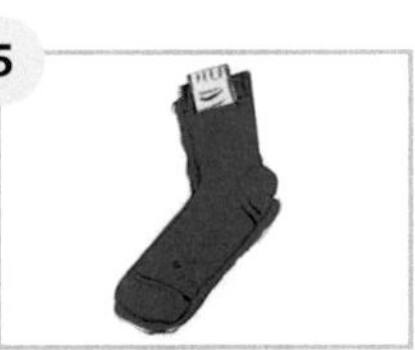
Paul – bringen

6

meine Eltern – schicken

7

Laura – schenken

8
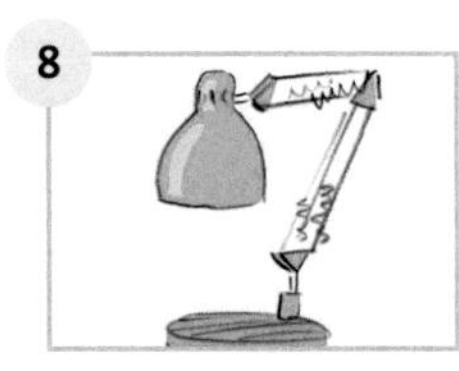
Sebastian – leihen

10 Single und glücklich

a) **Was passt zusammen? Verbinden Sie.**

1 Ich bin Single.
2 Ich bin in einer Beziehung.
3 Ich bin verheiratet.
4 Ich bin geschieden.
5 Es ist kompliziert.
6 Ich warte auf ein Wunder.

a Es gibt Probleme.
b Ich bin nicht in einer festen Beziehung.
c Ich war verheiratet.
d Ich habe einen Partner / eine Partnerin.
e Ich habe einen Mann / eine Frau.
f Ich hoffe, dass ich bald jemanden kennenlerne.

b) **Richtig oder falsch? Lesen Sie und kreuzen Sie an.**

	richtig	falsch
1 Kimberley ist verheiratet.	◯	◯
2 Sie ist seit zwei Jahren geschieden.	◯	◯
3 Sascha ist Single.	◯	◯
4 Kimberley lebt allein.	◯	◯

Kimberley, 34

Ich bin Kimberley. Ich war sieben Jahre mit Sascha verheiratet, aber seit zwei Jahren sind wir geschieden. Sascha hat wieder geheiratet, ich nicht. Ich bin jetzt schon zwei Jahre Single und ich bin glücklich. Ich habe ja meine Freunde und meine Familie. Und vielleicht treffe ich schon bald den richtigen Mann!

11 Umzug in eine neue Stadt. **Warum ziehen Frauen und Männer um? Sehen Sie sich die Grafiken an und ergänzen Sie.**

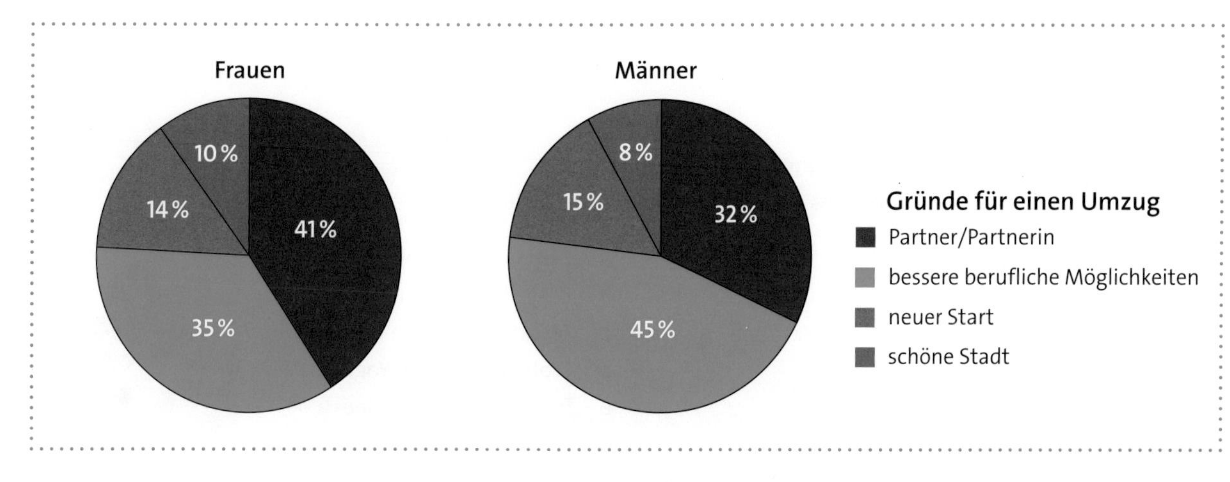

1 Fast die Hälfte der Männer (____ %) zieht für einen Job in eine neue Stadt.

2 ____ % der Frauen ziehen in eine neue Stadt, weil sie ihnen gut gefällt.

3 15 % der ____________ ziehen in eine neue Stadt, weil sie neu anfangen wollen.

4 Mehr als ein Drittel der Frauen (____ %) zieht in eine neue Stadt, weil sie bessere Chancen im Beruf haben möchten.

5 ____ % der Frauen und ____ % der Männer ziehen für ihren Partner oder ihre Partnerin in eine neue Stadt.

12 Buchtitel und Bücher

a) **Markieren Sie die Artikel und Nomen im Genitiv und ergänzen Sie wie im Beispiel.**

1 *der Vater* : Im Namen des Vaters
2 ______________ : Die Geschichte des Wassers
3 ______________ : Die Zukunft der Arbeit
4 ______________ : Der Sommer der Frauen

b) **Ergänzen Sie die Buchtitel. Die Angaben in a) helfen.**

1 der See: Auf der anderen Seite *des Sees*
2 der Erfolg: Die Mutter ______________
3 das Auto: Die Freunde ______________
4 das Leben: Der Preis ______________
5 die Welt: Südlich vom Ende ______________
6 die Malerin: Das Haus ______________
7 die Lügen (Pl.): Im Tal ______________
8 die Forscher (Pl.): Das Haus ______________

c) **Lesen Sie die Buchrezensionen. Ergänzen Sie die Artikel im Genitiv.**

1 *Die Geschichte* ____[1] *Bienen* von Maja Lunde war in Deutschland ein großer Erfolg und wurde Buch ____[2] Jahres 2017. Ein Jahr später erschien *Die Geschichte* ____[3] *Wassers*. Dieses Mal spielt die Handlung an zwei Orten und in zwei Zeiten: Im Jahr 2017 in Norwegen und im Jahr 2041 in Frankreich. Im Mittelpunkt ____[4] Geschichte steht wieder die Umwelt. „Ein echt toller Roman", ist die Meinung ____[5] Leser*innen.

2 *Südlich vom Ende* ____[6] *Welt* ist der Titel ____[7] ersten Buches, das die Medizinerin Carmen Possnig 2020 veröffentlichte. Mit viel Humor beschreibt sie die Erfahrungen ____[8] Reise, die sie zusammen mit zwölf anderen Wissenschaftlern in der Forschungsstation Concordia gemacht hat. Die vielen Fotos ____[9] Berichts machen die Schönheit ____[10] Natur für die Leser*innen erlebbar. Jetzt fehlt nur noch ein Film für die Kinos, damit diese Reise die Geschichte ____[11] Jahres wird.

13 Tipps für eine Freundin oder einen Freund

a) **Welche Probleme und Tipps passen zusammen? Verbinden Sie.**

1 „Mein Rücken tut weh."
2 „Mir ist kalt."
3 „Ich glaube, ich werde krank."
4 „Wir langweilen uns."
5 „Wir möchten nicht kochen."

a „Zieh einen Pullover an!"
b „Bestellt doch eine Pizza!"
c „Lest doch mal ein Buch!"
d „Probier doch mal Yoga!"
e „Trink einen heißen Tee!"

b) **Ergänzen Sie die Tipps aus a) wie im Beispiel.**

a einen Pullover leihen
b die Nummer vom Pizzadienst geben
c einen Krimi von Jan Seghers empfehlen
d eine Yogastunde schenken
e einen Tee machen

a Zieh einen Pullover an. Ich leihe dir meinen Pullover.

Fit für Einheit 15?

1 Mit Sprache handeln

über Freundschaft sprechen
Freundschaft gehört zum Leben.
Freunde spielen eine wichtige Rolle.
Menschen mit engen Freundschaften sind gesünder und leben länger.
Echte Freundschaft braucht Zeit.

sich streiten
Ich kann nicht verstehen/glauben, dass ...
Das habe ich doch gar nicht gesagt.
Was ist eigentlich mit dir los?

sich vertragen
Ich möchte nicht (mehr) streiten.
Es tut mir leid.
Komm, vertragen wir uns wieder.

über Geschenke sprechen
Ich habe meiner besten Freundin Konzertkarten geschenkt. Sie hat sich sehr gefreut, weil es eine Überraschung war.

statistische Angaben machen
23 % der Männer ...
45 % der Frauen ...
Fast die Hälfte der Frauen ...
Mehr/Weniger als ein Drittel der Männer ...

Tipps geben und kommentieren
Manchmal sind kleine Geschenke die besten. Schick ihr eine schöne Karte oder bring ihr einen Kuchen mit.
Ich möchte neue Leute kennenlernen. – Probier doch mal die Online-Plattform MeetUp.
Wo kann man hier gut neue Leute kennenlernen? – Ich habe den Verein der Gartenfreunde gefunden und habe dort zwei tolle Freunde kennengelernt.

2 Wörter, Wendungen und Strukturen

Verben mit Dativ- und Akkusativergänzung
Er schenkt Verena Karten. – Er schenkt ihr Karten.
Sie kauft Sebastian ein Buch. – Sie kauft ihm ein Buch.
Er zeigt Pablo und Moni die neue Wohnung. – Er zeigt ihnen die neue Wohnung.

geben, bringen, wünschen, leihen

Genitiv
die Tipps des Monats
der Partner der Kollegin
am Ende des Treffens
fast die Hälfte der Männer

3 Aussprache

das *-h-*: verheiratet, eine Beziehung, das Handy, haben, die Hochzeit, das Ohr, der Humor, der Stuhl

Interaktive Übungen

1 Der Musikverein auf einem Dorffest
2 Arbeit auf dem Feld mit dem Traktor
3 Hahn und Hühner auf der Dorfstraße
4 Die freiwillige Feuerwehr bei einer Übung

Bernd Vogel hat in Köln Germanistik studiert. Er lebt heute in Düsseldorf und arbeitet dort als Journalist und Fotograf.

Endlich komme ich in das Dorf, in dem meine Freunde Lisa und Tom leben. Alles ist sehr ruhig, als ich auf der Dorfstraße an den ersten Bauernhöfen und der Dorfkneipe vorbeifahre. Nur ein paar weiße und braune Hühner laufen über die Straße. „Hier ist echt nichts los!“, denke ich und frage mich, warum man hier leben will. Wettrungen ist ein Dorf, in dem es keine Schule, keine Bank, keinen Supermarkt, keinen Arzt oder Kindergarten gibt. Ohne Auto geht hier gar nichts!

Lisa und Tom haben ein großes Haus mit Garten. Ich parke vor einer modernen Doppelgarage, in der ein Auto steht. Lisa weiß schon, dass ich da bin. Sie steht in der Haustür. „Moin!“, begrüßt sie mich. So ist das hier.

Nach einer Woche Recherchearbeit im Dorf habe ich meine Meinung geändert. Ich hätte wirklich nicht gedacht, dass es hier so viele interessante Menschen gibt. Ich habe junge und alte Leute getroffen, mit denen man über Gott und die Welt reden kann. Manche wollten ihr Dorf nie verlassen, andere sind nach ein paar Jahren zurückgekommen und wollen jetzt für immer bleiben.

„Wir haben hier viel Platz, jeder kennt jeden und alle halten zusammen“, sagt Lisa zum Abschied und lächelt zufrieden. „Natürlich ist hier auch nicht immer alles Sonnenschein. Langweilig ist es aber nie!“ Stimmt. Ich komme ganz sicher bald wieder nach Wettrungen!

Im Dorf nachgefragt:

Woran denken Sie gerade?

HIER LERNEN SIE:
- das Leben im Dorf beschreiben
- Begriffe erklären
- ein Videointerview machen
- Wörter auf Plattdeutsch verstehen
- früher und heute vergleichen

Angela Korte (48), Bürgermeisterin und Hobbygärtnerin bei der Apfelernte

»Ich denke an unsere Gemeinde. Wenn wir wollen, dass unser Dorf für die nächste Generation attraktiv ist, dann müssen wir jetzt etwas tun!«

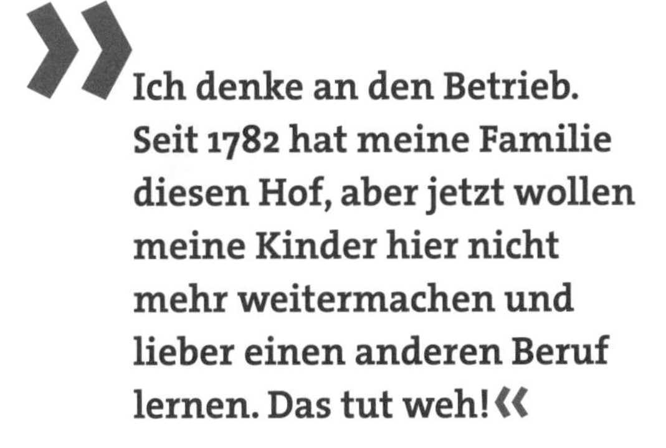

»Ich denke an den Betrieb. Seit 1782 hat meine Familie diesen Hof, aber jetzt wollen meine Kinder hier nicht mehr weitermachen und lieber einen anderen Beruf lernen. Das tut weh!«

Werner Altmann (64), Landwirt in seinem Kuhstall

1 Im Dorf

4.12 a) Ein Morgen im Dorf. Was hören Sie? Notieren und vergleichen Sie.

b) Machen Sie ein Wörternetz. Die Fotos helfen.

2 Bernd Vogel

a) Wer ist Bernd Vogel? Lesen Sie das Autorenporträt und berichten Sie.

b) Was macht er in Wettrungen?

3 Nichts los in Wettrungen?

a) Was denkt Bernd Vogel vor und nach seinem Besuch über das Leben im Dorf? Lesen Sie den Magazinartikel und berichten Sie.

b) Leben im Dorf. Lesen Sie den Magazinartikel noch einmal und nennen Sie Vor- und Nachteile.

Mir gefällt am Leben im Dorf, dass ...

Ein klarer Nachteil ist, dass ...

4 Zwei Dorfbewohner*innen im Interview

a) Was finden die Bürgermeisterin und der Landwirt wichtig? Sehen Sie sich die Fotos an, lesen Sie die Zitate und berichten Sie.

4.13 b) Wählen Sie eine Person aus und hören Sie das Interview. Über welche Themen wird gesprochen? Notieren und vergleichen Sie.

c) Angela, Werner oder beide? Wer sagt das? Lesen Sie die Interviews auf S. 282 und berichten Sie.

Wettrungen ist ein kleines Dorf, in dem ...

a) Sprechen Sie schnell.

Wettrungen ist Wettrungen heißt	der kleine Ort, in dem das kleine Dorf, in dem die kleine Gemeinde, in der	Bernd Vogel für einen Artikel recherchiert. 582 Einwohner und über 4.000 Tiere leben. es schon lange keine Schule mehr gibt. es heute nur noch wenige Bauernhöfe gibt.

25

b) Sammeln Sie Relativsätze (*in/mit* + Dativ) im Magazinartikel auf S. 202 und markieren Sie wie im Beispiel.

Ich habe viele Leute getroffen, mit denen man über Gott und die Welt reden kann.

2 Der Dorfkurier

a) *Was ist ...?* Lesen Sie den Dorfkurier. Fragen und antworten Sie wie im Beispiel.

Was ist ein Dorfkurier?

Das ist eine Dorfzeitung, in der alle wichtigen Termine stehen.

Dorfkurier 10/2022

Sportverein
6.10., 19 Uhr:
Versammlung im Vereinsheim des SV Wettrungen

Landfrauenverein
30.10., 16 Uhr:
Kaffeetrinken mit unseren Senior*innen im Gemeindehaus

Jugendclub
18.10., 20:00 Uhr im Gemeindehaus:
Dorfkino (ab 16)

Hofladen Holtkamp
sucht ab sofort
1 Verkäufer*in.

Sonntag, 9. Oktober ab 15 Uhr
auf dem Dorfplatz
(Bei schlechtem Wetter findet das Herbstfest im *Goldenen Hahn* am Dorfplatz statt.)

26.10., 15:30 – 17:00 Uhr im Gemeindehaus:
Bürger*innen-Sprechzeit mit unserer Bürgermeisterin Angela Korte

Achtung! Ab 1. November gibt es einen neuen Winterfahrplan für den Schulbus!

Wir gratulieren im Oktober:
02.10. Heinrich Klaas, 95 Jahre
27.10. Frieda Wölken, 82 Jahre
Alles Gute zum Geburtstag!

Musikverein
Unsere Probe am 10.10. fällt aus! Die nächste Probe findet am 17.10. um 18 Uhr im *Goldenen Hahn* statt.

Freiwillige Feuerwehr
1.10., 19 Uhr:
Notfall-Übung.
Danach wird gegrillt!

Die kleinen Mäxe
Spielgruppe für Mütter, Väter und Kinder (1–3 Jahre):
12.10., 10:00 – 11:30 Uhr,
Alte Schule

b) Veranstaltungen, Termine und Orte. Fragen und antworten Sie wie im Beispiel.

Weißt du, was die Feuerwehr im Oktober macht?

Ja. Die Feuerwehr macht am ersten Oktober um neunzehn Uhr eine Übung. Danach wird gegrillt.

3 Typisch Dorf!?

2.15

a) Bernd Vogel hat drei Karten mit Aussagen für Videointerviews vorbereitet. Welche Aussagen stehen auf den Karten? Sehen Sie sich das Video an, kreuzen Sie an und vergleichen Sie.

1 ◯ Alles Sonnenschein!?
2 ◯ Hier gibt es nichts!
3 ◯ Alle haben zwei Autos.
4 ◯ *Wettrungen forever!*
5 ◯ Es gibt viele Hunde.
6 ◯ Jeder kennt jeden!

b) Was sagen Hanni, Frank oder Lina zu den drei Aussagen? Wählen Sie eine Person aus, sehen Sie sich das Video noch einmal an und machen Sie sich Notizen.

Hanni Holtkamp (62), Hausfrau

Frank Schmidt (38), Maurer

Lina Schulte (17), Schülerin

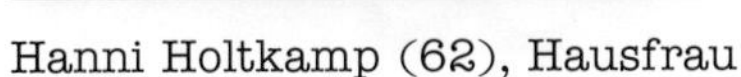
Hanni Holtkamp: Wettrungen forever kann man auch auf Deutsch sagen, ...

c) Vergleichen Sie Ihre Notizen aus b) und berichten Sie.

Hanni meint, dass in Wettrungen viel los ist.

d) Was meinen die Wendungen? Sehen Sie das Video noch einmal und verbinden Sie wie im Beispiel.

1 (Also) Ehrlich gesagt ...
2 Man muss (ja) aufpassen, was man sagt.
3 Und ob!
4 Ich will ja nichts gesagt haben, aber ... → a

a Von mir hast du das (aber) nicht (gehört).
b Wenn du mich fragst, ...
c Man darf nicht immer sagen, was man denkt.
d Aber klar!

4 *Hast du schon gehört, ...?*

4.14

a) Klatsch und Tratsch im Dorf. Hören Sie die Minidialoge und achten Sie auf die Intonation.

Hast du schon gehört, dass Schultes schon wieder in den Urlaub fahren?

Ich frage mich, wie die das bezahlen können. Aber man muss ja aufpassen, was man sagt.

Otto muss jetzt doch sein Haus verkaufen. Von mir hast du das aber nicht gehört!

Ich will ja nichts gesagt haben. Aber wenn du mich fragst, ist das auch kein Wunder!

b) Tratsch in Wettrungen. Machen Sie mit! Achten Sie auf die Intonation.

5 Typisch Deutschkurs!?

a) Interviews im Kurs. Schreiben Sie drei Aussagen zu Ihrem Deutschkurs auf Karten. Machen Sie dann Videointerviews mit zwei Kursteilnehmer*innen wie in Aufgabe 3.

Bitte mehr Vokabeltests!

Jeder kennt jeden! ☺

Deutsch macht Spaß!

b) Präsentieren Sie Ihre Videos. Die anderen kommentieren.

Dein/Euer Video hat mir sehr gut gefallen, weil ...

Im Museumsdorf

a) Was ist ein Museumsdorf? Sehen Sie sich den Plan an, wählen Sie die richtige Aussage und berichten Sie.

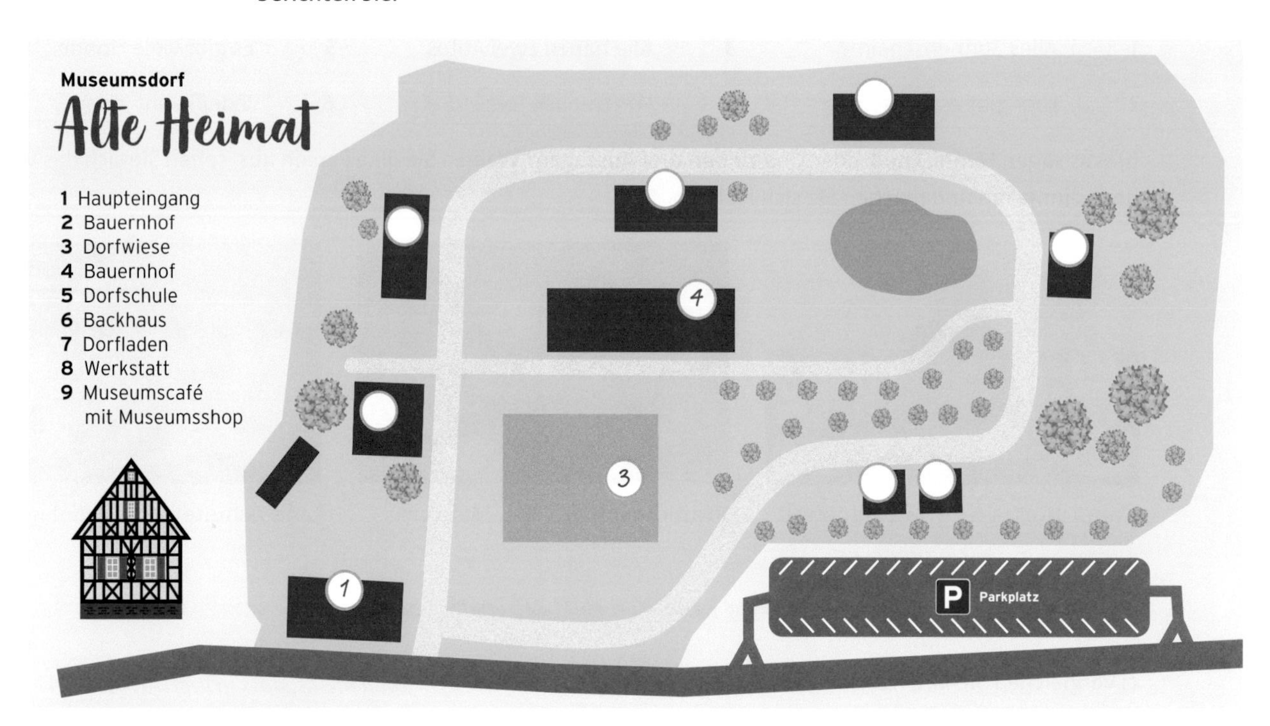

4.15

b) Hören Sie den Audioguide, ergänzen Sie die Zahlen für die Gebäude im Plan in a) und vergleichen Sie.

Ein Rundgang durch das Museumsdorf

30.2

a) Was wurde hier früher gemacht? Sehen Sie sich die Fotos an und sammeln Sie Tätigkeiten.

1 Die Dorfschule wurde Anfang des 20. Jahrhunderts gebaut und steht seit 2004 im Museumsdorf.
2 Das Backhaus aus Wettrungen ist aus dem Jahr 1821.
3 In unserem Dorfladen ist die Zeit seit 1960 stehengeblieben!
4 Unsere Werkstatt sah in der Mitte des 19. Jahrhunderts genauso aus wie heute.

1 In der Werkstatt: etwas bauen, ...

4.16–4.19

b) *Früher wurde hier ...* Wählen Sie ein Gebäude aus. Hören Sie den Beitrag aus dem Audioguide. Vergleichen Sie dann mit Ihren Ergebnissen aus a) und ergänzen Sie.

c) Hören Sie den Beitrag noch einmal und berichten Sie in Ihrer Sprache.

3 *B wie Backhaus*

4.20

Hören Sie und sprechen Sie nach. Achten Sie auf *b* und *w*.

1
wwwww – weiter
B – Backhaus
Dann geht es weiter zum Backhaus.

2
wwwww – wird
B – Brot – gebacken
Dort wird Brot gebacken.

3
B – Backhaus
wwwww – Werkstatt
Vom Backhaus gehen wir zur Werkstatt.

4 So wurde das früher gemacht!

a) Im Backhaus. Was, wann, wie, wo? Lesen Sie den Informationstext und sammeln Sie.

Backen wie in alten Zeiten

In unserem Backhaus aus dem Jahr 1789 wurden noch bis 1923 jeden Freitag die Brote für die ganze Woche gebacken. Der Teig wurde zuhause vorbereitet und dann ins Backhaus gebracht. Früh am Morgen wurde dort Feuer im Ofen gemacht und bis zum Nachmittag – und manchmal sogar Abend – gebacken.

Der Ofen im Backhaus

Im Backhaus wurde früher Brot gebacken.

Genau. Jeden Freitag wurden ...

Frisches Landbrot. Lecker!

b) Jeden Freitag wird gebacken! *Zuerst, dann, danach, zum Schluss*. Berichten Sie wie im Beispiel.

- Zuerst wird der Teig vorbereitet.
- Auch am letzten Freitag wurde der Teig vorbereitet.
- Genau. Das macht der Bäcker. Er bereitet immer den Teig vor.

5 *Moin!*

4.21

a) Plattdeutsch für Anfänger*innen. Hören Sie und sprechen Sie nach.

1 ◯ Moin!
2 ◯ In'n Norden sech wie Moin!
3 ◯ Maak moal mit!
4 ◯ Kien Problem.
5 ◯ Gut goan!

a Kein Problem!
b Alles Gute!
c Mach mal mit!
d Im Norden sagen wir *Moin!*
e Guten Morgen! / Guten Tag! / Guten Abend!

Landeskunde
Zur Begrüßung kann man im Norden immer *Moin* sagen.

b) Was bedeuten die Aussagen aus a)? Ordnen Sie zu und berichten Sie.

Moin heißt ...

6 So war das hier!

a) Museumsdörfer in anderen Ländern. Recherchieren Sie und notieren Sie die Informationen. ODER Leben und Arbeiten vor 50 Jahren. Fragen Sie eine ältere Person in Ihrer Familie oder Nachbarschaft, wie sie gelebt und gearbeitet hat und notieren Sie.

b) Bereiten Sie mit den Informationen aus a) eine Präsentation vor. Die Redemittel helfen.

c) Stellen Sie Ihre Präsentation im Kurs vor. Die anderen kommentieren.

1 Drei Leser*innenbriefe

a) Wer hat sich über den Artikel von Bernd Vogel gefreut? Lesen Sie die Briefe und kreuzen Sie an.

1 ◯ Vielen Dank für den schönen Artikel! Ich lebe auch in einem kleinen Dorf, in dem es genauso ist! Ich konnte mir die Dorfstraße sehr gut vorstellen. Bei uns ist es mittags auch sehr ruhig und man kann sogar riechen, was in den Häusern gekocht wird. (Uwe S., Belm) Zeilen ______

2 ◯ Die Artikel von Bernd Vogel lese ich immer gerne, aber dieser hat mir nicht so gut gefallen. Ich bin Landärztin und kenne hier in den Dörfern viele Menschen, mit denen man über alles reden kann. Dorfbewohner*innen sind doch nicht langweilig! (Dr. Eva W., Emden) Zeilen ______

3 ◯ Besonders gut hat mir der Artikel gefallen, in dem Bernd Vogel über seine Entdeckungsreise schreibt. Man kann auch zwischen den Zeilen viel entdecken. Zum Beispiel leben in Wettrungen sicher (noch) nicht viele Menschen, die aus der Stadt kommen. Wirklich toll geschrieben! Der Artikel macht große Lust auf das Leben auf dem Land. Danke! (Otto H., Bremerhaven) Zeilen ______

b) Finden Sie die markierten Informationen aus a) im Artikel auf S. 202. Ergänzen Sie die Zeilen in a).

c) Zwischen den Zeilen lesen. Wie verstehen Sie die Sätze? Notieren Sie wie im Beispiel.

Lisa und Tom haben ein großes
15 Haus mit Garten. Ich parke vor
einer modernen Doppelgarage,
in der ein Auto steht. Lisa weiß
schon, dass ich da bin. Sie steht
in der Haustür.

Lisa und Tom haben viel Platz. Ich habe gehört, dass ein Haus im Dorf nicht so teuer ist wie ...

2 In Wettrungen

a) Lesen Sie die Aussagen, vergleichen Sie mit dem Magazinartikel auf S. 202 und ergänzen Sie passende Wendungen.

a Die Menschen im Dorf kann nichts trennen. ______

b Hier ist es total langweilig. ______

c Es gibt auch Streit und Probleme. *Hier ist nicht immer alles Sonnenschein.*

d Ohne ... kann man hier nichts machen. ______

e Man kann über alles reden. ______

b) Jugendliche berichten. Lesen Sie die Aussagen und ergänzen Sie passende Wendungen aus a).

1 Ich unterhalte mich eigentlich gerne mit den Leuten im Dorf. Das ist immer interessant.

Ich kann mit den Leuten im Dorf über Gott und die Welt reden.

2 Bei uns im Dorf ist es total langweilig. Hier gibt es kein Café, kein Kino und keine Partys.

______

3 Man braucht unbedingt ein gutes Fahrrad, wenn man noch nicht Autofahren darf.

______

4 Ärger gibt es hier natürlich auch manchmal.

______

5 Jeder kennt jeden und jeder hilft jedem. Hier ist niemand allein.

______

3 Kreuzworträtsel. Ergänzen Sie die Wörter wie im Beispiel.

Lösungswort: der __ U __ __ __ __ __ __
1 2 3 4 5 6 7 8

▸a FEUERWEHR
▸c E _ _ W _ _ _ _ _
▸d _ _ N _ _ _ _ _ _ _ _ R _ _ _
▸f _ E _ C _ _ O _ _ N
▸i _ _ _ _ _ _ R
▾e _ Ü _ _ E _ _ _ R _
▾g _ _ Ä C _ _

a Notruf 112
b anderes Wort für Dorf oder Stadt
c alle Jungen und Männer, die in einem Ort leben
d Frauenorganisation im Dorf
e Stadt im Westen Deutschlands
f nicht geöffnet
g Größe in Quadratkilometer (km^2)
h Hier parken zwei Autos
i Fahrzeug für die Arbeit auf dem Feld
j Gruß im Norden Deutschlands

4 Markus Altmann im Interview

4.22

a) **Welche Fragen stellt Bernd Vogel? Hören Sie das Interview und kreuzen Sie an.**

1 ◯ Wie lebst du in 20 Jahren?
2 ◯ Welche Hobbys hast du?
3 ◯ Warum willst du nicht auf dem Hof arbeiten?
4 ◯ Wie findest du das Leben auf dem Land?
5 ◯ Was machst du eigentlich beruflich?
6 ◯ Wer kümmert sich denn um deine Eltern?
7 ◯ Wo lebst du jetzt?
8 ◯ Was fehlt dir in der Stadt?

b) **Hören Sie das Interview noch einmal und machen Sie sich Notizen über Markus.**

c) **Ergänzen Sie das Profil wie im Beispiel. Die Notizen aus b) helfen.**

„Ein Leben als Landwirt ist nichts für mich! Ich arbeite lieber mit Holz!“

Markus Altmann (36)

♥ mit Ilse ⌂ in Emden ✂ Möbeltischler

Das mache ich gerade:
Ich baue einen Esstisch aus Holz für ....

Das mag ich:
______

Das macht mir Sorgen:
______

Das wünsche ich mir für die Zukunft:
______

5 Entdeckungsreise im Dorf

a) Erinnern Sie sich an den Merksatz aus Einheit 5? Ergänzen Sie.

Von ________, ________, ________ nach ________, ________, ________ kommst immer mit dem Dativ du.

b) Lesen Sie Bernds Notizen für den Magazinartikel und markieren Sie die Präpositionen wie im Beispiel. Welche Frage passt zu allen Präpositionen im Text? Kreuzen Sie an.

1 ◯ *Wo ...?* 2 ◯ *Wohin ...?*

Tag 1: Endlich bin ich in Wettrungen. Ich fahre auf der Dorfstraße zwischen alten Bäumen und Bauernhöfen entlang und biege an der Kneipe rechts ab. Dann parke ich vor der Doppelgarage von Lisa und Tom. Eine Katze liegt unter einem Auto und schläft. Hinter dem Haus spielen Kinder. Lisa steht schon in der Tür und begrüßt mich.

c) Lesen Sie weiter und ergänzen Sie die Präpositionen.

Tag 2: Es ist halb sieben. Ich bin früh wach und gehe *im* [1] *Dorf spazieren.* ________ [2] *der Bushaltestelle* ________ [3] *der Dorfkneipe und der alten Schule warten ein paar Kinder. Ich rede* ________ [4] *ihnen, bis der Schulbus kommt. Dann treffe ich Frau Holtkamp, die heute draußen* ________ [5] *ihrem Hofladen frisches Obst und Gemüse anbietet. Ich frage sie, ob ich später ein Interview* ________ [6] *ihr machen darf. Ich darf! ;-)*

mit – ~~im~~ – zwischen – mit – vor – an

6 Erinnerungen an einen Deutschkurs

a) Lesen Sie und verbinden Sie wie im Beispiel.

1 E102 war der Raum,
2 Das ist die PagePlayer-App,
3 Ich erinnere mich gern an die Lehrerin,
4 Und das sind Jaime und Ezra,

a mit denen ich oft Vokabeln gelernt habe.
b mit der der Unterricht viel Spaß gemacht hat.
c in dem wir immer Unterricht hatten.
d mit der ich unterwegs Deutsch geübt habe.

b) Verbinden Sie die Sätze wie im Beispiel.

1 *Das Leben* ist das Buch. Mit dem Buch habe ich im A2-Kurs Deutsch gelernt.
2 Mir hat das Video gefallen. In dem Video hat Selma Radfahren gelernt.
3 Wir hatten 120 Stunden Unterricht. In den Stunden haben wir oft gelacht.
4 Deutsch A2 ist ein Kurs. In dem Kurs war es eigentlich nie langweilig.

1 Das Leben ist das Buch, mit dem... ....

c) *Der Raum, das Heft, die Kursteilnehmerin, ...* Machen Sie Fotos von Gegenständen und Personen aus Ihrem Deutschkurs und beschreiben Sie sie. Die Beispiele in a) und b) helfen.

7 *Woher kommen Sie eigentlich?*

a) Ergänzen Sie die Informationen und lesen Sie den Text laut.

Ich komme aus ________________. *Das ist eine Stadt / ein Dorf in* ________________, *in der / in dem* ________________ *Menschen leben.*

2.16

b) **Videokaraoke. Sehen Sie sich das Video an und antworten Sie.**

c) **Was wissen Sie über die Frau? Sehen Sie sich das Video noch einmal an und beschreiben Sie.**

Die Frau kommt aus ....

8 Hanni, Frank oder Lina?

a) **Lesen Sie die Aussagen und sehen Sie sich das Video aus Aufgabe 3 auf S. 205 noch einmal an. Zu wem passen die Aussagen? Ergänzen Sie die Namen.**

1 (a) *Lina*: „Dorfkino ist auch nicht so cool. Meistens werden da alte Filme gezeigt."
2 ( ) ________: „Wir haben ja nicht nur das Herbstfest. Bei uns im Dorf wird oft und gerne gefeiert."
3 ( ) ________: „Im Dorf wird viel geredet, weil jeder jeden kennt. Mir gefällt das gar nicht."
4 ( ) ________: „Natürlich wird bei uns auch ab und zu mal ein Bier getrunken und gegrillt."
5 ( ) ________: „Ich kenne hier alle und ich duze auch alle. Das wird hier so gemacht."
6 ( ) ________: „Mir werden ja Fragen gestellt ...! Ich wollte nie weg und bleibe auch im Dorf!"

b) **Lesen Sie die Aussagen in a) noch einmal und markieren Sie die Passivformen.**

c) **Wer macht das? Ordnen Sie den Passivsätzen in a) passende Personen zu und schreiben Sie wie im Beispiel.**

a der Jugendclub
b alle Einwohner*innen
c Frank und seine Nachbarn
d Bernd Vogel

1 Der Jugendclub zeigt meistens alte Filme. ....

9 *Hast du schon gehört, ...?*

4.23

a) **Frau Uhl tratscht im Büro. Hören Sie, lesen Sie mit und markieren Sie die betonten Wörter wie im Beispiel.**

1 „Frau Meier aus dem Sekretariat hat schon wieder ein neues Kleid. Von mir haben Sie das aber nicht gehört!"
2 „Ich will ja nichts gesagt haben, aber gerade habe ich der Praktikantin zum zehnten Mal erklärt, wie die Kaffeemaschine funktioniert."
3 „Und ob die Tochter vom Chef Probleme in der Schule hat! Mein Sohn geht mit ihr in eine Klasse. Aber man muss ja aufpassen, was man sagt."

PSSST...!

b) **Zwischen den Zeilen hören. Was meint Frau Uhl? Kreuzen Sie an.**

1 Ich glaube, dass Frau Uhl auch gerne ein neues Kleid haben möchte. ....

1 ( ) Ich finde es schön. ( ) Sie hat schon so viele.
2 ( ) Ich bin genervt. ( ) Das lernt sie noch.
3 ( ) Mein Sohn ist schlauer. ( ) Die Tochter vom Chef hat Probleme in der Schule.

10 Wettrungen früher und heute

4.24

a) Was gibt es heute nicht mehr? Hören Sie und kreuzen Sie in der Karte an.

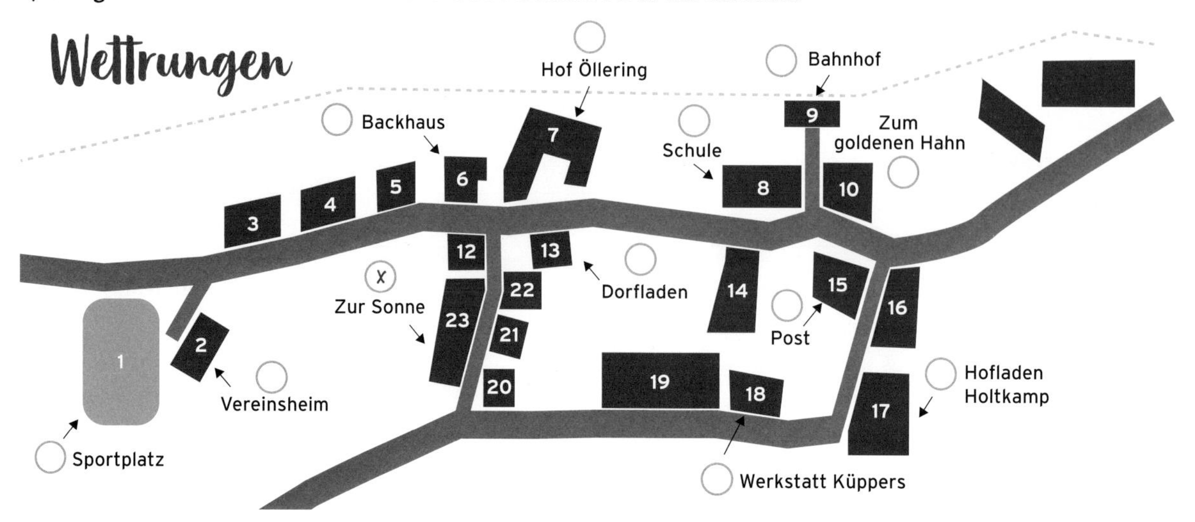

b) Wettrungen früher und heute. Hören Sie noch einmal und machen Sie Notizen.

	Zur Sonne	das Backhaus	die Schule	die Werkstatt
früher	*Hochzeit feiern, ...*			
heute				*steht leer*

c) Vergleichen Sie früher und heute. Die Angaben in b) helfen.

Zur Sonne: Früher wurden in der Dorfkneipe Hochzeiten gefeiert. Heute sind dort ...

d) *Früher wurde(n) hier ...* Hören Sie noch einmal und beschreiben Sie mit Präteritum Passiv wie im Beispiel.

1 Die alte Post – Briefe und Pakete verschicken: *Früher wurden hier Briefe und Pakete ...*
2 Der alte Bahnhof – Tickets verkaufen, Gäste begrüßen: ____
3 Der alte Dorfladen – Lebensmittel einkaufen, über andere reden: ____

11 *Entschuldigung, wo ist ...?* Hören Sie die Wegbeschreibungen, vergleichen Sie mit der Karte in 10a) und ergänzen Sie die Hausnummern.

4.25

a Familie Albers: ____ **b** das Feuerwehrhaus: ____

12 *Melk un Water*

a) Plattdeutsch und andere Sprachen. Recherchieren Sie und ergänzen Sie.

Englisch	Niederländisch	Plattdeutsch	Deutsch
eat and drink		*eten un drinken*	
	koken en bakken	*koken un backen*	
		Melk un Water	*Milch und Wasser*
	zout en peper	*Solt un Peper*	

b) Vergleichen Sie die Sprachen. Welche Wörter sind ähnlich?

Fit für Einheit 16?

1 Mit Sprache handeln

das Leben im Dorf beschreiben

Wettrungen ist ein kleines Dorf in Norddeutschland mit 582 Einwohnern.
Hier gibt es keine Schule, keine Bank, keinen Supermarkt und keinen Arzt.
Wir haben hier viele Vereine. Ich bin im Sportverein.
Die Feuerwehr bekommt ein neues Auto.
Ehrlich gesagt, finde ich das Leben im Dorf total langweilig. Ich will hier weg!

früher und heute vergleichen

Die Dorfschule wurde Anfang des 20. Jahrhunderts gebaut und steht seit 2004 im Museumsdorf.
Früher gab es hier noch eine Dorfschule. Heute fahren die Kinder mit dem Bus in den Nachbarort.
Bis 1923 wurde im Backhaus noch Brot gebacken.

Wörter auf Plattdeutsch verstehen

Moin!
Kien Problem.
Gut goan!

2 Wörter, Wendungen und Strukturen

im Dorf

der Traktor, die Hühner, der Landfrauenverein, der Kuhstall, der/die Landwirt*in, die Apfelernte
Hier ist echt nichts los! Ohne ... geht hier gar nichts!
Jeder kennt jeden und alle halten zusammen.
Mit ... kann man über Gott und die Welt reden.
Hier ist auch nicht immer alles Sonnenschein.

Relativsatz mit *in/mit* + Dativ

Tom ist der Freund, mit dem ich früher immer Fußball gespielt habe.
Wettrungen heißt das Dorf, in dem Bernd Vogel für einen Artikel recherchiert.
Der Dorfkurier ist die Zeitung, in der alle wichtigen Termine stehen.
Die Wettrunger sind die Leute, mit denen Bernd Vogel Interviews macht.

Präteritum Passiv

Früher wurden in der alten Werkstatt noch Traktoren repariert.
In unserem alten Backhaus wurde jeden Freitag Brot gebacken.
Wurden früher alle Kinder aus dem Dorf in einem Raum unterrichtet?

3 Aussprache

das *-b-* und *w-*: Hier **w**ird **B**rot ge**b**acken. Vom **B**ackhaus gehen **w**ir zur **W**erkstatt.

Interaktive Übungen

Mit der Familie in den Bergen wandern. Freizeitglück pur!
Eric aus Innsbruck

Ich bin glücklich, wenn ich mit meinem Hund Kuno im Park spazieren gehe.
Jo aus Hannover

Ich habe vor einem Monat einen Ausbildungsplatz bekommen. Das hat mich total glücklich gemacht.
Elham aus Essen

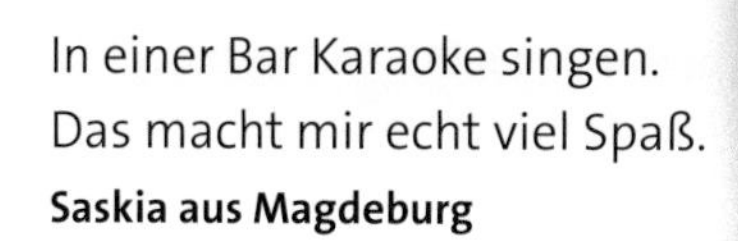

In einer Bar Karaoke singen. Das macht mir echt viel Spaß.
Saskia aus Magdeburg

Wenn ich im Garten arbeite, bin ich entspannt und zufrieden.
Wolfram aus Göppingen

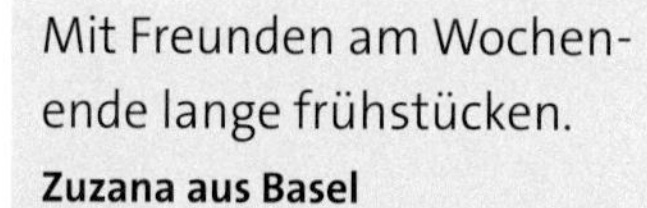

Mit Freunden am Wochenende lange frühstücken.
Zuzana aus Basel

Als ich letzte Woche die Deutschprüfung bestanden habe, habe ich mich sehr gefreut. Ich habe mich richtig glücklich gefühlt!
Esperanza aus Leipzig

HIER LERNEN SIE:
- über Glück und Pech sprechen
- sagen, was einen glücklich macht
- über Ziele, Wünsche und Träume sprechen
- Informationen betonen
- eine Bucketliste schreiben

Die Suche nach dem Glück

Wir träumen von der großen Liebe, von einem Lottogewinn oder vom Erfolg im Beruf. Seit es Menschen gibt, gibt es die Suche nach dem Glück.

Text Olympia Pappas

Hörtipp aus der Redaktion:
Olympia Pappas spricht im Podcast mit dem Psychologen und Glücksforscher Prof. Wolfgang Huber auf www.unserleben.example.de

Jede*r will glücklich sein. Glückliche Menschen fühlen sich gut und freuen sich über das Leben. Glück ist ein tolles Gefühl, das man immer haben möchte.

Viele Menschen glauben, dass Geld der Schlüssel zum Lebensglück ist. Aber Geld allein macht nicht dauerhaft glücklich. Das haben viele Studien bewiesen. Aber was ist es dann? Was brauchen wir wirklich, um zufrieden und glücklich zu sein? Glücksforscher*innen haben festgestellt, dass die Familie, eine gute Partnerschaft, Freundinnen und Freunde, eine sichere Arbeit und Gesundheit die wichtigsten Glücksfaktoren sind.

Ein Rezept für das Glücklichsein gibt es leider nicht. Es muss aber nicht immer das große Glück sein. Oft übersehen wir die „kleinen Glücklichmacher“ im Alltag: ein gutes Essen mit Freunden, ein Sitzplatz morgens in der U-Bahn, ein sonniger Tag im Frühling. Jede*r hat ihre bzw. seine ganz persönlichen Glücksmomente, die das Leben so schön machen!

1 Glücksmomente im Alltag

a) Kommentieren Sie die Glücksmomente der Leser*innen.

Saskia singt gern Karaoke. Das mache ich auch sehr gern.

Nein, Karaoke ist nichts für mich!

b) Wann sind Sie glücklich? Beschreiben Sie eigene Glücksmomente. Die Redemittel helfen.

2 Die Suche nach dem Glück

a) Lesen Sie den Magazinartikel. Markieren Sie die Glücksfaktoren und die „kleinen Glücklichmacher“.

b) Welche Glücksfaktoren sind Ihnen besonders wichtig? Gibt es welche, die fehlen? Vergleichen Sie.

Für mich ist der wichtigste Glücksfaktor …

Ich finde, dass der Glücksfaktor „Kinder“ fehlt.

c) Wortfamilie *-glück-*. Sammeln Sie Wörter im Magazinartikel.

3 Hörtipp aus der Redaktion

4.26 a) *Die meisten Deutschen sind glücklich.* Stimmt die Aussage? Hören Sie den Podcast und berichten Sie.

b) Richtig oder falsch? Lesen Sie die Aussagen vor. Ihr Partner / Ihre Partnerin antwortet. Kontrollieren Sie mit dem Hörtext.

Umfragen zeigen, dass …

Das stimmt (nicht).

c) Tipps für einen glücklichen Alltag. Notieren Sie drei Tipps und vergleichen Sie.

4 Die besten Dinge im Leben …

a) Ergänzen Sie den Satzanfang.

b) Erklären Sie das Zitat von Einstein.

5 Die Geschichte zu Erics Foto

Wer? Was? Woher? Wohin? Erzählen Sie die Geschichte.

1 Eigentlich wollte ich ... werden

Welche Berufswünsche hatten Sie, als Sie jünger waren? Vergleichen Sie.

Als ich zehn war, wollte ich Sänger werden.

Wirklich? Und was ist passiert?

Na ja, ich singe noch immer gern, aber nicht professionell. Und du? Welche Träume hattest du?

Mit 15 wollte ich ...

2 Lebensträume und Lebenswege

a) **Lesen Sie ein Porträt und machen Sie sich Notizen zu den fünf Punkten.**

Berufswunsch als Jugendliche*r • Lebenstraum • Ausbildung/Beruf • Arbeitsorte • Zufriedenheit

Menschen im Porträt

In unserer Reihe Lebensträume und Lebenswege stellen wir Ihnen zwei Menschen vor, die ihr berufliches Glück gefunden haben.

Paul in seinem Fahrradladen

Ich habe einen kleinen Fahrradladen mit einer Werkstatt in Nürnberg. Ich wollte schon länger mein eigener Chef sein. Als ich 14 war, habe ich von einer Karriere als Pilot geträumt. Das war 5 leider unrealistisch, denn ich war kein sehr guter Schüler. Nach dem Schulabschluss habe ich erst einmal eine dreijährige Ausbildung zum Sicherheitsmitarbeiter am Flughafen Nürnberg gemacht und danach sieben Jahre lang am Flughafen 10 gearbeitet. Aber die Arbeit hat mir nach einigen Jahren überhaupt nicht mehr gefallen, denn ich habe mich oft gelangweilt. Weil ich in meiner Freizeit nicht nur gern Rad fahre, sondern auch gern Räder repariere, habe ich mit Anfang 30 mein 15 Hobby zum Beruf gemacht. Ich habe jetzt einen Fahrradladen. Das war aber nicht so einfach. Zum Glück haben mich meine Frau und meine Eltern unterstützt und mir Geld geliehen. Ich arbeite jetzt viel mehr als früher, aber die Arbeit macht mir Spaß. 20 Der Fahrradladen war die richtige Entscheidung, denn der Fahrradmarkt boomt.

Paul Eckstein

Jasmin im Zahnlabor

Als ich klein war, wollte ich schon Balletttänzerin werden. Ich war total glücklich, als ich einen Platz in einer Ballettschule in Hamburg bekommen 25 habe. Aber mit 15 hatte ich einen schweren Unfall und konnte meine Tanzausbildung nicht beenden. Ich war sehr unglücklich, denn ich wollte immer nur Ballett tanzen. Ich hatte keinen Plan B und habe mehrere Jahre lang nicht gewusst, was ich 30 nach der Schule machen soll. Mir war aber klar, dass ich mit den Händen arbeiten wollte. In einem Praktikum in einem Zahnlabor konnte ich dann erste Berufserfahrung sammeln und testen, ob der Beruf Zahntechnikerin zu mir passt. Die Arbeit hat 35 mir sofort gefallen. Ich habe mich nach der Schule dann um einen Ausbildungsplatz in dem Zahnlabor beworben. Ich hatte Glück und es hat geklappt. Die Ausbildung macht mir Spaß, sie ist aber auch ganz schön anstrengend. Ich habe tolle 40 Kolleg*innen und zwei sehr nette Chefs. Zahntechnikerin ist meiner Meinung nach ein total guter Beruf.

Jasmin Fischer

b) **Fünf Sätze über ... Fassen Sie den Lebensweg von Paul oder Jasmin zusammen und vergleichen Sie.**

1. Als Paul Eckstein 14 war, ... 2. Nach dem Schulabschluss hat er sich ...

3 Ich wollte mich selbstständig machen, denn ...

a) **Gründe nennen. Sprechen Sie schnell.**

Paul hat einen Fahrradladen aufgemacht, denn
- er hat sich in seinem Job am Flughafen gelangweilt.
- er war mit seinen Arbeitszeiten unzufrieden.
- er wollte sein eigener Chef sein.
- er verkauft und repariert sehr gern Fahrräder.
- er will seinen Traum leben.

b) **Markieren Sie die Verben in den *denn*-Sätzen in 2a) und 3a).**

17

c) **Gründe nennen mit *denn* und *weil*. Vergleichen Sie die Sätze und ergänzen Sie die Regel.**

Ich konnte nicht Pilot werden, denn ich war kein guter Schüler.
Ich konnte nicht Pilot werden, weil ich kein guter Schüler war.
Ich war sehr unglücklich, denn ich wollte immer nur tanzen.
Ich war sehr unglücklich, weil ich immer nur tanzen wollte.

Minimemo
denn verwendet man oft in der geschriebenen Sprache.

Regel: Mit *denn* verbindet man zwei ________________. Mit *weil* verbindet man einen ________________ und einen ________________.

4 Mein Weg zum Beruf

a) **Schreiben Sie einen Ich-Text wie in 2a). Die Redemittel helfen.**

b) **Tauschen Sie die Ich-Texte mit Ihrer Partnerin / Ihrem Partner und stellen Sie sie vor.**

5 Zurück ins Glück

4.27

Hören Sie, lesen Sie mit und sprechen Sie nach. Achten Sie auf das *i* und *ü*.

1 immer Glück im Leben haben
2 Ich bin so glücklich!
3 gemütlich in der Küche Gemüse essen
4 ins Grüne fahren und Gitarre üben

6 Glück und Pech in Wendungen

a) **Ordnen Sie die Redewendungen den Erklärungen zu.**

Hannah hat im Lotto gewonnen. Sie ist ein Glückspilz!

A

Ich hatte Glück im Unglück! Mir ist nichts passiert.

B

So ein Pechvogel!

C

1 ◯ Das sagt man, wenn ein Unglück passiert ist. Aber es war dann doch nicht so schlimm.
2 ◯ Das sagt man über Menschen, denen oft ein Unglück passiert.
3 ◯ Das sagt man über Menschen, die fast immer Glück im Leben haben.

b) **Wendungen mit Glück und Pech in anderen Sprachen. Vergleichen Sie.**

Auf Englisch sagen wir „That was a close shave!". Das heißt Glück im Unglück haben.

1 Das Schulfach Glück

a) **Kann man Glück lernen? Machen Sie eine Umfrage im Kurs.**

b) **Wählen Sie zwei Fragen. Sammeln Sie Informationen im Interview und vergleichen Sie.**

Besser unterrichten | Besser lernen | Digitale Schule | Trends | Kontakt | Schule aktuell

Glück als Schulfach

Glücksunterricht in der Klasse 2b

An einigen Schulen in Österreich, Deutschland und der Schweiz gibt es das Schulfach Glück. Wir haben mit Mirja Stangl gesprochen. Sie unterrichtet an der Stifterschule in Linz nicht nur Deutsch und Mathe, sondern auch Glück.

Frau Stangl, wie wird man Glückslehrerin?
Ich habe vor drei Jahren eine Ausbildung zur Glückslehrerin in Wien gemacht. In der Ausbildung habe ich gelernt, wie man den Glücksunterricht plant und organisiert.

*Warum braucht man Glücksunterricht? Gibt es so viele unglückliche Schüler*innen?*
Nein, natürlich nicht. Aber für viele ist Schule oft stressig. Sie fühlen sich schlecht, haben Kopfschmerzen oder können nicht schlafen. Wir wissen aber, dass glückliche Kinder nicht nur gesünder sind, sondern auch besser mit anderen zusammenarbeiten und schneller lernen.

Kann man Glück oder Glücklichsein in der Schule überhaupt lernen?
Auf jeden Fall! Unsere Schüler*innen lernen, dass sie selbst für ihr Glück verantwortlich sind. Im Unterricht geht es um wichtige Fragen wie: Was kann ich? Was brauche ich wirklich? Was will ich? Die Kinder lernen nicht nur, was sie gut können, sondern auch, was sie noch nicht so gut können. Sie lernen auch, wie sie Probleme lösen können. Wissenschaftliche Untersuchungen haben gezeigt, dass alle nicht nur zufriedener werden, sondern auch besser in Gruppen arbeiten.

c) **Wie finden Sie das Schulfach Glück?**

Das ist eine gute Idee!

Ich weiß nicht, Mathe finde ich viel wichtiger!

2 *Nicht nur ..., sondern auch ...*

4.28

a) **Hören Sie die Sätze und achten Sie auf die betonten Informationen. Sprechen Sie dann nach.**

1. Julia lernt nicht nur Englisch, sondern auch Spanisch.
2. Nikos muss nicht nur am Samstag, sondern auch am Sonntag arbeiten.
3. Maria wünscht sich zum Geburtstag nicht nur ein Smartphone, sondern auch einen Kopfhörer.
4. Timo kann nicht nur sehr gut tanzen, sondern auch singen.

18

b) **Ich über mich. Fragen und antworten Sie wie im Beispiel. Die Sätze in a) helfen.**

Ich mag nicht nur Hunde, sondern auch Katzen? Und du?

Ich nicht. Ich mag nur Hunde.

3 *Da habe ich echt Glück/Pech gehabt!*

Schreiben ODER **berichten Sie.**

Heute Morgen habe ich den Bus verpasst.
Das war ..., weil ...

In meinem Deutschkurs hatte ich ...

4 Einmal im Leben will ich ...

a) **Lesen Sie die Liste und kommentieren Sie sie.**

Ich will auch einmal im Leben in einer Karaokebar singen!

Was? In einer Karaokebar singen? Auf keinen Fall!

b) **Lesen Sie die Kommentare. Wem stimmen Sie (nicht) zu? Die Redemittel helfen.**

Kommentar schreiben

Glückspilz, 25.05., 11:05
Ich habe heute ein Interview mit einer Bloggerin im Radio gehört. Es ging um Bucketlisten. Ich finde das Thema super interessant. Die Bloggerin meinte, dass wir unsere Wünsche und Träume im Alltag oft vergessen. Mit einer Bucketliste passiert das nicht. Ich habe gleich nach dem Interview eine App heruntergeladen und meine eigene Bucketliste gemacht. Jetzt muss ich nur noch meine Ziele erreichen. 😊 Habt ihr auch eine Bucketliste?

Pechvogel, 25.05., 11:11
Also, ich finde das Thema richtig langweilig. Listen machen uns doch nicht glücklich. Das Leben ist doch keine To-do-Liste! Und warum soll ich die Listen von anderen anschauen? Meiner Meinung nach gibt es viel wichtigere Themen.

Shuichi, 25.05., 11:16
Eine Bucketliste schreiben klingt total cool! Tolle Idee! Ich sehe das wie Glückspilz. Ich habe mir auch eine App heruntergeladen, mit der man Bucketlisten schreiben kann. Aber ich glaube, ich schreibe sie lieber auf ein Blatt Papier und hänge sie an meinen Kühlschrank. Oder was meint ihr?

Ich sehe das genauso wie ...

Ich glaube, ... hat recht. Ich finde auch, dass ...

Ich sehe das anders. Ich finde ...

5 Ich will unbedingt ...

a) **Wünsche, Ziele und Träume. Wählen Sie drei Themen aus und notieren Sie.**

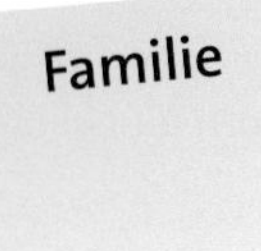

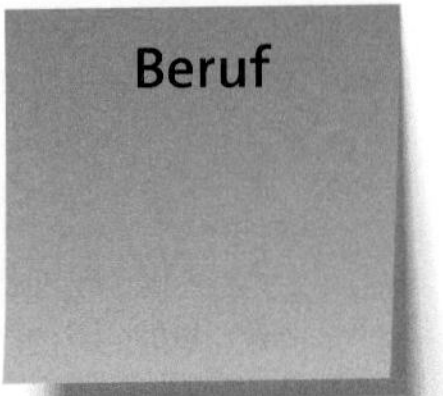

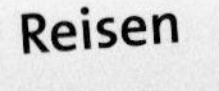

Was steht auf deiner Liste? ...

Interessant! ... steht auch auf meiner Liste.

Ich möchte auf jeden Fall noch den B1-Kurs machen!

Ach, du auch? Ich habe mich schon angemeldet.

b) **Vergleichen und kommentieren Sie.**

1 Glücksmomente

a) **Markieren Sie die Sätze mit *wenn* und *als* auf S. 214. Vergleichen Sie und kreuzen Sie an.**

	Nebensätze mit *wenn*	Nebensätze mit *als*
1 etwas, das immer wieder passiert	○	○
2 etwas, das in der Vergangenheit passiert ist	○	○

b) **Sehen Sie sich die Fotos an und beschreiben Sie die Situationen mit *wenn* oder *als* wie im Beispiel.**

1 Agneta

2 Murat

3 Sebastian

4 Familie Gruber

5 Silke und Thorsten

6 Paola

7 Leonie (fünf Jahre alt)

8 Figen

1 Als Agneta den Mietvertrag unterschrieb, war sie glücklich. 2 Murat ist glücklich, wenn ...

2 Die Suche nach dem Glück

a) **Verbinden Sie die Nomen und Verben. Vergleichen Sie mit den Texten auf S. 214–215.**

1 einen Ausbildungsplatz → e
2 eine Prüfung
3 in den Bergen
4 im Garten
5 vom Erfolg
6 nach dem Glück
7 einen Ausflug
8 die Sonne
9 kleine Glücklichmacher

a wandern
b übersehen
c arbeiten
d träumen
e bekommen
f genießen
g bestehen
h suchen
i machen

b) **Lesen Sie den Magazinartikel auf S. 215 noch einmal. Beantworten Sie die Fragen.**

1 Seit wann wollen wir Menschen glücklich sein?
2 Wie ist es, wenn man glücklich ist?
3 Was denken viele Menschen über das Geld und das Glück?
4 Was braucht man, um glücklich zu sein?
5 Was gibt es nicht?
6 Was übersehen wir oft im Alltag?

c) **Wortfamilie *Glück*. Ergänzen Sie wie im Beispiel.**

1 der Glücksmoment = *das Glück* + *der*
2 der Glücksfaktor = ______ + ______
3 die Glücksforscherin = ______ + ______
4 das Freizeitglück = ______ + ______
5 das Lebensglück = ______ + ______

Minimemo
Manchmal verbindet ein „s“ zwei Nomen.

3 Smalltalk im „Café Glück"

2.17

a) **Videokaraoke. Sehen Sie sich das Video an und antworten Sie.**

b) **Sehen Sie noch einmal und beantworten Sie die Fragen.**

1 Was bestellt der Gast?
2 Wer kommt morgens gern ins Café?
3 Warum heißt das Café „Café Glück"?

4 Berufe wiederholen. **Wer macht was? Beschreiben Sie wie im Beispiel.**

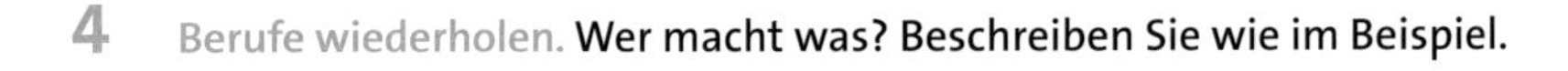

Berufe	**Aufgaben**
~~die Fotografin~~ • der Kundenbegleiter • die Maklerin • der Blogger • die Schriftstellerin • der Sicherheitsmitarbeiter • der Gemüsebauer • die Direktorin	Gepäck am Flughafen kontrollieren • neuen Mietern Wohnungen zeigen • ~~Fotos machen~~ • z. B. Kartoffeln oder Spargel anbauen • Texte im Internet veröffentlichen • Bücher schreiben • eine Schule leiten • im Zug Fahrkarten kontrollieren

Eine Fotografin ist eine Frau, die Fotos macht.

5 Berufswünsche

a) **Welche Überschrift passt? Lesen Sie den Zeitungsartikel und kreuzen Sie an.**

1 ◯ Berufswünsche von Jugendlichen
2 ◯ Die Digitalisierung der Arbeitswelt

Was sind die Traumberufe der Jugendlichen heute? Welche beruflichen Ziele haben sie nach der Schulzeit? Das wollten Bildungsforscher*innen wissen. Deshalb haben sie 2018 über 600.000 Schüler*innen weltweit gefragt, in welchen Berufen sie nach Schule, Ausbildung oder Universität arbeiten möchten. An der Umfrage haben auch fast 5.500 Schüler*innen aus Deutschland teilgenommen.

Bei den Mädchen sind die beliebtesten Berufe Lehrerin (10,4 %), Ärztin (10 %), Psychologin (4,5 %), Krankenpflegerin (4,5 %) und Architektin (3,6 %). Aber auch Berufe wie Polizistin, Designerin oder Anwältin wurden von den Mädchen oft genannt.

Die Top 5 Berufswünsche der Jungen sind IT-Spezialist (6,7 %), Mechaniker (5,2 %), Mechatroniker (5,1 %), Polizist (4,5 %) und Lehrer (3,8 %). Viele Jungen möchten aber auch Ingenieur, Architekt oder Sportler werden.

Die Ergebnisse der Umfrage haben gezeigt, dass Mädchen vor allem in traditionellen Berufen arbeiten möchten, z. B. als Verkäuferin oder als Friseurin. Und noch immer interessieren sich viel weniger Mädchen für die Naturwissenschaften als Jungen. Aber auch bei den Jungen sind Berufe wie z. B. Tischler oder Maurer sehr beliebt.

Natürlich verändert die Digitalisierung die Arbeitswelt. Es entstehen viele Berufe, die man vor wenigen Jahren noch nicht gekannt hat. Und viele traditionelle Jobs gibt es vielleicht auch bald nicht mehr. Deshalb glauben Bildungsforscher*innen, dass die Schule die Jugendlichen über moderne Berufe besser informieren muss.

b) **Lesen Sie noch einmal und sammeln Sie Informationen.**

1 Umfrage: Warum? Wer hat teilgenommen?
2 die Top 3 Berufe bei Mädchen und Jungen
3 das Ergebnis der Umfrage
4 Mädchen und Naturwissenschaften
5 traditionelle Berufe
6 Aufgabe der Schule

6 Menschen im Porträt

a) **Ordnen Sie die Wendungen den Erklärungen zu. Die Porträts auf S. 216 helfen.**

1 von einer Karriere träumen
2 sein eigener Chef / ihre eigene Chefin sein
3 das Hobby zum Beruf machen
4 keinen Plan B haben
5 etwas klappt

a keine Alternativen haben
b später erfolgreich in einem Beruf sein wollen
c nicht als Angestellte*r in einer Firma arbeiten
d etwas funktioniert
e beruflich tun, was man gern in der Freizeit tut

b) **Lesen Sie die Porträts auf S. 216 noch einmal. Beantworten Sie die Fragen.**

1 Warum hat Paul Eckstein einen Fahrradladen aufgemacht?
2 Warum konnte er nicht Pilot werden?
3 Warum hat ihm die Arbeit am Flughafen nicht gefallen?
4 Warum wurde Clara Fischer nicht Balletttänzerin?
5 Warum hat sie sich um einen Ausbildungsplatz in einem Zahnlabor beworben?
6 Warum gefällt ihr die Arbeit im Zahnlabor?

Clara Fischer im Zahnlabor

Paul Eckstein im Fahrradladen

7 Warum?

a) **Verbinden Sie die Sätze mit *weil* und *denn* wie im Beispiel. Markieren Sie die Verben.**

1 Anita will Hochzeitsfotografin werden. Sie möchte ihr Hobby zum Beruf machen.
2 Thomas macht eine Ausbildung zum Sicherheitsmitarbeiter. Er will am Flughafen arbeiten.
3 Mareike sucht eine neue Stelle. Sie muss jetzt oft am Wochenende arbeiten.
4 Murat hat nach seinem Studium sofort eine gute Stelle gefunden. Er hatte sehr gute Noten.
5 Durga lernt Deutsch. Sie will in Deutschland studieren.

1 *Anita will Hochzeitsfotografin werden, weil sie ihr Hobby zum Beruf machen möchte.*
Anita will Hochzeitsfotografin werden, denn sie möchte ihr Hobby zum Beruf machen.

b) ***Weil* oder *denn*? Ergänzen Sie.**

1 Clara will Zahntechnikerin werden, ______ sie arbeitet gern mit ihren Händen.
2 Sie findet den Beruf Zahntechnikerin attraktiv, ______ sie als Zahntechnikerin gut verdienen kann.
3 Paul ist bei seinen Kundinnen und Kunden beliebt, ______ er sie sehr gut berät.
4 Er hat Erfolg mit seinem Fahrradladen, ______ er verkauft seine Fahrräder zu günstigen Preisen.
5 Er konnte nicht Pilot werden, ______ er in der Schule keine guten Noten hatte.

8 *Und, aber, oder, denn.* Verbinden Sie die Hauptsätze.

1 Paul ist abends oft ziemlich müde, ______ er hat in seinem Laden sehr viel zu tun.
2 Clara macht eine Ausbildung zur Zahntechnikerin ______ ihr Bruder arbeitet in einer Bank.
3 Wir haben unsere Freunde zum Kaffeetrinken eingeladen, ______ sie konnten leider nicht kommen.
4 Machen wir am Sonntag eine Radtour ______ gehen wir lieber schwimmen?

9 Mein Weg zum Traumjob

a) **Lesen Sie das Profil und ergänzen Sie.**

Journalist*innen • Schule • Lebenstraum • Sport • Jugendlicher • Glück • Beruf • Berufsleben • Praktika

Ich heiße Uwe Baumann und habe meine Kindheit und Jugend in Bonn verbracht. Als ________[1] wollte ich Fußballer werden. Aber ich war leider nicht gut genug, um Profi zu werden. Das war schwer für mich, denn ich konnte meinen ________[2] nicht erfüllen. Nach der ________[3] habe ich dann ________[4] und Englisch in Köln studiert, aber ich wollte eigentlich nicht Lehrer werden. In den Semesterferien habe ich mehrere ________[5] bei einer großen Kölner Zeitung gemacht, um den Alltag von ________[6] kennenzulernen. Nach dem Studium habe ich mich dann für den ________[7] Sportjournalist entschieden. Ich hatte ________[8] und habe auch gleich eine Stelle bei der Zeitung *Sport 25* in Köln bekommen. Ich bin fast jeden Samstag im Fußballstadion und schreibe über die Spiele. Mein ________[9] ist oft stressig, aber zum Glück nie langweilig.

Uwe Baumann in der Redaktion

b) **Was ist richtig? Lesen Sie noch einmal und kreuzen Sie an.**

1 ◯ Als Uwe Baumann Schüler war, träumte er von einer Karriere als Sportler.

2 ◯ Er hat eine Ausbildung bei einer Kölner Zeitung gemacht.

3 ◯ Nach dem Studium hat er eine Stelle als Sportjournalist gefunden.

4 ◯ Jetzt kommentiert er Fußballspiele im Radio.

10 Glück und Pech in Wendungen. **Ordnen Sie zu.**

Glück im Unglück • zum Glück • Pech • Glück • Pechvogel • Glückspilz

1 Bei dem Unfall auf der Autobahn wurde ________ niemand schwer verletzt.

2 Maria ist ein ________. Sie hat eine Reise nach Rom gewonnen.

3 Markus ist von der Leiter gefallen. Aber er hatte ________, denn ihm ist nicht viel passiert.

4 Klaus ist ein echter ________. Er hat schon wieder seinen Geldbeutel verloren.

5 Carla hatte ________. Sie war noch vor dem Regen in der Berghütte.

6 Wir haben das Spiel in der letzten Minute noch verloren. Das war wirklich ________!

11 Glück als Schulfach. **Lesen Sie das Interview auf S. 218 noch einmal. Beenden Sie die Sätze.**

1 Frau Stangl unterrichtet die Fächer *Deutsch, ...* ________.

2 Frau Stangl hat eine Ausbildung ________.

3 Schule ist für viele Schüler*innen ________.

4 Glückliche Schüler*innen sind ________.

12 *Sie unterrichtet nicht nur Deutsch, ...*

a) **Markieren Sie die Sätze mit *nicht nur ..., sondern auch ...* im Interview auf S. 218.**

b) **Beschreiben Sie mit *nicht nur ..., sondern auch ...* wie im Beispiel.**

1 Frau Stangl – unterrichten – Deutsch + Mathe
2 Nach dem Glücksunterricht – viele Schüler*innen – waren – zufriedener + kreativer
3 Das Schulfach Glück – wird unterrichtet – in Deutschland + in Österreich und in der Schweiz
4 Das Schulfach Glück – macht – glücklich – Kinder und Jugendliche + Erwachsene

1 Frau Stangl unterrichtet nicht nur Deutsch, sondern auch Mathe.

13 *Einmal im Leben will ich ...*

4.29

a) **Hören Sie das Radiointerview und ordnen Sie die Themen.**

a ◯ Jan Feldmanns Bucketliste
b ◯ Definition von Bucketlisten
c ◯ Apps für Bucketlisten
d ◯ Tipps für Bucketlisten

b) **Hören Sie das Radiointerview noch einmal und kreuzen Sie an.**

		richtig	falsch
1	Jan Feldmann ist Autor und schreibt auch über amerikanische Filme.	◯	◯
2	Jan Feldmann sagt, dass man alle seine Wünsche auf eine Liste schreiben muss.	◯	◯
3	Man soll mindestens 100 Ziele notieren.	◯	◯
4	Wenn man Bucketlisten geschrieben hat, soll man sie sehr oft anschauen.	◯	◯
5	Jan Feldmann hat eine App für Bucketlisten entwickelt.	◯	◯
6	Sein Buch „Lebensträume mit Bucketlisten erreichen“ kostet 9,99 Euro.	◯	◯

c) **Korrigieren Sie die falschen Aussagen.**

d) **Welches Verb passt nicht? Streichen Sie durch.**

1 eine Liste – schreiben – veröffentlichen – setzen
2 ein Ziel – besichtigen – haben – erreichen
3 Träume – leben – haben – schlafen
4 eine Ausbildung – machen – garantieren – beginnen
5 ein Fach – unterrichten – lernen – studieren
6 Glück – suchen – haben – machen

14 Wie finden Sie Bucketlisten? **Schreiben Sie einen Kommentar. Die Kommentare auf S. 219 helfen.**

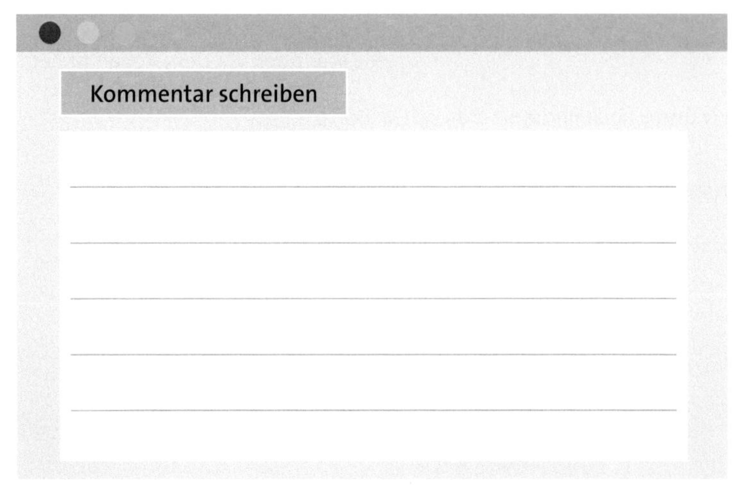

Fit für B1?

1 Mit Sprache handeln

über Glück und Pech sprechen
Glück ist ein tolles Gefühl, das man immer haben möchte.
Viele Menschen glauben, dass Geld der Schlüssel zum Lebensglück ist.
Ich habe schon wieder die U-Bahn verpasst. So ein Pech!

sagen, was einen glücklich macht
Ich bin glücklich, wenn ich mit meinem Hund spazieren gehe.
Wenn ich im Garten arbeite, bin ich entspannt und zufrieden.
Als ich die Prüfung bestanden habe, war ich richtig glücklich.
Mich macht ein Sitzplatz in der U-Bahn glücklich. Und dich?
Mit der Familie in den Bergen wandern. Das ist Freizeitglück pur.

über Ziele, Wünsche und Träume sprechen
Als ich ein kleines Mädchen war, wollte ich Balletttänzerin werden.
Als ich zehn war, habe ich von einer Karriere als Pilot geträumt.
Eigentlich wollte ich Polizist werden.
Ich wollte mich selbstständig machen und einen Laden aufmachen.
Zahntechnikerin ist mein Traumberuf.
Einmal im Leben will ich in den Alpen klettern.

2 Wörter, Wendungen und Strukturen

Wortfeld Glück
(un)glücklich sein/machen, sich glücklich fühlen, (kein) Glück haben, der Glücksmoment, der Glücksfaktor, das Lebensglück
ein Glückspilz/Pechvogel sein, Glück im Unglück haben

Gründe nennen mit *denn*
Anita will Fotografin werden, denn sie möchte ihr Hobby zum Beruf machen.
Die Arbeit hat ihm nicht gefallen, denn er hat sich oft gelangweilt.
Paul wollte einen Fahrradladen aufmachen, denn er repariert sehr gern Fahrräder.

Informationen betonen
Sie unterrichtet nicht nur Deutsch, sondern auch Mathe.
Nikos muss nicht nur am Samstag, sondern auch am Sonntag arbeiten.
Wir können nicht nur gut tanzen, sondern auch gut singen.

3 Aussprache

das *i* und das *ü*: Ich bin immer so glücklich, wenn ich Gitarre übe.

Interaktive Übungen

Wer gewinnt? Durch Das Leben A2 in 30 Aufgaben

Sie brauchen:
- mindestens zwei Spieler*innen oder zwei Gruppen
- einen Würfel
- Spielfiguren z. B. eine Münze pro Spieler*in

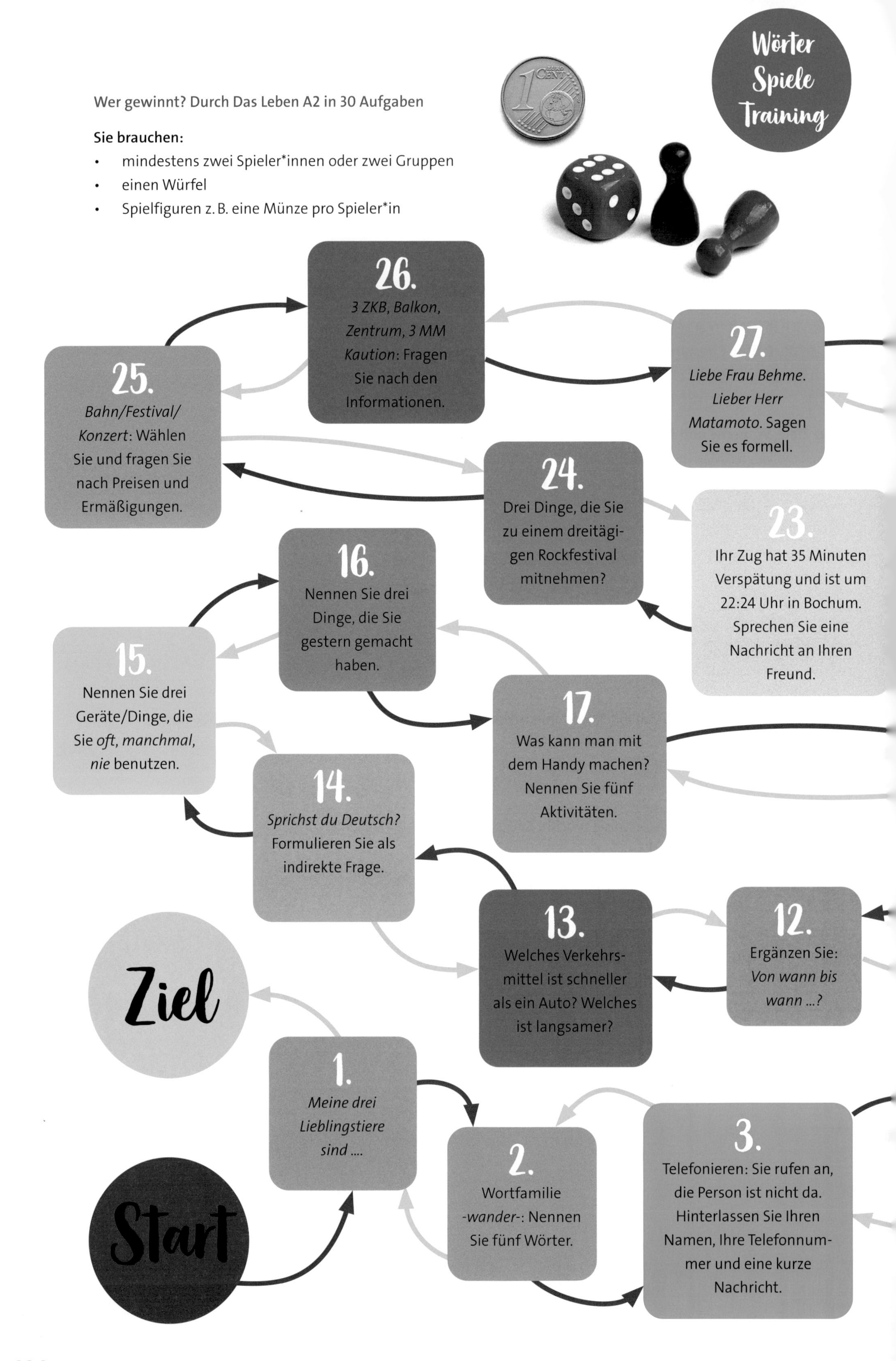

Die Spielregeln:

1. Alle Spieler*innen würfeln drei Mal. Wer eine Sechs hat, beginnt. Die anderen folgen, wenn Sie eine Sechs würfeln.
2. Würfeln Sie. Setzen Sie Ihre Figur/Münze wie auf dem Würfel angezeigt.
3. Lösen Sie die Aufgabe. Richtige Antwort: Sie bleiben auf dem Feld. Falsche Antwort: Sie gehen zwei Felder zurück.
4. Wenn Sie auf das Feld eines Mitspielers / einer Mitspielerin kommen, muss er/sie wieder auf Start zurück und neu anfangen.
5. Es gewinnt der/die Spieler*in/Gruppe, der/die zuerst alle Figuren im Ziel hat. Viel Spaß!

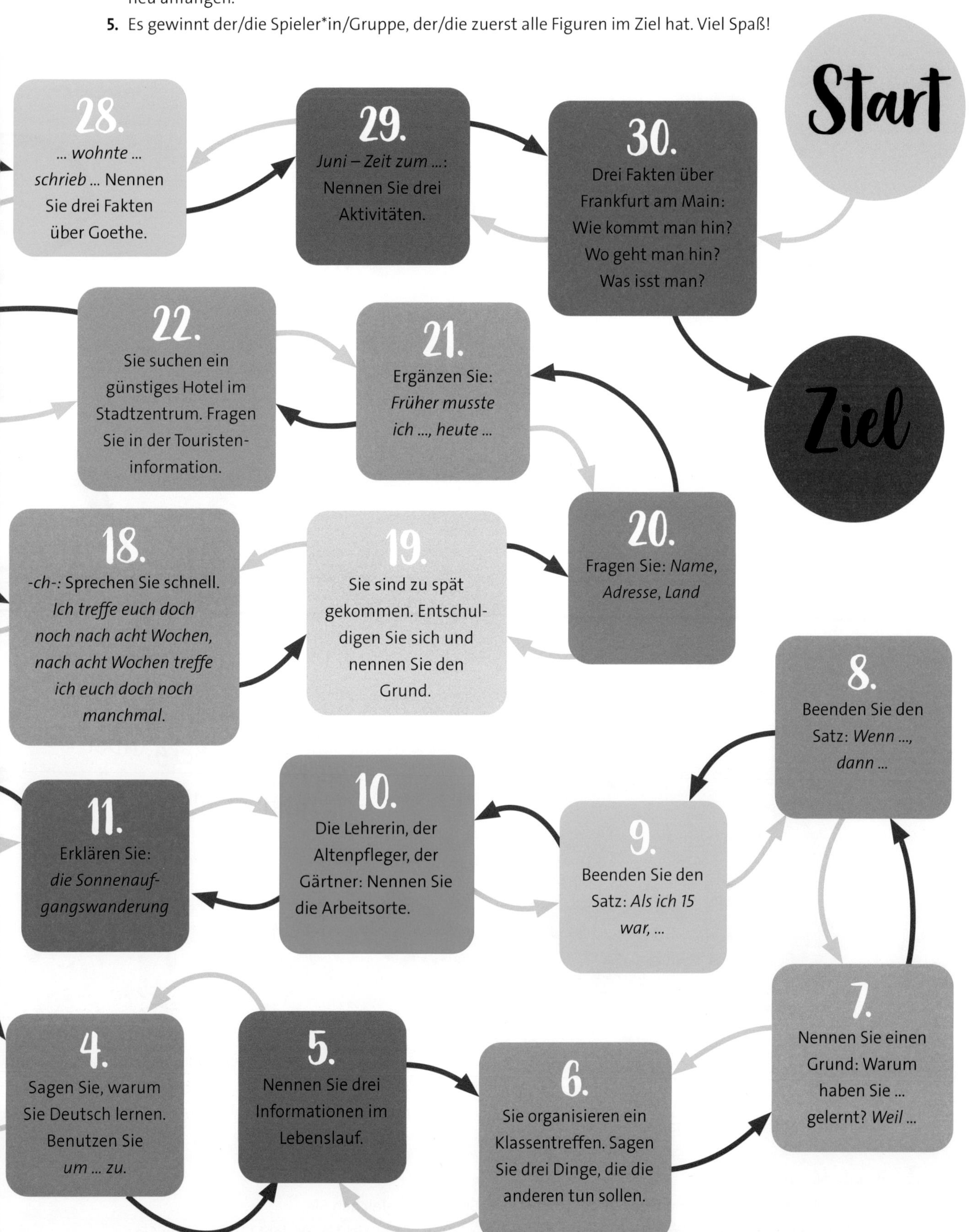

10. August 2021

Es gibt Berge,
über die man hinüber muss,
sonst geht der Weg nicht weiter.

Ludwig Thoma (1867–1921)

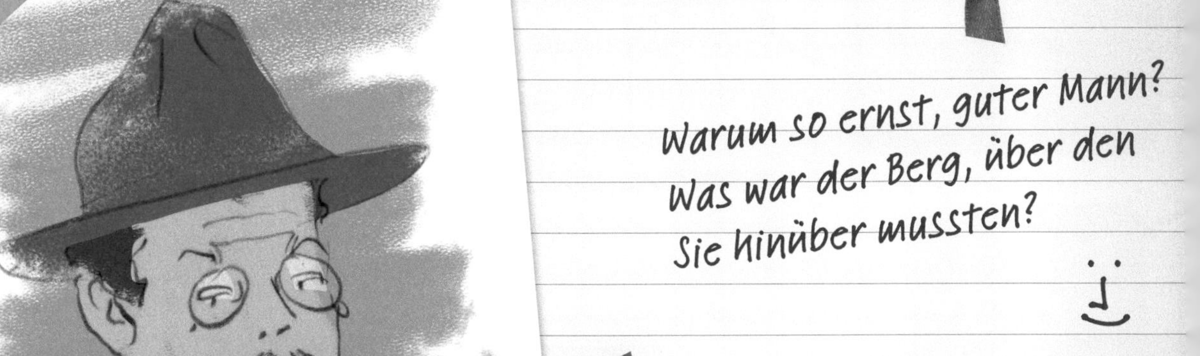

1 Literaturzitate. Wo findet man sie? Berichten Sie.

2 Sarahs Notizbuch

a) Von wem ist das Zitat? Von wem ist der Brief? Lesen Sie und vergleichen Sie.

b) Warum schreibt Sarah einen Brief an einen Autor, der schon lange nicht mehr lebt? Diskutieren Sie.

Sehr geehrter Herr Thoma,

ich schreibe Ihnen, weil ich Ihnen danken möchte. Danke für Ihre Kurzgeschichten, Theaterstücke und Romane. Für Ihre Gedanken, die mir immer beim Nachdenken helfen. Ich weiß, dass Sie meinen Brief nicht mehr lesen können. Aber ich kann meine Gedanken ordnen, wenn ich Ihnen schreibe.

Ich habe viel über Ihre Worte nachgedacht, weil ich momentan vor einem großen Berg stehe. Mein Berg ist meine Abschlussprüfung an der Universität. Ich habe etwas Angst und ich weiß, dass ich noch viel lernen muss. Diese Prüfung ist sehr schwierig. Aber wenn ich eine gute Note bekomme, dann habe ich meinen Abschluss in der Tasche. Mal sehen, wie es dann weitergeht. Ich möchte eigentlich Schriftstellerin werden wie Sie.
... und schreiben kann ich ja.
Ich kann es nicht nur.
Ich liebe es!

Es stimmt, dass man über manche Berge gehen muss.
Aufgaben, Prüfungen oder Entscheidungen gehören zum Leben dazu.
Aber ich glaube, es gibt oft Wege um den Berg herum.
Diese Wege sind dann weiter, aber nicht so schwer.
Was denken Sie?
Wie gerne möchte ich mich mit Ihnen darüber unterhalten!

Mit freundlichen Grüßen
Ihre Sarah Walter

Was man mit Zitaten machen kann
- Lieblingszitate vorstellen
- Zitate illustrieren
- über Zitate diskutieren
- ein Zitat übersetzen und präsentieren

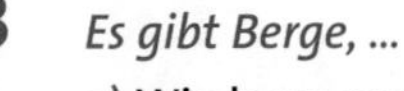

3 *Es gibt Berge, ...*

a) Wie kann man das noch sagen? Lesen Sie das Zitat und vergleichen Sie.

b) Für Sarah ist die Prüfung ein Berg. Und für Sie?

4 Der Brief

a) Sarah macht sich Sorgen. Warum? Beschreiben Sie.

b) Über den Berg oder um den Berg herum? Welchen Weg nehmen Sie? Begründen Sie Ihre Meinung mit einem Beispiel.

5 Fragen und Antworten

a) Welche Fragen hat Sarah an den Autor? Schreiben Sie und vergleichen Sie.

b) Schreiben Sie einen Antwortbrief an Sarah.

1 Hilfst du mir?

a) **Was wissen Sie über Nico und Selma? Ergänzen Sie die Grafik und berichten Sie.**

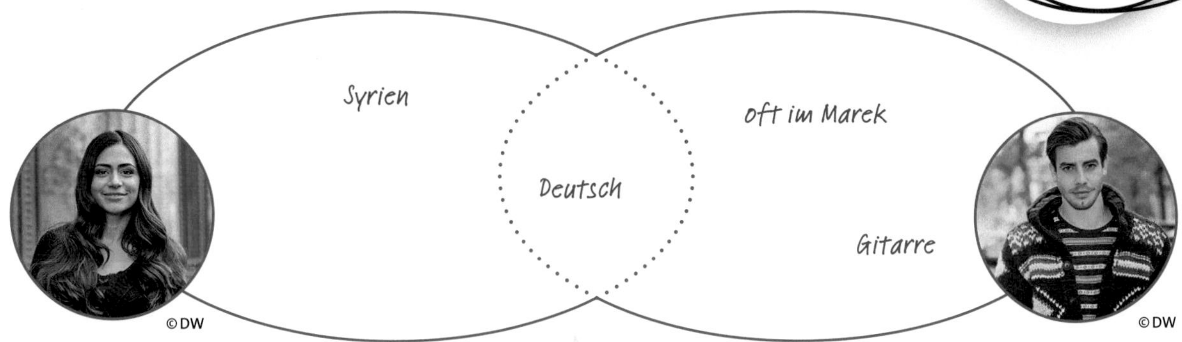

Beide lernen bei Lisa Deutsch.

b) **Selma hat bald Geburtstag. Nico überlegt, was er ihr schenken kann. Machen Sie Nico Vorschläge wie in den Beispielen. Die Bilder helfen.**

Schenk ihr doch ein Buch.

Sie freut sich bestimmt über einen Roman.

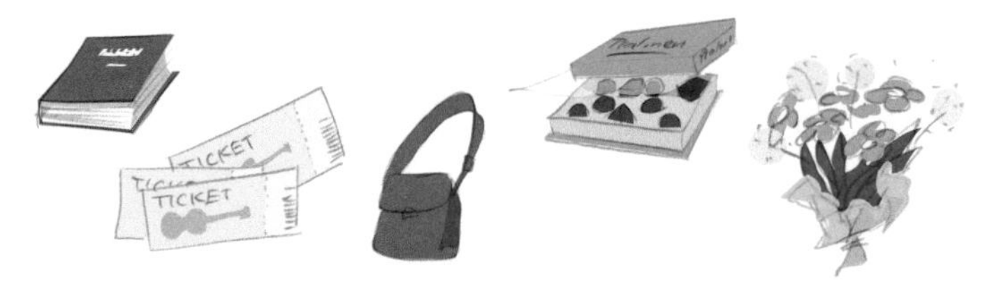

Yara und Nico sprechen über ein Geschenk für Selma.

Ich frage Lisa. Sie weiß bestimmt, wann Selma Geburtstag hat!

2.18

c) **Welche Geschenkidee hat Nico? Hilft Yara ihm? Sehen Sie sich die Szene in Yaras Laden an und berichten Sie.**

d) **Sagen Sie es anders. Partner*in A liest eine Aussage laut, Partner*in B antwortet mit einer Aussage aus der App.**

1. Yara: „Das kannst du dir doch gar nicht leisten."
2. Nico: „Es muss ja auch kein neues Fahrrad sein."
3. Yara: „Du solltest vielleicht mehr Zeit mit der Suche nach einer Arbeit verbringen."
4. Nico: „Ich finde es heute noch heraus!"
5. Yara: „Ja. Ist gut. Und jetzt pack mit an!"

e) **Wörter sehen. Sehen Sie sich das Foto an und spielen Sie das ABC-Stopp-Spiel.**

Nico hilft im Marek und lernt dort Deutsch.

4.30

f) ***Gehst du gerne ins Theater?*** **Wiederholen Sie mit Nicos App. Hören Sie, achten Sie auf die Betonung und sprechen Sie nach.**

1 Gehst du gerne ins Theater? ________

2 Besuchst du oft Ausstellungen? ________

3 Spielst du ein Instrument? ________

4 Hörst du manchmal Podcasts? ________

5 Interessierst du dich für Kunst? ________

6 Magst du klassische Musik? ________

7 Gehst du gern auf Festivals? ________

8 Liest du am liebsten Gedichte? ________

g) **Autogrammjagd. Fragen Sie und sammeln Sie Unterschriften in f).**

h) **Welches Problem gibt es? Sehen Sie sich die Szene im Marek an. Rufen Sie *Stopp!*, wenn Sie das Problem hören. Berichten Sie.**

i) **Nico, Max und Tarek verstehen sich (fast) ohne Worte. Sehen Sie weiter und ‚übersetzen' Sie.**

1 Max: „Ah!"
2 Nico: „Oh! ..."
3 Tarek: „Nico?"
4 Nico: „Ah, ah."
5 Max: „Komm schon."
6 Nico: „Mh, mh."

◯ *Sag bitte Ja!*

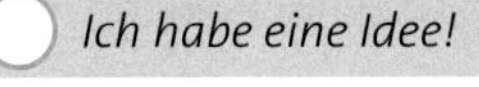

④ *Ganz sicher nicht!*

◯ *Ich verstehe, was du meinst.*

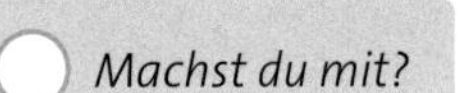

j) **Spielen Sie die Szene aus i) nach. Achten Sie auf die Betonung und auf die Körpersprache.**

2 Selmas Geburtstag

2.19

a) ***Alles Gute zum Geburtstag!*** **Sehen Sie sich das Video an. Fassen Sie die wichtigsten Informationen zusammen und vergleichen Sie.**

Heute ist Selmas Geburtstag. Sie trifft Nico ...
Plötzlich bekommt Selma ...
Nico geht ...

„Das ist das schönste Geburtstagsgeschenk!"

b) **Welche Textnachricht hat Selma von ihrem Vater bekommen? Ergänzen Sie und vergleichen Sie.**

c) ***Wenn ..., dann...*** **Sehen Sie sich die Szene im Marek noch einmal an und beenden Sie die Sätze.**

1 Wenn Selma sich mit Nico trifft, (dann) sind ...
2 Wenn Selmas Eltern sauer sind, ...
3 Und wenn Selma nicht rausgehen darf, (dann) ...

„Ich muss gehen. Es tut mir leid!"

d) **Wie geht es weiter? Schreiben Sie drei weitere Sätze wie in c).**

Wenn Nico Selma nicht sieht, dann ...

e) ***Und außerdem seid ihr nur Freunde, oder ...?*** **Was meint Tarek mit *oder*? Diskutieren Sie.**

Nicos Weg

3 Was habt ihr vor?

a) Einfach das Essen online bestellen, der Lieferservice bringt alles ins Haus. Gibt es das in Ihrem Land auch? (Wann) Nutzen Sie den Lieferservice? Was kann man bestellen? Wie wird das Essen gebracht? Berichten Sie.

2.20

b) Pepe und Max präsentieren Yara ihre Geschäftsidee. Sehen Sie sich die Szene in Yaras Laden an und bringen Sie die Sätze in die richtige Reihenfolge.

a ◯ Auf den Flyern und in der App wollen Max und Pepe Werbung für Yaras Laden machen.

b ◯ Yara soll mit ihren Fahrrädern als Geschäftspartnerin im Lieferservice mitmachen.

c ◯ Wenn Yara das Risiko zu groß findet, wollen sie bei Yara Fahrräder mieten.

d ◯ Sie wollen das Essen mit dem Fahrrad liefern, weil das umweltfreundlich ist.

c) Das Treffen im Marek. Wie funktioniert der Geschäftsplan? Sehen Sie sich die Szene an. Machen Sie sich Notizen und berichten Sie.

1 Pepes Firma → **2** die Kunden *bestellen Gerichte oder Zutaten ...* → **3** im Marek → **4** mit Yaras Fahrrädern

d) Kann der Lieferservice funktionieren? Was meinen Sie? Kommentieren Sie die Idee.

Ich glaube, das ist (k)eine gute Idee, weil ...

Ja/Nein, das kann ich mir (auch/nicht) vorstellen.

e) Selma besucht Nico. Worüber sprechen sie? Sehen Sie sich die Fotos an, schreiben Sie eine Dialogskizze und spielen Sie Ihren Dialog vor. Die anderen kommentieren.

f) Selma und Nico. Sehen Sie sich die Szene in der WG an. Vergleichen Sie mit Ihren Dialogen aus e).

g) Wie geht Selmas und Nicos Weg im B1-Kurs weiter? Machen Sie Vorschläge.

Ich glaube/denke/hoffe/..., dass Nico ...

Ich weiß nicht. / Keine Ahnung. Vielleicht ...

Ja/Nein, das kann ich mir (auch/nicht) vorstellen. Und ...

Die Serie „Nicos Weg“ in voller Länge mit interaktiven Übungen und zahlreichen weiteren Materialien gibt es kostenlos bei der Deutschen Welle: **dw.com/nico**

Goethe-Zertifikat A2: Sprechen

Der Prüfungsteil Sprechen ist eine Paarprüfung und hat drei Teile. Sie sprechen mit einem Partner / einer Partnerin und mit zwei Prüfer*innen. Es gibt keine Vorbereitungszeit. Sie bekommen die Aufgaben, und die Prüfung fängt sofort an. Sie dauert circa 15 Minuten. Wörterbücher und Mobiltelefone sind nicht erlaubt.

Sprechen Teil 1: **Sie bekommen vier Wortkarten und stellen mit diesen Karten vier Fragen. Ihr Partner / Ihre Partnerin antwortet. Dann stellt Ihr Partner / Ihre Partnerin vier Fragen und Sie antworten.**

Fragen zur Person	Fragen zur Person	Fragen zur Person	Fragen zur Person
Wohnort?	**Geburtstag?**	**Beruf?**	**Hobby?**

Sprechen Teil 2: **Sie bekommen eine Aufgabenkarte und erzählen etwas über Ihr Leben.**

Prüfungsteilnehmer/in A

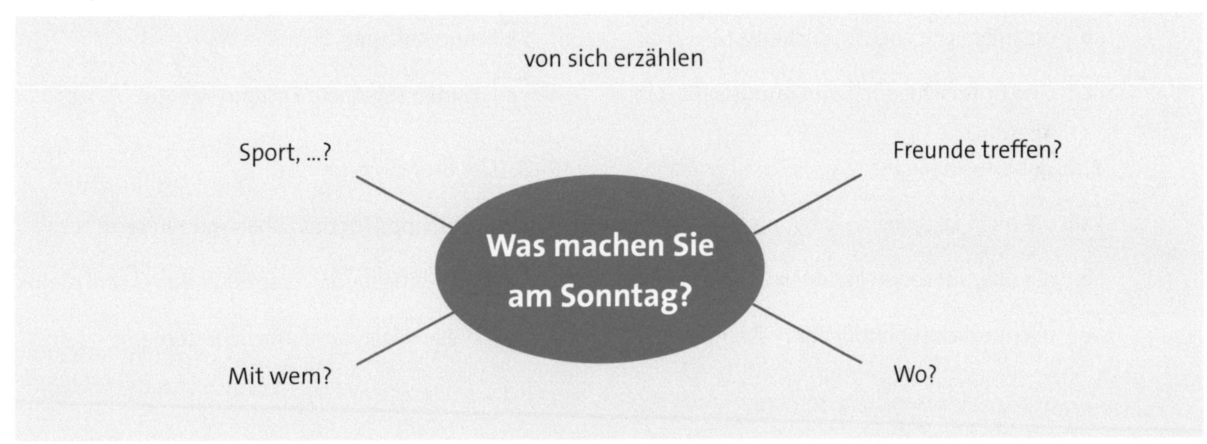

Sprechen Teil 3: **Ihr Freund Tom hat Geburtstag. Sie möchten mit dem Partner / mit der Partnerin ein Geschenk für ihn kaufen. Finden Sie einen Termin.**

Prüfungsteilnehmer/in A	
9.00	*Frühstück mit Anton im Café Glück*
10.00	
11.00	
12.00	*Lebensmittel einkaufen*
13.00	
14.00	
15.00	
16.00	*Deutsch lernen*

Prüfungsteilnehmer/in B	
9.00	
10.00	*Fahrrad reparieren*
11.00	*Friseur*
12.00	*Mittagessen mit Freunden*
13.00	
14.00	
15.00	
16.00	*Kaffee und Kuchen bei Eltern*

Tipps zum Prüfungsteil Sprechen auf einen Blick

Lesen (ca. 30 Minuten)

Dieser Prüfungsteil hat vier Teile: Sie lesen eine E-Mail, Informationen und Artikel aus der Zeitung und dem Internet. Für jede Aufgabe gibt es nur eine richtige Lösung. Schreiben Sie Ihre Lösungen zum Schluss auf den Antwortbogen. Wörterbücher und Mobiltelefone sind nicht erlaubt.

Teil 1. Sie lesen in einer Zeitung diesen Text. Wählen Sie für die Aufgaben 1 bis 5 die richtige Lösung a, b oder c.

Beispiel:

0 Foodblogging ...

- [x] a ist heute sehr beliebt.
- b ist sehr langweilig.
- c ist eine Online-Plattform für Gemüsekisten.

1. Private Foodblogs ...

- a bieten nur einfache Rezepte an.
- b erzählen, wie wichtig Kochen ist.
- c sind unterschiedlich und interessant.

2. Es gibt Foodblogger, ...

- a die nicht kochen.
- b die über ihr Leben erzählen.
- c die nur dicke Kochbücher präsentieren.

3. Nadine und Jörg ...

- a können sehr gut kochen und schreiben.
- b erzählen nie über ihr persönliches Leben.
- c haben einen Preis für ihr Buch bekommen.

4. Susann und Yannic ...

- a kochen viele Fleischgerichte.
- b sind Kollegen.
- c finden regionale Zutaten wichtig.

5. Der Blog *tinyspoon* ...

- a gibt Tipps für das Leben mit Kindern.
- b präsentiert nur Rezepte für Babys und Kleinkinder.
- c präsentiert nur einfache Rezepte.

Tipp des Monats

Foodblogging – der neue Trend

Wenn Ihnen dicke Kochbücher zu unpraktisch sind, dann sollten Sie sich in der Online-Foodszene umschauen. Wer das Kochen liebt, findet dort viel Inspiration. Beim Suchen findet man aber oft nur einfache Rezeptesammlungen. 5

Die privaten Foodblogs in den sozialen Medien sind eine gute Alternative. Hier kocht man mit Liebe und präsentiert die kunstvollen Gerichte. Manche Bloggerinnen und Blogger achten auf gesunde und regionale Küche, andere erzählen 10 beim Kochen auch persönliche Geschichten und faszinieren damit die Leserinnen und Leser.
Ein Bloggerpaar ist besonders beliebt: Nadine und Jörg von *eat-this.org* sind sehr gute Köche und noch bessere Autoren. Für ihren Foodblog 15 mit persönlichen Geschichten haben sie schon mehrere Preise gewonnen. Die Rezepte sind lecker und vegan. Sehr praktisch ist, dass es immer eine Alternative gibt, wenn man nicht alle Lebensmittel zu Hause hat. 20
Wenn Sie einfaches Essen lieben, sind Sie beim Blog *„krautkopf"* von Susann und Yannic richtig. Sie kochen vegetarische Rezepte mit saisonalen und regionalen Zutaten. Das Paar teilt neben dem Kochen auch die Liebe zum Fotografieren. 25
Bei *Tinyspoon* sorgt eine junge Mutter für Inspiration und Abwechslung auf dem Teller. Hier finden sich Rezepte für Babys, Kleinkinder oder eine große Familie. Mit viel Liebe und persönlichen Erfahrungen kann man ihre Rezepte leicht nachkochen. 30

Teil 2. Sie lesen eine Informationstafel in der Bibliothek. Lesen Sie die Aufgaben 6 bis 10 und den Text. Wohin gehen Sie? Wählen Sie die richtige Lösung a, b oder c.

Beispiel:

0 Sie arbeiten in der Bibliothek und möchten parken.

[x] Untergeschoss

b 1. Stock

c anderer Stock

1. Sie suchen Bücher für einen vierjährigen Jungen.

a Dachgeschoss

b 2. Stock

c anderer Stock

2. Sie möchten Nachrichten auf Englisch lesen.

a Dachgeschoss

b Erdgeschoss

c anderer Stock

3. Sie möchten sich in dieser Bibliothek anmelden und Bücher ausleihen.

a 1. Stock

b 3. Stock

c anderer Stock

4. Sie möchten die Toilette benutzen.

a Untergeschoss

b 1. Stock

c anderer Stock

5. Sie besuchen einen Computerworkshop und suchen den passenden Raum.

a 3. Stock

b Dachgeschoss

c anderer Stock

Stadtbibliothek Monheim

Dachgeschoss:	Cafeteria Kunden-WC Wickelraum
3. Stock:	Medienräume Hörbuchwelt
2. Stock:	Kinderwelt Kino Kunden-WC
1. Stock:	Anmeldung Information Bücherrückgabe
Erdgeschoss:	Internationale Zeitungen Zeitschriften Magazine
Untergeschoss:	Mitarbeiterparkplätze

Teil 3. Sie lesen eine E-Mail. Wählen Sie für die Aufgaben 11 bis 15 die richtige Lösung a, b oder c.

Liebe Mareike,

wie du schon weißt, habe ich seit einer Woche einen neuen Job. Mein Alltag sieht jetzt ganz anders aus! Es ist alles so neu für mich.
Ich kann jetzt länger schlafen, weil mein Arbeitstag erst um 10 Uhr beginnt. Vor zehn ist keiner im Büro. Meistens kaufe ich mir unterwegs etwas zu essen und frühstücke im Büro. Wir haben eine tolle Küche mit Kaffee- und Spülmaschine, und es gibt einen großen Kühlschrank für alle. Wir essen oft zusammen Mittag. Dass wir keine Kantine haben, stört uns also nicht.
Meine neuen Kolleginnen und Kollegen sind sehr nett. Ich kenne schon fast alle. Es gibt nur einen Kollegen, den ich noch nicht getroffen habe. Er ist viel unterwegs und nur manchmal im Büro. Ich darf drei bis vier Mal im Monat zu Hause arbeiten. Sehr praktisch.
Eine Kollegin, Miriam, finde ich besonders nett. Wir verstehen uns sehr gut und haben uns schon mal privat getroffen. Einmal waren wir zusammen in der Stadt und einmal sind wir ins Kino gegangen. Sie ist auch Single und relativ neu in der Firma.
Meine Chefin ist auch nett, aber bis jetzt habe ich wenig mit ihr gesprochen. Sie telefoniert viel oder ist unterwegs. In zwei Monaten ist meine Probezeit vorbei und ich hoffe sehr, dass ich in der Firma bleiben kann.
Wie läuft es bei dir? Ist dein Freund schon bei dir eingezogen? Was gibt es Neues in meinem „alten" Büro? Ich vermisse dich und manchmal auch unser ganzes Team. Es waren tolle Zeiten! Schade, dass ich umziehen musste.

Melde dich bitte bald und komm mich besuchen!

Ganz liebe Grüße
Deine Laura

0 Laura ...

- [x] hat eine neue Stelle angefangen.
- b kennt alle Kolleginnen und Kollegen im Büro.
- c möchte ihren alten Job wiederhaben.

12. Lauras Kolleg*innen ...

- a fangen um 9 Uhr ihren Arbeitstag an.
- b essen in der Kantine.
- c teilen einen Kühlschrank.

13. In Lauras Firma ...

- a darf man im Home Office arbeiten.
- b gibt es eine Kantine.
- c kochen alle gemeinsam Mittagessen.

14. Lauras Chefin ...

- a arbeitet nur von zu Hause.
- b macht eine Probezeit.
- c muss oft telefonieren.

15. Laura und Miriam ...

- a waren früher Kolleginnen.
- b arbeiten jetzt zusammen.
- c sind Mitbewohnerinnen.

16. Mareike ...

- a ist Lauras Schulfreundin.
- b soll Laura besuchen.
- c ist Single.

Teil 4. Sechs Personen suchen im Internet nach passenden Freizeitangeboten. Lesen Sie die Aufgaben 16 bis 20 und die Anzeigen **a** bis **f**. Welche Anzeige passt zu welcher Person?

Die Anzeige aus dem Beispiel können Sie nicht mehr wählen. Für eine Aufgabe gibt es keine Lösung. Markieren Sie so: X.

Beispiel:

0 Johanna möchte mit Freunden einen Kochkurs besuchen. [f]

16. Daniela möchte auch in der warmen Jahreszeit Skifahren. [ ]

17. Claudia und Hendrik möchten im April wandern gehen. Sie sind noch nie in den Bergen gewandert. [ ]

18. Katja sucht für ihre Familie ein Ferienhaus für sechs Wochen im Sommer in den Bergen. [ ]

19. Boris klettert gerne. Er sucht einen Kletterpartner bzw. eine Kletterpartnerin. [ ]

20. Björn interessiert sich für Tanzkurse für Senioren. Er kann nur abends. [ ]

a www.tanzmaus.example.net

www.tanzmaus.example.net

Für unsere Tanzschule suchen wir Jugendliche, die mehrmals pro Woche abends trainieren können. Am Jahresende wollen wir den ersten Platz im internationalen Wettbewerb gewinnen. Macht mit! Teilt eure Freude an der Bewegung und findet neue Freunde!

b www.wandernindenbergen.example.net

www.wandernindenbergen.example.net

Unser Reisebüro bietet Aktivurlaub in den Bergen an. Für Anfängerinnen und Anfänger haben wir spezielle Programme mit Betreuung: von März bis November, kleine Gruppen, 3–7 Tage, sanfter Einstieg in die Abenteuerwelt der Berge. Wir freuen uns auf Sie!

c www.winterzauber.example.net

www.winterzauber.example.net

Skifahren oder Snowboarden? Auf unserer Homepage finden Sie Tipps für Einsteigerinnen und Einsteiger, tolle Skigebiete und alle Preise. Wussten Sie, dass man schon im Sommer mit dem Wintersport beginnen kann? Hier finden Sie die Liste der Skihallen, die das ganze Jahr geöffnet haben.

d www.sportpartnerschaft.example.net

www.sportpartnerschaft.example.net

Es gibt viele Freizeitangebote, die man nur mit einem Partner oder einer Partnerin machen kann. Wenn Sie Sportpartner*innen suchen, zum Beispiel zum Klettern oder zum Tanzen, dann sind Sie bei uns genau richtig!

e www.urlaubindenbergen.example.net

www.urlaubindenbergen.example.net

Für alle Bergverliebte bieten wir Freizeitangebote für tolle Urlaubserlebnisse an. Wanderkurse im Sommer, Wanderrouten für erfahrene Bergsteigerinnen und Bergsteiger, Campingplätze mit Panorama, Luxushotels und Ferienhäuser. Egal, ob Sommer oder Winter: diesen Urlaub werden Sie nie vergessen!

f www.kueche.example.net

www.kueche.example.net

Unser Küchenstudio bietet nicht nur eine tolle Auswahl an modernen Küchen, sondern auch Kochkurse für Familien und Freunde. Buchen Sie einen Kurs mit unserem Sternechef. Weitere Informationen finden Sie hier.

4.31

Hören (ca. 30 Minuten)

4.32

Teil 1. Sie hören fünf kurze Texte. Sie hören jeden Text **zweimal**. Wählen Sie für die Aufgaben 1 bis 5 die richtige Lösung a, b oder c.

1. Was soll Herr Schüring machen?

a Das Geld für die Handyreparatur bezahlen.

b Sein Handy im „Café kaputt" abholen.

c Frau Kuhley morgen zurückrufen.

2. Wann ist das nächste Musikfestival?

a Das Festival findet nie im Sommer statt.

b Das Festival findet dieses Jahr im Sommer statt.

c Das Festival findet nächstes Jahr im Sommer statt.

3. Wo kann man im Kaufhaus bezahlen?

a im Obergeschoss

b im Untergeschoss

c im Erd- und im Untergeschoss

4. Was sollen die Gäste tun?

a Sie sollen heute in ihren Zelten schlafen.

b Sie können in einem Hotel übernachten.

c Sie sollen ihre Regenjacken anziehen und zur Rezeption kommen.

5. Wann ist der neue Besichtigungstermin?

a am Dienstagnachmittag

b am Dienstagvormittag

c heute Nachmittag

4.33

Teil 2. Sie hören ein Gespräch. Sie hören den Text **einmal**.

Was machen die Praktikantin und der Praktikant in der Woche? Wählen Sie für die Aufgaben 6 bis 10 ein passendes Bild aus a bis i aus. Wählen Sie jeden Buchstaben nur einmal. Sehen Sie sich jetzt die Bilder an.

	0	6	7	8	9	10
Tag	Montag	Dienstag	Mittwoch	Donnerstag	Freitag	Samstag
Lösung	*b*					

a

b

c

d

e

f
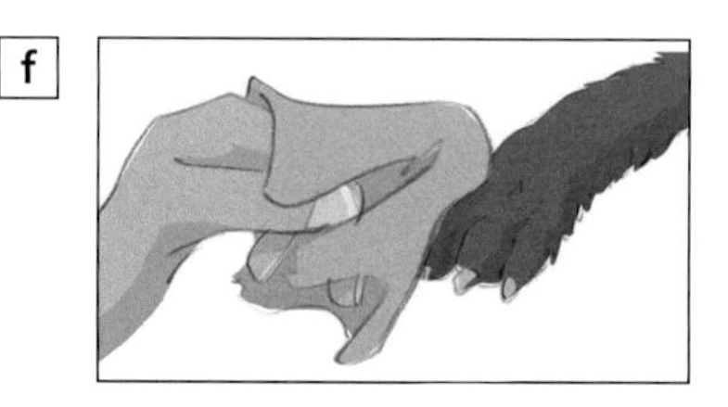

g

h

i

4.34

Teil 3. Sie hören fünf kurze Gespräche. Sie hören jeden Text **einmal**. Wählen Sie für die Aufgaben 11 bis 15 die richtige Lösung a, b oder c.

11. Wo hat das Treffen stattgefunden?

a

b

c

12. Welches Buch kauft die Frau für ihren Urlaub?

a

b

c

13. Was braucht der Handwerker?

a
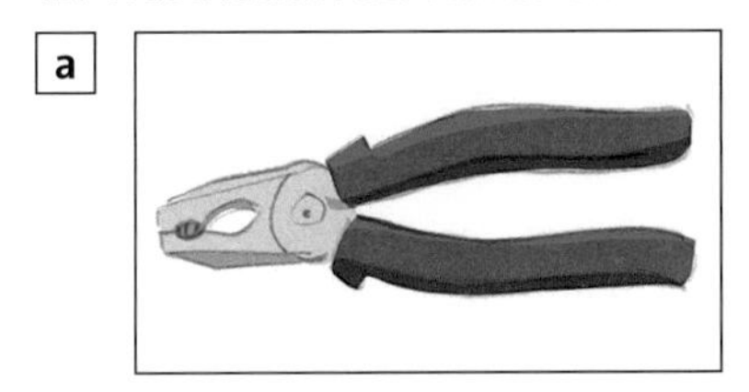

b
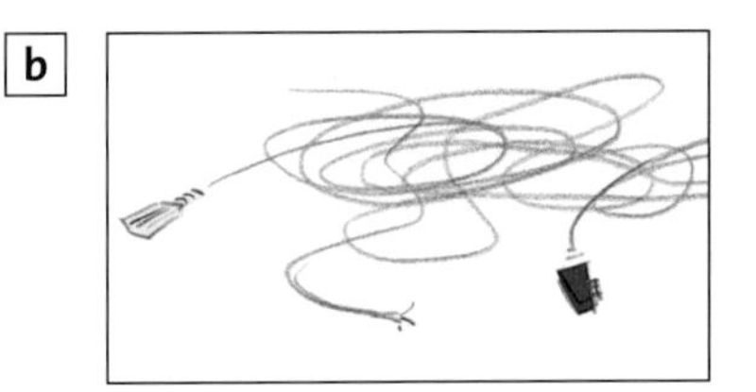

c
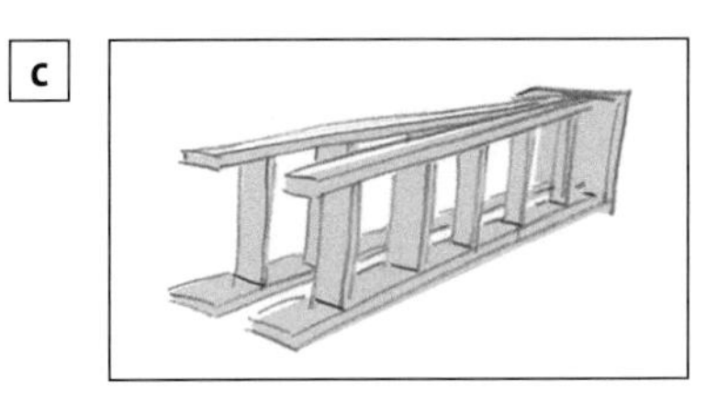

14. Was ist das Problem mit dem Handy?

a
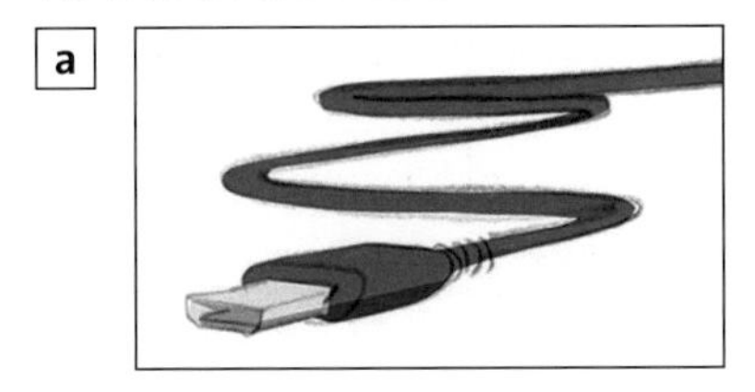

b
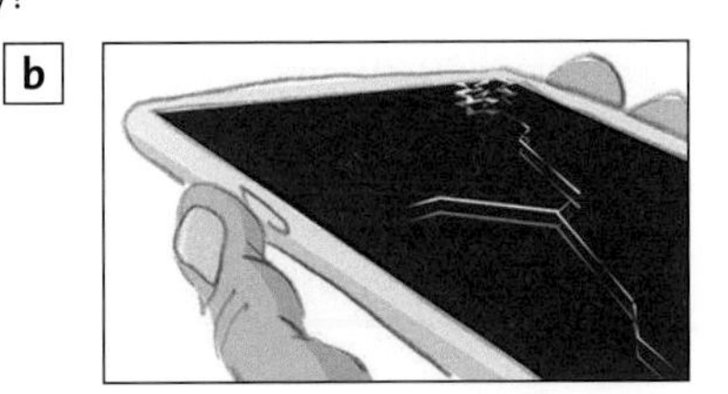

c
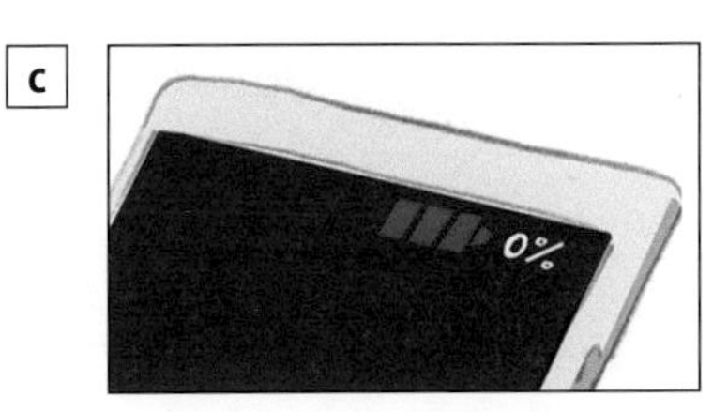

15. Welche Unterlagen fehlen?

a

b

c

4.35

Teil 4. Sie hören ein Interview. Sie hören den Text **zweimal**. Wählen Sie für die Aufgaben 16 bis 20 Ja oder Nein. Lesen Sie jetzt die Aufgaben.

Beispiel:	Ja	~~Nein~~
0 Silvy ist das letzte Mal allein gewandert.	Ja	Nein
16. Silvy und David waren eine Woche lang unterwegs.	Ja	Nein
17. Es hat täglich geregnet.	Ja	Nein
18. Die Übernachtungen in den Hotels waren schön.	Ja	Nein
19. Man muss einen Schlafsack mitbringen.	Ja	Nein
20. Die Hütten soll man kurz vor der Reise buchen.	Ja	Nein

Schreiben (30 Minuten)

Dieser Prüfungsteil hat zwei Teile: Sie schreiben eine Nachricht und eine E-Mail. Schreiben Sie Ihre Texte auf den Antwortbogen. Schreiben Sie bitte deutlich und **nicht** mit Bleistift. Wörterbücher und Mobiltelefone sind **nicht** erlaubt.

Teil 1. Sie bekommen Besuch von Ihrer Mutter und können an der Kleidertauschparty nicht teilnehmen. Schreiben Sie eine Nachricht an Ihre Freundin Sarah.

- Erklären Sie ihr, dass Sie nicht kommen.
- Schreiben Sie, warum.
- Fragen Sie nach dem nächsten Termin.

Teil 2. Die Bloggerin Ines Mey hat Sie zu einem Interview eingeladen. Schreiben Sie Frau Mey eine E-Mail:

- Bedanken Sie sich und sagen Sie, dass Sie zum Interview kommen.
- Fragen Sie, wer noch zum Interview kommt.
- Fragen Sie nach dem Ort und dem genauen Termin.

Schreiben Sie 30–40 Wörter. Schreiben Sie zu allen drei Punkten.

Sprechen (15 Minuten)

Dieser Prüfungsteil hat drei Teile:
Sie stellen Ihrem Partner / Ihrer Partnerin Fragen zur Person und antworten ihm/ihr.
Sie erzählen etwas über sich und Ihr Leben.
Sie planen etwas mit Ihrem Partner / Ihrer Partnerin.

Teil 1. Sie bekommen vier Karten und stellen mit diesen Karten vier Fragen. Ihr Partner / Ihre Partnerin antwortet.

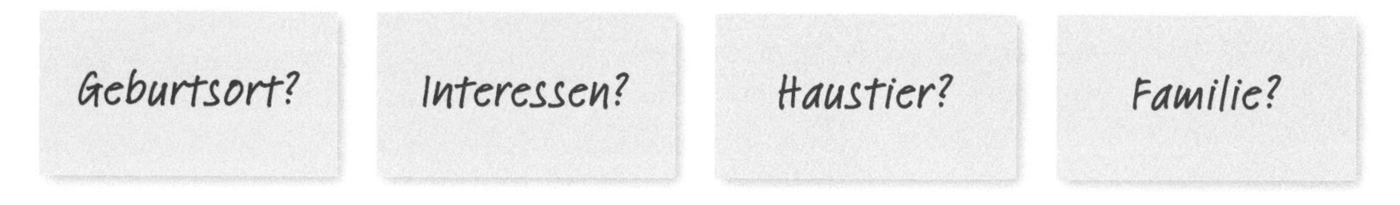

Teil 2. Sie bekommen eine Karte und erzählen etwas über Ihr Leben.

Aufgabenkarte A

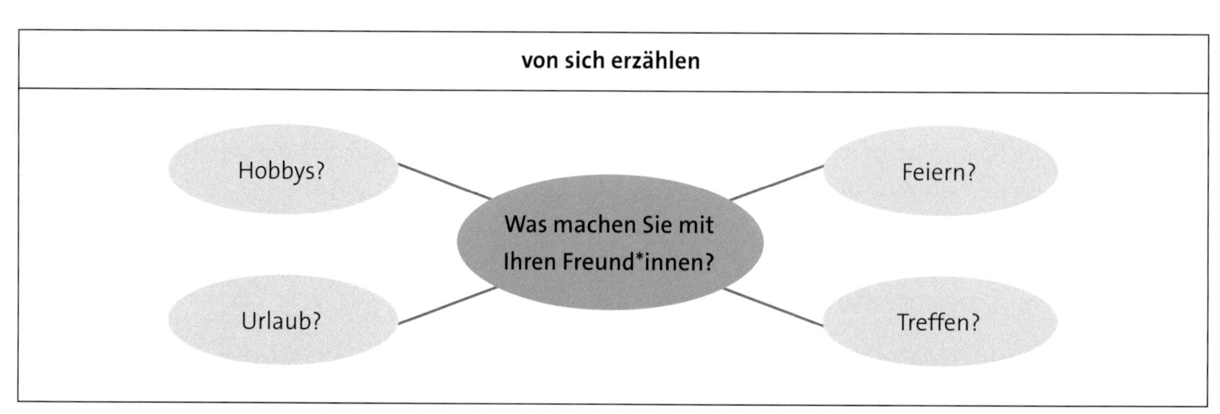

Aufgabenkarte B

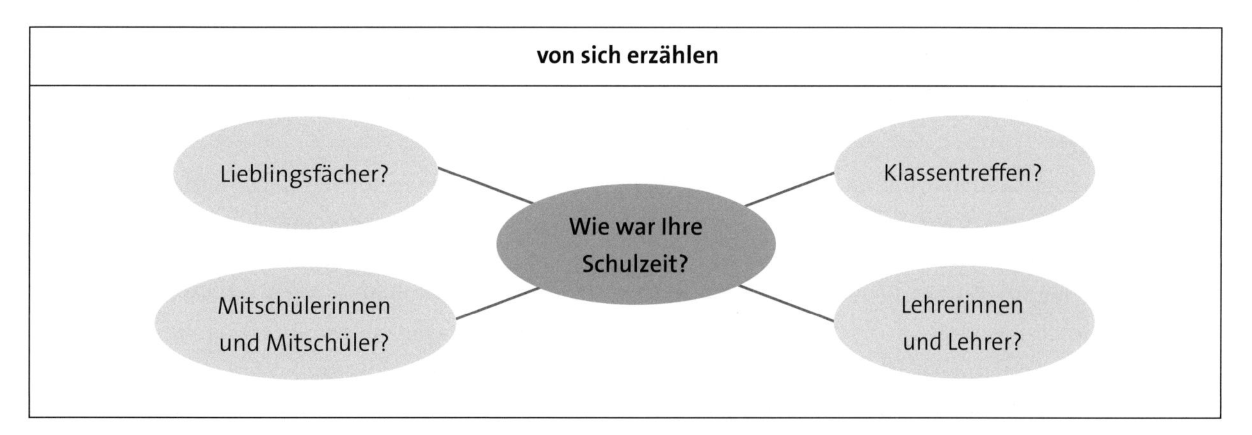

Teil 3. Sie möchten mit Ihrem Partner / Ihrer Partnerin schwimmen gehen. Finden Sie einen Termin.

Aufgabenblatt A

Sonntag, 17. September	
7.00	
8.00	
9.00	
10.00	
11.00	Frühstück mit Großeltern
12.00	
13.00	
14.00	
15.00	Kuchen backen
16.00	
17.00	Kaffee mit Lenny
18.00	
19.00	
20.00	

Aufgabenblatt B

Sonntag, 17. September	
7.00	
8.00	Sport mit Monika
9.00	
10.00	
11.00	
12.00	Mittagessen bei Müllers
13.00	
14.00	
15.00	
16.00	
17.00	
18.00	
19.00	Kino
20.00	

Grammatik im Überblick

Einheiten 1–8

Sätze

1 Kommentieren, Informationen weitergeben. Nebensätze mit *dass*
2 Gründe nennen. Nebensätze mit *weil*
3 Einen Zweck beschreiben. *Wozu ...? Zum ...*
4 Indirekte Fragen
 4.1 Satzfragen. *Weißt du, ob ...*
 4.2 W-Fragen. *Können Sie mir sagen, wie ...*
5 Gleichzeitigkeit in der Vergangenheit
 5.1 Nebensätze mit *als*
 5.2 Nebensatz vor Hauptsatz
6 Etwas genauer beschreiben. Relativsätze im Nominativ und Akkusativ

Wörtern und Wendungen

7 Nomen verbinden mit Genitiv
 7.1 Genitiv *-s*: Patricks Freunde
 7.2 Genitivartikel *des, der*
8 Partikeln *noch* und *schon*
 8.1 *noch*
 8.2 *schon*
9 Personalpronomen im Dativ
10 Reflexivpronomen im Akkusativ. *Sich freuen auf*
11 Etwas genauer beschreiben. Adjektive vor Nomen
 11.1 Adjektive ohne Artikel im Nominativ und Akkusativ
 11.2 Adjektive mit bestimmtem und unbestimmtem Artikel im Nominativ und Akkusativ
 11.3 Adjektive mit Artikel im Dativ
12 Vergleiche mit Superlativ
13 Wortbildung
 13.1 Komposita. Nomen + Adjektiv
 13.2 Aus Verben Nomen machen
 13.3 Nomen mit *-ung*
14 Modalverb *dürfen*. Präsens und Präteritum
15 Verben mit Ergänzungen
16 Vergangenheit
 16.1 Perfekt oder Präteritum?
 16.2 Präteritum. Regelmäßige Verben
 16.3 Präteritum. Unregelmäßige Verben

Einheiten 9–16

Sätze

17 Gründe nennen. Sätze verbinden mit *denn*
18 Auf eine Information aufmerksam machen. *Nicht nur ..., sondern auch ...*
19 Bedingungen. Sätze mit *wenn* und *dann*
20 Fragen mit *warum* und *wann*. Antworten mit *weil* und *wenn*
21 Fragesätze mit *worauf, worüber, wozu, womit, woran*
22 Zweck und Grund. *Wozu ...? Um ... zu ...*
23 Zweck und Ziel. Nebensätze mit *damit*
24 Dativ- und Akkusativergänzung im Satz
25 Personen und Sachen genauer beschreiben. Relativsatz mit *in/mit* + Dativ

Wörtern und Wendungen

26 Wortbildung
 26.1 Adjektive mit *-bar*
 26.2 Verb-Nomen-Komposita
27 Unbestimmter Artikel und Possessivartikel im Nominativ, Akkusativ und Dativ
28 Präpositionen
 28.1 Präpositionen *aus, bei, mit, nach, von, seit, zu* + Dativ
 28.2 Präpositionen *durch, ohne, gegen, für, um* + Akkusativ
29 Das Verb *werden*. Präsens und Präteritum
30 Passiv
 30.1 Passiv im Präsens
 30.2 Passiv im Präteritum
31 Modalverben im Präteritum *müssen, dürfen, können, sollen, wollen, mögen, möchten*
32 Präteritum. Unregelmäßige Verben
33 Unregelmäßige Verben. Übersicht

Sätze

1 Kommentieren, Informationen weitergeben. Nebensätze mit *dass* ►E1

Hauptsatz	Nebensatz	
Ich habe gehört,	dass	du jetzt in Hamburg arbeitest.
Wir freuen uns,	dass	ihr gekommen seid.
Ich hoffe,	dass	du zum Klassentreffen kommst.
Weißt du schon,	dass	Patrick heute auch kommt?

Regel: Im Nebensatz steht das Verb am Ende. Vor *dass* steht ein Komma.

Häufige Wendungen

Ich habe gehört/gelesen, dass er wieder geheiratet hat.
Ich hätte nicht gedacht, dass es heute regnet.
Ich freue mich, dass du gekommen bist.

2 Gründe nennen. Nebensätze mit *weil* ►E2

Hauptsatz	Nebensatz	
Sascha fährt lieber mit dem Auto,	weil	die Fahrt mit dem Bus länger dauert.
Noah fährt lieber mit dem Bus als mit der Bahn,	weil	das billiger ist.
Carina nimmt am liebsten das Fahrrad,	weil	das in Münster am praktischsten ist.

Regel: Im Nebensatz steht das Verb am Ende. Vor *weil* steht ein Komma.

3 Einen Zweck beschreiben. *Wozu …? Zum …* ►E4

- Wozu hast du ein Handy?
- Zum Telefonieren. Und du?
- Ich benutze es meistens zum Schreiben von Nachrichten.

4 Indirekte Fragen ►E4

Does this streetcar go directly to the railway station?

Er hat gefragt, ob diese Straßenbahn direkt zum Bahnhof fährt.

Ja, die Nummer 5 fährt direkt zum Hauptbahnhof.

4.1 Satzfragen. *Weißt du, ob …* ►E4

Weißt du,	ob wir am Montag einen Test schreiben?
Nein, der Test ist erst am Dienstag.	
Entschuldigung, können Sie mir sagen,	ob der Kurs am Freitag auch stattfindet?
Ja, um 15 Uhr.	
Ich frage mich,	ob du wirklich Zeit für ein Haustier hast.
Ich weiß nicht,	ob Hunde in Deutschland einen Pass haben.

4.2 W-Fragen. *Können Sie mir sagen, wie ...* ► E7

Können Sie mir sagen,	wie	spät es (ist)?
Weißt du,	wo	mein Schlüssel ist?
Ich weiß nicht,	warum	wir schon wieder einen Test schreiben müssen.
Weißt du schon,	was	du am Wochenende machst?
Ich habe mich schon lange gefragt,	woher	du das Geld für diese Uhr hast.
Wissen Sie,	wann	der Zug kommt?

Häufige Wendungen

Weißt du, was das gekostet hat?
Ich frage mich, wie lange das noch dauert.
Ich habe keine Ahnung, warum wir so lange warten müssen.

5 Gleichzeitigkeit in der Vergangenheit ► E6

5.1 Nebensätze mit *als*

Hauptsatz	Nebensatz	
Goethe war erst 16 Jahre alt,	als	er in Leipzig Jura studierte.
Goethe malte viele Bilder,	als	er in Italien war.

5.2 Nebensatz vor Hauptsatz

Position 1	Position 2	
Als Goethe in Leipzig Jura studierte,	war	er erst 16 Jahre alt.
Als Goethe in Italien war,	malte	er viele Bilder.

Regel: Der Nebensatz steht auf Position 1. Das Verb bleibt auf Position 2.

Häufige Wendungen

Als ich klein war, ...
Als ich noch studiert habe, ...
Als wir in Deutschland gearbeitet haben, ...

6 Etwas genauer beschreiben. Relativsätze im Nominativ und Akkusativ ► E8

der Dresdner Christstollen

das Bündner Birnbrot

die Linzer Torte

Nominativ	Der Dresdner Christstollen ist ein Kuchen, der aus Dresden kommt.
Akkusativ	Der Dresdner Christstollen ist ein Kuchen, den man in ganz Deutschland isst.
Nominativ	Das Bündner Birnbrot ist ein süßes Brot, das aus der Schweiz kommt.
Akkusativ	Das Bündner Birnbrot ist ein süßes Brot, das man aus Birnen macht.
Nominativ	Die Linzer Torte ist eine Torte, die aus Linz in Österreich kommt.
Akkusativ	Die Linzer Torte ist eine Torte, die man mit Mehl und Nüssen macht.
Nominativ	Printen sind kleine Kuchen, die aus Aachen kommen.
Akkusativ	Printen sind kleine Kuchen, die man im Winter isst.

Regel: Im Relativsatz steht das Relativpronomen (*der/den, das, die*) am Anfang, das Verb steht am Ende. Der Relativsatz beschreibt ein Nomen im Hauptsatz genauer.

Wörter und Wendungen

7 Nomen verbinden mit Genitiv

7.1 Genitiv *-s*: *Patricks Freunde* ▶ E1

Katta und Basti sind Freunde von Patrick.
Katta und Basti sind Patricks Freunde.

- Hast du die Handynummer von Manu?
- Nein, Manus Handynummer habe ich nicht.

- Ist das der Motorroller von Lotte?
- Ja, das ist Lottes Motorroller.

7.2 Genitivartikel *des, der* ▶ E14

der Autor / die Idee	die Idee des Autors
das Handy / der Preis	der Preis des Handys
die Rose / der Name	der Name der Rose
die Deutschen / ein Drittel	ein Drittel der Deutschen
die Frauen / 35 %	35 % der Frauen

8 Partikeln *noch* und *schon* ▶ E1, E7

Lerntipp

Partikeln immer im Kontext lernen und üben.

8.1 *noch*

Beispiel	**Bedeutung**
Noch einmal: Ich esse keinen Fisch.	etwas wiederholen
Ich habe noch eine Frage ...	etwas hinzufügen
Noch ein Bier, bitte!	

Häufige Wendungen

Erinnerst du dich noch *an* unsere Schule?
Wo ist Benni? Der ist noch im Büro.
Treffen wir uns noch nach dem Kurs?

8.1 *schon*

Beispiel	Bedeutung
Ich war schon immer Wintersportfan. Ich habe schon lange nichts mehr von Lotte gehört.	in Verbindung mit Zeit (Vergangenheit)

Häufige Wendungen

Warst du schon mal in Deutschland? Nein, noch nicht.
Hast du schon mal Tennis gespielt? Ja, schon oft.
Musst du dich noch anmelden? Nein, das habe ich schon gemacht.

9 Personalpronomen im Dativ ► E4, E13

	Nominativ	Akkusativ	Dativ
Singular	ich	mich	mir
	du	dich	dir
	er	ihn	ihm
	es	es	ihm
	sie	sie	ihr
Plural	wir	uns	uns
	ihr	euch	euch
	sie/Sie	sie/Sie	ihnen/Ihnen

Häufige Wendungen

Wie geht es Ihnen?
Das gefällt mir wirklich gut!
Du fehlst mir!
Ihm geht es nicht gut, er ist krank.

Kannst du mir helfen?

10 Reflexivpronomen im Akkusativ. *Sich freuen auf* ► E1, E3

Patrick freut sich auf das Klassentreffen. Er hat sich schon angemeldet. Vor 10 Jahren hat er sich in Lotte verliebt. Er schreibt an Lotte: „Freust du dich auch? Wir haben uns 10 Jahre nicht gesehen. Treffen wir uns in Gotha? Mich interessiert auch, was Katta und Basti heute machen."

	Personalpronomen im Akkusativ	Reflexivpronomen im Akkusativ
Singular	mich	mich
	dich	dich
	ihn	sich
	es	sich
	sie	sich
Plural	uns	uns
	euch	euch
	sie/Sie	sich

Häufige Wendungen

Sie interessiert *sich* für Literatur.
Ich erinnere *mich* nicht an unsere Lehrer.
Ich ärgere *mich* über meine Nachbarn.
Sie informieren *sich* über die Stadt Gotha.
Wir freuen uns auf das Wochenende.

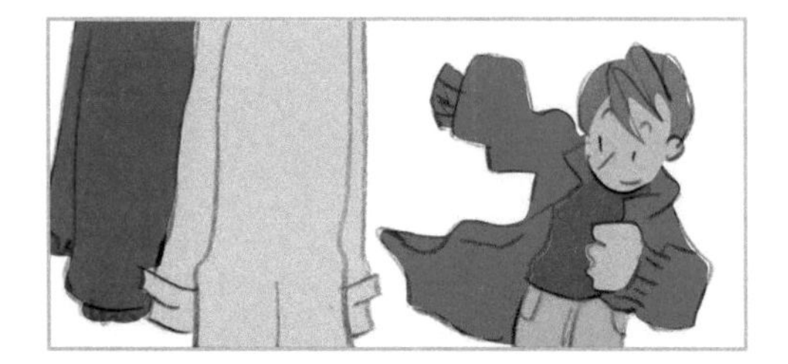

Mascha zieht sich an.

Maschas Mutter zieht sie an.

Etwas genauer beschreiben. Adjektive vor Nomen

11.1 Adjektive ohne Artikel im Nominativ und Akkusativ ► E3

Schöne Wohnung sucht neue Mieter

44791 Bochum (Zentrum), Blumenstr.
✓ Bad mit Fenster, Keller

395 € Kaltmiete | 50,45 m² Wohnfläche | 2 Zimmer ab 01.11.
103,55 € Nebenkosten | 1150 € Kaution

Anbieter kontaktieren
Merken | Notizen

Verkaufe schönes Auto

VW-Golf, Baujahr 1974
sehr gut gepflegt!
Nur 15.000 Euro.

Tel.: 0162 2082784

Anbieter kontaktieren
Merken | Notizen

Singular	der	das	die
Nominativ	großer Balkon	großes Sofa	große Terrasse
Akkusativ	großen Balkon	großes Sofa	große Terrasse
Plural (die) **Nominativ/Akkusativ**	große Balkone/Sofas/Terrassen		

11.2 Adjektive mit bestimmtem und unbestimmtem Artikel ► E5

Was magst du an deinem Beruf?

Ich mag meine tolle Chefin, den täglichen Kontakt mit Kunden und das große Büro. Ich finde auch gut, dass ich keine festen Arbeitszeiten habe.

bestimmter Artikel	Nominativ	Akkusativ
Singular	der neue Computer das neue Büro die neue Chefin	den neuen Computer das neue Büro die neue Chefin
Plural (Nom. = Akk.)	die neuen Computer/Büros/Chefinnen	
unbestimmter Artikel	**Nominativ**	**Akkusativ**
Singular	(k)ein neuer Computer (k)ein neues Büro (k)eine neue Chefin	(k)einen neuen Computer (k)ein neues Büro (k)eine neue Chefin
Plural (Nom. = Akk.)	keine neuen Computer/Büros/Chefinnen	

Regel: Adjektive nach Possessivartikel und Negation (*kein-*) haben die gleiche Endung wie Adjektive nach unbestimmten Artikeln.

11.3 Adjektive mit Artikel im Dativ. Ein/Der Hund mit einem/dem weißen Schwanz ► E7

Das ist ein/der Hund mit einer/der weißen Schnauze und einem/dem weißen Schwanz.

Das ist eine/die Kuh mit einem/dem braunen Fell, einem/dem weißen Kopf und (den) braunen Ohren.

Das sind (die) Schweine mit (den) schwarz-weißen Beinen und (den) schwarzen Ohren.

Regel: Adjektive mit Artikel im Dativ: Die Endung ist immer *-en*.

12 Vergleiche mit Superlativ ►E2, E7

Die Donau in Regensburg

Die Wolga ist der längste Fluss Europas. Sie ist länger als die Donau.
Die Donau fließt aber durch die meisten Länder: Insgesamt zehn Länder!
Das ist Weltrekord. Der drittlängste Fluss in Europa ist der Dnepr,
aber die Wolga ist am längsten.

	Adjektiv	Komparativ	Superlativ	
regelmäßig	billig	billiger als	am billigsten	der/das/die billigste
	schnell	schneller als	am schnellsten	der/das/die schnellste
	praktisch	praktischer als	am praktischsten	der/das/die praktischste
mit Umlaut	groß	größer als	am größten	der/das/die größte
	jung	jünger als	am jüngsten	der/das/die jüngste
	alt	älter als	am ältesten	der/das/die älteste
unregelmäßig	gern	lieber als	am liebsten	der/das/die liebste
	gut	besser als	am besten	der/das/die beste
	viel	mehr als	am meisten	der/das/die meiste
	hoch	höher als	am höchsten	der/das/die höchste

Plural: die schnellsten/größten/ältesten Tiere

Lerntipp
dunkler als, teurer als, flexibler als

13 Wortbildung

13.1 Komposita. Nomen + Adjektiv ►E2

Münster ist eine <u>fahrradfreundliche</u> Stadt mit vielen Radwegen. Das ist <u>umweltfreundlich</u>.
Die große Fußgängerzone in der Altstadt zeigt, dass die Stadt auch <u>fußgängerfreundlich</u> ist.

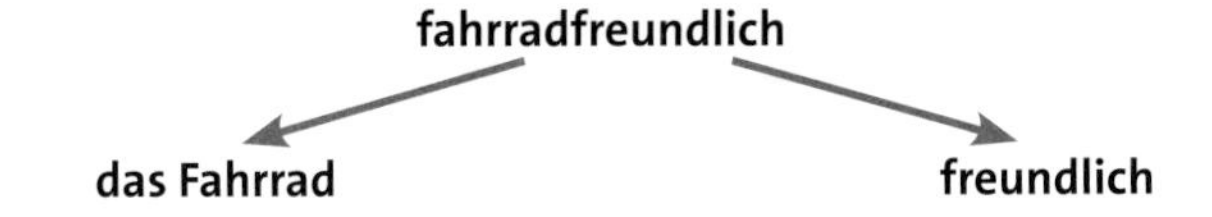

13.2 Aus Verben Nomen machen. Das Grillen ►E3

Hausordnung:

Das Grillen auf dem Balkon ist verboten.
Das Spielen im Treppenhaus ist auch nicht erlaubt.
Das Abstellen von Fahrrädern im Fahrradkeller ist erlaubt.
Die Hausverwaltung

wohnen	das Wohnen	spielen	das Spielen
grillen	das Grillen	abstellen	das Abstellen

Regel: Aus Verben Nomen machen. Der Artikel ist immer *das*.

13.3 Nomen mit *-ung* ►E5

die Ausbildung – ausbilden
die Bewegung – (sich) bewegen
die Veränderung – (sich) verändern
die Wohnung – wohnen
die Planung – planen

Lerntipp
In Nomen mit *-ung* findet man meistens ein Verb.

Regel: Nomen mit *-ung*: Artikel *die*.

14 Modalverb *dürfen*. Präsens und Präteritum ►E3, E10

Tut mir leid, hier dürfen Sie nicht parken. Das ist verboten!

Entschuldigung, aber mein Auto ist kaputt.

	Präsens	Präteritum
ich	darf	durfte
du	darfst	durftest
er/es/sie	darf	durfte
wir	dürfen	durften
ihr	dürft	durftet
sie/Sie	dürfen	durften

Häufige Wendungen

Tut mir leid, das darf ich nicht (essen).
Wo darf man hier rauchen?
Nein, hier darf man nicht rauchen.
Rauchen ist hier verboten.
Hier dürfen keine Autos fahren.

15 Verben mit Ergänzungen ►E1, E14 ►GR24

	Akkusativergänzung	
Viele Menschen kaufen	teure Bio-Produkte.	
Ich habe	ein neues Fahrrad.	
Kennst du	den neuen Roman von Volker Kutscher?	
Ich besuche jetzt	einen A2-Kurs.	
	Dativergänzung	
Das Auto gehört	meinem Vater.	
Hilfst du	ihm	am Wochenende beim Umzug?
Die Hose passt	mir	leider nicht.
Das neue Restaurant gefällt	den Touristen.	
	Dativergänzung	**Akkusativergänzung**
Kai schenkt	seiner Freundin	ein Handy.
Ich zeige	dem neuen Kollegen	seinen Arbeitsplatz.
Carola gibt	mir	ihren Autoschlüssel.
Kannst du	uns	eine Pizza mitbringen?

Lerntipp

Verben mit Dativ *und* Akkusativ:
schenken, (mit)bringen, geben, zeigen, wünschen, leihen, schicken, erklären

16 Vergangenheit ►E6

16.1 Perfekt oder Präteritum?

Perfekt

1806 habe ich Christiane geheiratet.

Präteritum

1806 heiratete Goethe Christiane Vulpius.

16.2 Präteritum. Regelmäßige Verben ►E6

Singular	ich	lebte
		arbeitete
	er/es/sie	reiste
		lernte ... kennen
Plural	wir	studierten
	sie/Sie	heirateten
		liebten

Lerntipp 1

Die 2. Person (*du, ihr*) verwendet man im Präteritum fast nur bei Modalverben und *haben* und *sein*.

Lerntipp 2

Verbstamm endet auf *-t*: du brauchst noch ein *-e*.

16.3 Präteritum. Unregelmäßige Verben ►E10

	Präsens	Präteritum	Perfekt
schreiben	sie schreibt	sie schrieb	sie hat geschrieben
sprechen	sie spricht	sie sprach	sie hat gesprochen
lesen	sie liest	sie las	sie hat gelesen

Lerntipp 1

Unregelmäßige Verben als Reihe lernen:
lesen – las – gelesen

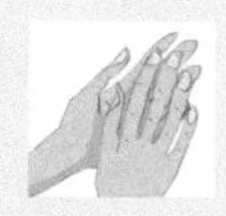

Regel: Unregelmäßige Verben ändern den Verbstamm in allen Personen, im Singular und im Plural.

Lerntipp 2

Partizipendung *-en* =
oft unregelmäßiges Präteritum
gegeben – gab

Die Liste der unregelmäßigen Verben finden Sie ab S. 258.

Einheiten 9–16

Sätze

17 Gründe nennen. Sätze verbinden mit *denn* ►E16

Hauptsatz 1	**Hauptsatz 2 (Grund)**
Erin mag ihren Job,	denn das Gehalt ist gut und die Kolleginnen sind nett.
Matteo mag seinen Job nicht,	denn er langweilt sich oft.

18 Auf eine Information aufmerksam machen. *Nicht nur ..., sondern auch ...* ►E16

Ich habe ein Motorrad und ein Auto.
Ich habe nicht nur ein Motorrad, sondern auch ein Auto.
Sie kauft Lebensmittel und Getränke ein.
Sie kauft nicht nur Lebensmittel, sondern auch Getränke ein.
Sie hat Germanistik und Mathematik studiert.
Sie hat nicht nur Germanistik studiert, sondern auch Mathematik.
Sie hat nicht nur Germanistik, sondern auch Mathematik studiert.

Regel: Vor *sondern auch* steht ein Komma. Die zweite Information wird hier besonders betont.

19 Bedingungen. Sätze mit *wenn* und *dann*

► E11 ► GR15

Hauptsatz	Nebensatz
Ich verkaufe Kleidung im Internet,	wenn sie mir nicht mehr (passt).
Ich gehe auf den Flohmarkt,	wenn ich Geld sparen möchte.
Ich nehme einen Schirm mit,	wenn es regnet.

Nebensatz	Hauptsatz
Wenn mir Kleidung nicht mehr (passt),	(dann) verkaufe ich sie im Internet.
Wenn ich Geld sparen möchte,	(dann) gehe ich auf den Flohmarkt.
Wenn es regnet,	(dann) nehme ich einen Schirm mit.

Ich freu mich, wenn es regnet. Denn wenn ich mich nicht freue, regnet es auch.

Karl Valentin (1882-1948)

20 Fragen mit *warum* und *wann*. Antworten mit *weil* und *wenn*

► E11

	Warum kommst du nicht nach Hause?
Grund (kausal)	Weil es regnet und weil ich keinen Schirm habe.
Bedingung (konditional)	Wenn du mich wirklich liebst, dann wartest du auf mich.
Zeit (temporal)	Wann kommst du nach Hause?
	Ich komme, wenn der Regen aufhört.

Lerntipp

Frage	Antwort	
warum?	*weil*	Grund
wann?	*wenn*	Bedingung

Häufige Wendungen

Ich bin froh, wenn der Winter vorbei ist.
Wenn du mich fragst, finde ich die Farbe furchtbar.
Wenn du gesund bleiben willst, musst du mehr Obst essen.

21 Fragesätze mit *worauf, worüber, wozu, womit, woran*

► E4, E9, E10, E12

Worauf freut sich Jana am meisten?	Sie freut sich auf den Sommer und die Festivals.
Worüber ärgerst du dich?	Ich ärgere mich über die teuren Festival-Tickets.
Wozu benutzt du dein Handy?	Meistens zum Schreiben von Nachrichten.
Womit fährst du zum Festival?	Mit dem Bus.
Woran denkst du gerade?	Ich denke an den Sommerurlaub.

22 Zweck und Grund. *Wozu ...? Um ... zu ...*

► E12

Wozu brauchst du die Leiter?

Um die Decke zu streichen, oder willst du das machen?

Wozu brauchst du die Bohrmaschine? Um das Bild aufzuhängen.
Ich brauche die Bohrmaschine, um das Bild aufzuhängen.
Sarah und Ben brauchen eine Leiter, um die Decke zu streichen.
Ich brauche kein Auto, um in die Stadt zu fahren.

23 Zweck und Ziel. Nebensätze mit *damit* ►E11

Wir brauchen den Garten, damit wir aktiv bleiben.
Wir brauchen den Garten, damit wir Gemüse anbauen können.

Damit wir Gemüse ernten können, brauchen wir den Garten.
Damit wir andere Leute kennenlernen, sind wir im Kleingartenverein.

Regel: *Damit-* und *um ... zu*-Sätze haben die gleiche Bedeutung.
In *Damit*-Sätzen gibt es eine Nominativergänzung.
Wir sind im Kleingartenverein, damit wir andere Leute kennenlernen.
Wir sind im Kleingartenverein, um andere Leute kennenzulernen.

24 Dativ- und Akkusativergänzung im Satz ►E14 ►GR15

	Nominativ	Verb		Dativ	Akkusativ	
	Markus	schenkt		seiner Mutter	oft Blumen.	
	Mein Vater	zeigt		ihnen	sein neues Handy.	
	Ich	schreibe		meiner Freundin	eine Nachricht.	
Fragesatz		Bringst	du	uns	ein Brot	mit?
		Kannst	du	mir	die Regel	erklären?
Imperativ		Bring		deinem Vater	die Zeitung	mit!

Regel: Dativergänzung vor Akkusativergänzung.

25 Personen und Sachen genauer beschreiben. Relativsatz mit *in/mit* + Dativ ►E15

Hauptsätze Wir fahren in ein Dorf. In dem Dorf leben 582 Leute.
Hauptsatz und Nebensatz Wir fahren in ein Dorf, in dem 582 Leute leben.

Singular		
der Hofladen	Der Hofladen ist ein Laden,	in dem man frisches Gemüse kaufen kann.
der Traktor	Das ist der Traktor von Herrn Altmann,	mit dem er auf dem Feld arbeitet.
das Dorf	Wettrungen ist ein Dorf,	in dem es keine Schule gibt.
das Auto	Lisa hat ein Auto,	mit dem sie in die Stadt fahren kann.
die Zeitung	Der Dorfkurier ist eine Zeitung,	in der wichtige Termine stehen.
die Schwester	Hanna ist Linas Schwester,	mit der sie oft telefoniert.
Plural		
die Backhäuser	Backhäuser sind Häuser,	in denen man Brot backen kann.
die Autos	Lisa und Tom haben zwei Autos,	mit denen sie in die Stadt fahren können.

Wörter und Wendungen

26 Wortbildung ►GR13

26.1 Adjektive mit *-bar* ►E11

Was ist das?

Sind sie essbar?

Das sind Kräuter.

Ja, die kann man essen.

Kann man die Bluse waschen?	Ja, sie ist bei 30 Grad waschbar.
Die Miete ist nicht teuer. Die kann man bezahlen.	Die Miete ist bezahlbar.
Vorsicht, das Wasser kannst du nicht trinken.	Das Wasser ist nicht trinkbar.
Auch kaputte Elektrogeräte kann man noch gebrauchen.	Sie sind noch brauchbar.

26.2 Verb-Nomen-Komposita ►E13

Ich wandere gern in den Bergen. Das Bergwandern ist gesund.
Viele Menschen wandern gern von Hütte zu Hütte. Hüttenwanderungen sind beliebt.
Ich lebe gern auf dem Land. Das Landleben ist ruhiger als das Stadtleben.
Ich backe gern Brot. Das Brotbacken macht mir Spaß.

27 Unbestimmter Artikel und Possessivartikel im Nominativ, Akkusativ und Dativ ►E9

		der Beruf	das Büro	die Kollegin
Singular	Nominativ	(m)ein Beruf	(m)ein Büro	(m)eine Kollegin
	Akkusativ	(m)einen Beruf	(m)ein Büro	(m)eine Kollegin
	Dativ	(in) (m)einem Beruf	(in) (m)einem Büro	(mit) (m)einer Kollegin
Plural	Nominativ	meine Berufe/Büros/Kolleginnen		
	Akkusativ	meine Berufe/Büros/Kolleginnen		
	Dativ	meinen Berufen/Büros/Kolleginnen		

Regel: Alle Possessivartikel (*mein, dein, unser, ...*) und *kein/e(r)* ... haben die gleichen Endungen.
Beispiel: In unserem Büro ist es sehr laut.
Negationsartikel: Ich habe keiner Kundin deine Telefonnummer gegeben.

28 Präpositionen

Präpositionen gehören zu den häufigsten deutschen Wörtern. Sie geben in Verbindung mit Nomen oft Informationen zu Zeit, Richtung und Ort.

Zeit (Wann?)	von 8 bis 16 Uhr, um 8 Uhr, am Montag, nach 4 Uhr, seit dem Wochenende
Richtung (Wohin?)	an die Nordsee, durch den Wald, zur Arbeit, nach München, aus der Türkei, in die Stadt
Ort (Wo?)	auf dem Berg, an der Nordsee, in der Stadt

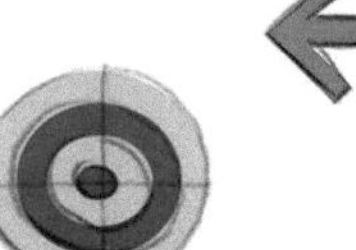

28.1 Präpositionen *aus, bei, mit, nach, von, seit, zu* + Dativ ►E5

Im Sommer fahren wir immer mit dem Auto zu meiner Familie nach Bayern.
Das machen wir seit vielen Jahren. Wir bleiben dann bei der Familie.
Am 19. August hat mein Bruder Geburtstag und wir feiern mit der ganzen Familie.
Nach einer Woche fahren wir dann wieder zurück. Wenn wir aus dem Urlaub zurückkommen, müssen wir sofort wieder arbeiten.

Von *aus, bei, mit* nach
von, seit, zu kommst
immer mit dem Dativ du.

Lerntipp

Verben und Wendungen mit Präpositionen lernen, z. B. anfangen *mit*, bleiben *bei*.

Häufige Wendungen

Ich fange mit dem B1 Kurs an. / Ich höre mit dem Kurs auf. / Ich bin mit Angela verheiratet. / Ich habe keine Angst vor der Zukunft. / Ich erzähle nicht gern von meiner Familie.

28.2 Präpositionen *durch, ohne, gegen, für, um* + Akkusativ ►E13

Präposition	Bedeutung	Beispiel
durch	Weg	Wir laufen zuerst durch den Wald und dann durch das Dorf.
	Zweck/Grund	Durch die lange Wanderung sind alle müde und hungrig.
ohne		Ohne Sonnencreme und gute Schuhe soll man nicht in den Bergen wandern.
gegen	Richtung	Das Auto ist gegen einen Baum gefahren.
	Zeit	Gegen Mittag sind wir auf dem Berg.
	modal	Ich bin gegen die Wanderung. Ich gehe nicht gern zu Fuß.
für	Zeit	Wir sind für eine Woche in Tirol.
	modal	Die Alpen sind ein Paradies für Wander-Fans.
um	Ort	Danach wandern wir um den See.
	Zeit	Um 20 Uhr sind wir wieder zu Hause.
	modal	In der Geschichte von Goethe geht es um Liebe, Krieg und Flucht.

Häufige Wendungen

Ich denke an dich. Ich bedanke mich für die Blumen. Danke für die Blumen!
Ich interessiere mich für Sport. Ich freue mich auf/über deinen Besuch.
Die Menschen reden über dich.

29 Das Verb *werden*. Präsens und Präteritum ►E7, E15

		Präsens	Präteritum
Singular	ich	werde	wurde
	du	wirst	wurdest
	er/es/sie	wird	wurde
Plural	wir	werden	wurden
	ihr	werdet	wurdet
	sie/Sie	werden	wurden

Mein Bruder interessiert sich für Autos. Er möchte Automechaniker werden.

Meine Oma hatte letzte Woche Geburtstag. Sie wurde 80.

30 Passiv ► E12, E15

30.1 Passiv im Präsens ► E12

Kai schließt das Ladekabel an.

Aktiv: Es geht um die Person.

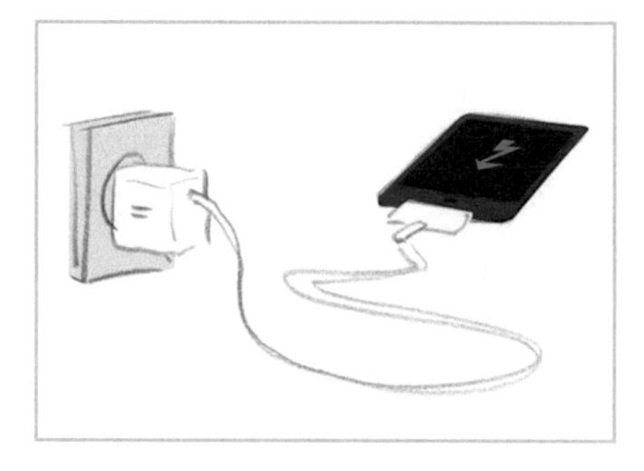

Das Ladekabel wird angeschlossen.

Passiv: Es geht um die Handlung.

1. Ladekabel anschließen
2. Akku aufladen

Zuerst wird das Ladekabel angeschlossen und der Akku aufgeladen.

3. Handy einschalten und
4. Taste mehrere Sekunden drücken

Dann wird das Handy eingeschaltet und die Taste mehrere Sekunden gedrückt.

Regel: Das Passiv wird mit dem Verb *werden* und mit dem Partizip II gebildet.

30.2 Passiv im Präteritum ► E15

Das Handy wurde eingeschaltet.
Der Akku wurde aufgeladen.
Die Handys wurden repariert.

Regel: Das Passiv im Präteritum wird mit dem Verb *werden* im Präteritum und mit dem Partizip II gebildet.

31 Modalverben im Präteritum ►E9, E10

	Präsens	Präteritum	Präsens	Präteritum	Präsens	Präteritum
	müssen		**können**		**sollen**	
ich	muss	musste	kann	konnte	soll	sollte
du	musst	musstest	kannst	konntest	sollst	solltest
er/es/sie	muss	musste	kann	konnte	soll	sollte
wir	müssen	mussten	können	konnten	sollen	sollten
ihr	müsst	musstet	könnt	konntet	sollt	solltet
sie/Sie	müssen	mussten	können	konnten	sollen	sollten
	dürfen		**wollen**		**mögen/möchten**	
ich	darf	durfte	will	wollte	möchte	mochte
du	darfst	durftest	willst	wolltest	möchtest	mochtest
er/es/sie	darf	durfte	will	wollte	möchte	mochte
wir	dürfen	durften	wollen	wollten	möchten	mochten
ihr	dürft	durftet	wollt	wolltet	möchtet	mochtet
sie/Sie	dürfen	durften	wollen	wollten	möchten	mochten

Regel: Modalverben im Präteritum haben keinen Umlaut, aber immer ein *-t: Wir konnten, sie durften.*

32 Präteritum. Unregelmäßige Verben ►E10

	Präsens	Präteritum
schreiben	sie schreibt	sie schrieb
sprechen	sie spricht	sie sprach
fahren	sie fährt	sie fuhr

33 Unregelmäßige Verben. Übersicht

	Präsens, 3. Person Singular		Präteritum	Perfekt (Partizip)
essen	er/es/sie	isst	aß	hat gegessen
fahren	er/es/sie	fährt	fuhr	ist gefahren
heißen	er/es/sie	heißt	hieß	hat geheißen
mithelfen	er/es/sie	hilft ... mit	half ... mit	hat mitgeholfen
laufen	er/es/sie	läuft	lief	ist gelaufen
verstehen	er/es/sie	versteht	verstand	hat verstanden
einladen	er/es/sie	lädt ... ein	lud ... ein	hat eingeladen

Regel: Unregelmäßige Verben ändern den Vokal im Partizip und im Präteritum in allen Personen, Singular und Plural.

Lerntipp

Unregelmäßige Verben als Reihe lernen: *lesen – las – gelesen.*

Die Liste der unregelmäßigen Verben finden Sie ab S. 258.

LISTE DER UNREGELMÄSSIGEN VERBEN

Diese Verben aus „Das Leben" A1 und A2 wechseln den Vokal in der 3. Person Präsens, im Präteritum und im Perfekt. Diese Verben finden Sie in einer oder mehreren der folgenden Listen: Goethe-Zertifikat A1, Start Deutsch 1, Goethe-Zertifikat A2, Deutschprüfung für Erwachsene, DUDEN-Korpus (7,5 Milliarden Wörter): die 200 häufigsten Verben. Kursiv ausgezeichnete Wörter sind nicht in den Listen.

*Perfekt mit *sein*

	er/es/sie	
ab|fahren	fuhr ab	abgefahren
ab|waschen	*wusch ab*	*abgewaschen*
an|bieten	bot an	angeboten
an|fangen	fing an	angefangen
an|kommen	kam an	angekommen*
an|nehmen	nahm an	angenommen
an|rufen	rief an	angerufen
an|sehen	sah an	angesehen
an|schließen	*schloss an*	*angeschlossen*
an|ziehen (sich)	zog sich an	angezogen
auf|laden	*lud auf*	*aufgeladen*
auf|stehen	stand auf	aufgestanden*
auf|treten	trat auf	aufgetreten*
aus|brechen	*brach aus*	*ausgebrochen**
aus|fallen	fiel aus	ausgefallen*
aus|geben	gab aus	ausgegeben
aus|gehen	ging aus	ausgegangen*
aus|schlafen	*schlief aus*	*ausgeschlafen*
aus|sehen	sah aus	ausgesehen
aus|ziehen (sich)	zog sich aus	ausgezogen
beginnen	begann	begonnen
bekommen	bekam	bekommen
beraten	beriet	beraten
bestehen	bestand	bestanden
beweisen	bewies	bewiesen
bewerben (sich)	bewarb sich	beworben
bieten	bot	geboten
bitten	bat	gebeten
bleiben	blieb	geblieben*
brechen (sich)	brach sich	gebrochen
bringen	brachte	gebracht
denken	dachte	gedacht
dürfen	durfte	gedurft
ein|fallen	*fiel ein*	*eingefallen**
ein|geben	*gab ein*	*eingegeben*
ein|laden	lud ein	eingeladen
ein|ziehen	zog ein	eingezogen*
empfehlen	empfahl	empfohlen
enthalten	enthielt	enthalten
entscheiden	entschied	entschieden
entstehen	entstand	entstanden*
erfahren	erfuhr	erfahren
erkennen	erkannte	erkannt
essen	aß	gegessen
fahren	fuhr	gefahren*
finden	fand	gefunden
fliegen	flog	geflogen*

fressen	*fraß*	*gefressen*
geben	gab	gegeben
gefallen	gefiel	gefallen
gehen	ging	gegangen*
genießen	genoss	genossen
gewinnen	gewann	gewonnen
gießen	goss	gegossen
haben	hatte	gehabt
halten	hielt	gehalten
hängen	hing	gehangen
heißen	hieß	geheißen
helfen	half	geholfen
heraus|finden	fand heraus	herausgefunden
herunter|laden	lud herunter	heruntergeladen
hin|fahren	fuhr hin	hingefahren*
hin|fallen	fiel hin	hingefallen*
hin|gehen	ging hin	hingegangen*
hin|kommen	kam hin	hingekommen*
hinter|lassen	hinterließ	hinterlassen
hoch|laden	lud hoch	hochgeladen
kennen	kannte	gekonnt
klingen	klang	geklungen
kommen	kam	gekommen*
können	konnte	gekonnt
laden	lud	geladen
laufen	lief	gelaufen*
leid|tun	tat leid	leidgetan
leihen	lieh	geliehen
lesen	las	gelesen
liegen	lag	gelegen
lügen	log	gelogen
mit|bringen	brachte mit	mitgebracht
mit|helfen	half mit	mitgeholfen
mit|kommen	kam mit	mitgekommen
mit|nehmen	nahm mit	mitgenommen
mögen	mochte	gemocht
müssen	musste	gemusst
nach|denken	*dachte nach*	*nachgedacht*
nach|sprechen	*sprach nach*	*nachgesprochen*
nehmen	nahm	genommen
nennen	nannte	genannt
raten	riet	geraten
raus|bringen	*brachte raus*	*rausgebracht*
recht haben	hatte recht	recht gehabt
rennen	*rannte*	*gerannt**
riechen	roch	gerochen
schaffen	schuf	geschaffen
scheinen	schien	geschienen
schlafen	schlief	geschlafen
schließen	schloss	geschlossen
schneiden	schnitt	geschnitten
schreiben	schrieb	geschrieben

schwimmen	schwamm	geschwommen*
sehen	sah	gesehen
sein	war	gewesen*
singen	sang	gesungen
sitzen	saß	gesessen
sitzen|bleiben	*blieb sitzen*	*sitzengeblieben**
sollen	sollte	gesollt
sprechen	sprach	gesprochen
statt|finden	fand statt	stattgefunden
stehen	stand	gestanden
steigen	stieg	gestiegen*
sterben	starb	gestorben*
streichen	strich	gestrichen
streiten	stritt	gestritten
teil|nehmen	nahm teil	teilgenommen
tragen	trug	getragen
treffen	traf	getroffen
trinken	trank	getrunken
tun	tat	getan
übernehmen	übernahm	übernommen
übertreiben	*übertrieb*	*übertrieben*
überweisen	überwies	überwiesen
um|steigen	stieg um	umgestiegen*
um|ziehen	zog um	umgezogen*
unterhalten (sich)	unterhielt sich	unterhalten
verbringen	verbrachte	verbracht
vergessen	vergaß	vergessen
vergleichen	verglich	verglichen
verlassen	verließ	verlassen
verlieren	verlor	verloren
versprechen	versprach	versprochen
verstehen	verstand	verstanden
vertragen	*vertrug*	*vertragen*
wachsen	wuchs	gewachsen*
waschen	wusch	gewaschen
weg|bringen	brachte weg	weggebracht
weglaufen	lief weg	weggelaufen*
weg|werfen	warf weg	weggeworfen
weh|tun (sich)	tat sich weh	wehgetan
werden	wurde	geworden*
werfen	warf	geworfen
wiegen	wog	gewogen
wissen	wusste	gewusst
wollen	wollte	gewollt
ziehen	zog	gezogen
zurück|fahren	fuhr zurück	zurückgefahren*
zurück|kommen	kam zurück	zurückgekommen*
zurück|rufen	*rief zurück*	*zurückgerufen*

Diese Verben aus „Das Leben" A2 werden oft mit Präpositionen und Akkusativ- oder Dativergänzung verwendet.
Lernen Sie die Verben immer zusammen mit den Präpositionen.

Akkusativ

abhalten	von	Ich will euch nicht von der Arbeit abhalten.
achten	auf	Man muss auf die Radfahrer achten.
anmelden, sich	für	Hast du dich schon für den Sprachkurs angemeldet?
ärgern, sich	über	Ich ärgere mich oft über meinen Chef.
aufmerksam machen	auf	Ich mache die Kund*innen auf das Angebot aufmerksam.
bedanken, sich	für	Ich bedanke mich für das Geschenk.
berichten	über	Sie möchte über ihre Ferien berichten.
beschweren, sich	über	Der Junge beschwert sich über seine Lehrerin.
bestehen	aus	Das Gericht besteht aus Nudeln und Spinat.
bewerben, sich	um	Er bewirbt sich um eine Stelle als Krankenpfleger.
bitten	um	Sie bittet ihn um Hilfe.
denken	an	Ich denke oft an meine Schulzeit.
diskutieren	über	Wir diskutieren viel über Ernährung.
erinnern, sich	an	Sie erinnert sich oft an die Schulzeit.
freuen, sich	über	Ich freue mich über das Geschenk.
freuen, sich	auf	Die Kinder freuen sich auf die Ferien.
hoffen	auf	Ich hoffe auf gutes Wetter am Wochenende.
interessieren, sich	für	Interessierst du dich für Literatur?
konzentrieren, sich	auf	Meine Tochter konzentriert sich auf ihr Abitur.
kümmern, sich	um	Mein Mann kümmert sich um den Haushalt.
nachdenken	über	Ich denke über einen neuen Laptop nach.
reagieren	auf	Wie hat er auf deine Frage reagiert?
sorgen	für	Meine Schwester muss für ihren Sohn sorgen.
streiten, sich	über	Meine Eltern streiten sich immer über die gleichen Themen.
unterhalten, sich	über	Ich möchte mich mit dir über deine Zukunft unterhalten.
verlieben, sich	in	Ich habe mich in dich verliebt.
wundern, sich	über	Er wundert sich über seine Kinder.

Dativ

ausbrechen	aus	Man kann immer aus dem Alltag ausbrechen
auskennen, sich	mit	Kennst du dich mit Technik aus?
basieren	auf	Die Daten basieren auf Studien.
beschäftigen, sich	mit	In meiner Freizeit beschäftige ich mich mit Kunst.
beschweren, sich	bei	Du musst dich bei deiner Chefin beschweren.
chatten	mit	Meine Tochter chattet viel mit ihren Freundinnen.
einverstanden sein	mit	Ich bin mit dem Ergebnis einverstanden.
erholen, sich	von	Ich erhole mich vom stressigen Alltag.
fertig sein	mit	Bist du schon fertig mit den Hausaufgaben?
melden	bei	Melden Sie sich bitte bei Herrn Krüger.
teilnehmen	an	Wir nehmen an der Feier teil.
träumen	von	Sie träumt von einem Haus in Spanien.
unterhalten, sich	mit	Ich unterhalte mich gerne mit ihm.
verabreden, sich	mit	Morgen bin ich mit Hannes verabredet.
verabschieden, sich	von	Übermorgen müssen wir uns von Frau Müller verabschieden.
verstehen, sich	mit	Ich verstehe mich gut mit meiner Chefin.
vertragen, sich	mit	Er hat sich mit seiner Freundin vertragen.
vorbeifahren	an	Du musst an dem großen Haus vorbeifahren.
zusammenarbeiten	mit	Ich arbeite gerne mit meinen Kolleginnen zusammen.

Wortakzent in Jahreszahlen ►E6

1968 – neunzehnhundertachtundsechzig   2001 – zweitausendeins   2021 – zweitausendeinundzwanzig

Satzakzent und Satzmelodie (Hauptsatz + Nebensatz) ►E2, E8

Hauptsatz

Erdbeeren und Spargel sind Lebensmittel,

Ich fahre gern mit nach Paris,

Nebensatz

die aus der Region kommen.

weil ich Französisch lerne.

Emotionales Sprechen ►E10

Mega! Toll! Krass! Genial! Echt? Wirklich?

- Wie war das Festival?
- Das Festival war toll!
- Und wie war die Musik?
- Die Musik war mega! Einfach genial! Ich habe ein Foto mit der Band gemacht.
- Echt? Das ist ja krass!

Die Aussprache von *z* ►E3

- [ts] Ich suche eine Zwei-Zimmer-Wohnung in Zittau.
- Hier! Zweihundertzweiundzwanzig Euro Kaltmiete.

Die Aussprache von *-ng* ►E5, E7

[ŋ] Mit der Digitalisierung entstehen viele Veränderungen im Beruf.

Die Aussprache der Adjektivendungen *-bar* ►E11

bewohnbar   bezahlbar   lesbar   essbar

Deine Schrift ist echt nicht lesbar!

Vokale in englischen Wörtern auf Deutsch ►E4

das Smartphone – der Podcast – das E-Book – scannen – posten – liken – downloaden

Die Diphthonge *ai, au, äu, ei, eu* ►E7

Paula Seifert ruft Klaus Häussler im Tierheim Mainz an. Ihr Papagei ist weg. Er ist blau und eigentlich freundlich, aber am liebsten sagt er: „Schnauze Paula!".

Langes und kurzes *ü* ►E16

lang Gemüse
Ich esse gern Gemüse.

kurz glücklich
Ich bin so glücklich!

Die Aussprache von *i* ►E16

Immer Glück im Leben haben.

Die Aussprache von *h* ►E14

Vor einem Vokal hört man den Konsonanten *h*. Nach einem Vokal hört man *h* nicht. Der Vokal ist lang.

vor dem Vokal	der Hund Das ist mein Hund.	**nach dem Vokal**	der Stuhl Die Zeitung liegt auf dem Stuhl.

Die Aussprache von *ch* ►E1

Nach *i*, *eu* und *n* spricht man *ch* als [ç].	dich – euch – manchmal
Nach *o* und *au* spricht man *ch* als [x].	doch – auch

Die Aussprache von *w* und *b* ►E13, E15

w Wir möchten wissen, wo wir wandern können.
b Im Backhaus backen wir Brot.

Die Aussprache von *schr* und *str* am Wortanfang ►E12

schr die Schraube – der Schraubenzieher
str die Straße – der Strand

Die Aussprache *-em*, *-en* und *-er* am Wortende ►E9

In meinem Alltag bin ich oft mit unseren Kunden in unserer Werkstatt.

Einheit 1: Klassentreffen

1.03

- Mensch, Basti. Lange nicht gesehen! Na, wie geht's?
- Hallo Lotte! Alles gut. Und wie geht's dir so? Hast du Kinder?
- Ich? Nein. Sag mal, du bist doch jetzt in Konstanz, oder? Gefällt es dir dort?
- Ja, super! Hast du Patrick schon gesehen?
- Ja, er steht dort an der Tür.
- Das gibt's doch nicht! Er sieht noch genauso aus wie früher.
- Stimmt.
- Was macht er eigentlich beruflich?
- Patrick arbeitet hier in Gotha als Journalist bei einer Zeitung. Das war doch klar!
- Wirklich? Das hätte ich nicht gedacht. Er war doch damals so verliebt in dich.
- Ach, das ist lange her. Patrick ist verheiratet und hat schon zwei Kinder.
- Das gibt's nicht! Aber jetzt erzähl mal, was machst du denn so?

1.04

- Hallo Caro. Wir haben uns lange nicht mehr gesehen!
- Aber den Satz habe ich heute bestimmt schon hundertmal gehört ...
- Ich auch. Alle fragen mich: Und was machst du beruflich? Hast du Kinder? Wo wohnst du jetzt eigentlich? Naja. Das ist auf Klassentreffen wohl normal. Und? Ist alles in Ordnung?
- Klar, wir haben ja auch alles sehr gut vorbereitet.
- Sag mal, Caro, ist das Basti?
- Genau. Der hat sich wirklich nicht verändert. Ich finde, er sieht noch genauso aus wie früher.
- Stimmt, aber vor zehn Jahren hatte er kürzere Haare.
- Ich finde, dass er so auch sehr gut aussieht.
- Naja. Was macht er denn beruflich?
- Ich habe gehört, dass er Physiotherapeut geworden ist.
- Aha, und wo lebt er jetzt?
- In Konstanz, am Bodensee.
- Das passt. Sag mal, ist Basti noch immer mit Nina zusammen?
- Nein, schon lange nicht mehr. Aber er hat eine neue Partnerin. Lotte sagt, dass sie aus Korea kommt. Sie leben schon ein paar Jahre zusammen.
- Interessant.

1.05

- Hallo Manu! Long time no see! Wie geht's dir so?
- Gut, und dir, Anna?
- Danke, alles prima! Wohnst du noch in Gotha?
- Nein. Ich wohne schon seit dem Abi nicht mehr hier.
- Sag mal, hast du Franzi schon gesehen?
- Ja. Die ist schon hier. Sie sieht etwas anders aus als vor zehn Jahren.
- Wo ist sie denn? Ich sehe sie nicht.
- Franzi sitzt dort am Tisch, neben Patrick.
- Und was macht sie beruflich?
- Ich habe gehört, dass sie Ärztin geworden ist und in Bremen lebt.
- Sie hat doch ein Jahr nach dem Abi schon geheiratet, oder?
- Stimmt. Aber ich habe von Lotte gehört, dass Franzi schon geschieden ist.
- Und du, Manu? Bist du auch schon geschieden?
- Nein, ich bin immer noch Single ...

1.06

- Hey Patrick! Das gibt's nicht! Du siehst noch genauso aus wie 2011!
- Mensch, Franzi. Lange nicht gesehen! Wie geht's? Was machst du so?
- Mir geht's gut. Ich habe Medizin studiert und lebe jetzt in Bremen.
- Cool. Bist du verheiratet?
- Nein, ich bin geschieden. Entschuldigung, sag mal, das ist doch Anna, oder?
- Genau. Sie hat sich nicht verändert. Aber vor zehn Jahren waren ihre Haare noch schwarz!
- Stimmt. Sie waren auch schon mal blau. Kannst du dich erinnern?
- Na klar. Die hellen Haare stehen ihr aber besser.
- Das finde ich auch. Was macht sie denn jetzt so?
- Tobi hat erzählt, dass sie als Assistentin in einer Musikfirma arbeitet.
- In London, New York oder in Tokio?
- Nein, in Berlin.
- Typisch Anna! Sie hat vor zehn Jahren schon immer gesagt, dass sie Berlin cool findet.

Einheit 1 Übungen

1.07

1
- Hast du die Einladungen schon verschickt?
- Nein, ich muss sie noch verschicken.

2
- Musst du die Getränke noch bestellen?
- Nein, das habe ich schon gemacht.

3 Haben wir schon alles vorbereitet?
Nein, wir müssen die Abizeitung noch kopieren.
4 Hat Katta sich schon angemeldet?
Nein, ich habe noch nichts von Katta gehört.
5 Seid ihr schon fertig?
Nein, wir sind noch nicht fertig.

1.08

1 Hast du die Einladungen schon verschickt?
2 Musst du die Getränke noch bestellen?
3 Haben wir schon alles vorbereitet?
4 Hat Katta sich schon angemeldet?
5 Seid ihr schon fertig?

1.09

Und jetzt das Wetter für Samstag. Es ist auch heute wieder sehr warm, aber nicht mehr so schön wie in den letzten Tagen. Am Morgen ist es noch etwas kühler und man kann schon die ersten Wolken sehen. Der Vormittag ist mit 30 bis 32 Grad heiß und bewölkt. Am Mittag regnet es und es wird etwas kühler. Wir haben dann nur noch 23 Grad. Nachmittags ist es wieder sonnig und mit 25 Grad etwas wärmer. Am Abend gibt es Gewitter. Es wird sehr windig. Um 20 Uhr haben wir nur noch 18 Grad. In der Nacht ...

1.18

Hallo Felix, wie geht's?
Gut. Und dir? Ich habe schon von Ella gehört, dass die Party im Park total toll war!
Ja, das stimmt. Und das Wetter war am Sonntag auch wieder schön! Es war sonnig und warm. Schade, dass du nicht dabei warst!
Ja, schade. Aber ich hatte am Sonntag schon eine andere Einladung. Ist Leo denn gekommen?
Ja, klar! Leo war dabei. Er hat seinen Grill und Getränke mitgebracht. Ich habe Würstchen und Getränke gekauft, Liam hat einen großen Kartoffelsalat gemacht und die anderen haben auch alle etwas mitgebracht.
Schön. Hattet ihr auch Musik?
Ja, ich habe meine Gitarre mitgebracht.
Wie lang habt ihr denn gefeiert?
Ich glaube, bis zehn. Genau. Die letzten Gäste sind um zehn gegangen. Es war auch schon ziemlich dunkel.
Und wo findet die nächste Party statt?
Keine Ahnung, vielleicht auf Leos Balkon. Er hat doch bald Geburtstag.
Stimmt. Na gut. Ich hoffe, dass ich dann Zeit habe! Ich muss jetzt los. Mach's gut!
Du auch! Bis bald. Moment, warte! Kommst du heute Abend zum Essen? Es gibt Salate und ein paar Würstchen.
Gerne. Sagen wir, um sieben?
Ja, das passt. Bis denn! Tschüss, Felix!

1.19

Hallo Felix! Schön, dass du gekommen bist!
Hallo Nina! Was ist das denn hier?
Das ist noch von gestern. Ein paar Gäste sind etwas früher gegangen und haben nicht alles mitgenommen.
Das ist doch der Grill von Leo, oder?
Genau, das ist Leos Grill.
Und wem gehört der Tisch?
Das ist Liams Tisch.
Ach, und der Stuhl? Gehört der auch Liam?
Nein, das ist Ellas Stuhl.
Und wem gehören der Pullover und die Jacke?
Das ist Ellas Pullover und das ist Toms Jacke.
Na, dann ...

1.20

1 Das ist doch der Grill von Leo, oder?
2 Und wem gehört der Tisch?
3 Ach, und der Stuhl? Gehört der auch Liam?
4 Und wem gehören der Pullover und die Jacke?

Einheit 2: Mobil leben

1.21

Dialog 1

Guten Morgen. Sie sind mit dem Rad unterwegs. Wohin fahren Sie?
In die Uni. Ich habe ein Seminar.
Was bedeutet für Sie Mobilität?
Mobilität ist für mich ziemlich wichtig, weil ich immer viele Termine in der Stadt habe. Zur Uni, zum Supermarkt, zum Sportstudio – mit dem Rad geht das am schnellsten und das ist auch am billigsten. So bin ich immer flexibel.
Aha. Fahren Sie auch mit dem Bus oder mit der Bahn?
Manchmal, im Winter. Ich bin Studentin und habe ein Semesterticket. Aber ich warte nicht gerne auf den Bus. Das Rad ist am praktischsten.
Hm, verstehe. Nutzen Sie auch andere Verkehrsmittel?
Ich habe mal einen E-Roller gemietet. Das macht Spaß, aber in Münster braucht man das eigentlich nicht.

Dialog 2

- Guten Morgen. Sie sind mit dem Auto unterwegs. Wohin fahren Sie?
- Zur Arbeit, nach Münster. Ich bin Automechaniker und muss um sieben in der Werkstatt sein.
- Was heißt für Sie Mobilität?
- Autofahren. Das sehen Sie ja. Wissen Sie, wir wohnen auf dem Land, 20 Kilometer von hier. Für meine Familie und mich ist das Auto am wichtigsten.
- Nutzen Sie auch andere Verkehrsmittel? Die Bahn oder den Bus?
- Ich eigentlich nicht, aber meine Kinder fahren mit dem Bus zur Schule und am Wochenende machen wir gerne Radtouren in der Region.
- Vielen Dank und gute Fahrt!

1.23

- Frau Stadler, seit wann arbeiten Sie als Kundenbegleiterin bei der SBB?
- Ich arbeite jetzt schon seit vier Jahren als Kundenbegleiterin. Ich habe zuerst Bäckerin gelernt. Ich backe immer noch gern, aber der Beruf hat mir nicht so gefallen. Dann habe ich die Ausbildung und die Prüfung bei der SBB gemacht. Das hat acht Monate gedauert.
- Auf welchen Strecken fahren Sie besonders oft?
- Ich fahre regelmäßig von Zürich nach Bellinzona oder nach Genf. Auf der Strecke muss ich die Sprachen wechseln: Von Deutsch nach Italienisch oder Französisch.
- Oh, das ist interessant. Wie viele Sprachen sprechen Sie denn?
- Ich spreche Deutsch, Englisch und Französisch, und im Moment lerne ich Italienisch. Für den Job braucht man mindestens zwei Sprachen. Unsere Ansagen sind mehrsprachig, weil unsere Kundinnen und Kunden international sind.
- Welche Aufgaben haben Sie im Zug?
- Ich kontrolliere Billets, mache Durchsagen und berate die Kundinnen und Kunden. Manche haben ihr Velo dabei und brauchen noch ein Velobillet.
- Was ist in dem Beruf am wichtigsten?
- Das ist die Pünktlichkeit. Unsere Kundinnen und Kunden wollen pünktlich ankommen.
- Was lieben Sie an Ihrer Arbeit?
- Ich mag Menschen und fahre gern mit ihnen durch die Schweiz. Das Land ist so schön. Wälder, Berge, Seen, Städte. Und ich sehe das jeden Tag. Am liebsten im Winter. Dann haben wir Schnee.
- Wie entspannen Sie nach der Arbeit?
- Naja, das ist gar nicht immer so einfach. Ich brauche dann Ruhe und leckeres Essen. Das finde ich nach der Arbeit am wichtigsten.

Einheit 2 Übungen

1.24

1
- Fährst du über Frankfurt nach Köln?
- Nein, ich habe eine andere Verbindung.

2
- Hast du schon eine Fahrkarte?
- Nein, ich muss noch eine Fahrkarte kaufen.

3
- Nimmst du den Bus?
- Nein, ich fahre mit der Bahn.

4
- Kommt dein Zug pünktlich an?
- Nein, ich habe Verspätung.

1.25

- Schade, dass das Wochenende schon wieder vorbei ist.
- Ja, finde ich auch. Aber Hamburg liegt leider nicht in der Nähe von Leverkusen. Ich kann freitags nicht früher hier sein, weil die Fahrt auch ohne Verspätung immer so lange dauert!
- Das stimmt. Und am Sonntag musst du auch immer schon nach dem Mittagessen los ...
- Ich weiß. Ich habe eine Idee. Nächstes Wochenende treffen wir uns Münster! Warst du schon mal dort?
- In Münster? Nein, aber unterwegs nach Hamburg komme ich mit der Bahn immer durch Münster.
- Genau. Und nächstes Wochenende steigst du dort aus. Wir können uns nächsten Freitag in Münster am Hauptbahnhof treffen. Das ist für mich nicht so weit. Und dann machen wir uns ein paar schöne Tage in der Stadt, o.k.?
- Klar! Das ist eine super Idee! Dann müssen wir aber noch viel organisieren.
- Kein Problem! Ich habe heute auf der Rückfahrt nach Hamburg im Bus viel Zeit und recherchiere mal im Internet.
- Klasse. So machen wir das!

1.26

1
- Wann fährt dein Zug nach Düsseldorf?
- Erst abends um halb neun.
- Dann haben wir noch Zeit ...

2
- Wann fährt dein Bus morgen?
- Schon morgens um sieben.
- Oh, dann müssen wir früh aufstehen.

3
- Wir müssen los. Unser Bus fährt um kurz vor vier.
- Ja ... ich komme schon.

4
- Weißt du, wie lange die U-Bahnen fahren?
- Ja. Immer bis abends um elf.

5
- Entschuldigung. Wissen Sie, wann der nächste Bus kommt?
- Normalerweise um 17.05 Uhr.
- Danke.

1.27

- Lara, wir müssen noch die Fahrkarten nach Leipzig buchen.
- Stimmt. Das machen wir jetzt gleich. Wann wollen wir los?
- Vielleicht schon um sieben? Dann haben wir in Leipzig mehr Zeit.
- Ja. Moment ... Also ... Es gibt einen Zug um kurz nach sechs. Der kostet 29,90 Euro. Und einen Zug um sieben. Der kostet 39,90.
- Sechs Uhr? Lieber den Zug um sieben. Und zurück?
- Hm ... Da gibt es einen Zug um halb sechs für 32,90 Euro und einen um halb sieben für 26,90 Euro.
- Der Zug um halb sieben ist billiger. Den nehmen wir.
- Gut. Dann kostet das für zwei Personen 133,60 Euro.

1.28

- Wann fährt der nächste Zug nach Paris?
- Der nächste Zug nach Paris fährt morgen um 6.29 Uhr.
- Wann komme ich an?
- Sie kommen um 13.16 Uhr an.
- Wo muss ich umsteigen?
- Sie müssen in Stuttgart umsteigen.
- Wie viel kostet die Fahrkarte?
- Die Fahrkarte kostet 79,90 Euro.
- Wo kann ich die Fahrkarte kaufen?
- Die Fahrkarte können Sie im Reisezentrum kaufen. Das ist dort.

1.31

1. Wir müssen jetzt echt los! Beeil dich.
2. Tut mir leid, ich spreche kein Chinesisch. Kannst du bitte mal übersetzen?
3. Ich habe Hunger. Machst du eine Pizza für mich?
   - Jetzt? Wir haben schon vor einer Stunde gegessen!

Einheit 3: Wohnen und zusammenleben

1.33

- König Immobilien, Franziska Lotze, guten Tag!
- Guten Tag. Hier ist Dimitris Michelakis. Ich habe Ihre Anzeige gelesen und interessiere mich für die Drei-Zimmer-Wohnung in Bochum-Zentrum. Ist sie noch frei?
- Ja, frei ab sofort und noch nicht vermietet.
- Das ist gut. Sagen Sie, hat die Wohnung ein Bad mit Badewanne?
- Nein, nur eine Dusche. Aber das Bad hat ein Fenster.
- Und die Küche? Ist eine Küche drin?
- Ja, alles drin, also Schränke, Herd und einen Kühlschrank.
- Sehr gut. Und ... wir haben einen kleinen Hund. Viele Vermieter wollen keine Tiere. Darf man in der Wohnung einen Hund haben?
- Ja, das dürfen Sie.
- Das hört sich alles gut an! Wo ist die Wohnung denn genau und kann ich sie mir ansehen?
- Natürlich. Die Wohnung ist in der Franzstraße 35. Treffen wir uns am Donnerstag um 16 Uhr?
- Franzstraße 35, Donnerstag, 16 Uhr. Ja, das passt. Danke, Frau Lotze.
- Und Ihr Name war ...?
- Michelakis. Dimitris Michelakis.
- O.k., Herr Michelakis. Dann bis Donnerstag!

1.34

Draußen ist es schon fast dunkel. Es ist schön warm im Zimmer. Ich sitze auf dem Sofa. Ich trage bequeme Kleidung. Ich höre ruhige Musik. Ich bin entspannt. Ich trinke Tee. Ich lese ein Buch. Das ist gemütlich!

Einheit 3 Übungen

1.35

- Immobilienbüro Wohnglück, Arndt, guten Tag!
- Ja, guten Tag Frau Arndt. Hier ist Alexander Ivanow. Ich interessiere mich für die Drei-Zimmer-Wohnung in der Heinickestraße in Hamburg-Eppendorf. Ist die Wohnung noch frei?
- Ja, die Wohnung ist noch frei.
- Sehr gut. Die Wohnung ist 70 m² groß, richtig?
- Ja, genau. Die Wohnung hat drei Zimmer, eine große Küche und ein Bad mit Badewanne.
- Gut, in welcher Etage ist die Wohnung und gibt es einen Balkon?
- Die Wohnung ist im dritten Obergeschoss. Einen Balkon gibt es leider nicht.
- Hm, o.k. Wann kann ich mir die Wohnung ansehen?
- Treffen wir uns am Dienstag um 14 Uhr?
- Ja, Dienstag, 14 Uhr. Das passt.
- O.k., Herr Ivanow. Dann bis Dienstag in der Heinickestraße 6.
- Gut, vielen Dank Frau Arndt. Auf Wiederhören.
- Auf Wiederhören, Herr Ivanow.

1.36

- Larissa, hallo?
- Ja, hallo Larissa. Hier ist Franz Krahner. Ich habe eure Anzeige für das Zimmer gelesen. Ist das Zimmer noch frei?

Hey Franz. Ja, super. Das Zimmer ist noch frei. Du kannst es dir gern ansehen.
Sehr gut. Das Zimmer hat 20 m² und einen Balkon, richtig?
Ja, genau. Der Balkon gehört zum Zimmer. Wir sitzen aber auch oft gemeinsam auf dem Balkon.
Ja, das klingt sehr gut. Wie viel kostet das Zimmer?
Hm, also die Kaltmiete beträgt 250 Euro. Dazu kommen noch 65 Euro Nebenkosten.
O.k., das passt. Wo ist eure Wohnung denn genau und kann ich sie mir ansehen?
Die Wohnung ist in der Schillerstraße 10. Kannst du am Freitag um 17 Uhr?
Ja, Freitag, 17 Uhr, ist o.k. Also, bis dann. Tschüss.
Bis Freitag. Tschüss.

1.37

Farkas-Immobilien, Sie sprechen mit Daniel Farkas, guten Tag.
Guten Tag Herr Farkas, hier ist Sarah Winter. Ich interessiere mich für die Zwei-Zimmer-Wohnung in Bonn-Beuel. Ist die Wohnung noch frei?
Ja, frei ab sofort.
Sehr gut, hat die Wohnung einen Balkon?
Nein, aber eine Terrasse. Die Wohnung ist im Erdgeschoss.
Hm, o.k., im Erdgeschoss. Aber eine Terrasse ist sehr schön. Ist eine Haltestelle in der Nähe?
Ja, die Haltestelle „Konrad-Adenauer-Platz" ist in der Nähe. Mit der Bahn brauchen Sie nur sieben Minuten bis in die Innenstadt.
Sehr gut. Wie hoch ist die Kaltmiete und wie hoch sind die Nebenkosten?
Die Kaltmiete beträgt 600 Euro, die Nebenkosten 150 Euro.
O.k., das passt. Wo ist die Wohnung denn genau und kann ich sie mir ansehen?
Natürlich. Die Wohnung ist in der Friedrich-Breuer-Str. 15. Treffen wir uns am Mittwoch, 10 Uhr?
Ja, Mittwoch, 10 Uhr, das passt. Vielen Dank, ich freue mich.
Sehr gut, Frau Winter. Dann treffen wir uns am Mittwoch, 10 Uhr in der Friedrich-Breuer-Str. 15. Auf Wiederhören.
Alles klar. Auf Wiederhören, Herr Farkas.

1.39

Wir wohnen in einem Mietshaus. Zu unserem Mietvertrag gehört eine Hausordnung mit Regeln für das Zusammenleben im Haus. Wir dürfen zum Beispiel nicht auf dem Balkon grillen. Die Mieter dürfen aber hinter dem Haus grillen. Im Haus gibt es Ruhezeiten. Die Mittagsruhe ist von 13 bis 15 Uhr. Die Nachtruhe beginnt um 22 Uhr und endet um 7 Uhr. Dann darf man keine Wäsche waschen. Das Spielen im Treppenhaus ist verboten, aber die Kinder können hinter dem Haus spielen. Fahrräder dürfen wir nur im Keller abstellen. Nur Kinderwagen dürfen im Treppenhaus stehen.

Einheit 4: Hast du Netz?

1.40

Ich bin hier gerade in Berlin an der Bushaltestelle am Brandenburger Tor. Das Thema ist heute das Smartphone. Was machen die Leute mit dem Smartphone? Egal ob jung, alt, Tourist oder Berlinerin, alle haben es in der Hand. Wozu nutzen Sie es? Hallo. Darf ich dich fragen, was du gerade mit dem Smartphone machst?
Wie bitte?
Wozu nutzt du gerade dein Handy?
Ähm, zum Recherchieren. Also, ich suche ein Fahrrad.
Und das machst du mit dem Handy?
Ja, klar. Da gibt es eine App. Ich suche das Fahrrad auf der Karte. Das ist ganz einfach.
Toll, danke.
Guten Tag. Sie nutzen gerade Ihr Smartphone, oder?
Wie bitte?
Ich habe gefragt, ob Sie Ihr Smartphone nutzen?
Ach so, ja. Warum?
Wozu nutzen Sie es?
Zum Lernen. Ich mache einen Online-Kurs.
Und was lernen Sie?
Marketing. Der Kurs bietet viele Videos, das ist praktisch.
Hallo, wozu nutzt du gerade dein Handy?
Zum Telefonieren. Ich habe mit meiner Freundin telefoniert.
Aber mit Video, oder?
Ja, klar. Wie telefonieren Sie denn?
Guten Tag. Darf ich fragen, was Sie gerade mit dem Handy machen?
Ich buche Theaterkarten für heute Abend.
Geht das gut mit dem Handy?
Ja, das geht ganz einfach. Drei Klicks und fertig.
Aha. Und wozu nutzen Sie es noch?
Zum Fotografieren.
Ja, klar. Super, vielen Dank.
Hey, entschuldige bitte, was machst du gerade mit dem Handy?
Ich buche ein Ticket für den Bus.
Und wozu nutzt du dein Smartphone noch?
Zum Musik hören. Ich höre immer Musik oder auch Podcasts oder Hörbücher.

Einheit 4 Übungen

1.44

Dialog 1

- Wie oft siehst du eigentlich deinen Freund? Chattet ihr oft?
- Ich sehe ihn leider nur am Wochenende. Er chattet nicht gern, aber wir telefonieren oft.

Dialog 2

- Bea postet den ganzen Tag Fotos von Essen auf Instagram.
- Ja, das nervt! Ich like ihre Fotos nie.

Dialog 3

- Ich möchte ein Online-Video auf meinem Computer speichern. Kannst du mir helfen?
- Kein Problem, ich kann das Video für dich downloaden.

Dialog 4

- Herr Waseda, haben Sie schon die Dokumente für die Konferenz morgen gescannt?
- Ja, ich habe Ihnen gerade eine E-Mail mit den Dokumenten geschickt.

1.45

- Hallo und willkommen bei „Campusradio". Unser Thema heute ist Ferienjobs. Wir möchten gern wissen, was die Leute in den Ferien arbeiten. Neben mir sitzt Chris.
- Hallo!
- Hallo Chris. Schön, dass du hier bist. Erzähl uns von dir. Wo lebst du und was arbeitest du?
- Ja, gerne! Also, mein Name ist Chris. Ich bin 24 Jahre alt und studiere Geschichte in Wien. Ich liebe die Stadt, ihre Geschichte und ihre Kultur. In den Semesterferien arbeite ich als Reiseführer. Ich mache mit Touristen Touren mit dem E-Roller durch Wien. Ich spreche Deutsch, Englisch und Französisch. Mein Handy ist immer dabei, weil ich es für meine Arbeit brauche. Dort sehe ich zum Beispiel die Reservierungen. Alles funktioniert mit einer App: Die Touristen können die Touren nur online buchen. Dann bekommen sie von mir eine Nachricht und das Handy-Ticket. Alle Informationen über die Route und den Treffpunkt sind in der App. Nach der Tour schreiben viele Touristen Kommentare. Ich lese alle Posts. Mein Profil hat viele Likes. Das freut mich natürlich.

Einheit 5: So arbeiten wir heute

2.02

- „Radio 3" fragt heute: Wie verändert sich die Arbeitswelt? Bei uns sind Timur Pamuk und Samira Kasun. Hallo ihr beiden.
- Hallo.
- Servus.
- Ladies first. Samira, du bist Krankenpflegerin. Verändert der Computer deine Arbeit?
- Ja, klar. Der Computer verändert nicht die Pflege, aber die Dokumentation. Wir müssen alles aufschreiben, zum Beispiel wie es den Patientinnen und Patienten geht, die Medikamente und so. In der Ausbildung haben wir alles mit der Hand geschrieben – in Schönschrift! Das war ein echter Nachteil! Heute gibt es die elektronische Dokumentation. Die schreiben wir am Computer.
- Du sitzt also jeden Tag auch ganz schön lange am Computer, oder?
- Ja, auf jeden Fall länger als früher, das ist der Nachteil. Super ist aber, dass man jetzt alles gut lesen kann. Und man kann die Informationen speichern und austauschen. Alles geht viel schneller als früher. Ich denke, dass die elektronische Dokumentation ein Vorteil ist.
- Das kann ich mir auch vorstellen. Timur, du bist Lehrer für Biologie und Deutsch. Tolle Kombination.
- Ja, ja, die Deutschlehrer – schon klar.
- Aber – verändert der Computer den Unterricht?
- Ja doch, es stimmt: Seit ein paar Jahren nutzen wir digitale Medien. Viele Übungen sind heute online. Und die Schülerinnen und Schüler lieben das Handy. Ich finde, das ist ein echter Vorteil, weil sie mehr üben. Die digitalen Übungen sind einfach immer da. Die Schülerinnen und Schüler suchen sich die Zeit und den Ort zum Üben aus. Sie brauchen nur ein Handy und Internet. Es ist aber ein Nachteil, dass beides teuer ist. Ja, und dann gibt es die neuen elektronischen Bücher ...
- Oh, ich seh' schon, die Schule und das Lernen haben sich sehr verändert. Deshalb die nächste Frage an euch ...

2.03

- Felix, du bist Gartenbauingenieur. Was sind deine Aufgaben?
- Also, ich kaufe Pflanzen ein und plane alle Pflanztermine. Ja, und ich muss auch die Kosten kalkulieren und kontrollieren.
- Hm. Das hört sich nach einem Bürojob an, oder?
- Nein, ich muss nicht den ganzen Tag im Büro sitzen. Ich bin zum Beispiel viel unterwegs,

informiere mich über neue Blumen oder Pflanzen und rede mit den Kundinnen und Kunden über ihre Wünsche.
- Das gefällt dir?
- Ja, im Büro und draußen arbeiten, den täglichen Kontakt mit Kolleginnen und Kunden – das mag ich alles sehr. Feste Arbeitszeiten oder den immer gleichen festen Arbeitsablauf finde ich langweilig.
- Naja ... Du hast zuerst eine Ausbildung zum Gärtner gemacht, in einer Gärtnerei gearbeitet und dann auch noch Gartenbau studiert. Warum?
- Die Arbeit als Gärtner war o.k., aber als Gartenbauingenieur verdiene ich mehr Geld.
- Du hast sicher im Studium auch viel gelernt und noch mehr Erfahrungen gesammelt, oder?
- Ja, und ich war zum Praktikum in England.
- In England? Warum bist du nicht in Deutschland geblieben?
- Weil ich die englischen Gärten liebe. Das Praktikum war kurz, aber echt klasse. Die Sprache, die Arbeit – ich habe wieder viel gelernt. Das Praktikum war schon eine wichtige Zeit.
- Und heute arbeitest du in einer Firma in Deutschland.
- Ja, nach dem Studium habe ich bei Gartenbau Schöller hier in Leverkusen angefangen. Die Arbeit gefällt mir und die Kolleginnen und Kollegen sind sehr nett.

2.04
- Blumenhaus Book, Verena Strasser, guten Tag!
- Guten Tag, hier ist Felix Hochberger von Gartenbau Schöller. Kann ich bitte mit Frau Nolte sprechen?
- Tut mir leid, Frau Nolte ist in einem Termin. Kann ich Ihnen helfen?
- Ich habe Blumen bestellt und möchte wissen, ob ich sie schon abholen kann.
- Oh, das kann Ihnen nur Frau Nolte sagen. Möchten Sie eine Nachricht hinterlassen?
- Nein, danke. Wann kann ich bitte mit Frau Nolte sprechen?
- Heute gegen 14 Uhr. Oder Sie versuchen es morgen um 10.30 Uhr noch einmal.
- Danke. Ich rufe dann noch einmal an. Auf Wiederhören!

Einheit 5 Übungen

2.05
siehe Track 2.02

2.07
1 Ich mag den ewigen Stress nicht.
2 Wir müssen das kaputte Fenster reparieren.
3 Er findet die flexiblen Arbeitszeiten super.
4 Sie finden die neuen Büros in der dritten Etage!

2.08
- Visio-Designs, Andreas Petzold, guten Tag!
- Hallo, hier ist Hao Liu. Ich habe eine Frage.
- Wie kann ich Ihnen helfen?
- Können Sie mich mit Herrn Seitinger verbinden?
- Leider ist Herr Seitinger gerade in einem Termin. Kann er Sie zurückrufen?
- Ja bitte, das ist nett. Vielen Dank für Ihre Hilfe. Auf Wiederhören!
- Sehr gern, auf Wiederhören!

Einheit 6: Was liest du gerade?

2.09
Dialog 1
- Guten Tag, ich bin von „Radio 3". Ich mache hier in der U-Bahn eine Umfrage. Was lesen Sie gerade?
- Einen Krimi.
- Und wo spielt der Krimi?
- Er spielt in Berlin in der Zeit um 1930. Das Buch ist richtig spannend, und man lernt viel über die Zeit damals.
- Und was lesen Sie?
- Ich? Ich lese einen Roman über eine Familie in Italien. Ich liebe Romane.
- Oh ja, ich auch.

Dialog 2
- Darf ich Sie kurz stören?
- Ja, bitte?
- Ich mache eine Umfrage für „Radio 3". Ich sehe, Sie haben ein E-Book. Warum?
- Ich finde es einfach sehr praktisch.
- Was lesen Sie am liebsten?
- Biografien über interessante Menschen. Das ist immer spannend und ich lerne so auch viel.
- Dann noch viel Spaß!

Dialog 3
- Hallo! Entschuldigung. Ich bin Sophie Meyer von „Radio 3". Haben Sie einen Moment Zeit? Wir machen Interviews mit Leserinnen und Lesern.
- Ja, o.k.
- Sie waren gerade in der Bibliothek. Warum waren Sie da?
- Ich studiere Germanistik und schreibe eine Arbeit über Franz Kafka. Ich lese seine Romane und wissenschaftliche Zeitschriften. Ich recherchiere hier viel.

- Gehen Sie oft in die Bibliothek?
- Ja, fast jeden Tag.
- Super. Vielen Dank für das Gespräch!

2.10

1 Wir stehen jetzt direkt vor Goethes Wohnhaus. Es ist schon seit vielen Jahren ein Museum. Goethe hat hier am Frauenplan 1 mit seiner Familie gewohnt. Herzog Carl August hat Goethe das Haus im Jahr 1794 geschenkt. Hier haben ihn viele berühmte Menschen aus ganz Europa besucht.

2 Goethe hat die Natur geliebt. Er war oft in seinem Gartenhaus im Park an der Ilm. Das Gartenhaus hat er 1776 gekauft. Hier hat er auch an seinen Gedichten und Theaterstücken gearbeitet. Er hat sich hier mit seinen Freundinnen und Freunden getroffen und viel über Literatur, Kultur und Naturwissenschaften gesprochen.

3 Goethe hat viele Jahre lang das Theater in Weimar geleitet. Von 1799 bis 1805 haben Goethe und Schiller zusammen an dem Theater gearbeitet. Es hat schon damals zu den wichtigsten Theatern in Deutschland gehört.

2.12

siebzehnhundertneunundvierzig
siebzehnhundertfünfundsiebzig
siebzehnhundertsechsundachtzig
achtzehnhundertsechs
achtzehnhundertzweiunddreißig

2.13

neunzehnhundertachtundsechzig
neunzehnhundertneunundachtzig
neunzehnhundertfünfundneunzig
zweitausendeins
zweitausendfünfzehn
zweitausendzwanzig

Einheit 6 Übungen

2.14

- Der Literaturkeller mit Emir Yakin, Ruth Dreesen und Sven Luthardt. Einen schönen guten Abend aus Wien. Ich bin Emir Yakin und neben mir sitzen Sven Luthardt
- Hallo!
- und Ruth Dreesen.
- Hallo und herzlich willkommen.
- So, morgen ist der 23. April und ein wichtiger Tag.
- Besonders für uns und alle Bücherfreunde, denn morgen feiern wir den Welttag des Buches.
- Und mit *wir* meinen wir die Schulen, Bibliotheken und Buchhandlungen. Und nicht nur hier in Österreich. In über 100 Ländern gibt es morgen viele Aktivitäten.
- Und auch die Verlage organisieren Veranstaltungen. Autorinnen und Autoren lesen aus ihren Büchern vor. Ihr seid alle herzlich eingeladen. Das Programm findet ihr unter www.literaturkeller ...

2.15

Gestern fragte der Sohn seinen Vater: „Kann ich ein Buch haben?" Der Vater wählte ein Buch aus. „Hier. Lies *Robinson Crusoe*", sagte er. Der Sohn antwortete: „Das Buch ist nicht dick genug." Der Vater stellte also das Buch in das Regal zurück. „Ich möchte ein sehr dickes Buch", sagte der Sohn. Und der Vater suchte ein Buch von Goethe. „Ich brauche noch zwei, bitte", sagte der Sohn. Er spazierte mit den drei Büchern auf dem Kopf nach draußen. „Mein Sohn will Goethe lesen?", wunderte sich der Vater. Er freute sich sehr. Aber als der Vater die Haustür öffnete, wunderte er sich noch mehr. Sein Sohn hatte andere Pläne ...

2.17

Ingeborg Bachmann (25. Juni 1926 bis 17. Oktober 1973) war eine erfolgreiche österreichische Dichterin und Romanschriftstellerin aus Klagenfurt (Österreich). Dort besuchte sie auch die Schule bis 1944. Sie studierte von 1945 bis 1959 Philosophie, Germanistik und Psychologie in Innsbruck, Graz und Wien. Ihre ersten Gedichte veröffentlichte sie 1948 in der Zeitschrift „Lynkeus". Im Oktober 1950 reiste sie nach Paris, im Dezember nach London. In Wien arbeitete sie bis 1951 in der Redaktion von „Radio Rot-Weiß-Rot". Von 1953 bis 1957 war sie als freie Schriftstellerin in Italien. Am 3. Juli 1958 lernte Ingeborg Bachmann den Schweizer Schriftsteller Max Frisch in Paris kennen. Für vier Jahre, von 1958 bis 1962, lebten sie zusammen. Ingeborg Bachmann schrieb in ihrem Leben viele berühmte Gedichte und Romane. Das Hörspiel „Der gute Gott von Manhattan" und der Roman „Malina" sind international berühmt.

Einheit 7: Leben mit Tieren

2.18

Interview 1

- Hallo, wir machen eine Umfrage für die Zeitschrift „Katz und Maus". Dürfen wir dich mal was fragen? Dauert auch nicht lange.
- O.k. Was willst du denn wissen?
- Ich möchte wissen, wie du Katzen findest.

- Katzen? Naja, ich habe keine und ich möchte auch keine Katze haben. Ich finde sie eigentlich ziemlich nervig. Ich glaube, ich bin eher so der Typ für einen Hund. Mit einer Katze kann man nicht so viel machen.
- Aha. Das war's auch schon. Vielen Dank!
- Bitte, gerne!

Interview 2

- Guten Tag, wir machen eine Umfrage für die Zeitschrift „Katz und Maus". Haben Sie einen Moment für mich?
- Nee, ich muss weiter.
- Schade. Guten Tag, ich mache eine Umfrage für die Zeitschrift „Katz und Maus". Darf ich Sie mal was fragen?
- Gerne.
- Mögen Sie Katzen?
- Ja. Ich finde Katzen toll! Ich habe zu Hause einen Kater.
- Warum mögen Sie Katzen?
- Naja, mein Kater ist meistens sehr lieb und ich darf ihn oft streicheln. Ich beobachte ihn auch gerne. Er kann manchmal sehr witzig sein! Zum Beispiel gestern ...

Interview 3

- Hallo, ich mache eine Umfrage für „Katz und Maus". Kennen Sie die Zeitschrift?
- Ja, ich kaufe die Zeitschrift oft.
- Schön. Haben Sie denn auch Katzen?
- Ja, wir haben zwei kleine Kätzchen. Sie sind jetzt ein halbes Jahr alt und echt süß.
- Und machen die beiden Kätzchen auch Probleme?
- Naja, ich glaube, wir brauchen nächstes Jahr ein neues Sofa ...
- Aha. Und das stört Sie nicht?
- Nein, gar nicht. Das ist mit kleinen Katzen so. Die sind ja auch so niedlich, dass uns das nicht nervt.

Interview 4

- Guten Tag! Ich bin von der Zeitschrift „Katz und Maus" und möchte gerne wissen, wie du Katzen findest.
- Hallo. Du möchtest von mir wissen, wie ich Katzen finde?
- Genau.
- Keine Ahnung. Katzen sind ja sehr beliebte Haustiere, aber ich möchte keine in der Wohnung haben.
- Du magst Katzen also nicht besonders?
- Das kann man so auch nicht sagen. Ich finde sie interessant und sehe mir gern niedliche Katzenvideos an. Aber ich habe keine Zeit und keinen Platz für eine Katze. Und nachts möchte ich schlafen und nicht aufstehen, weil die Katze Hunger hat. Ich muss jetzt auch los ...

2.19

- Hallo, Sie sind Herr Heinzel, richtig?
- Genau. Dann sind Sie bestimmt die Frau Lau von der Zeitung.
- Richtig. Und das ist also das neue Geschäft. Toll! Schön hell und groß!
- Ja. Endlich haben wir mehr Platz für alles.
- Hier ist es aber ganz schön laut.
- Ja, das sind unsere Papageien. Sie bekommen gleich ihr Futter.
- Sie verkaufen also auch Tiere?
- Ja, wir verkaufen Kleintiere, aber keine Hunde und Katzen. Die brauchen sehr viel Platz, Bewegung und Zeit. Auch am Wochenende ...
- Und die Kleintiere sind ja sicher auch bei den kleinen Kunden sehr beliebt, oder?
- Das stimmt. Viele Kinder möchten ein Kaninchen, Meerschweinchen oder einen Hamster.
- Welches Tier finden Kinder denn am niedlichsten? Meerschweinchen?
- Nein, ich glaube die meisten Kinder finden, dass Kaninchen die niedlichsten Tiere sind. Die empfehle ich dann auch gerne, weil man sie streicheln und mit ihnen spielen kann.
- Und welche Tiere sind die günstigsten?
- Das sind die Goldfische. So ein Fisch ist nicht teuer. Aber man braucht viele andere Sachen.
- Verstehe. Das kann sicher sehr teuer sein.
- Genau. Da sind Sie schnell bei ein paar hundert Euro.
- Sind Hamster und Meerschweinchen auch so teuer?
- Nein. Die brauchen nicht viel und das Futter ist auch günstig. Am liebsten mögen sie frisches Gemüse wie Salat oder auch mal ein Stück Apfel. Frisches Gemüse ist eigentlich auch die beste Nahrung für sie.
- Das gibt es ja nicht! Sie verkaufen auch Shampoo für Hunde und ... Katzen?
- Ja, wir haben viele verschiedene Pflegeprodukte für Haustiere. Auch Shampoo für Hunde und Katzen ...
- Brauchen die das denn wirklich? Das ist ja richtig teuer!
- Naja, auch das teuerste Shampoo ist für Hunde und Katzen nicht immer gut. Katzen brauchen es eigentlich gar nicht. Aber viele Kundinnen und auch Kunden finden es toll ...
- Was sind denn Ihre besten Kunden? Können Sie die beschreiben?
- Für mich sind echte Tierfreunde die besten Kunden.

2.20

Guten Morgen. Sie sprechen mit dem Tierheim Ost. Mein Name ist Mia Schulze. Aha. Moment bitte. Ich schreibe das auf. Also ... Ihr Hund ist vor drei Tagen im Stadtpark weggelaufen, richtig? Wie sieht er denn aus? Ich wiederhole mal. Sie suchen einen kleinen Hund mit einem braunen Schwanz, einer weißen Schnauze, einer schwarzen Pfote und braunen Ohren, richtig? Ach ja, genau. Otto hat sehr kurzes Fell. Also, dann noch einmal: Sie suchen einen kleinen Hund mit einem braunen Schwanz, einer weißen Schnauze, einer schwarzen Pfote, braunen Ohren und einem sehr kurzen Fell. O.k., das habe ich. Nein, ich weiß im Moment nicht, ob Otto hier ist. Geben Sie mir doch bitte Ihre Telefonnummer. Ich sehe gleich nach und rufe Sie wieder an. Vielen Dank. Das ist richtig. Ich sehe nach und rufe Sie dann wieder an. Ihre Nummer habe ich schon notiert. Auf Wiederhören, Frau Spitzweg!

2.21

- Guten Morgen. Hier ist das Tierheim Mainz. Sie sprechen mit Klaus Häussler.
- Guten Morgen Herr Häussler. Hier ist Paula Seifert. Mein Papagei ist weg!
- Oh, das tut mir sehr leid! Wie sieht Ihr Papagei denn aus?
- Er ist blau und hat einen gelben Kopf.
- O.k. Kann er auch sprechen?
- Ja. Er sagt am liebsten „Schnauze, Paula!", aber eigentlich ist er sehr freundlich.

Einheit 7 Übungen

2.23

siehe Track 2.19

Einheit 8: Global und regional

2.24

1 En Ebbelwoi, bitte.
Einen Apfelwein, bitte.
2 A Bembelsche, bitte.
Einen kleinen Apfelweinkrug.
3 Handkäs mit Musik.
Einen Handkäs mit Musik.
4 Gude!
Guten Tag!
5 Ei Gude wie?
Wie geht es Ihnen?
6 Momendemal.
Einen Moment, bitte.
7 E bissi klaa, gelle?
Ist ein bisschen klein, oder?
8 Lebbe geht weider.
Das Leben geht weiter.
9 Kannst du das net schnalle?
Verstehst du das nicht?
10 Kannst du net gugge?
Kannst du nicht hinschauen?
11 Die gri Soß, bitte.
Die grüne Soße, bitte.
12 Ich liebe Zwiwwelkuche.
Ich liebe Zwiebelkuchen.
13 Babbel net.
Sei mal ruhig.

2.25

Teil 1

- Hallo! Melanie hier mit einer neuen Podcast Folge rund um das Thema Jobs. Heute stelle ich euch Peter vor. Peter ist Gemüsebauer und arbeitet mit seiner Familie auf dem Bauernhof. Familie Bruhn hat einen Hof im Süden von Frankfurt. Seit 250 Jahren baut Familie Bruhn Obst und Gemüse an. Peter hat eine Schwester und einen Bruder. Seit 2015 leiten die drei den Hof. Das ist richtig, oder?
- Ja, genau, meine Schwester Maria, mein Bruder Henning und ich leiten seit ein paar Jahren den Hof. Meine Eltern Helga und Horst arbeiten aber auch noch viel mit. Wir sind ein richtiger Familienbetrieb, alle machen mit. Auch meine Frau.

2.26

Teil 2

- Du leitest den Hof, Peter. Ist das viel Arbeit?
- Na klar. Aber es macht auch super viel Spaß.
- Das kann ich mir vorstellen. Hat sich denn viel verändert? Als deine Eltern und Großeltern noch gearbeitet haben, war die Arbeit bestimmt anders, oder?
- Klar. Die Menschen kaufen heute anders ein, sie kaufen zum Beispiel regional und auch online. Wir haben daher jetzt einen Online-Shop.
- Das ist spannend. Was meinst du mit regional einkaufen? Kannst du das etwas erklären?
- Immer mehr Menschen wollen gesund essen und sie wollen auch wissen, woher die Lebensmittel kommen. Orangen wachsen ja nicht in Deutschland. Die Orange ist eine Frucht, die z. B. in Italien, Israel oder Spanien wächst. Sie muss weit reisen, bis sie in Deutschland ist. Aber Äpfel oder Karotten sind Lebensmittel, die hier wachsen, in der Region. Also ganz in der Nähe. Das ist gut für uns. Denn viele wollen lieber regionale Produkte kaufen.
- Ich habe gesehen, dass ihr jetzt auch regionale Gemüsekisten verkauft. Was ist das genau?

Die Gemüsekiste ist eine Box mit Gemüse und Obst, die man online bei uns bestellen kann. Wir bringen die Gemüsekisten dann direkt nach Hause. Gesund, frisch und super lecker.

Das klingt toll. Und das heißt, die Produkte sind dann auch saisonal, oder?

Ja, genau. Wir verkaufen saisonale Lebensmittel. Das heißt Produkte, die nur in der Jahreszeit wachsen. Im Frühling gibt es zum Beispiel Spargel und Erdbeeren. Im Winter nicht. Die Kunden finden das gut.

Was ist denn dein Lieblingsobst?

Ich liebe Kirschen und Himbeeren, die gibt es auch in der Kiste, allerdings nur im Sommer.

Die Obst- und Gemüsekiste, die immer für eine Überraschung gut ist. Ich probiere das aus. Wir machen jetzt ...

2.29

Dialog 1

Für 45 Euro nach Sevilla.

Toll, den Flug buchen wir.

Dialog 2

Was machst du denn da? Der Bus kommt gleich.

Mist! Hast du noch Platz im Koffer?

Dialog 3

Jetzt trink doch mal schneller.

Der Kaffee ist zu heiß. Wir haben noch Zeit.

Dialog 4

Was ist denn jetzt schon wieder? Unser Flugzeug startet gleich.

Der Koffer ist zu schwer.

Dialog 5

Kann ich euch helfen?

Aber gerne! Ist der süß!

Dialog 6

Was machst du jetzt schon wieder?

Jörg hat mir seine Nummer gegeben. Ich schreibe nur schnell eine Nachricht.

Einheit 8 Übungen

2.30

Willkommen zu einer neuen Podcast-Folge von „Reisen durch Deutschland". Heute erzähle ich euch von meinem Ausflug nach Frankfurt am Main. Wart ihr schon mal in Frankfurt? Am Donnerstag bin ich mit dem Zug von Köln nach Frankfurt gefahren. Am Hauptbahnhof hat mich meine Freundin Joanne abgeholt. Sie studiert in Frankfurt. Vom Bahnhof sind wir in die Altstadt gefahren. Am Nachmittag haben wir in einem Restaurant Frankfurter Grüne Soße mit Kartoffeln und Ei gegessen. Das war sehr lecker. Danach sind wir mit der U-Bahn weitergefahren. Wir haben uns die Alte Oper angesehen. Frankfurt ist aber auch für seine moderne Skyline bekannt. Die Europäische Zentralbank gehört dazu. Dort haben wir ein Selfie gemacht. Abends haben wir in einer Kneipe in der Berger Straße Apfelwein getrunken. Eine Reise nach Frankfurt kann ich euch nur empfehlen.

2.32

Herzlich willkommen zu unserer Rubrik „Das schmeckt! Lecker essen in Frankfurt". Frankfurt ist nicht nur regional – Frankfurt ist auch international. Heute bin ich im Restaurant von Familie Legowo. Sie kochen indonesisch. Ihr Restaurant heißt „Makanan". Herr Legowo, welches Gericht empfehlen Sie Ihren Gästen am häufigsten?

Hm, das ist nicht so einfach. Wir haben viele tolle Gerichte. Viele Gäste kennen die indonesische Küche nicht und möchten sie kennenlernen. Ich empfehle ihnen oft „Ikan Bakar". Das ist ein Fisch mit einer scharfen Soße. Man isst ihn mit Reis und Gemüse.

Oh, das klingt sehr lecker. Und welches Gericht finden Sie am besten Frau Legowo?

Hm, das ist wirklich schwierig. Ich finde „Rujak" sehr lecker. Das ist ein Obstsalat. Man isst ihn mit einer besonderen Soße. Die Soße schmeckt zuerst sehr süß und dann scharf. Unsere Gäste bestellen den Obstsalat sehr oft.

Das klingt auch sehr lecker. Wollten Sie schon immer ein eigenes Restaurant haben?

Plateau 2

2.36

Das sind meine Kolleginnen und Kollegen. Mal sehen, ... Der mit den schwarzen Haaren, dem gelben Pullover und der braunen Hose heißt Kemal. Total netter Typ. Er ist Programmierer und kommt aus Indien. Dann kommt Eva. Das ist die Frau mit den blonden Haaren und dem blauen Kleid neben Kemal. Sie ist Designerin. Und der Mann mit den grauen Haaren, dem hellgrauen Anzug und dem hellblauen Hemd in der Mitte ist unser Chef, Herr Mayer. Er sagt immer *Mayer* mit *A Y*. Naja. Auf jeden Fall ist er genauso langweilig wie er aussieht. Die junge Frau mit den roten Haaren neben Herrn Mayer ist unsere neue Praktikantin Laura. Mit dem weißen T-Shirt, der grünen Jacke und dem grünen Rock sieht sie ziemlich cool aus, oder? Sie ist auch richtig nett ... Ja, und der mit den braunen Haaren ganz rechts, das ist Tom. Er betreut unsere Kunden und ist viel unterwegs.

Wie immer trägt er eine blaue Jeans und ein rotes Hemd. Das ist seine Arbeitskleidung. So. Das sind meine Kolleginnen und Kollegen.

2.37

Teil 1

Und jetzt der Wetterbericht für Deutschland. Morgen gibt es im Süden und Osten noch viel Sonne bei zwölf Grad. Im Westen wird es ungemütlich. Am Vormittag kommen Wolken und es regnet kräftig bei acht Grad. Im Norden bleibt es meist trocken. Am Sonntag gibt es dann in ganz Deutschland Regenwetter und es wird kälter.

2.38

Teil 2

- Das war heute ein toller Start in den Urlaub, oder? Und das Wetter soll die ganze Woche gut sein.
- Ja, die Radtour hat richtig Spaß gemacht. Aber ich bin ganz schön kaputt. Was wollen wir morgen machen? Gehen wir ins Kino?
- Morgen ist Dienstag. Ich hab' doch Karten für das große Sommerkonzert in Bebenhausen gekauft. Das Konzert fängt um sechs Uhr an. Ich möchte aber schon um fünf da sein. Wir müssen also etwas früher los.
- Stimmt. Hab' ich vergessen. Das heißt ... morgen können wir ausschlafen.

2.39

Teil 3

- Wie war dein Wochenende?
- Ganz schön. Ich war auf einem zehnjährigen Klassentreffen in Hamburg.
- Zehn Jahre ... wow! Hamburg ist aber ganz schön weit. Bist du geflogen?
- Ich habe mich erst spät gekümmert. Es hat leider keine freien Plätze mehr gegeben. Und weil die Züge auf der Strecke oft Verspätung haben, bin ich mit dem Auto gefahren. War aber o.k.

2.40

Teil 4

- Herr Trung, Sie kommen aus Vietnam. Seit wann leben und arbeiten Sie in Deutschland?
- Seit circa vier Jahren.
- Konnten Sie schon Deutsch, als Sie nach Deutschland gekommen sind?
- Ja, ich habe an der Universität in Hanoi mehrere Kurse besucht. Aber hier habe ich noch weitergelernt. Das war wichtig für meinen Beruf.

Einheit 9: Alltagsleben

3.02

- Unser Leben – Podcasts von und mit Dr. Adile Yildiz. Thema Heute: Alltag – grau oder bunt?

Früh aufstehen. Schnell frühstücken. Im Berufsverkehr im Stau stehen. Arbeiten. Mittagspause. Arbeiten. Im Berufsverkehr im Stau stehen. Lebensmittel einkaufen. Abendbrot machen. Vor dem Fernseher einschlafen. Ins Bett gehen. Früh aufstehen. Schnell frühstücken. Im Berufsverkehr im Stau stehen. Arbeiten. Mittagspause. Arbeiten. Im Berufsverkehr im Stau stehen. Lebensmittel einkaufen. Abendbrot machen. Vor dem Fernseher einschlafen. Ins Bett gehen. Früh aufstehen. Schnell frühstücken. Im Berufsverkehr im Stau stehen. Arbeiten. Mittagspause. Arbeiten. Im Berufsverkehr im Stau stehen.

- Immer dasselbe. Kennen Sie das auch? Viele Menschen finden ihren Alltag grau – aber stimmt das auch? Ist unser Alltag wirklich so langweilig? Oder sind wir am Ende selbst langweilig?
  Natürlich gibt es Dinge, die wir jeden Tag machen. Oft sogar zur selben Uhrzeit. Ich gebe Ihnen mal zwei Beispiele: Viele von uns stehen von Montag bis Freitag jeden Morgen um halb sieben auf und fahren pünktlich um zwanzig vor acht mit dem Bus zur Arbeit. Das sind typische Alltagsroutinen. Und diese Routinen sind gut für uns, weil sie unserem Alltag eine Struktur geben und das Leben einfacher machen. Man muss zum Beispiel nicht jeden Abend den Wecker neu programmieren und auch nicht jeden Morgen eine andere Busverbindung suchen.
  Natürlich gibt es auch Dinge im Alltag, die langweilig sind oder total nerven: Jeden Morgen mit dem Auto im Stau stehen, jeden Mittag in der Kantine essen, nach der Arbeit noch schnell im Supermarkt um die Ecke einkaufen und jeden Abend nach dem Essen vor dem Fernseher einschlafen – das ist nicht gut und kann sogar ungesund sein.
  Mein Tipp: Brechen Sie aus Ihrem Alltag aus! Machen Sie doch mal etwas anders! Fahren Sie ab und zu mit dem Bus oder mit dem Fahrrad zur Arbeit. Treffen Sie sich mit Kolleg*innen zum Mittagessen in einem Café oder im Park und kaufen Sie nicht immer im selben Supermarkt ein. Jeden Abend Fernsehen muss auch nicht sein. So wird Ihr Alltag auf jeden Fall bunter!

3.03

Ich bin Anke Born, die Mutter von Lena und Lukas. Als Lehrerin habe ich mit der Arbeit, den Kindern und dem Haushalt immer viel zu tun. Meine Tochter Lena geht schon in die Schule, spielt am liebsten Fußball und lernt in der Musikschule Gitarre. Am Nachmittag helfe ich ihr manchmal beim Lernen. Unser Sohn Lukas ist erst vier Jahre alt und geht noch in den Kindergarten. Eigentlich hat er noch keine Hobbys, aber er hat auch schon Termine. Für mich heißt das, dass ich nachmittags oft mit den Kindern unterwegs bin und abends noch lange am Schreibtisch sitze. In meiner Freizeit arbeite ich am liebsten im Garten, treffe Freundinnen oder mache eine Radtour. Das macht Spaß und ist gut gegen den Alltagsstress!

3.04

Mein Name ist Torsten Born. Ich bin Polizist und arbeite im Schichtdienst. Das ist eigentlich ganz praktisch, weil ich mich so auch manchmal um die Kinder und den Haushalt kümmern kann. Aber die Nachtschichten mache ich nicht gerne. Ich komme am Morgen total müde nach Hause. Meine Frau und die Kinder sind dann schon in der Schule und im Kindergarten. Und ich kann endlich schlafen! Danach helfe ich im Haushalt, kaufe ein oder hole Lena und Lukas ab. Mein Alltag ist nie langweilig, aber oft sehr anstrengend. Ich bin schon 38 und muss natürlich immer fit sein. Also mache ich viel Sport und besuche auch regelmäßig einen Yoga-Kurs. Was noch? Ach ja, ich sammle Kochbücher und backe sehr gerne.

3.05

Also, ich heiße Lena Born. Ich bin neun und gehe schon in die vierte Klasse. Meine Lieblingsfächer sind Sport und Musik. Englisch macht auch Spaß, aber ich lerne nicht gerne Vokabeln. Das finde ich langweilig. Nach der Schule mache ich zuerst meine Hausaufgaben und übe dann für meinen Gitarrenunterricht oder spiele mit meinen Freundinnen. Ich lese auch gerne und gehe ab und zu mit meiner Mama oder mit meinem Papa in die Bibliothek. Mein kleiner Bruder Lukas kommt manchmal auch mit. Aber am liebsten spiele ich Fußball! Wir trainieren jeden Dienstag und am Wochenende kommt mein Papa manchmal zu den Spielen mit. Das finde ich immer besonders toll!

3.07

1 Ich bin manchmal mit unseren Kunden in unserer Werkstatt.
2 Ich bin selten mit meiner Chefin in unserem Labor.
3 Ich bin oft mit eurem Fahrer in unserer Kantine.

Einheit 9 Übungen

3.08

Früh aufstehen. Schnell frühstücken. Im Berufsverkehr im Stau stehen. Arbeiten. Mittagspause. Arbeiten. Im Berufsverkehr im Stau stehen. Lebensmittel einkaufen. Abendbrot machen. Vor dem Fernseher einschlafen. Ins Bett gehen.

3.09

siehe Tracks 3.03 – 3.05

3.10

- Notrufzentrale Bremen.
- Guten Tag, hier ist ein Unfall passiert.
- Ganz langsam bitte. Ich stelle die Fragen und Sie antworten, o.k.?
- Ja, gut.
- Wo ist der Unfall denn passiert?
- In der Parkstraße, in der Nähe vom Supermarkt. Also an der Kreuzung.
- Und wer sind Sie? Nennen Sie mir bitte Ihren Namen.
- Ach so, ja. Mein Name ist Schmidt, Ralf Schmidt mit *D T*.
- Herr Schmidt, was ist denn genau passiert?
- Ein Unfall mit einem Auto und einer Radfahrerin.
- Wie viele Menschen sind denn verletzt?
- Ich glaube, nur die Radfahrerin, also eine Person.
- Bitte warten Sie noch einen Moment am Telefon. Ich schicke Ihnen gleich Hilfe.

3.11

1 Meine Mutter sagt, ich konnte schon alleine laufen, als ich erst ein Jahr alt war.
2 Als ich zwei war, war ich sehr krank und musste drei Wochen im Krankenhaus bleiben.
3 Mit drei wollte ich am liebsten schon in die Schule gehen. Natürlich war ich noch zu klein.
4 Als ich vier war, konnte ich meinen Namen schon ohne Fehler schreiben.
5 Mit fünf mussten wir im Kindergarten nachmittags zwei Stunden schlafen. Das war nervig.
6 Ich musste jeden Morgen früh aufstehen und in die Schule gehen, als ich sechs Jahre alt war.
7 Als ich sieben war, wollte ich schon Polizist werden.

Einheit 10: Festival-Sommer

3.13

1 Klassik finde ich langweilig.
2 Popmusik finde ich nervig.
3 Rockmusik macht glücklich.

4 Am besten kann man zu Elektromusik tanzen.
5 Heavy Metal macht wach. Besser als ein Espresso.
6 Jazzmusik finde ich zu kompliziert.
7 Ich singe gern unter der Dusche, am liebsten Popmusik.
8 Ich liebe Hard Rock!

3.14

- Haben Sie bitte einen Moment Geduld. Der nächste freie Mitarbeiter von „Super Tickets" ist gleich für Sie da.
- Schönen guten Tag. „Super Tickets", Sie sprechen mit Marion Koch. Was kann ich für Sie tun?
- Hey, mein Name ist Emma Habermann. Ich habe eine Frage zu den Tickets für das „Mola Festival".
- Entschuldigung, ich habe Sie nicht genau verstanden. Wie heißt das Festival?
- „Mola Sommer Festival", vom dritten bis fünften Juli in Hannover. Gibt es noch Tickets?
- Einen Moment. Ja, es gibt noch Karten. Wie viele wollen Sie denn bestellen?
- Ich brauche fünf Tickets und online kann ich nicht mehr als drei buchen. Kann ich bei Ihnen die fünf Tickets kaufen?
- Ja, klar, kein Problem. Am Telefon gibt's bis zu zehn Tickets. Online gibt's immer nur drei.
- Super. Wie teuer sind denn grad die Tickets?
- Noch bis nächste Woche 79 Euro. Danach 99 Euro. Sie haben Glück, jetzt ist noch der Vorverkauf.
- Ach, das ist ja super. Dann kaufe ich die Tickets jetzt direkt bei Ihnen.
- Sehr schön. Also sechs Tickets zu 79 Euro. Das macht dann 474 Euro.
- Was? Wie teuer sind die Tickets?
- 79 Euro pro Ticket, also 474 Euro für die sechs Tickets.
- Ach so, nein. Ich brauche nur fünf Tickets.
- Oh Entschuldigung, das habe ich falsch verstanden. Also fünf Tickets, das macht dann 395 Euro.
- Alles klar. Und gibt es eine Ermäßigung für Gruppen?
- Nein, für Gruppen gibt es keine Ermäßigung. Aber für Schüler*innen und Studierende.
- Ja, wir sind Studierende und Auszubildende.
- Auszubildende bekommen natürlich auch Ermäßigung. Dann zahlen Sie 15 Euro weniger pro Karte. Das macht also 320 Euro statt 395 Euro.
- Toll. Danke. Ich habe noch eine Frage. Ich habe gelesen, dass es einen Bus gibt, der zum Festival fährt. Kann ich die Tickets auch bei Ihnen kaufen?
- Nein, die verkaufen wir nicht.
- Ach schade.
- O.k., ich brauche jetzt Ihren Namen und ...

3.17

- Das Festival startete am Freitagnachmittag.
- Echt? Das Festival startete am Freitagnachmittag?
- DJane Kate gab eine Show.
- Mega! DJane Kate gab eine Show?
- Hanno durfte ein Selfie mit DJane Kate machen.
- Krass! Hanno durfte ein Selfie mit DJane Kate machen?

Einheit 10 Übungen

3.18

1 Drei Tage SMS. Die Stimmung ist einfach nur krass, tolle Leute! Ich tanze die ganze Nacht. Elektro macht echt gute Laune.
2 Endlich Wacken Open Air und natürlich regnet es. Aber egal! Die Stimmung ist fantastisch, auch mit Schlamm. Heavy Metal macht mich einfach wach und glücklich.
3 Ernst und langweilig? Sicher nicht! Die Stimmung auf dem Klassik-Festival im Park ist sehr entspannt und man lernt viele coole Leute kennen.

3.19

- Hier bei uns im Radio läuft jeden Tag Musik. Wir haben uns gefragt: Wie wichtig ist euch Musik? Wann und wo hört ihr Musik? Und welchen Musikstil findet ihr am besten? Wir haben Shila am Telefon. Welche Musik hörst du?
- Puh, das kann ich nicht so sagen ... Mein Musikgeschmack geht in verschiedene Richtungen. Ich bin Managerin in einem großen Verlag. Morgens vor der Arbeit höre ich gern Popmusik im Radio. Die macht mich wach! Bei der Arbeit höre ich manchmal Klassik, weil ich mich dann gut konzentrieren kann. Am Wochenende gehe ich gerne mit Freunden auf Partys. Da hören wir viel Elektromusik. Letztes Jahr war ich auf einem Rock-Festival. Das war super! Ich höre also nicht nur einen Musikstil.

3.20

- Ticketshop Rachow, guten Tag. Was kann ich für Sie tun?
- Hallo, Pérez mein Name. Ich habe eine Frage zum „Lollapalooza Festival". Wie teuer sind die Tickets?
- Für zwei Tage kostet ein Ticket 149 Euro.
- Entschuldigung, was kostet ein Ticket?
- 149 Euro. Wie viele Tickets brauchen Sie denn?
- Ich möchte fünf Tickets kaufen.
- Das sind dann 745 Euro.
- Wie bitte? Können Sie den Preis noch mal wiederholen?

- Fünf Tickets kosten 745 Euro.
- O.k., vielen Dank! Dann kaufe ich jetzt die Tickets.

3.21

1 Entschuldigung, was haben Sie gesagt?
2 Entschuldigung, das habe ich nicht genau verstanden.
3 Können Sie das bitte noch einmal sagen?
4 Können Sie das bitte noch einmal wiederholen?
5 Wie bitte?

Einheit 11: Natur und Umwelt

3.22

Dialog 1

- Hallo, wir machen eine Umfrage zum Thema Tauschen. Haben Sie schon mal was getauscht?
- Ja, klar, als Kind.
- Aha, und was?
- Fußballbilder, also so kleine Fotos von Fußballstars. Gibst du mir das Foto von Ribery? Dann gebe ich dir den Götze. Das war das Spiel 2014 – die Fußballweltmeisterschaft und die Fotos waren in.

Dialog 2

- Haben Sie schon mal was getauscht?
- Ja, Mützen und T-Shirts mit meiner Freundin. Das machen wir dauernd.
- Aha. Und warum?
- Na einfach, weil es Spaß macht und wir ohne Geld neue Klamotten bekommen.

Dialog 3

- Hallo! Wir machen eine Umfrage zum Thema Tauschen. Haben Sie schon mal was getauscht?
- Hm ... Keine Ahnung. Ich habe meiner Nachbarin mal im Garten geholfen. Das habe ich gern gemacht, und dann habe ich von ihr einen Kuchen bekommen. Ist das auch sowas wie Tauschen?
- Ja, klar. Danke!

Dialog 4

- Haben Sie schon mal was getauscht?
- Ja, früher in der Schule. Ich habe oft gefragt: „Wer tauscht sein Käsebrot gegen mein Wurstbrot?“ Ich mag keine Wurst, und wenn jemand getauscht hat, dann hat jeder sein Lieblingsbrot bekommen. Und das Brot ist nicht im Müll gelandet.

Dialog 5

- Darf ich Sie kurz etwas fragen? Tauschen Sie gerne?
- Tauschen? Wir?
- Ja. Warum nicht?
- Oh nein, danke. Wir tauschen nichts. Wir brauchen nichts.

3.23

- Hallo beim Gartenjournal auf Ihrem Kanal77. Heute sind wir im Kleingartenverein „Sonnenweg“. Wir sehen uns die Gärten an. Und wir geben Pflanztipps für den Monat Juni. Aber zuerst interessiert mich: Warum hat jemand einen kleinen Garten mitten in der Stadt? So ... hier ... Garten Nummer 161. Sieht schön aus: Ein großer Apfelbaum, Erdbeeren, Radieschen und ein Gartenhaus. Hallo! Wir sind das Gartenjournal vom Kanal77. Dürfen wir mal reinkommen?
- Ja, machen Sie nur. Kommen Sie rein.
- Wow! So viel Gemüse! Ist das nicht viel Arbeit?
- Ja, aber das wollen wir so. Wir brauchen die Bewegung, weil wir schon ein bisschen älter sind. Wir arbeiten viel im Garten, damit wir aktiv bleiben.
- Wenn ich an Kleingärten denke, fallen mir immer Gartenzwerge ein. Aber ich sehe hier gar keinen. Nur einen großen Sandkasten.
- Das denken alle. Nein, Gartenzwerge haben wir nicht. Wir haben den Sandkasten gebaut, damit die Enkelkinder spielen können.
- Na, wenn drei Generationen im Garten sind, dann ist sicher immer was los. So wie bei Ihren Nachbarn.
- Ja, das sind die Strubinskis.
- Aha, und Sie sind die Familie ...?
- Einfach Günther und Ruth. Wir duzen uns hier alle.
- Gerne! Ich bin Marc. Dann gucken wir mal in den Garten von den Strubinskis. Hallo Familie Strubinski! Darf ich mal reinkommen?
- Ja, klar. Die Tür ist immer offen.
- Boah, ein neuer Garten, und alles sieht ganz anders aus. Viele Blumen und hier gibt es Tomaten. Wozu haben Sie den Garten? Ist da nicht immer viel zu tun?
- Nö, das Grün kommt von allein. Aber ja: Wenn man in der Stadt lebt, dann hat man Natur oft nur im Park. Und das Gemüse kommt aus dem Supermarkt. Wir haben den Garten, damit unser Sohn weiß, dass Tomaten, Äpfel oder Kartoffeln nicht im Laden wachsen. Und wenn ich Stress bei der Arbeit hatte, dann entspannt Gartenarbeit sehr. Wir brauchen also den Garten, damit wir Gemüse anbauen und uns entspannen können.
- Dann ist hier alles essbar? Auch die Blumen?
- Ja, essbare Blumen – die schmecken ganz wunderbar im Salat. Probieren Sie mal!
- Oh, danke! Hier riecht es lecker! Ich bekomme Hunger, kein Wunder, Ihre Nachbarn grillen. Da gehe ich mal hin. Hallo, hier ist das Gartenjournal. Darf ich mal reinkommen?
- Ja, kein Problem.

Ah, vier Leute, ein Garten. Nur Besuch oder ...?
Nee, wir haben den Garten zusammen. Wir sind eine Garten-WG, damit wir die Arbeit und den Spaß teilen können.
Spaß? Ist das nicht total langweilig? Im Kleingartenverein gibt's doch Regeln: Keine laute Musik zwischen 13 und 15 Uhr und so ...
Regeln? Na, logo! Damit alle gut zusammenleben können, haben wir die Regeln im Verein. Die sind ganz brauchbar. Ich will ja auch mal mittags in der Sonne schlafen und sonntags ist Chillen angesagt. Da wollen wir keinen Lärm. Und wir haben Glück mit den Nachbarn. Die Strubinskis und Günther und Ruth sind voll ...
Ihr merkt schon, hier im Kleingartenverein ist viel los. Gartenzwerge, strenge Regeln – alles Quatsch. Ich bleibe noch ein bisschen hier ... Und ihr hört mal in unsere Gartentipps rein. Viel Spaß!

Einheit 11 Übungen

3.25

Hey, du hast ja eine tolle Sonnenbrille!
Ach, das alte Ding? Ich möchte gerne eine neue Brille haben ...
Echt? Willst du vielleicht tauschen?
Tauschen? O.k., ich möchte gegen deine Mütze tauschen. Die gefällt mir gut!
Hm, du möchtest also deine Sonnenbrille gegen meine Mütze tauschen? Ja gut, einverstanden!
Super, das freut mich!

3.26

1 Wenn ich an Grün denke, dann fällt mir der Wald ein. Ich gehe gern im Wald spazieren. Das tut mir gut.
2 Wenn ich an Grau denke, dann denke ich an schlechtes Wetter. Wenn es regnet, ist der Himmel grau.
3 Wenn ich an Grün denke, dann fällt mir unser Garten ein. Dort bauen wir Gemüse an und die Kinder haben viel Platz zum Spielen.
4 Wenn ich an Grau denke, dann fallen mir die Häuser von früher ein. Damals sahen alle Häuser gleich aus. Zum Glück ist das heute anders.

3.27

1 Wir arbeiten viel im Garten, damit wir fit und aktiv bleiben.
2 Damit wir frisches Obst und Gemüse haben, pflanzen wir viel im Garten an.
3 Wir teilen uns den Garten mit Freunden, damit wir nicht so viel Arbeit haben.
4 Damit sie draußen spielen können, gehen wir mit unseren Kindern in den Garten.

Einheit 12: Reparieren und Selbermachen

3.30

Wenn wir am Wochenende das Wohnzimmer wirklich renovieren wollen, müssen wir am Freitag zum Baumarkt und dann zum Möbelhaus fahren. Ich habe meine Schwester gefragt. Wir können uns ihr Auto leihen, um alles abzuholen.
Super! Am Freitagnachmittag hab' ich bis zwei Uni. Wir können uns so um drei im Baumarkt treffen. Danach können wir dann zum Möbelhaus fahren und das Regal, den Teppich und die Deckenlampe abholen.
Lieber erst um vier. Ich muss am Freitag bis drei arbeiten.
O.k. Kein Problem. Was meinst du: Wie viel weiße und gelbe Farbe brauchen wir?
Ein 4-Liter-Eimer Farbe reicht, um die Decke weiß zu streichen.
Und für die Wände?
Da reichen bestimmt fünf Liter. Wir brauchen auch noch eine Leiter und eine Bohrmaschine, um die Deckenlampe zu installieren. Hast du schon Paula und Murat gefragt, ob sie uns die Bohrmaschine leihen?
Ja, gestern. Kein Problem. Ich hole die Bohrmaschine und die Leiter am Freitagabend.
Klasse. Glaubst du, wir schaffen alles am Samstag?
Nein, glaube ich nicht. Die Decke und die Wände streichen geht nicht so schnell. Und wir fangen bestimmt nicht so früh an. Außerdem muss die Farbe auch noch trocknen. Ich denke, wir installieren die Deckenlampe erst am Sonntagvormittag und bauen dann das Regal auf.
Und am Nachmittag laden wir Paula und Murat zum Kaffeetrinken ein und zeigen ihnen unser neues Wohnzimmer.
Gute Idee!
Ich hoffe nur, dass es keine Probleme gibt. Aber du hast ja zum Glück den Kurs „Wände und Decken richtig streichen" gemacht.
Genau. Wir schaffen das. Ich freue mich schon auf den Sonntagnachmittag, wenn wir fertig sind.

Einheit 12 Übungen

3.32

Hey Leute. Schön, dass ihr wieder dabei seid und willkommen zurück bei „Leipzig erleben". Ihr kennt doch alle das „Café kaputt" in der Merseburger Straße, oder? Wusstet ihr schon, dass die auch verschiedene Workshops anbieten? Ist das nicht eine tolle Sache?

Das wollte ich unbedingt selbst ausprobieren. Vor zwei Wochen habe ich den Workshop „Werkzeugkiste" mitgemacht. Im Workshop habe ich viele Werkzeuge kennengelernt und wie man sie richtig benutzt. Der Workshop findet immer am ersten Freitag im Monat von 15 bis 18 Uhr statt und kostet 30 Euro. Es hat super viel Spaß gemacht und ich habe viel gelernt. Ich habe mich gleich für den nächsten Workshop „Möbel selber bauen" am nächsten Samstag um 11 Uhr angemeldet. Da sind noch Plätze frei. Seid ihr auch dabei?

3.33

Dialog 1

- Akademie-Werkstätten, Sie sprechen mit Emil, hallo.
- Ja, hey. Hier ist Tina. Ich interessiere mich für euren „Grundkurs Möbelbau". Habt ihr noch freie Plätze am 25. Oktober?
- Ja, wir haben noch zwei freie Plätze.
- Oh, sehr gut! Ich bin aber erst 17. Kann ich trotzdem teilnehmen?
- Ja, das ist kein Problem. Unsere Kurse sind für alle ab 16 offen.
- O.k., super. Wie kann ich mich anmelden?

Dialog 2

- Hallo, hier ist Antonia. Ich interessiere mich für den Kurs „Wir machen Frauen fit fürs Heimwerken".
- Hallo Antonia. Super, das ist ein ganz neues Angebot.
- Ich habe gelesen, dass der Kurs online stattfindet.
- Ja, das stimmt. Du kannst das kostenlose Web-Seminar über Facebook ansehen. Im Chat kannst du unseren Profis Fragen stellen.
- Das klingt super. Wann findet der nächste Kurs statt?
- Am 25. September von 18 bis 21 Uhr.

Dialog 3

- Hey, hier ist Cem. Bin ich hier richtig bei den Akademie-Werkstätten?
- Hey Cem. Ja, da bist du richtig.
- Super, habt ihr noch freie Plätze in euren Heimwerkerkursen? Ich bin aber kein Anfänger mehr.
- Hm, im Moment haben wir nur noch freie Plätze in unserem Kurs „Die Werkzeugkiste für Anfänger*innen".
- Schade, das ist leider nicht der richtige Kurs für mich. Aber wann habt ihr denn wieder neue Kurse?
- Die neuen Termine kommen im November.

Dialog 4

- Akademie-Werkstätten, Sie sprechen mit Emil, hallo.
- Hallo, hier ist Clara. Ich möchte meine Wohnung renovieren. Gibt es bei euch Kurse zum Streichen?
- Ja, wir haben den Kurs „Wände und Decken richtig streichen". Da lernst du, welche Werkzeuge du zum Streichen brauchst und bekommst viele Tipps von unseren Profis.
- Das klingt super. Wie viel kostet der Kurs denn und wann findet er statt?
- Der Kurs kostet 25 Euro und der nächste findet am 26. Oktober von 9 bis 18 Uhr statt.
- Sehr gut, ich möchte gern einen Platz buchen.

3.34

siehe Track 3.33, Dialog 2

3.35

siehe Track 3.33, Dialog 4

3.37

- Hey Tom! Danke, dass du mir mit dem Bücherregal hilfst.
- Gerne, kein Problem. Was soll ich machen?
- Mal sehen ... Die Holzbretter habe ich gestern schon im Baumarkt gekauft. Wir müssen sie aber noch sägen. Sie sind noch zu lang.
- Ach, das ist kein Problem. Und dann?
- Danach bohren wir Löcher in die Holzbretter.
- O.k., und dann bohren wir auch noch Löcher in die Wand, oder?
- Ja, aber zuerst müssen wir die Bretter noch streichen.
- Genau.
- Und erst danach bohren wir die Löcher in die Wand.
- Stimmt. Und dann die Schrauben in die Wand schrauben. Und zum Schluss hängen wir die Regalbretter auf.
- Super, das ist wirklich einfach. Komm, wir fangen gleich an.

3.38

- Guten Tag.
- Guten Tag, wie kann ich Ihnen helfen?
- Leider funktioniert mein Handy nicht richtig.
- Das tut mir leid. Was ist denn das Problem?
- Die Kamera ist defekt.
- Darf ich mal sehen? Hm, ich verstehe. Wir können das Handy zur Reparatur schicken oder es umtauschen.
- Ich möchte das Handy umtauschen.
- Gut, einen Moment, bitte.

Plateau 3

3.39 + 3.40

So ein Reparaturcafé ist eine tolle Idee. Hier kann man mit den Expertinnen und Experten zusammen kaputte Geräte reparieren. Man spart Geld und lernt neue Leute kennen. Ich hätte auch gern ein Reparaturcafé in meiner Stadt.

Einheit 13: Gipfelstürmer

4.02

- Jetzt sind wir schon vier Tage im Hotel. Wir müssen endlich unsere Hüttenwanderung planen, meinst du nicht auch?
- Stimmt. Gibst du mir bitte die Butter?
- Hier, bitte. Also, wir müssen den Weg planen, die Hütten aussuchen und Schlafplätze reservieren.
- Sieh doch mal im Internet nach. Da gibt es bestimmt Vorschläge für Hüttentouren. Wie lange wir jeden Tag wandern, wo wir übernachten können und so.
- Hm, Berghütten, Tannheimer Tal – ja, guck mal, hier zum Beispiel. Wir fahren hier von Tannheim mit dem Bus zum Vilsalpsee. Dann wandern wir zur Landsberger Hütte.
- Hört sich doch gut an. Kann man in der Landsberger Hütte etwas essen und übernachten?
- Ja, aber man kann hier nicht online reservieren und eine Telefonnummer gibt es auch nicht.
- Komisch. Aber egal, dann gehen wir nach dem Frühstück noch mal in die Touristeninformation und fragen die Theresa. Die kennt sich aus ...
- Aha, die Theresa Gruber – die hat dir wohl gefallen?
- Quatsch, aber sie weiß sicher, wie man reservieren kann.
- Na klar, war ja nur Spaß. Das machen wir so. Gibst du mir bitte wieder die Butter ...?

4.03

- Guten Tag!
- Grüß Gott!
- Na klar. Grüß Gott! Ist denn die Frau Gruber auch da?
- Nein, erst heute Nachmittag. Kann ich Ihnen helfen?
- Ja, also wir wollen eine Wanderung zur Landsberger Hütte machen und dort übernachten. Wir haben schon im Internet recherchiert, aber wir haben noch ein paar Fragen.
- Ja, schön ... Was möchten Sie wissen?
- Muss man den Schlafplatz in der Hütte reservieren?
- Ja, am besten zwei bis drei Tage vorher. Sie müssen anrufen. Hier ist die Nummer.
- Super, danke. Und wie viel kostet die Übernachtung?
- Ah Moment ... Für Erwachsene kostet es 30 Euro. Für Kinder ist es billiger. Haben Sie Kinder?
- Nein, noch nicht. Aber, äh ... Was muss man mitnehmen auf die Hütte? Einen Schlafsack?
- Ja, einen Schlafsack und Socken oder Hüttenschuhe. In der Hütte darf man keine Wanderschuhe tragen.
- O.k., machen wir. Ich habe gelesen, dass es einen Bus gibt ...?
- Ja, von Tannheim zum Vilsalpsee. Der Bus fährt hier vor der Touristeninformation ab. Immer um Viertel nach und Viertel vor, also um 7.15 Uhr und 7.45 Uhr, um 8.15 Uhr und so weiter.
- Aha, und wo können wir die Bustickets kaufen?
- Hier in der Touristeninformation oder im Bus. Vom Vilsalpsee gehen Sie am besten durch den Wald zum Traualpsee und dann zur Landsberger Hütte. Ich zeige Ihnen das mal auf der Karte. Sehen Sie hier.
- Ah, das ist ziemlich weit ...?
- Ja, man braucht schon ein bisschen Kondition. Aber die Tour ist nicht schwierig und die Aussicht ist einfach wunderschön. Nehmen Sie nur genug Wasser mit. Gehen Sie bitte nie ohne Wasser und ohne Jacke in den Bergen wandern.
- Eine Jacke? Aber es ist doch Sommer?
- Ja schon, aber das Wetter wechselt oft schnell. Nehmen Sie also immer eine Jacke gegen den Wind und den Regen mit. Und natürlich Sonnencreme gegen die Sonne. Die ist hier sehr intensiv.
- Danke für die Tipps!
- Ja, vielen Dank. Sie haben uns sehr geholfen.
- Bitte, gerne. Servus! Baba!

4.05

Dialog 1

- Ich bin stinksauer!
- Warum bist du denn so wütend?

Dialog 2

- Das ist so traurig!
- Ach komm, sei nicht traurig.

Dialog 3

- Oh, ist das schön! Toll! Klasse!
- Schön, dass du so glücklich bist!

Dialog 4

- Was für eine Überraschung!
- Wow, ja, das überrascht mich auch.

Einheit 14: Freunde fürs Leben

4.06

Ich habe viele Freunde. Die meisten kenne ich noch aus der Schule. Wir waren alle zusammen in einer Klasse und haben immer noch Kontakt. Viele leben noch hier und wir treffen uns oft. Aber mein bester Freund ist Scott, das ist mein Hund. Das verstehen nicht alle Leute. Aber ich finde, auch Hunde können beste Freunde sein. Wir machen alles zusammen und ich kann ihm vertrauen. Das finde ich schön.

4.07

Meine beste Freundin ist Anneliese. Wir kennen uns schon seit immer. Also, fast seit immer. Wir sind seit 70 Jahren beste Freundinnen. Anneliese ist sehr lustig und sie hilft mir immer. Wenn ich Probleme habe, kann ich zu ihr gehen. Vor drei Jahren war mein Mann sehr krank. Er war für vier Monate im Krankenhaus, das war eine schwierige Zeit für mich. Anneliese war die ganze Zeit für uns da. Sie hat gekocht, für uns eingekauft und ich konnte immer mit ihr reden. Sie ist eine tolle beste Freundin!

4.08

Mein bester Freund ist Michel. Wir sind zusammen in die Schule gegangen. Jetzt studieren wir beide. Wir sind zusammen nach Hannover gezogen und sehen uns fast jeden Tag. Wir haben viele gemeinsame Freunde und machen oft etwas zusammen. Ich mag Michel, weil er immer etwas macht und immer etwas Neues lernen will. Letztes Jahr haben wir zusammen Ski fahren gelernt. Dieses Jahr lernen wir Skateboard fahren. Das ist schwierig, aber es macht Spaß, weil wir das zusammen machen.

4.09

- Hallo Jasmin. Hier ist Alba. Hast du kurz Zeit?
- Hallo Alba. Ja.
- Du kennst also Vincent? Wie kann es sein, dass du ihn nicht magst? Er ist der beste Freund der Welt. Ich bin mir sicher, dass er ein toller Chef ist.
- Was? Wie bitte? Alba, wir kennen uns seit fünf Jahren und du kennst ihn erst seit ein paar Wochen. Ich kann nicht verstehen, dass du mir nicht glaubst.
- Das habe ich doch gar nicht gesagt. Aber du bist immer super kritisch. Und deine letzte Chefin mochtest du auch nicht.
- Ich kann nicht glauben, dass du mich jetzt kritisierst. Und ja - ich bin kritisch. Das ist auch gut so. Du bist immer viel zu nett. Mit deinem doofen Freund.
- Doofer Freund? Was ist eigentlich los mit dir? Freust du dich denn nicht für mich?
- Natürlich freue ich mich für dich. Ach, Alba, es tut mir leid. Ich will mich nicht streiten.
- Es tut mir auch leid. Ich will mich auch nicht streiten. Ich will ja nur, dass du Vincent magst.
- Naja. Ich muss ja nicht mit ihm befreundet sein, oder?
- Stimmt. Er muss ja nicht immer dabei sein, wenn wir uns treffen.
- Gute Idee. Ich rede nicht über meine Arbeit und du nicht über deinen Vincent.
- Das wird aber nicht einfach für mich.
- Komm, wir vertragen uns wieder. Ich will mich nicht mehr streiten.
- O.k. Ja, vertragen wir uns wieder.

4.10

1. Ich bin Alina, ich bin 48 Jahre alt und lebe in Hannover. Mein Beziehungsstatus ist nicht kompliziert, eigentlich ist er ganz normal. Ich lebe in einer Beziehung mit meiner Freundin Mia. Wir sind nicht verheiratet und wollen auch nicht heiraten. Wir leben zusammen in einem Haus mit einem kleinen Garten.
2. Ich bin Max, 27 Jahre alt und jetzt bin ich mal wieder Single. Meine Freundin und ich haben uns getrennt. Wir sind manchmal in einer Beziehung und manchmal nicht. Es ist sehr kompliziert. Mein aktueller Beziehungsstatus ist Single.
3. Ich bin Marina. Ich war mit meinem Mann Ondrej 15 Jahre verheiratet. Seit einem Jahr sind wir geschieden. Aber wir sind noch gute Freunde. Ondrej hat wieder geheiratet. Ich nicht. Natürlich suche ich einen neuen Partner, aber das ist gar nicht so einfach. Ich warte also auf ein Wunder.
4. Ich bin Elias. Und das ist meine Frau Kira. Wir sind seit drei Monaten verheiratet und wohnen jetzt auch zusammen. Alles ist noch ganz neu für uns. Wir waren lange in einer Beziehung und jetzt haben wir endlich geheiratet.

Einheit 15: Leben auf dem Land

4.13

Interview 1

- Frau Korte, Sie sind hier im Dorf die Chefin.
- Naja, ich bin die Bürgermeisterin, weil die Wettrungerinnen und Wettrunger mich vor zwei Jahren gewählt haben. Aber ganz sicher bin ich hier nicht die Chefin. Ich entscheide nicht alleine, was gemacht wird. Wenn wir wollen, dass unsere

Dörfer für die nächste Generation attraktiv sind, müssen wir alle zusammenhalten und jetzt etwas tun!

- Aha. Was tun Sie denn?
- Also, im letzten Jahr haben wir zum Beispiel endlich schnelles Internet bekommen. Das ist sehr wichtig, damit die Wettrunger Firmen und auch mehr junge Leute hier im Ort arbeiten und bleiben können. Und im nächsten Jahr wollen wir, also die Gemeinde, ein neues Feuerwehrauto kaufen. Das ist im Notfall auch sehr wichtig.
- Ach, die Gemeinde Wettrungen hat also eine eigene Feuerwehr?
- Natürlich.
- Entschuldigen Sie, aber braucht so ein kleines Dorf wie Wettrungen denn wirklich eine eigene Feuerwehr?
- Und ob! Wenn hier mal was passiert, können wir doch nicht warten, bis die Feuerwehr aus der Stadt kommt. Das dauert viel zu lange!
- Ja, das stimmt natürlich.

Interview 2

- Herr Altmann, Sie haben gerade gesagt, dass Sie jetzt 64 sind. Denken Sie schon an die Rente?
- Ich? Manchmal. Aber nicht gerne.
- Sie freuen sich also nicht auf die Rente?
- Wissen Sie, Herr Vogel, eigentlich hören wir Landwirte ja nie ganz auf mit der Arbeit. Das hier ist ein Familienbetrieb, in dem schon immer alle mitgearbeitet haben. Mein Vater war hier noch mit 83 Jahren aktiv dabei!
- Sie arbeiten also auch dann noch auf dem Hof, wenn Ihre Tochter oder Ihr Sohn den Betrieb schon übernommen hat?
- Tja, das ist so: Seit 1782 gehört dieser Bauernhof meiner Familie, aber jetzt wollen unsere Kinder hier nicht mehr weitermachen und lieber einen anderen Beruf lernen. Das tut weh!
- Ach so. Und was heißt das genau?
- Das bedeutet, dass wir unsere Kühe und die Maschinen bald verkaufen müssen.
- Aha. Können Sie sich denn ein Leben ohne Tiere überhaupt vorstellen?
- Naja, das hat ja auch Vorteile. Man muss nicht mehr jeden Morgen so früh aufstehen, hat endlich am Wochenende frei und kann auch mal in Urlaub fahren. Aber so richtig vorstellen kann ich mir das ehrlich gesagt noch nicht.
- Das glaube ich Ihnen. Na, dann ...

4.15

Moin und herzlich willkommen auf unserer kleinen Entdeckungsreise durch das Museumsdorf „Alte Heimat". Wir beginnen am Haupteingang und gehen geradeaus bis zur ersten Kreuzung. In dem Bauernhof auf der linken Seite sehen Sie, wie Menschen und Tiere damals gelebt haben. Dann geht es weiter an der alten Dorfschule vorbei zum Backhaus. Der alte Ofen funktioniert noch. Dort wird heute noch manchmal Brot gebacken! Vom Backhaus gehen wir die Dorfstraße entlang zum jüngsten Gebäude in unserem Museum. Das ist der Dorfladen aus dem Jahr 1960. Damals gab es dort alles, was man zum Leben brauchte und nicht selbst machen konnte oder wollte. Hinter dem Dorfladen gehen wir nach rechts zur Werkstatt, in der wir Ihnen viele alte Werkzeuge zeigen. Und zum Schluss können Sie im Museumscafé noch eine Pause machen oder im Museumshop einkaufen.

4.16

Hier zeigen wir Ihnen eine Werkstatt aus dem 19. Jahrhundert. Bis 1972 wurde hier noch gearbeitet. Es wurden zum Beispiel einfache Geräte für die Landwirtschaft gebaut und auch repariert. Sogar das Werkzeug wurde noch bis Anfang des 20. Jahrhunderts selbst gemacht! Handwerk war damals sehr schwere Arbeit. Heute kann man sich das gar nicht mehr vorstellen.

4.17

Kommen Sie rein und sehen Sie sich alles an! So hat ein Dorfladen um 1960 ausgesehen! Hier wurde alles gekauft, was man nicht selbst machen konnte oder wollte. Und die Kundinnen und Kunden wurden noch von einer Verkäuferin bedient. Natürlich wurden hier auch viele Neuigkeiten ausgetauscht. Klatsch und Tratsch kostete nichts. Das war schon immer so!

4.18

Das ist unser Backhaus. Es wurde schon 1821 gebaut. Riechen Sie das auch? Hier riecht es nach kaltem Feuerholz und Brot. Das ist auch kein Wunder, denn in diesem Backhaus wird heute, also über 200 Jahre später, noch gebacken. Dann wird wie früher Feuer im Ofen gemacht. Das leckere Brot können Sie übrigens im Museumscafé probieren.

4.19

Dieses kleine Gebäude war bis 1954 noch eine richtige Dorfschule. Wie Sie sehen, gab es nur einen Raum, in dem alle Kinder unterrichtet wurden. Es gab auch nur einen Lehrer. Die Schülerinnen und Schüler mussten still sein und zuhören. Damals wurde im Unterricht noch auf Tafeln geschrieben, weil Hefte aus Papier viel zu teuer waren. Sehen Sie sich gerne alles in Ruhe an.

Einheit 15 Übungen

4.22

- Hallo Herr Vogel.
- Gerne Bernd. Ich habe gehört, dass sich hier alle duzen.
- Stimmt. Ich bin Markus.
- Und du bist Möbeltischler und nicht Landwirt.
- Hast du schon mit meinem Vater gesprochen?
- Genau.
- Ich glaube, der versteht das nie. Ich wollte anders leben, am Wochenende frei haben und auch Urlaub machen und so. Und ich arbeite wirklich gerne mit Holz. Das hat mir immer schon gefallen. Da hinten liegt schon das Holz, mit dem ich meinen Eltern einen Esstisch bauen will.
- Toll! Du siehst sehr zufrieden aus. Machst du dir auch manchmal Sorgen?
- Klar. Zum Beispiel, wenn die Preise für das Holz steigen. Das ist für meinen kleinen Betrieb nicht einfach.
- Aha. Das verstehe ich. Und was machst du, wenn du nicht in der Werkstatt stehst?
- Dann stehe ich beim SV Wettrungen im Tor. Ich bin der Torwart, weil ich nicht mehr so schnell wie die anderen bin. Aber das macht mir auch Spaß! Und ich bin natürlich auch bei der freiwilligen Feuerwehr.
- Wie alle ... Hast du denn gar keine anderen Hobbys?
- Und ob! Von April bis Oktober fahre ich Motorrad. Im Winter ist es zu kalt.
- Das kenne ich ... Noch eine letzte Frage: Was wünschst du dir für die Zukunft?
- Tja, ganz klar, ich wünsche mir, dass mein Sohn auch Möbeltischler wird und hier weitermacht ...

4.24

Tja, früher war es hier noch anders. ... Ich hab' mal 'ne Karte gezeichnet, da kann man das gut sehen. Wir hatten bis 1954 sogar einen eigenen Bahnhof. Und hier, das ist die alte Dorfschule, in der alle Dorfkinder unterrichtet wurden. Ich auch. Das war schön. Heute ist die alte Schule unser Gemeindehaus. Die Post gibt es auch nicht mehr. Und wenn man damals, als ich 14 oder 15 war, die Dorfstraße in Richtung Sportplatz ging, kam man am Dorfladen, am Hof Öllering und am Backhaus vorbei. Öllerings haben aufgehört, weil der Hof sehr alt und zu klein war. Im Dorfladen wurde früher alles verkauft, was man zum Leben brauchte. 1985 wurde er geschlossen, weil die meisten zum Supermarkt im Nachbardorf gefahren sind. Und in unserem Backhaus wurde bis 1958 Brot gebacken. Heute steht es im Museumsdorf „Alte Heimat". Tja. Wenn man bei Öllerings links abbiegt, kommt man an einem sehr großen Gebäude vorbei. Das war die größte Kneipe im Dorf. In der Sonne habe ich Hochzeit gefeiert. Is' auch schon lange her ... Heute sind dort vier Wohnungen. Und wenn man da nach links weitergeht, kommt man zur alten Werkstatt. Paul Küppers konnte alles reparieren, auch die großen Traktoren. Heute steht das Gebäude leer.

4.25

1

- Entschuldigung, ich suche den Hof von Familie Albers.
- Albers? Das ist nicht weit. Gehen Sie hier geradeaus, an der alten Werkstatt vorbei. Dann sehen Sie schon den Hof auf der rechten Seite.

2

- Können Sie mir sagen, wie ich zum Feuerwehrhaus komme?
- Ja klar. Gehen Sie hier nach rechts bis zur Kreuzung, da rechts und dann biegen Sie nach links in die Dorfstraße ab und gehen da in Richtung Sportplatz weiter. Es ist das letzte Gebäude auf der rechten Seite.

Einheit 16: Glück und Lebensträume

4.26

- Herzlich willkommen zu meinem Podcast „Leben". Ich bin Sabine Walter. Heute geht es um das Thema Glück. Mein Gast ist Prof. Huber. Er ist Psychologe und Glücksforscher an der Universität Freiburg. Herr Prof. Huber, Umfragen zeigen, dass die Deutschen noch nie so glücklich waren wie heute.
- Stimmt. Nur jeder Zwölfte ist unglücklich. Die meisten Menschen in Deutschland sind also mit ihrem Leben ziemlich zufrieden.
- Das hat mich überrascht. Sie auch?
- Eigentlich nicht. Schauen Sie - die meisten Menschen in Deutschland haben eine Arbeit und ein gutes Einkommen. Sie leben lange und sind relativ gesund. Das sind wichtige Faktoren für die Zufriedenheit.
- Wenn die Menschen in Deutschland so zufrieden und glücklich sind, warum gibt es dann in den Buchhandlungen so viele Ratgeber zum Thema Glück?
- Ich glaube, es gibt viele Menschen, die das große Glück im Leben suchen. Sie sind unzufrieden, weil sie es noch nicht gefunden haben. Und die Medien

sagen uns jeden Tag, was uns fehlt, um glücklicher, gesünder, schöner und besser zu sein.

- Was macht uns eigentlich glücklich? Was sind die wichtigsten Glücksfaktoren?
- Umfragen zeigen, dass nach Gesundheit Liebe, Kinder, Familie und gute Freunde die wichtigsten Glücksfaktoren im Leben der Deutschen sind.
- Aber auch die kleinen Glücksmomente im Alltag sind sehr wichtig, oder?
- Ganz bestimmt. Manchmal können uns die kleinen Dinge im Leben richtig glücklich machen: Zum Beispiel mit Freunden einen Kaffee trinken, mit der Familie einen Ausflug machen oder auf einer Parkbank sitzen und die Sonne genießen.
- Können Sie unseren Zuhörerinnen und Zuhörern noch ein paar Tipps geben, wie sie mehr Glücksmomente in ihr Leben bringen können?
- Menschen, die glücklich sind, verbringen viel Zeit mit der Familie und treffen oft ihre Freunde. Glückliche Menschen sind aktiv. Auch Schlaf ist ein wichtiger Glücksfaktor. Also regelmäßig sieben bis acht Stunden schlafen. Und schließlich Lernen ... zum Beispiel eine Fremdsprache, denn Lernen macht glücklich.
- Vielen Dank für das Gespräch, Herr Prof. Huber.

Einheit 16 Übungen

4.27

- Guten Tag, liebe Hörerinnen und Hörer. Bucketlisten sind seit dem amerikanischen Film „Das Beste kommt zum Schluss" sehr beliebt. Mein Gast am Telefon ist Jan Feldmann. Er ist Blogger und Autor und hat ein Buch über Bucketlisten geschrieben. Guten Tag Herr Feldmann.
- Hallo Frau Schneider.
- Herr Feldmann, Ihr neues Buch heißt „Lebensträume mit Bucketlisten erreichen". Was sind Bucketlisten?
- Das sind Listen mit Dingen, die man in seinem Leben machen oder erleben möchte. Es sind also Listen mit Wünschen für das eigene Leben.
- Und warum soll man diese Listen schreiben?
- Im Alltagsstress vergessen wir oft, was unsere Ziele und Träume sind. Mit einer Bucketliste kann man besser über seine Lebensziele und Lebensträume nachdenken. Was will ich erleben? Was will ich beruflich und privat erreichen?
- Und wie schreibt man eine Bucktliste? Haben Sie da Tipps?
- Das ist ganz einfach. Man schreibt alles auf, was man noch machen oder erleben möchte. Meine Empfehlung: Arbeiten Sie mit verschiedenen Listen und organisieren Sie Ihre Wünsche nach verschiedenen Themen. Ich habe zum Beispiel Listen für Familie, Beruf, Reisen, Kultur und Bildung. Zu meinen beruflichen Zielen gehört Podcasts machen. Das steht ganz oben auf meiner Liste. Und auf meiner Liste mit Reisezielen steht: *im Karwendel-Gebirge klettern*. Das mache ich jetzt im Juli mit meiner Familie, dann kann ich das Ziel durchstreichen. Das ist auch ein gutes Gefühl.
- Oft hört man, dass man 100 Ziele notieren soll.
- Nein, das muss nicht sein. Alles ist erlaubt. Manche haben sofort viele Ideen für ihre Liste. Andere müssen länger nachdenken. Wenn man seine Bucketliste geschrieben hat, muss man sie auch manchmal anschauen. Ich empfehle einmal im Monat. Dann kann man sie auch verändern. Für Menschen, die nicht mehr so gern mit Bleistift und Papier arbeiten, gibt es übrigens auch Apps, um Bucketlisten zu schreiben.
- Die Apps sehe ich mir an. Vielen Dank für das Gespräch, Herr Feldmann.
  Das Buch „Lebensträume mit Bucketlisten erreichen" ist im Blum-Verlag erschienen und kostet 9,99 Euro. Und jetzt ...

Einheit 1: Klassentreffen

Clip 1.01

Manu: Ja?

Tobi: Ich habe hier zwanzig Pakete für einen Herrn Manuel Enders.

Manu: Na klar! Komm rein. Na Tobi, wie geht's dir? Alles klar?

Tobi: Klar.

Manu: Dann komm mal mit ins Wohnzimmer. Caro ist auch schon da.

Tobi: Cool. Hallo Caro! Lange nicht gesehen! Alles gut?

Caro: Alles gut. Und bei dir, Tobi?

Tobi: Naja ... Jetzt sind es nur noch sechs Wochen bis zum Klassentreffen.

Manu: Möchtest du einen Kaffee haben?

Tobi: Ja, gerne.

Caro: Nur noch sechs Wochen bis zum Klassentreffen ...

Tobi: Ja, aber wir müssen gar nicht mehr so viel machen. Mal sehen. Zuerst hat Manu im November mit dem Schuldirektor den Termin gemacht. Dann haben wir das Programm geplant und im April hat Manu die Einladungen verschickt.

Manu: Was habe ich gemacht?

Caro: Du hast im April die Einladungen verschickt.

Manu: Stimmt. Aber wir haben noch nicht alle E-Mail-Adressen gefunden.

Caro: Welche fehlen denn noch?

Manu: Nur eine. Die von Katta.

Caro: Ach, von Katta habt ihr keine Adresse? Habt ihr schon mal im Internet gesucht?

Tobi: Na, logisch! Die meisten E-Mail-Adressen haben wir im Internet gefunden.

Caro: Wir haben doch die Adresse von Patrick, oder? Den kann ich ja mal fragen. Der weiß das bestimmt.

Manu: O.k. Das ist eine gute Idee. Du schreibst Patrick eine Mail und fragst ihn nach Kattas E-Mail-Adresse.

Tobi: So, weiter. Caro hat schon in der Schulkantine angerufen und nach den Preisen für Kaffee, Kuchen und das Abendessen gefragt.

Caro: Genau. Zusammen mit den Kosten für den DJ muss jeder 30 Euro bezahlen. Das steht auch so in der Einladung, oder?

Manu: Ja, 30 Euro pro Person. Das steht so in der Einladung.

Tobi: Hast du die Einladung nicht gelesen?

Caro: Doch, klar. Und ich finde, dass sie toll aussieht! Habt ihr wirklich super gut gemacht!

Tobi: Danke. Hast du die Getränke für abends schon bestellt?

Manu: Nein, das muss ich noch machen.

Caro: Wie viele haben sich denn schon angemeldet?

Manu: Bis jetzt haben wir schon über 90 Anmeldungen. Ein paar Lehrerinnen und Lehrer sind auch dabei.

Caro: Schon so viele? Super! Die Bestellung in der Schulkantine mache ich dann Anfang Juni.

Tobi: Gut, weiter. Ich habe mich schon mit DJ Olaf getroffen. Er kommt schon um halb sieben und baut dann in der Aula alles auf. Ich hätte nicht gedacht, dass ein Klassentreffen so viel Arbeit macht!

Manu: Ich auch nicht.

Caro: Ach? Das Klassentreffen war doch eure Idee! Was meint ihr, wie oft müssen wir uns noch treffen?

Tobi: Mindestens einmal im Mai.

Caro: O.k. Mal sehen. Treffen wir uns am 28. Mai? Das ist ein Freitag.

Manu: O.k. Um sieben bei Tobi?

Tobi: Passt.

Caro: Ja, o.k. So, was müssen wir noch ...

Clip 1.02

Nina: Hallo! Mensch, ich habe es schon zweimal versucht.

Lerner*in: Entschuldige, Nina. Ich hatte viel zu tun. Was gibt es denn?

Nina: Du kommst doch auch zur Grillparty am Samstag, oder?

Lerner*in: Na klar. Ich freue mich schon!

Nina: Hoffentlich wird das Wetter gut! Warst du schon mal im Stadtpark?

Lerner*in: Nein, bis jetzt noch nicht. Kann ich etwas mitbringen?

Nina: Mal sehen ... Ich bringe die Würstchen, Brot und ein paar Gläser mit.

Lerner*in: Soll ich meinen Grill mitbringen?

Nina: Das ist nett, aber Leo kommt mit dem Auto. Ich rufe ihn gleich auch noch an. Er soll seinen Grill und die Getränke mitbringen. Das ist sicher kein Problem. Du kannst gerne Käse, Obst oder einen Salat mitbringen. Dein Gurkensalat ist doch immer so lecker!

Lerner*in: Gut, dann mache ich einen Gurkensalat und kaufe noch Käse.

Nina: Prima! Du, ich muss los. Wir sehen uns dann am Samstag im Stadtpark!

Lerner*in: Genau. Bis Samstag! Tschüss, Nina!

Nina: Tschüss!

Einheit 2: Mobil leben

Clip 1.03

Junge Frau: Wie schön, dass wir uns am Wochenende sehen.

Lerner*in: Ich freue mich auch.

Junge Frau: Wann kommst du denn?

Lerner*in: Schon am Freitag. Diesen Freitag muss ich nicht arbeiten.

Junge Frau: Cool! Kommst du eigentlich mit der Bahn oder mit dem Bus?

Lerner*in: Mit dem Bus. Das ist am billigsten.

Junge Frau: Hm, stimmt. Und wann bist du dann hier in München?

Lerner*in: Ich fahre um Viertel nach neun in Berlin los und bin um halb fünf da, glaube ich.

Junge Frau: O.k., ich hole dich dann vom Busbahnhof ab. Schick mir eine Nachricht.

Lerner*in: Ja klar. Bis dann.

Junge Frau: Bis Freitag.

Einheit 3: Wohnen und zusammenleben

Clip 1.04

Fr. Lotze: Herr Michelakis? Na, Sie sind ja ganz pünktlich.

Hr. Michelakis: Guten Tag, Frau Lotze. Ja, mit dem Auto kein Problem und gleich die erste Frage: Haben die Mieter eigene Parkplätze?

Fr. Lotze: Nein, aber Sie dürfen hier überall parken. Ja, dann gehen wir mal in die dritte Etage.

Hr. Michelakis: Gibt es hier einen Aufzug?

Fr. Lotze: Ja. Keine Angst, Sie müssen nicht alles bis in die dritte Etage schleppen. So, da sind wir! Ich geh' mal vor. Hier ist die Küche, dort ist das Wohnzimmer. Hier links ist das Bad, dahinter das Schlafzimmer. Geradeaus dann das Arbeits- und Kinderzimmer.

Hr. Michelakis: Danke. Oh, schön – das Wohnzimmer ist groß.

Fr. Lotze: Ja, und der Balkon ist auch sehr groß. Sehen Sie mal.

Hr. Michelakis: Ah ja, der ist schön. Das ist wichtig für uns.

Fr. Lotze: Ach, Sie ziehen zu zweit ein?

Hr. Michelakis: Ja. Lena, meine Partnerin, muss leider heute arbeiten. Ich darf doch ein paar Fotos machen, oder?

Fr. Lotze: Natürlich, machen Sie nur. Und hier ist die Küche, ist alles drin und groß. Das war ja wichtig für Sie.

Hr. Michelakis: Neue Schränke, neuer Herd. Super! Gibt es auch einen Keller?

Fr. Lotze: Nein, aber eine Abstellkammer – sehen Sie, hier. Für Koffer und Schuhe oder so.

Hr. Michelakis: Aha, aber viel kleiner als ein Keller.

Fr. Lotze: Ja. Und hier ist das Bad ...

Hr. Michelakis: Leider ohne Badewanne, aber mit Fenster.

Fr. Lotze: ... und hier das dritte Zimmer, ein Arbeits- und Kinderzimmer. Haben Sie Kinder?

Hr. Michelakis: Nein, aber einen kleinen Hund. Und wir arbeiten manchmal im Homeoffice. Gibt es hier schnelles Internet?

Fr. Lotze: Internet ja, aber wie schnell? Das ... Keine Ahnung. Das kann ich Ihnen nicht sagen.

Hr. Michelakis: Naja, das kann ich auch im Internet recherchieren. Gibt es hier in der Nähe Geschäfte, Restaurants und einen Supermarkt?

Fr. Lotze: Es ist ziemlich ruhig hier, aber ein Supermarkt ist in der Nähe und die Innenstadt erreichen Sie mit der S-Bahn in fünf Minuten, die Haltestelle ist gleich da vorne.

Hr. Michelakis: Ah. Hier gibt es doch auch einen Park, oder?

Fr. Lotze: Ja, den Appolonia-Pfaus-Park erreichen Sie zu Fuß in zehn Minuten.

Hr. Michelakis: Das ist aber ziemlich weit ... Vielen Dank für die Besichtigung, Frau Lotze. Wir rufen Sie dann an.

Fr. Lotze: Ja, so machen wir es. Aber warten Sie bitte nicht zu lange. Bis dann, Herr Michelakis.

Hr. Michelakis: Bis dann, Frau Lotze!

Clip 1.05

Frau Lotze: Guten Tag, mein Name ist Franziska Lotze. Und Sie sind ...?

Lerner*in: Ich bin ... Guten Tag, Frau Lotze. Wir haben telefoniert.

Frau Lotze: Ah, stimmt. Schön, dass Sie hier sind. Wir sehen uns gleich eine Zwei-Zimmer-Wohnung an. Die Wohnung ist 55 m² groß. Sie ist im zweiten Obergeschoss, aber es gibt einen Aufzug.

Lerner*in: Oh, super! Die Wohnung hat auch einen Balkon, oder?

Frau Lotze: Ja, einen sehr schönen Balkon. Und das Bad ist auch sehr schön. Es hat ein Fenster und eine Badewanne.

Lerner*in: Toll! Und sagen Sie, wie viel kostet die Wohnung?

Frau Lotze: Die Kaltmiete beträgt 650 €, die Nebenkosten 150 €.

Lerner*in: Und wie hoch ist die Kaution?

Frau Lotze: Zwei Monatsmieten. Haben Sie noch weitere Fragen?

Lerner*in: Nein, im Moment nicht.

Frau Lotze: Gut, dann zeige ich Ihnen jetzt die Wohnung.

Lerner*in: O.k., sehr gern.

Einheit 4: Hast du Netz?

Clip 1.06

Tobi: Hallo, wie geht's?

Lerner*in: Mir geht's gut, danke. Erzähl mal, wie war das Klassentreffen?

Tobi: Ganz gut. Ich hätte nicht gedacht ...
Lerner*in: Hallo? Ich höre dich nicht.
Tobi: Warte ... Jetzt?
Lerner*in: Ja, ich höre dich wieder, aber jetzt sehe ich dich nicht mehr.
Tobi: Hm ... und jetzt? Ich kann dich gut sehen.
Lerner*in: Ja, jetzt kann ich dich auch sehen.
Tobi: Also das Treffen war toll. Ich hätte nicht gedacht, dass man so viele Freunde wiedersieht. Ich schicke dir ein paar Fotos. Hast du sie bekommen?
Lerner*in: Ja, super Fotos! Danke. Und sag mal, waren auch viele Lehrerinnen und Lehrer da?
Tobi: Warte, es ist sehr laut. Was hast du gesagt?
Lerner*in: Ich habe gefragt, ob du auch viele Lehrerinnen und Lehrer getroffen hast.
Tobi: Ja, nur meine Biolehrerin und der Englischlehrer waren nicht dabei. Schade. Ich ...
Lerner*in: Einen Moment. Die Internetverbindung ist schlecht. Ich habe den letzten Satz nicht verstanden.
Tobi: Ich habe gesagt, dass ich froh bin ...

Plateau 1

Clip 1.07

Yara: Was machst du denn hier? Tarek.
Tarek: Hi!
Yara: Ihr kennt euch?
Nico: Ja, ich helfe manchmal im Restaurant.
Yara: Und du sprichst Deutsch!
Nico: Ein bisschen. Ich mache einen Audio-Kurs.
Yara: Wie lange bist du denn schon in Deutschland?
Nico: Ich bin vor ein paar Wochen nach Deutschland gekommen.
Yara: Aber warum? Ich meine, was machst du hier?
Tarek: Nico hat dich gesucht.
Nico: Aber du warst in der Schweiz.
Yara: Woher weißt du das?
Nico: Das ist eine lange Geschichte.
Yara: O.k. ... Und ich möchte die ganze Geschichte von Anfang an hören.
Tarek: Äh, pass auf: Wir gehen alle ins Restaurant, ich koche etwas und nach dem Essen erzählen wir dir alles.
Yara: Ja. O.k.

Nico: Wie lange lebst du schon in Deutschland?
Tarek: Ich bin vor 30 Jahren mit meinen Eltern hierhergekommen.
Yara: Ich bin vor 15 Jahren als Au-pair-Mädchen nach Deutschland gekommen. Das Land war fremd, die Sprache auch. Ich meine, ich war froh. Ich wollte Spanien verlassen und in Deutschland studieren. Aber es war nicht immer leicht. Alles war neu. Ich hatte Glück, ich hatte Hilfe. Es ist wichtig, dass man Hilfe hat in so einer Situation.
Und was ist mit dir? Wie lang willst du eigentlich bleiben?
Tarek: Das verstehe ich.
Yara: Und was willst du jetzt machen? Wo willst du wohnen? Wie möchtest du Geld verdienen und leben?
Nico: Ich will auf keinen Fall zurück nach Spanien.

Rezeptionistin: Guten Abend, was kann ich für Sie tun?
Pepe: Haben Sie noch ein Zimmer frei?
Rezeptionistin: Nehmen Sie das Zimmer für eine Nacht oder für mehrere Nächte?
Pepe: Erst einmal für eine Nacht. Vielleicht bleibe ich länger.
Rezeptionistin: Ich nehme an, dass Sie ein Einzelzimmer möchten. Ist das richtig?
Pepe: Ja, bitte. Ein Einzelzimmer.
Rezeptionistin: Möchten Sie das Zimmer mit oder ohne Frühstück?
Pepe: Ohne Frühstück, bitte.
Rezeptionistin: Dann benötige ich noch Ihren Ausweis oder Reisepass. Das Zimmer ist in der vierten Etage. Das macht dann 139 Euro für eine Übernachtung ohne Frühstück. Zahlen Sie bar oder mit Kreditkarte?
Pepe: Ich zahle mit Karte.
Rezeptionistin: Wie gesagt, Ihr Zimmer ist in der vierten Etage. Den Aufzug finden Sie vorne rechts.

Clip 1.08

Nina: Hi.
Lisa: Hey.
Nico: Hallo.
Nina: Nico, schön, dich zu sehen. Sag mal, ist das euer Ernst eigentlich?
Lisa: Äh ... was denn?
Nina: Na das, das Chaos.
Sebastian: Äh, darf ich vielleicht später aufräumen?
Nina: Oh, also in einem Monat?
Sebastian: Jetzt bleib doch mal ruhig.
Nina: Nee!
Nico: Kann ich helfen?
Nina: Nein, Nico. Wir wohnen hier. Das schaffen wir schon selber.
Lisa: Aber wir haben auch ein Zimmer frei, oder?
Sebastian: Das ist eine gute Idee!
Nico: Was ist?

Tarek: Und ... bitte schön!
Inge: Ah ...
Yara: Auf Nicos neue Wohnung! Zum Wohl!
Alle: Zum Wohl! / Prost!

Inge: Herzlichen Glückwunsch, Nico.
Nico: Vielen Dank, Inge.
Inge: Wo wohnst du denn jetzt?
Nico: Ich wohne in der WG von Lisa, Nina und Sebastian.
Inge: Eine WG. Das ist eine Wohngemeinschaft, oder? Bei uns war das anders. Wir haben noch bei der Familie gewohnt. Das war billiger.
Pepe: Hola Nico.
Nico: Pepe!
Max: Wer ist denn Pepe?
Nico: Pepe ist mein großer Bruder.
Inge: Ach!
Pepe: Ven, Nico.
Nico: Ich spreche hier kein Spanisch.
Pepe: Wie du willst! Komm mit! Wir fliegen zurück nach Spanien.
Nico: Nein, ich komme nicht mit. Ich bleibe hier in Deutschland.
Pepe: Ich bin extra aus München gekommen. Zuerst wollte ich fliegen, aber der Flug ist ausgefallen. Dann musste ich mit dem Bus hierherfahren und konnte unterwegs nicht schlafen. Ich bin ziemlich müde. Also bitte lass uns einfach gehen!
Nico: Nein. Du kannst gerne gehen. Ich habe schon mit Papa telefoniert.
Pepe: Ich glaube, du verstehst es nicht. Papa hat mir gesagt, dass ich dich zurückholen soll. Wahrscheinlich geht der nächste Flug morgen Vormittag über Madrid oder Barcelona nach Sevilla, also?
Nico: Also: Guten Flug. Hm?
Pepe: Hör zu, mir ist das völlig egal, was du machst! Aber unsere Eltern machen sich Sorgen! Du machst immer nur Probleme, Nico!
Max: Ich bitte Sie, jetzt zu gehen.

Clip 1.09

Max: Geht's dir gut, Inge?
Inge: Mir? Natürlich. Ach ... WGs und Reisen ... Ich sitze den ganzen Tag nur zuhause. Oder hier.
Max: Aber warum? Du bist fit, du hast Zeit. Warum fährst du nicht weg? Mach doch mal eine Reise!
Inge: Das ist alles so kompliziert.
Max: Ach Quatsch! Tarek? Bringst du mal den Laptop her?
Inge: Was? Wieso?
Max: Weil wir zusammen jetzt einen Ausflug buchen.
Tarek: Ja! Halt! Stopp! Moment! Das hört sich gut an! Angebot für Seniorengruppen: eine Zugfahrt durch das Rheintal nach Bingen am Rhein, mit Mittagessen und Stadtrundgang.
Inge: Wo fährt der Zug ab?
Max: Am Hauptbahnhof in Köln.
Inge: Und wann?
Max: Ah, die Abfahrt ist um 9.45 Uhr von Gleis sieben.
Inge: Was kostet das?
Tarek: Hin- und Rückfahrt kosten 50 Euro und du musst nicht umsteigen. Du kommst um Viertel vor zwölf in Bingen am Rhein an und um halb sieben abends fährst du wieder zurück.
Inge: Hm, toll! Aber alles an einem Tag? Das ist mir zu anstrengend.
Tarek: Stimmt.
Max: Du kannst auch in Bingen übernachten. Wir finden bestimmt ein Hotelzimmer für dich. Sollen wir das buchen?
Inge: Ja!
Tarek: Ja!
Max: O.k.! Das war's. Jetzt drucken wir die Verbindung noch aus und suchen auch noch ein Hotelzimmer raus.
Inge: Hach, toll! Ah, Jungs. Ihr seid großartig! Bin schon ganz aufgeregt!

Lisa: Was steht denn jetzt noch draußen?
Nico: Die Möbel.
Nina: Du hast Möbel?
Nico: Ja, ich habe einen Schrank, ein Bett und eine Matratze.
Sebastian: Alles aus dem Secondhandladen.
Lisa: Möbel tragen ... Da muss ich mich ja gleich noch mal duschen.
Sebastian: Ach, Nico und ich machen das, oder?
Nico: Ja! Und der Schrank?

Inge: Hallo Nico!
Nico: Hallo Inge!
Inge: Ich habe nur ganz wenig Zeit. Ich wollte dir gerne ein paar Sachen für den Umzug mitbringen. Ein paar Kleinigkeiten. Die kannst du sicher gut gebrauchen. Hach, tut mir leid, ich muss gleich wieder los. Ich will euch nicht von der Arbeit abhalten. Ich habe auch überhaupt keine Zeit. Ich muss noch einkaufen gehen und ...
Nico: Kann ich dir helfen?
Inge: Nein, ihr habt doch genug zu tun ... Also, ihr Lieben, macht's gut. Und komm mich mal besuchen, Nico!
Nico: Danke, Inge, mach ich. Und vielen Dank für die Sachen.
Inge: Jaha ...
Nico: Die hat echt keine Zeit.
Sebastian: Keine Zeit.
Nico: Keine Zeit.

Einheit 5: So arbeiten wir heute

Clip 1.10

Tobi: Und, alles klar? Und wie gefällt dir die Arbeit im Homeoffice?

Lerner*in: Alles kein Problem. Ich arbeite gern zuhause. Was gibt's?

Tobi: Wir müssen über die Bestellung von Herrn Berger sprechen.

Lerner*in: O.k.? Was ist denn das Problem?

Tobi: Er hat gestern angerufen.

Lerner*in: Hat er eine Nachricht hinterlassen?

Tobi: Ja, er möchte den Liefertermin ändern.

Lerner*in: Wann soll der neue Termin denn sein?

Tobi: Das hat er nicht gesagt. Kannst du ihn bitte zurückrufen?

Lerner*in: Das mache ich gleich. Soll ich dich danach noch einmal anrufen?

Tobi: Ja, mach das. Am besten nach elf, ich habe jetzt noch einen Termin.

Lerner*in: Kein Problem. Ich melde mich bei dir. Bis dann!

Einheit 6: Was liest du gerade?

Clip 1.11

Verkäuferin: Guten Tag, ich sehe, Sie interessieren sich für Literaturklassiker. Goethes Werther – ein tolles Buch!

Lerner*in: Ja, aber eigentlich suche ich einen Krimi. Haben Sie die auch?

Verkäuferin: Einen Krimi? Hunderte! Die Krimis sind hier. Schauen Sie mal.

Lerner*in: Oh, das sind ja echt viele. Können Sie mir einen Krimi empfehlen?

Verkäuferin: Hm, mal sehen ... Also, ich lese ja gern Jan Seghers. Seine Krimis sind echt spannend. Kennen Sie die?

Lerner*in: Hm, ich glaube nicht. Die spielen doch alle in Frankfurt, oder?

Verkäuferin: Richtig! Und das hier ist sein erster Krimi.

Lerner*in: Ah, der sieht interessant aus. Und wie viel kostet der?

Verkäuferin: Für Sie, nur drei Euro.

Lerner*in: Gut, den nehme ich. Können Sie mir noch ein Buch empfehlen?

Verkäuferin: Sehr gerne. Mögen Sie auch Romane?

Lerner*in: Nein, ich lese eigentlich nur Biografien und Krimis.

Verkäuferin: Ah ja, die haben wir auch. Biografien sind hier vorne.

Lerner*in: Perfekt, vielen Dank.

Einheit 7: Leben mit Tieren

Clip 1.16

Yasemin: Lotta! Wo bist du?

Lerner*in: Kann ich Ihnen helfen? Was suchen Sie denn?

Yasemin: Ach, das ist nett. Ich suche mein Kaninchen.

Lerner*in: Sie suchen ein Kaninchen? Wie sieht es denn aus?

Yasemin: Total süß! Es ist ein kleines Kaninchen, nur so groß, und ganz weich.

Lerner*in: Aha, Sie suchen also ein weißes Kaninchen?

Yasemin: Nein! Das Fell ist weich, nicht weiß. Lottas Fell ist braun.

Lerner*in: Ach so! Können Sie Lotta noch etwas besser beschreiben?

Yasemin: Klar. Lotta ist braun. Sie ist ein süßes Kaninchen mit einer schwarzen Schnauze, dunklen Ohren und dunklen Pfoten. Haben Sie Lotta gesehen?

Lerner*in: Nein, leider nicht. Seit wann suchen Sie es denn schon?

Yasemin: Seit heute Morgen. Ich weiß bald nicht mehr, wo ich noch nachsehen soll!

Lerner*in: Haben Sie schon im Tierheim angerufen?

Yasemin: Im Tierheim?

Lerner*in: Ja, im Tierheim. Vielleicht hat es jemand gefunden und dort abgegeben.

Yasemin: Das ist eine gute Idee! Vielen Dank!

Einheit 8: Global und regional

Clip 1.18

Manu: Hey, ach schön, dass wir uns endlich mal wiedersehen. Wie geht's dir?

Lerner*in: Hey Manu, bist du endlich wieder da? Mir geht's sehr gut. Wie war dein Urlaub?

Manu: Der Urlaub war echt super. Italien ist wirklich ein tolles Land.

Lerner*in: Ja, mir hat es dort auch sehr gut gefallen. Wo warst du denn?

Manu: Wir waren am Gardasee, in Limone.

Lerner*in: Wir? Mit wem warst du denn unterwegs?

Manu: Mit Thomas. Wir kennen uns aus der Schule und wollten schon immer mal gemeinsam Urlaub machen.

Lerner*in: Toll, ihr hattet bestimmt viel Spaß. Seid ihr geflogen?

Manu: Genau, von Frankfurt nach Verona. Dort haben wir ein Auto gemietet und sind nach Limone gefahren.

Lerner*in: Das war bestimmt eine super Idee mit dem Auto. Habt ihr viele Ausflüge gemacht?

Manu: Ja, sehr viele. Wir waren in Verona, in Venedig und haben viele kleine Orte am Gardasee gesehen.

Und es gibt überall nette Cafés, Restaurants und Geschäfte. Und der See ist wunderschön, ein Traum!
Lerner*in: Das klingt ja super. Aber das war doch bestimmt sehr teuer, oder?
Manu: Naja, es ging. Das war nicht so teuer. Aber jetzt erzähl doch mal, was hast du so gemacht?

Plateau 2

Clip 1.19

Nina: Dein Bruder arbeitet also in Deutschland?
Nico: Ja ... Seit ein paar Jahren. Er hat eine eigene Firma.
Sebastian: Und warum will er, dass du dann zurück nach Spanien gehst?
Nico: Er macht immer, was meine Eltern sagen. Pepe interessiert sich überhaupt nicht für mich. Ich bin für ihn egal ...
Nina: Du bist ihm egal.
Nico: Ich bin ihm egal.
Nina: Du ärgerst dich über deinen Bruder, oder?
Nico: Ärgern? Ja. Ich ärgere mich oft über meinen Bruder.
Sebastian: Naja ... Komm, jetzt reg dich nicht so über ihn auf.
Nina: Hm. Was war in der Post?
Lisa: Ein Brief von der Abendschule.
Nina: Oh, eine Antwort?
Sebastian: Na los. Mach ihn auf! Es ist bestimmt eine Zusage.
Lisa: Eine Zusage!
Sebastian: Toll!

Lisa: Also, Nico. Für was interessierst du dich?
Nico: Ich interessiere mich für Fußball.
Lisa: Ah, er interessiert sich für Fußball. Noch einer!
Nico: Ja, sorry. Ich mag Fußball.
Selma: Wie alle Männer.
Lisa: Du kannst Nico auch fragen, ob er sich noch für andere Dinge interessiert.
Selma: O.k. ... ähm. Interessierst du dich für ... Literatur?
Nico: Literatur?
Lisa: Äh, ja. Liest du gerne? Oder hast du viele Bücher? Zum Beispiel Romane oder Krimis ...
Nico: Natürlich. Ich habe mich, ähm ...
Lisa: Schon immer?
Nico: Ich habe mich schon immer für Bücher interessiert.
Selma: Du beschäftigst dich sicher auch gerne mit Politik, oder?
Nico: Politik? Ich? Warum?
Selma: Weil alle Politiker so viel lügen.
Lisa: Letzte Frage: Selma, was kannst du besonders gut?
Selma: Hm ...
Lisa: Kannst du Fahrrad fahren?
Selma: Ich kann nicht Fahrrad fahren.
Nico: Wirklich?
Selma: Ja.
Nico: Aber das geht nicht. Hier fahren alle Fahrrad! Ich bringe es dir bei. Ich verspreche es dir. Hast du morgen Zeit?
Selma: O.k.

Clip 1.20

Selma: Hallo? Ich bin bei meinem Sprachkurs. Das weißt du doch. Ja, mache ich. Tschüss!
Nico: Hast du mit deinem Vater telefoniert?
Selma: Nein, das war meine Mutter. Sie macht sich Sorgen, weil ich nicht angerufen habe. Ich habe ihr aber gesagt, dass ich beim Sprachkurs bin.
Nico: Vielleicht hat sie es ja nur vergessen.
Selma: Ja, zum hundertsten Mal.
Nico: Ich kenne das. Meine Eltern hören mir auch nie zu.

Selma: Die Bilder sind toll!
Nico: Ja, coole Fotos. Machst du auch ähm ...
Sebastian: Porträts? Nein, ich äh ... ich habe auch noch ein anderes Projekt, das wird super.
Selma: Was für ein Projekt?
Sebastian: Das sage ich noch nicht!
Lisa: Sebastian, können wir die Sprachübungen heute mit deinen neuen Fotos machen?
Sebastian: Klar. Warum nicht?
Lisa: Selma, bitte beschreibe eines von Sebastians Porträts.
Selma: Das sind zwei ältere Männer mit grauen Haaren. Der Mann mit der braunen Hose ist groß und sieht ein bisschen traurig aus. Der Mann mit dem schwarzen Mantel ist kleiner.
Lisa: Sehr gut. Nico, kannst du das auch?
Nico: Nicht so gut!
Lisa: Probier's! Wie sieht dein Bruder aus?
Nico: Er hat dunkle Haare.
Lisa: Und?

Clip 1.21

Kellnerin: Hallo!
Jacques: Hallo!
Kellnerin: Darf ich Ihren Mantel nehmen?
Jacques: Ja, gern. Darf ich mich zu Ihnen setzen?
Inge: Bitte!
Jaques: Danke. Mein Name ist übrigens Jacques.
Inge: Inge.
Jacques: Freut mich sehr, Inge.
Inge: Machen Sie auch den Ausflug?
Jacques: Nein, ich bin nur auf der Durchreise. Ich bin Konditor. Ich hatte eine eigene Konditorei.

Inge: Ach, dann sind Sie der, den man morgens in der Bäckerei sieht. Der Mann, der Brot und Brötchen backt und die Hochzeitstorten dekoriert?

Jacques: Ja! Aber das mache ich schon lange nicht mehr. Auf Sie, Inge!

Inge: Auf gute Gesellschaft und gutes Essen!

Jacques: Zahlen, bitte! Selbstverständlich lade ich Sie ein!

Inge: Aber ...

Jacques: Ich lade Sie natürlich ein. Sie sind eine Frau, die man einladen muss.

Inge: Alles in Ordnung?

Jacques: Mein Portemonnaie ... Ich habe es im Hotel vergessen.

Inge: Kein Problem, ich übernehme das.

Jacques: Also, das ist mir ... Das ist mir sehr peinlich! Ich gebe Ihnen das Geld natürlich zurück.

Inge: Stimmt so.

Kellnerin: Danke.

Inge: Wann denn? Auf Wiedersehen, Jacques.

Kellnerin: So!

Inge: Danke.

Kellnerin: Jetzt.

Jacques: Ich rufe Sie auf diesem Handy an, Inge.

Einheit 9: Alltagsleben

Clip 2.01

Arzt: Guten Tag! Wie geht es Ihnen denn?

Lerner*in: Guten Tag! Naja, es geht so. Ich bin mit dem Fahrrad hingefallen.

Arzt: Wann ist das denn passiert?

Lerner*in: Schon gestern Abend. Ich dachte, es ist nicht so schlimm.

Arzt: Na, dann wollen wir mal sehen. Wo tut es Ihnen denn weh?

Lerner*in: Ich habe Schmerzen in der rechten Hand.

Arzt: Aha. Können Sie die Hand bewegen?

Lerner*in: Ja, aber nicht so gut.

Arzt: Dann wollen wir mal schauen. Zum Glück ist nichts gebrochen. Sie haben eine Verstauchung. Ich schreibe Ihnen eine Salbe auf. Tragen Sie die Salbe bis Freitag jeden Morgen und jeden Abend auf.

Lerner*in: Alles klar. Und das Rezept für die Salbe?

Arzt: Das Rezept bekommen Sie gleich vorne an der Anmeldung. Gut, dann sind wir hier schon fertig. Gute Besserung!

Lerner*in: Vielen Dank!

Einheit 10: Festival-Sommer

Clip 2.02

Jana: Hey Leute, herzlich willkommen zum heutigen Video. Ich freu mich, dass ihr da seid. Egal, ob ihr Festival-Profis oder Festival-Anfänger seid, dieses Video ist genau das Richtige für euch.
Heute geht es um die Festivalvorbereitung und zwar um die Frage: Welche Sachen müsst ihr mitnehmen oder braucht ihr eigentlich auf einem Festival? Hier kommt deine optimale Festival-Packliste.
Nummer eins ist das Zelt. Ohne Zelt geht es natürlich nicht. Hier schlaft ihr, entspannt ihr und zieht euch um. Es ist also euer Zuhause für drei Tage.
Nummer zwei: der Schlafsack. Es kann kalt werden in der Nacht, also nehmt lieber einen warmen Schlafsack mit.
Genauso wichtig wie der Schlafsack ist eine Isomatte, meine Nummer drei. So könnt ihr bequem schlafen und seid am nächsten Tag fit.
Nummer vier ist das Essen und das Camping-Geschirr. Ihr braucht einen kleinen Teller, eine Schüssel und einen Becher. Und eine Gabel, einen Löffel und ein Messer. Und ihr braucht auch Essen. Ganz wichtig: ihr habt keinen Kühlschrank. Gut funktionieren zum Beispiel: Obst, Brot oder Marmelade. Ihr könnt euch aber auch Essen kaufen.
Die Nummer fünf ist wirklich wichtig. Bitte denkt unbedingt an Wasser und eine Flasche. Liebe Leute trinkt Wasser, Wasser, Wasser!!!
Nummer sechs ist eine kleine Reiseapotheke mit Pflaster, Kopfschmerztabletten, Verband und Schere. Man weiß ja nie.
Und hier noch Nummer sieben: eine Regenjacke und Gummistiefel. Warum? In Deutschland regnet es auch oft im Sommer. Also packt die Gummistiefel und eine leichte Regenjacke ein. So könnt ihr auch im Regen tanzen.
So, das waren meine Top-Sieben für ein Festival. Ich freu mich über Likes und Kommentare. Ich wünsche euch ganz viel Spaß bei den Festivals.
Tschüss, ciao und adios!!

Clip 2.03

Jana: Hey! Schön, dass ich dich sehe! Svea und ich wollen zum Lollapalooza-Festival. Kommst du mit?

Lerner*in: Ach cool, da wollte ich immer schon mal hin! Das ist doch in Berlin, oder?

Jana: Genau. Wir müssen bald die Tickets im Vorverkauf buchen. Also, du kommst mit ...?

Lerner*in: Hm, wann findet das Festival denn statt?

Jana: Am dritten und vierten September. Jan und Francesca kommen auch noch mit.

Lerner*in: Super, das passt. Weißt du, wie viel die Tickets kosten?

Jana: Das Lollapalooza ist leider sehr teuer … Ein Ticket kostet 149 €.

Lerner*in: Oh ja, das ist wirklich teuer! Aber wir gehen trotzdem, oder? Ich glaube, das wird super.

Jana: Klar wird das super! Ich freu' mich schon!

Einheit 11: Natur und Umwelt

Clip 2.04

Interviewerin: Umwelt geht uns alle an. Konstantin, du engagierst dich für die Umwelt. Wie können wir alle die Umwelt schützen? Gib uns mal deine drei besten Tipps.

Konstantin: Also, ganz wichtig: weniger Müll machen. Zum Beispiel kann ich eine Plastiktüte ganz oft nutzen. Noch besser sind Stoffbeutel, also Stoffbeutel statt Plastiktüten nehmen.

Interviewerin: Ja, das kann man sicher im Alltag machen. Und dein zweiter Tipp?

Konstantin: Tipp zwei und drei: Keine Lebensmittel wegwerfen und Wasser sparen. Also: Kauft nur ein, was ihr wirklich braucht. Eine Liste hilft beim Einkaufen. Und: Mehr duschen, weniger baden. Beim Duschen braucht man viel weniger Wasser als beim Baden.

Interviewerin: Super, das ist alles machbar und kein Problem im Alltag. Yasemin, du lebst seit zwei Jahren sehr umweltfreundlich. Wie machst du das?

Yasemin: Ich mache alles, was Konstantin gesagt hat. Und ich kaufe anders ein.

Interviewerin: Wie anders?

Yasemin: Ich kaufe viel Obst und Gemüse aus der Region. Das muss man nicht lange transportieren. Und ich esse saisonal, also keine Erdbeeren im Februar. Erdbeerzeit ist im Juni und im Juli, dann sind sie auch richtig lecker! Und ich fahre weniger Auto und gehe mehr zu Fuß, fahre mit dem Bus oder mit dem Rad, klar. Und zuhause nutze ich Energiesparlampen. Die sparen Strom. Man kann sogar mit dem Kühlschrank Strom sparen.

Interviewerin: Wie denn das?

Yasemin: Wenn man den Kühlschrank immer nur kurz aufmacht, dann spart man Energie. Das ist gut für die Umwelt. Und man spart Geld, weil die Stromrechnung nicht so hoch ist!

Interviewerin: Die Umwelt schützen und Geld sparen – ein doppelter Vorteil! Danke euch beiden für die Tipps. Die sind alle machbar im Alltag, die probiere ich auch aus!

Clip 2.05

Konstantin: Hey! Schön, dass wir uns sehen! Ich wollte dich noch etwas fragen: Gehen wir am Sonntag zusammen auf den Flohmarkt?

Lerner*in: Oh, das klingt toll! Da findet man immer schöne Sachen!

Konstantin: Ja, aber ich möchte nichts kaufen, ich möchte verkaufen! Machst du mit?

Lerner*in: Du meinst, wir verkaufen unsere alten Klamotten?

Konstantin: Ja, aber nicht nur Klamotten, auch Spiele, Bücher, Geschirr … alles was du nicht mehr brauchst.

Lerner*in: Gute Idee! Wenn ich ein paar Sachen verkaufe, dann habe ich auch wieder mehr Platz.

Konstantin: … und jemand anderes freut sich über deine Sachen.

Lerner*in: Na, dann bin ich dabei! Holst du mich ab?

Konstantin: Ja, ich komme um sieben mit dem Auto.

Lerner*in: Klasse, bis dann.

Konstantin: Bis dann!

Einheit 12: Reparieren und Selbermachen

Clip 2.06

- Ich habe Kulturwissenschaften studiert.
- Äh, ich habe für die Automobilindustrie gearbeitet.
- Ja, im Iran, ich habe Maschinenbau studiert und gearbeitet.
- Ich bin gelernter Feinmechaniker, habe mein Leben lang repariert.
- … und habe vor vielen Jahren mal Elektriker gelernt.
- Ich komme ins „Café kaputt", weil ich den Leuten helfen möchte, ihre elektrischen Geräte zu reparieren.
- Ich kann nicht leben, ohne Dinge zu öffnen und nachzuschauen, warum sie kaputt gehen.
- Da war das hier ein Volltreffer.
- Das „Café kaputt" habe ich 2013 mit einer Kollegin als Reparaturcafé und Bildungsprojekt gegründet. Im „Café kaputt" kann quasi alles repariert werden, was die Menschen zuhause haben und mitbringen können. Von Lieblingspulli über Schaukelstuhl bis hin zum MP3-Player gucken wir uns alles an und versuchen, es wieder in Gang zu bringen.
- Mir gefällt es sehr gut, dass hier Sachen repariert werden, statt die wegzuwerfen, um Ressourcen zu schonen.
- Und die Menschen darauf aufmerksam machen kann, dass es noch etwas anderes gibt, als neu zu kaufen.

- Im „Café kaputt" können Menschen mitmachen, die entweder hier Kaffee trinken wollen, sich austauschen möchten, was lernen wollen zum Andersmachen im Alltag und natürlich Leute, die etwas reparieren möchten und Hilfe brauchen. Aber auch Leute, die ihr Reparaturwissen an andere weitergeben möchten.
- Am meisten gefällt mir im „Café kaputt", gemeinsam an Projekten oder an Problemen zu tüfteln.
- Dass ich Wissen weitervermitteln kann.
- Dass es immer wieder neue Herausforderungen gibt.
- Dass es hier einen Ort gibt, in dem Menschen zusammenkommen und man zusammen die Welt ein bisschen besser macht.
- Es ist hier generationenübergreifend. Ich bin hier im Kreise der Älteste und ...
- Und ich genieße, wenn ich hier arbeite.

Clip 2.07

Dimitris: Hallo! Wie kann ich dir helfen?
Lerner*in: Hallo. Mein Handy funktioniert nicht. Kannst du dir das mal ansehen?
Dimitris: Klar. Was ist denn das Problem?
Lerner*in: Das Display ist kaputt. Meinst du, du kannst das reparieren?
Dimitris: Oh, wie ist das denn passiert?
Lerner*in: Es ist auf den Boden gefallen.
Dimitris: Tja, da kann man nichts mehr machen. Das muss man austauschen.
Lerner*in: Wie lange dauert das?
Dimitris: Wenn du das passende Display findest, dann geht das ziemlich schnell.
Lerner*in: Und was kostet ein neues Display?
Dimitris: Hm, das ist ziemlich teuer. Rechne mal mit 120 Euro. Vielleicht auch 130.
Lerner*in: Was?! 130 Euro? Das ist mir zu teuer. Na ja, dann kaufe ich mir lieber ein neues. Aber trotzdem danke.
Dimitris: Kein Problem. Schönen Tag noch!

Plateau 3

Clip 2.08

Sebastian: Mädels, es reicht doch aus, wenn wir nur alle zwei Wochen das Bad putzen.
Nina: Alle zwei Wochen?
Sebastian: Ja!
Nina: Vergiss es! Wir müssen öfter putzen.
Sebastian: Lisa, ich gratuliere dir. Du hast noch einen Job. Du kannst täglich das Bad putzen.
Nina: Witzig!
Lisa: Hört auf! Ich weiß grad nicht, wie ich das hier alles schaffen soll. Die Arbeit gefällt mir, aber durch den Job habe ich einfach keine Zeit mehr.
Nico: Entschuldigung, ich bin etwas zu spät.
Sebastian: Ja, kein Problem. Wir haben hier sowieso nichts zu sagen, Nico.
Nina: Hier: der neue WG-Plan.
Nico: Der Plan sieht fair aus.
Nina: Siehst du? Lisa, wie können wir dir helfen? Sebastian kann für dich das Bad putzen.
Sebastian: Was?
Nina: Was sagst du dazu?
Nico: Ja! Klar!
Sebastian: Äh, Nico ... Warum?
Lisa: Danke, Leute! Das ist nur für ein paar Wochen. Ich mache das wieder gut.
Nina: Gerne!

Tarek: Inge! Da bist du ja wieder.
Inge: Hallo! Ach, mein Tisch ist ja frei.
Tarek: Max! Karte!
Max: Sag mal, wie war eigentlich dein Ausflug?
Inge: Naja!
Tarek: Was? Wieso nur naja?
Inge: Es war unorganisiert, das Wetter war schlecht und ...
Max + Tarek: Ach Inge ...
Inge: Ich meine ja nur ... Es hat mir aber trotzdem gut gefallen.
Max: Hast du jemanden kennengelernt? Also, Leute lernt man am besten auf Reisen kennen.
Tarek: Wir beide haben uns auch auf einer Reise kennengelernt.
Inge: Ja! Aber die anderen in der Gruppe waren wirklich nicht sehr interessant.
Max: Schickes Smartphone. Ich wusste gar nicht, dass du so eins hast.
Inge: Das gehört mir nicht. Das ist von Jacques.
Tarek: Inge? Wer ist Jacques?

Tarek: Inge! Du solltest antworten.
Inge: Ach, ich weiß nicht ...
Tarek: Aber du hast doch gesagt, Jacques ist ein charmanter, netter Mann.
Inge: Ja, das stimmt auch alles. Und wir hatten einen wunderbaren Abend zusammen.
Tarek: Also? Was ist mit Jacques?
Inge: Ich glaube, er hat gesagt, er ist geschieden.
Tarek: Ihr seid also beide allein. Inge, das Leben geht weiter.

Clip 2.09

Selma: Danke.
Nico: Das war gut. Du bist ... ähm ...
Selma: Ein Naturtalent?
Nico: Ja. Letzte Woche konntest du noch gar nicht Fahrrad fahren. Und das war richtig gut. Toll!
Selma: Danke. Das macht Spaß!
Nico: Bremsen!
Selma: Wie?
Nico: Bremsen!
Selma: Wie?
Nico: Da! Ziehen, ziehen, ziehen, ziehen!
Selma: Sorry.
Nico: Kein Problem.
Selma: Und? Was sagst du?
Nico: Perfekt. Nach einer Woche? Lernst du immer so schnell? Hast du früher Sport gemacht?
Selma: Ich habe viele Jahre getanzt.
Nico: Getanzt?
Selma: Ja.
Nico: Los, zeig mir einen Tanz!
Selma: Was? Hier?
Nico: Ja klar!
Selma: Auf keinen Fall. Ohne Musik geht das sowieso nicht.
Selma: Was machst du?
Nico: Ich mache Musik.
Selma: Ich muss los.
Nico: O.k. Und ähm ... Wann üben wir weiter?
Selma: Ich melde mich bei dir.

Clip 2.10

Nico: Sagt mal, wie lange gibt's das Restaurant eigentlich schon?
Tarek: Oh, das müssten jetzt zehn Jahre sein.
Max: Ja. Das sind ziemlich genau zehn Jahre.
Tarek: Ach Wahnsinn! Das heißt, wir haben bald zehnjähriges Jubiläum!
Max: Das heißt, wir haben das Jubiläum beide fast vergessen!
Inge: Heiratet bloß nicht. Ihr vergesst bestimmt den Hochzeitstag. Was wünscht ihr euch denn zum Jubiläum?
Max: Boah, keine Ahnung.
Tarek: Doch, ich wünsche mir ein Fest mit Gästen und Musik.
Max: Hm. Hört sich gut an. Hey, wir haben hier noch etwas vergessen. Ein Foto von unserem Fußballhelden.
Nico: Ist nicht schlimm ...
Tarek: Ah, wir meinen nicht dich.
Nico: Oh.
Max: Natürlich meinen wir dich. Inge! Kannst du ein Foto von uns dreien machen?
Inge: Klar!
Tarek: Komm in die Mitte!
Max: Ja, ja, ja, ja, ja.

Aya: Wo gehst du hin, Selma?
Selma: Wohin ich gehe? Zum Sprachkurs.
Aya: Aber da warst du gestern?
Selma: Ja, das stimmt. Und heute habe ich wieder Unterricht. Ehrlich Mama, du musst dir keine Sorgen machen.
Aya: O.k. Dann bis später.
Selma: Ich schreibe dir eine SMS, wenn ich fertig bin!
Nico: Hey Selma! Bin schon da. Wie lange brauchst du noch? Ich warte auf dich.
Aya: Nico? Entschuldigung. Kann nicht kommen.
Nico: Was?

Einheit 13: Gipfelstürmer

Clip 2.11

Manu: Hey, schön dich zu sehen.
Lerner*in: Hallo Manu. Was machst du denn hier? Bist du nicht im Urlaub?
Manu: Nein, erst nächste Woche.
Lerner*in: Und wohin geht die Reise?
Manu: Ich fahre wieder nach Südtirol und mache eine Hüttenwanderung.
Lerner*in: Oh, cool! Eine Hüttenwanderung. Das habe ich schon mal gehört. Machst du das alleine?
Manu: Nein, mit ein paar Freunden. Wir machen das jedes Jahr zusammen. Wir wandern den ganzen Tag und übernachten immer in einer anderen Hütte.
Lerner*in: Das ist ja toll. Aber ist das nicht sehr anstrengend?
Manu: Natürlich, aber es macht auch Spaß. Und abends haben wir dann richtig Hunger.
Lerner*in: Was kann man denn auf einer Hütte essen?
Manu: Hm, da gibt es viele Spezialitäten. Zum Beispiel Schlutzkrapfen.
Lerner*in: Was ist das denn?
Manu: Das sind Nudeln. Im Teig sind Fleisch, Gemüse oder Kartoffeln. Schlutzkrapfen schmecken echt total lecker.
Lerner*in: Ach, die muss ich auch mal probieren. Was nimmst du denn mit?
Manu: Also, man braucht auf jeden Fall einen Rucksack, gute Wanderschuhe und zum Übernachten auf der Hütte einen Schlafsack.
Lerner*in: Und wie lange seid ihr unterwegs?
Manu: Fünf Tage. Dann ist man aber auch kaputt.

Lerner*in: Das glaube ich. Dann viel Spaß!
Manu: Danke. Ich schick' dir ein paar Fotos.

Einheit 14: Freunde fürs Leben

Clip 2.12

Ayla: Jasmin, wie schön!
Jasmin: Hi Ayla!
Ayla: Oh, wie schön. Sorry, ich bin zu spät.
Jasmin: Kein Problem. Wie geht's dir?
Ayla: Super!
Jasmin: Neue Frisur? Neue Jacke? Neues Parfüm? Wie heißt er?
Ayla: Vincent! Ich habe ihn bei „facedating" kennengelernt.
Jasmin: Du hast einen Freund?
Ayla: Mhm. Seit drei Wochen. Er ist großartig. Er ist eigentlich perfekt. Ich bin so glücklich. Nie wieder Single!
Jasmin: Das ist toll.
Ayla: Was ist mit dir?
Jasmin: Ach ...
Ayla: Nein, erzähl!
Jasmin: Der neue Job.
Ayla: Beim neuen Start-up?
Jasmin: Ja. „Tepico-Connect" ist cool. Ich lerne viel. Kollegen – alles top.
Ayla: Aber?
Jasmin: Mein Chef. Ich mag ihn nicht. Er mag mich nicht.
Ayla: Oh.
Jasmin: Egal, was ich mache: alles ist falsch ...
Ayla: Blöd.
Ayla: Vincent sieht so gut aus: Er hat kurze blonde Haare, einen Bart und tolle blaue Augen ...
Jasmin: Ich arbeite Tag und Nacht. Sogar am Wochenende. Mein Chef ist nie zufrieden. Nie!
Ayla: Er kann kochen. Er läuft Marathon. Er spricht Chinesisch und Finnisch.
Jasmin: Er sagt nicht danke, er sagt nicht Guten Morgen. Er lächelt nicht, kein nettes Wort.
Ayla: Wir haben so viel Spaß. Oh. Er kommt in fünf Minuten.
Jasmin: Wer?
Ayla: Vincent.
Jasmin: Echt?
Ayla: Mhm, ja. Wir wollten noch ins Kino. Willst du mit?
Jasmin: Sorry, aber ich muss noch arbeiten. Mein Chef möchte morgen diese Präsentation haben.
Ayla: Hey, hier sind wir.

Clip 2.13

Ayla: Jasmin, wie schön!
Jasmin: Hi Ayla!
Ayla: Oh, wie schön. Sorry, ich bin zu spät.
Jasmin: Kein Problem. Wie geht's dir?
Ayla: Super!
Jasmin: Neue Frisur? Neue Jacke? Neues Parfüm? Wie heißt er?
Ayla: Vincent! Ich habe ihn bei „facedating" kennengelernt.
Jasmin: Du hast einen Freund?
Ayla: Mhm. Seit drei Wochen. Er ist großartig. Er ist eigentlich perfekt. Ich bin so glücklich. Nie wieder Single!
Jasmin: Das ist toll.
Ayla: Was ist mit dir?
Jasmin: Ach ...
Ayla: Nein, erzähl!
Jasmin: Der neue Job.
Ayla: Beim neuen Start-up?
Jasmin: Ja. „Tepico-Connect" ist cool. Ich lerne viel. Kollegen – alles top.
Ayla: Aber?
Jasmin: Mein Chef. Ich mag ihn nicht. Er mag mich nicht.
Ayla: Oh.
Jasmin: Egal, was ich mache: alles ist falsch ...
Ayla: Blöd.
Ayla: Vincent sieht so gut aus: Er hat kurze blonde Haare, einen Bart und tolle blaue Augen ...
Jasmin: Ich arbeite Tag und Nacht. Sogar am Wochenende. Mein Chef ist nie zufrieden. Nie!
Ayla: Er kann kochen. Er läuft Marathon. Er spricht Chinesisch und Finnisch.
Jasmin: Er sagt nicht danke, er sagt nicht Guten Morgen. Er lächelt nicht, kein nettes Wort.
Ayla: Wir haben so viel Spaß. Oh. Er kommt in fünf Minuten.
Jasmin: Wer?
Ayla: Vincent.
Jasmin: Echt?
Ayla: Mhm, ja. Wir wollten noch ins Kino. Willst du mit?
Jasmin: Sorry, aber ich muss noch arbeiten. Mein Chef möchte morgen diese Präsentation haben.
Ayla: Hey, hier sind wir.
Ayla: Vincent, darf ich vorstellen: meine beste Freundin Jasmin.
Vincent: Frau Schmidt?
Jasmin: Herr Bachmann?
Ayla: Ihr kennt euch?
Jasmin: Das ist Herr Bachmann, mein Chef.
Vincent: Ja. So ein Zufall.

Clip 2.14

Caro: Hey, es tut mir leid, dass ich zu spät bin.

Lerner*in: Ach Mensch, ich bin echt sauer. Ich warte schon seit einer halben Stunde auf dich.

Caro: Naja, der Bus war schon weg.

Lerner*in: Schon wieder? Es gibt doch Fahrpläne. Du kommst wirklich immer zu spät!

Caro: Was?! Das stimmt doch gar nicht!

Lerner*in: Ach, nein? Letzten Donnerstag habe ich auch auf dich gewartet.

Caro: Das habe ich dir doch schon erklärt. Mein Fahrrad war kaputt.

Lerner*in: Ja, ist jetzt auch egal. Aber nächstes Mal warte ich nicht.

Caro: Einverstanden. Und ich zahle heute den Kaffee.

Lerner*in: Und ein Stück Kuchen mit Sahne.

Caro: Na gut, jetzt komm.

Einheit 15: Leben auf dem Land

Clip 2.15

Hanni: Wettrungen for ... – was ist das denn? Das kann man doch auch auf Deutsch sagen: Wettrungen für ... für immer! Das klingt doch auch gut.

Lina: Diese Karte hatten wir schon, oder?

Frank: Das ist doch auch wieder so eine typische Frage von einem, der das Dorfleben gar nicht kennt!

Hanni: Und ob hier was los ist! Jetzt ist zum Beispiel in zwei Wochen wieder unser Herbstmarkt. Wir Frauen backen leckeren Kuchen, bieten Kaffee an und verkaufen unsere selbstgemachten Marmeladen, Brot, Kuchen, Äpfel ... Alle machen mit! Und unser Musikverein und die freiwillige Feuerwehr sind natürlich auch dabei. Das macht jedes Jahr großen Spaß!

Lina: Naja, man muss ja auch aufpassen, was man sagt ... Also, meine Eltern und meine Schwester leben ja auch gerne hier. Aber ich finde, es stimmt. Hier gibt's wirklich nichts. Ab und zu ist Dorfkino im Jugendclub. Aber das ist auch schon alles. Wenn ich mein Abi endlich in der Tasche habe, bin – ich – hier – weg!

Frank: Das habe ich auch gedacht, als ich noch jünger war. *Hier gibt es nichts!* Hm. Nach der Schule wollte ich gleich weg und bin nach Bochum gezogen, aber lange bin ich da nicht geblieben. Ich habe schnell gemerkt, dass es hier in Wettrungen alles gibt, was ich zum Leben brauche: Arbeit, Familie, meine Freunde, ...

Frank: Ja, das stimmt! Ich weiß sogar, wie die Hunde im Dorf heißen ... Und wir duzen uns alle hier im Dorf! Ehrlich gesagt finde ich das toll! Nach der Arbeit gehe ich manchmal noch schnell in die Dorfkneipe. Da treffe ich immer jemanden, den ich kenne. Ich bin im Sportverein, in der Feuerwehr und zuhause machen wir viel mit den Nachbarn zusammen. Unsere Kinder sind im gleichen Alter und die Frauen, die kennen sich noch aus der Schule.

Lina: Jeder kennt jeden. Ja, leider! Und jeder weiß auch alles über die anderen. Das nervt total! Ich will ja nichts gesagt haben, aber wenn hier mal ein fremdes Auto durchs Dorf fährt, wissen das am nächsten Tag alle. Das muss man sich mal vorstellen!

Hanni: Richtig. Und wir halten auch alle zusammen und helfen mit, wenn es mal ein Problem gibt. Das war hier schon immer so!

Hanni: Also, wirklich ... Darüber habe ich nie nachgedacht. Ich habe schon immer hier gelebt und wollte auch nie weg! Hier ist es doch schön!

Lina: Wettrungen forever? – Auf gar keinen Fall! Ich möchte mich auch einfach mal schnell mit meinen Freundinnen und Freunden treffen, auf Partys gehen und so. Das geht hier gar nicht!

Frank: Klare Antwort: Ja. Ich komme aus Wettrungen und bleibe auch hier! Ich habe eine gute Stelle als Maurer im Nachbarort und ohne mich funktioniert hier eh nichts im Fußballverein. Wie man sieht.

Clip 2.16

Fr. Lotze: Hallo, wie geht es Ihnen? Wie war das Wochenende?

Lerner*in: Danke, gut. Das Wochenende war sehr schön. Waren Sie auch auf dem Weinfest?

Fr. Lotze: Auf dem Weinfest? Nein, ich habe meine Eltern in Bokel besucht.

Lerner*in: In Bokel? Das habe ich noch nie gehört. Ist das weit?

Fr. Lotze: Ja, das ist ziemlich weit. Bokel ist ein kleines Dorf in der Nähe von Oldenburg.

Lerner*in: Leben Ihre Eltern dort alleine?

Fr. Lotze: Nein, fast meine ganze Familie lebt noch dort.

Lerner*in: Ach so. Dann kommt Ihre Familie also aus dem Dorf?

Fr. Lotze: Genau.

Lerner*in: Hat es Ihnen dort nicht mehr gefallen?

Fr. Lotze: Doch! Aber nach dem Abitur wollte ich endlich mal etwas anderes sehen und habe eine Ausbildung in Detmold angefangen.

Lerner*in: In Detmold? Ist das eine große Stadt?

Fr. Lotze: Detmold? Eigentlich nicht. Aber für mich war Detmold schon eine große Stadt. Dort gab es Kinos, Cafés, Restaurants, Geschäfte ... Das war toll! Und Sie? Woher kommen Sie eigentlich?

Lerner*in: Ich komme aus ... Das ist ... in ... mit ... Einwohnern.

Fr. Lotze: Ach, das ist interessant. Das müssen Sie mir alles mal erzählen. Aber ich habe jetzt gleich noch einen Termin. Bis später!

Einheit 16: Glück und Lebensträume

Clip 2.17

Konstantin: Moin, was möchtest du?
Lerner*in: Hallo. Ein Cappuccino und ein Croissant mit Butter und Marmelade, bitte.
Konstantin: Alles klar. Bitte schön. Cappuccino, Croissant, Marmelade, Butter. Brauchst du noch Zucker für den Cappuccino?
Lerner*in: Nein, danke. Mmh ... der Cappuccino hier ist echt lecker! Schönes Café.
Konstantin: Danke.
Lerner*in: Ist das Café immer so gut besucht?
Konstantin: Zum Glück, meistens. Morgens kommen viele Leute, die hier in der Nähe arbeiten und noch schnell einen Kaffee trinken wollen.
Lerner*in: Eine kleine Pause vom täglichen Arbeitsstress.
Konstantin: Ganz genau.
Lerner*in: Warum heißt das Café eigentlich „Café Glück"?
Konstantin: Das ist eine lange Geschichte. Ich wollte einen kurzen Namen für mein Café, den man sich gut merken kann. Und weil mich eine gute Tasse Kaffee in einem schönen Café schon immer glücklich gemacht hat, habe ich es „Café Glück" genannt.
Lerner*in: Das passt wirklich gut! Ein schöner Name für ein schönes Café. Seit wann hast du das Café?
Konstantin: Danke. Seit circa fünf Jahren. Ich wollte mich schon immer selbstständig machen und mein eigener Chef sein. Bist du zu Besuch hier oder wohnst du hier in Hamburg?
Lerner*in: Nein, ich wohne in ...

Plateau 4

Clip 2.18

Nico: Yara?
Yara: Ja?
Nico: Lisa hat mir gesagt, dass Selma bald Geburtstag hat.
Yara: Selma?
Nico: Eine Freundin von mir. Ich möchte ihr etwas schenken.
Yara: Aha.
Nico: Ich möchte ihr ein Fahrrad schenken.
Yara: Was? Das kannst du dir doch gar nicht leisten.
Nico: Es muss ja auch kein neues Fahrrad sein.
Yara: Du meinst ein gebrauchtes?
Nico: Ja, ich schenke ihr ein gebrauchtes Fahrrad.
Yara: Das ist aber immer noch ziemlich teuer für ein Geburtstagsgeschenk.
Nico: Ich möchte Selma überraschen.
Yara: Das ist wirklich nett von dir. Aber du solltest vielleicht mehr Zeit mit der Suche nach einer Arbeit verbringen.
Nico: Mach dir keine Sorgen. Ich finde bald etwas.
Yara: Bestimmt. Bis dahin musst du deinen Freundinnen eben preiswerte Geschenke kaufen.
Nico: Bitte, Tante Yara. Du kannst doch bestimmt ein ... ähm ... gebrauchtes Fahrrad finden. Ich zahle dir das Geld auch so schnell wie möglich zurück.
Yara: Wann ist denn der Geburtstag?
Nico: Bald. Ich finde es heute noch heraus!
Yara: Na schön.
Nico: Danke, danke, danke, danke, danke, danke!
Yara: Ja, ist gut. Und jetzt pack mit an!

Nico: Gehst du gerne ins Theater?
Max: Eigentlich schon, aber ich habe kaum Zeit.
Nico: Oh ... Entschuldigung, ich habe nur wiederholt.
Max: Ach so. Das Thema der Lektion ist Theater?
Nico: Kunst und Kultur. Es geht um Literatur, Theater und Malerei ... Es geht aber auch um, ähm, Gedichte und Romane.
Max: Cool.
Nico: Naja ...
Max: Du interessierst dich nicht für Kultur?
Nico: Ich gehe ganz gerne ins Kino, aber Theater finde ich ziemlich langweilig.
Max: Was ist mit Musik? Du interessierst dich doch auch für Musik.
Nico: Ja, total!
Max: Bist du schon mal auf einem Festival gewesen?
Nico: Nein, aber ich möchte nächsten Sommer unbedingt auf ein Open-Air-Festival gehen.
Tarek: Mhm. Die Band hat abgesagt.
Nico: Welche Band?
Tarek: Das Restaurant hat doch zehnjähriges Jubiläum, und wir haben dafür eine Band bestellt.
Max: Jetzt haben wir kein Programm?
Tarek: So kurzfristig finden wir keinen ... Ersatz.
Max: Ah ...
Nico: Oh! Nein! Nein, auf keinen Fall!
Tarek: Nico?
Nico: Ah, ah.
Max: Komm schon.
Nico: Mh, mh.

Clip 2.19

Nico: Selma!
Selma: Hallo Nico. Was ist denn los?
Nico: Einen Moment! Nicht bewegen! Alles Gute zum Geburtstag!
Selma: Mein Gott!

Nico: Ich hatte das Gefühl, du kannst es brauchen.
Selma: Ich bin so glücklich! So ein schönes Fahrrad! Ist das wirklich für mich?
Selma: Das Fahrrad ist toll! Das ist der beste Geburtstag seit Langem! Eine Sekunde. Mein Vater ... Er hat irgendwie herausgefunden, dass ich nicht beim Sprachkurs bin. Er ist total sauer!
Nico: Was, aber wie?
Selma: Keine Ahnung, Nico. Ich muss gehen. Es tut mir leid!

Max: Ja. Komm! Leg den Ball rüber. Komm! Ah. Der macht ein absolut großartiges Spiel heute.
Tarek: Der Müller ist heute aber auch total gut drauf. Ja, komm, schieß!
Max: Ja!
Max + Tarek: Ah ...
Tarek: Mega Chance ...
Tarek: Nicht aufgeben!
Nico: Selmas Vater weiß jetzt, dass sie sich mit mir trifft.
Tarek: Ja und? Sie ist doch erwachsen. Und außerdem seid ihr nur Freunde, oder?
Nico: So einfach ist das nicht. Ihre Eltern sind sehr streng. Sie sind sauer, wenn sie sich mit mir trifft. Und sind sie sauer, darf Selma nicht rausgehen. Und darf Selma nicht rausgehen, sehe ich sie nicht.
Tarek: Ah ...
Max: Und wenn du sie nicht siehst, dann ... Ich habe schon verstanden.
Tarek: Tor!

Clip 2.20

Yara: Also! Was habt ihr vor?
Max: Das ist eigentlich ganz einfach. Wir wollen unserem Restaurant einen Lieferservice anschließen.
Yara: Das willst du doch schon lange.
Max: Aber jetzt habe ich jemanden gefunden, der mich unterstützt.
Yara: Pepe? Ernsthaft?
Pepe: Das könnte sehr profitabel werden!
Yara: Ich verstehe ... Und was habe ich damit zu tun?
Max: Ich möchte, dass der Lieferservice umweltfreundlich ist.
Pepe: Deshalb wollen wir mit dem Fahrrad liefern. Das ist umweltfreundlich und spart auch Benzinkosten.
Max: Das geht zwar nicht, wenn es schneit, aber ansonsten eigentlich immer.
Yara: Und ihr wollt Fahrräder von mir.
Pepe: Ja, aber nicht nur Fahrräder. Das Geschäft soll sich auch sonst für dich lohnen.
Yara: Wie denn?
Pepe: Naja, du steigst in das Projekt als Geschäftspartnerin mit ein und wirst dann am Gewinn beteiligt.
Max: Das Risiko wird dann natürlich auch geteilt.
Pepe: Wenn dir der Vorschlag zu riskant ist, dann mieten wir die Fahrräder einfach nur bei dir. Und auf unserem Flyer und in der App wird dann Werbung für deinen Laden gemacht.
Yara: Die Idee ist gut. Wie groß soll das Geschäft mit dem Lieferservice denn werden?
Pepe: Naja, so groß es geht.
Pepe: Tja, und zum Schluss müssen die Leute nur noch bestellen.
Tarek: Also kurz gesagt: Zuerst entwickelt deine Firma eine App für unser Angebot.
Pepe: Richtig. Die Gerichte werden von den Kunden bestimmt über die App bestellt.
Tarek: O.k. Die Leute bestellen über die App und dann wird es mit Yaras Fahrrädern ausgeliefert.
Pepe: Im Prinzip ist das richtig.
Max: Aber das Besondere ist: Die Leute können wählen, ob sie eine fertige Mahlzeit bestellen wollen oder nur die Zutaten.
Yara: Meinst du wirklich, dass das Angebot angenommen wird?
Pepe: Na klar! Außerdem wird in der App gezeigt, welche Gerichte es für Vegetarier oder Veganer gibt. Darauf wird dann auch geachtet.
Yara: Das habe ich so wirklich noch nicht gesehen.
Tarek: Ja, das ist super.
Pepe: Wenn das Konzept funktioniert, könnten andere Restaurants einsteigen. So könnten wir in der ganzen Stadt und irgendwann vielleicht im ganzen Land liefern.
Tarek: Ich weiß nicht.
Max: Tarek, komm schon. Das ist unsere Chance!

Nico: Selma! Entschuldigung, ich ähm ...
Selma: Nico ... Nico ...
Nico: Was machst du hier? Wissen deine Eltern, dass du hier bist? Selma ...
Selma: Ich muss es dir persönlich sagen.
Nico: Was ... was musst du mir persönlich sagen?
Selma: Wir können uns nicht mehr sehen, Nico. Es tut mir leid, ich mag dich!

Die alphabetische Wortliste enthält den Wortschatz der Einheiten. Zahlen, grammatische Begriffe sowie Namen von Personen, Städten und Ländern sind nicht in der Liste enthalten. Wörter, die nicht zum Zertifikatswortschatz gehören, sind kursiv ausgezeichnet.

Die Zahlen geben an, wo die Wörter das erste Mal vorkommen – 10/1b bedeutet zum Beispiel Seite 10, Aufgabe 1b.

Die . oder ein _ unter Buchstaben des Worts zeigen den Wortakzent:
ạ = ein kurzer Vokal; a̲ = ein langer Vokal.

Bei den Verben ist immer der Infinitiv aufgenommen. Bei Nomen finden Sie immer den Artikel und die Pluralform.
(Sg.) = Dieses Wort gibt es (meistens) nur im Singular.
(Pl.) = Dieses Wort gibt es (meistens) nur im Plural.

A

*das **Abi**, die Abis* 10
ab und zu 66
*das **Abendbrot**, die Abendbrote* 124/1b
*das **Abendessen**, die Abendessen* 179
*die **Abflugzeit**, die Abflugzeiten* 71/5a
***abhalten** (von), sie hält ab von, sie hat abgehalten von* 64/3f
*die **Abiparty**, die Abipartys* 10
das **Abitur**, die Abiture 11
*die **Abizeitung**, die Abizeitungen* 11
*die **Abkürzung**, die Abkürzungen* 36/2b
*der **Ablauf**, die Abläufe* 69/4a
ablehnen, sie lehnt ab, sie hat abgelehnt 66
*die **Abreise**, die Abreisen* 64/3c
***abschalten**, sie schaltet ab, sie hat abgeschaltet* 66
*der **Abschied**, die Abschiede* 202
der **Abschluss**, die Abschlüsse 68/2c
*die **Abschlussnote**, die Abschlussnoten* 68/2a
***abstellen**, sie stellt ab, sie hat abgestellt* 38/1b
*die **Abstellkammer**, die Abstellkammern* 37/6a
abwaschen, sie wäscht ab, sie hat abgewaschen 174/1a
***abwechseln** (sich), sie wechselt sich ab, sie hat sich abgewechselt* 118/1c
*die **Abwechslung**, die Abwechslungen* 180/1a
achten (auf), sie achtet auf, sie hat geachtet auf 70/1
die **Achtung** (Sg.) 204/2a
ähnlich 64/3g
*die **Akademie**, die Akademien* 160/2a
*der **Akku**, die Akkus* 47
die **Aktion**, die Aktionen 146
aktiv 93/4c
aktuell 66
akzeptieren, sie akzeptiert, **sie** hat akzeptiert 27/5a
alkoholisch 103
allgemein 183/3c
*die **Allgemeine Hochschulreife** (Sg.)* 68/2a
allzu 80/2a
*die **Alpen** (Pl.)* 26/3a
*die **Alternative**, die Alternativen* 22
*die **Altkleider** (Pl.)* 148/3a
*der **Altkleiderberg**, die Altkleiderberge* 148/3a
*die **Altkleidersammlung**,* die Altkleidersammlungen 149/3b
*der/die **Amerikaner/in**, die Amerikaner/ die Amerikanerinnen* 191
die **Ampel**, die Ampeln 93/4a
***anbauen**, sie baut an, sie hat angebaut* 104/1b
anbei 50/1a
anbieten, sie bietet an, sie hat angeboten 146
*der/die **Anbieter/in**, die Anbieter/ die Anbieterinnen* 36/3b
ändern, sie ändert, sie hat geändert 26/1c
anders 66
der **Anfang**, die Anfänge 138/2a
anfangen, sie fängt an, sie hat angefangen 12/1c
die **Angabe**, die Angaben 68/2c
***angehen**, es geht an, es ist angegangen* 147
angenehm 150/1a
die **Angst**, die Ängste 187/8
ängstlich 182/1a
*der **Anhang**, die Anhänge* 50/1a
***ankreuzen**, sie kreuzt an, sie hat angekreuzt* 12/1b
die **Ankunft**, die Ankünfte 24/1a
*die **Anleitung**, die Anleitungen* 158
anmelden (sich für), sie meldet sich an, sie hat sich angemeldet 10
die **Anmeldung**, die Anmeldungen 12/3a
***anpacken**, sie packt an, sie hat angepackt* 230/1d
*die **Anreise**, die Anreisen* 64/3c
***anreisen**, sie reist an, sie ist angereist* 134
der **Anruf**, die Anrufe 70/2b
die **Ansage**, die Ansagen 27/4a

anschließen, sie schließt an, sie hat angeschlossen 163/4
die ***Anschrift***, *die Anschriften* 68/2a
ansehen, sie sieht an, sie hat angesehen 37/5b
anstrengend 179
der/die **Anwalt/Anwältin**, die Anwälte / die Anwältinnen 82/1
die ***Anweisung***, *die Anweisungen* 122
die ***Anzahl***, *die Anzahlen* 136/1c
die **Anzeige**, die Anzeigen 36/3b
anzeigen, sie zeigt an, sie hat angezeigt 227
der ***Apfelstrudel***, *die Apfelstrudel* 178
der ***Apfelwein***, *die Apfelweine* 102
die **Apotheke**, die Apotheken 125/3b
der **Apparat**, die Apparate 5
der ***Arbeitsablauf***, *die Arbeitsabläufe* 69/4a
der ***Arbeitsbeginn*** *(Sg.)* 69/4a
die ***Arbeitswelt***, *die Arbeitswelten* 66
das ***Arbeitszimmer***, *die Arbeitszimmer* 37/6a
ärgern (sich über), sie ärgert sich über, sie hat sich geärgert über 35
arm 150/2a
der **Artikel**, die Artikel 46
atmen, sie atmet, sie hat geatmet 147
das ***Audio***, *die Audios* 83/5c
der ***Audioguide***, *die Audioguides* 206/1b
Auf Wiederschauen! 181/2b
aufbauen, *sie baut auf, sie hat aufgebaut* 38/1b
aufführen, sie führt auf, sie hat aufgeführt 83/3a
aufgeregt 106/1a
aufhören, sie hört auf, sie hat aufgehört 138/2a
aufladen, *sie lädt auf, sie hat aufgeladen* 47
aufmachen, sie macht auf, sie hat aufgemacht 216/2a
aufmerksam machen, sie macht aufmerksam, sie hat aufmerksam gemacht 159/3b
aufnehmen, sie nimmt auf, sie hat aufgenommen 137/5a
aufpassen, sie passt auf, sie hat aufgepasst 66
aufräumen, sie räumt auf, sie hat aufgeräumt 63/2a
aufregend 138/1
aufstellen, *sie stellt auf, sie hat aufgestellt* 115/3a
auftreten, sie tritt auf, sie ist aufgetreten 137/5a

die ***Aula***, *die Aulen / die Aulas* 10
der **Ausbildungsplatz**, die Ausbildungsplätze 214
der ***Ausblick***, *die Ausblicke* 61
ausbrechen *(aus), sie bricht aus, sie ist ausgebrochen* 123
ausdrücken, *sie drückt aus, sie hat ausgedrückt* 134
der **Ausflug**, die Ausflüge 10
ausgeben, sie gibt aus, sie hat ausgegeben 93/4a
ausgebucht 24/1c
ausgehen, sie geht aus, sie ist ausgegangen 103/3c
auskennen *(sich mit), sie kennt sich aus mit, sie hat sich ausgekannt mit* 180/1b
ausleihen, *sie leiht aus, sie hat ausgeliehen* 79
auspacken, sie packt aus, sie hat ausgepackt 50/1a
ausreichen, *es reicht aus, es hat ausgereicht* 174/1a
das ***Aussehen*** *(Sg.)* 192/1c
außen 159/1
außerdem 231/2e
die **Aussicht**, die Aussichten 36/1
die **Ausstellung**, die Ausstellungen 79
austauschen, *sie tauscht aus, sie hat ausgetauscht* 15/3d
die **Auswahl**, die Auswahlen 237
auswählen, sie wählt aus, sie hat ausgewählt 123
der **Ausweis**, die Ausweise 79
auswerten, *sie wertet aus, sie hat ausgewertet* 35
die ***Auswertung***, *die Auswertungen* 194/1
die **Autobahn**, die Autobahnen 95/4a
der/die ***Autofahrer/in***, *die Autofahrer / die Autofahrerinnen* 35
der/die **Autor/Autorin**, die Autoren / die Autorinnen 80/2a
die ***Avocado***, *die Avocados* 104/1b

B

Baba! 181/2b
der ***Bachelor*** *(Sg.)* 61
backen, sie bäckt/backt, sie hat gebacken 124/1b
der/die ***Bäcker/in***, *die Bäcker / die Bäckerinnen* 207/4b
das ***Backhaus***, *die Backhäuser* 206/2a
das **Bad**, die Bäder 63/2a
baden, sie badet, sie hat gebadet 135

die **Badewanne**, die Badewannen 36/1
*das/die **Baklava**, die Baklavas / die Baklava* 107/3a
bald 95/4a
der **Balkon**, die Balkone 34
*das **Balkonien** (Sg.)* 39/5b
der **Ball**, die Bälle 92/2a
*der/die **Balletttänzer/in**, die Balletttänzer / die Balletttänzerinnen* 216/2a
die **Bank**, die Bänke 61
*der **Baseball** (Sg.)* 139/5b
***basieren** (auf), es basiert auf, es hat basiert auf* 182/2a
*das **Batgirl**, die Batgirls* 114/2a
der **Bau** (Sg.) 162/1a
*die **Bauanleitung**, die Bauanleitungen* 162/1a
bauen, sie baut, sie hat gebaut 150/2a
der/die **Bauer/Bäuerin**, die Bauern / die Bäuerinnen 104/1b
*der **Bauernmarkt**, die Bauernmärkte* 204/2a
*der **Baumarkt**, die Baumärkte* 161/4c
beachten 180/1c
der/die **Beamte / Beamtin**, die Beamten / die Beamtinnen 106/2a
beantworten, sie beantwortet, sie hat beantwortet 71/4a
***bearbeiten**, sie bearbeitet, sie hat bearbeitet* 137/5a
*der **Becher**, die Becher* 136/4b
bedanken (sich bei), sie bedankt sich, sie hat sich bedankt 71/4a
***bedauern**, sie bedauert, sie hat bedauert* 70/1
bedeuten, es bedeutet, es hat bedeutet 14/1a
*die **Bedeutung**, die Bedeutungen* 63/2d
die **Bedingung**, die Bedingungen 146
beeilen (sich), sie beeilt sich, sie hat sich beeilt 27/5a
beenden, sie beendet, sie hat beendet 82/1
***begeistern**, sie begeistert, sie hat begeistert* 80/2a
*die **Begeisterung**, die Begeisterungen* 134
*der **Begriff**, die Begriffe* 203
begründen, sie begründet, sie hat begründet 92/2a
***beibringen**, sie bringt bei, sie hat beigebracht* 118/1a
beide 230/1
der **Beitrag**, die Beiträge 206/2b
bekannt 80/2a
beliebt 46
***bellen**, sie bellt, sie hat gebellt* 93/5
bequem 25/4a
beraten, sie berät, sie hat beraten 68/2a
die **Beratung**, die Beratungen 181/2b
bergab 180/1c
bergauf 180/1c
*der **Berggipfel**, die Berggipfel* 179
die **Berghütte**, die Berghütten 179
der **Bericht**, die Berichte 134
berichten (von), sie berichtet von, sie hat berichtet von 10/1a
beruflich 15/3b
*die **Berufserfahrung**, die Berufserfahrungen* 68/2a
*der **Berufsweg**, die Berufswege* 217/4
*der **Berufswunsch**, die Berufswünsche* 216/1
berühmt 81/4
beschäftigen (sich mit), sie beschäftigt sich mit, sie hat sich beschäftigt mit 82/1
die **Beschreibung**, die Beschreibungen 95/4a
beschweren (sich bei/über), sie beschwert sich, sie hat sich beschwert 123
*die **Besichtigung**, die Besichtigungen* 37/5
*der/die **Besitzer/in**, die Besitzer / die Besitzerinnen* 94/2a
das **Besondere** (Sg.) 193/1b
besonders 14/1a
die **Bestätigung**, die Bestätigungen 71/5a
bestehen (aus), es besteht aus, es hat bestanden aus 103
*die **Bestellung**, die Bestellungen* 71/4a
bestimmt 65
*der **Bestseller**, die Bestseller* 80/2a
der **Besuch**, die Besuche 103
***betonen**, sie betont, sie hat betont* 83/5c
*die **Betonung**, die Betonungen* 83/5a
*der **Betreff**, die Betreffe* 71/5a
die **Betreuung**, die Betreuungen 122
der **Betrieb**, die Betriebe 203
das **Bett**, die Betten 138/1
die **Bettwäsche**, die Bettwäschen 65
*der **Beutel**, die Beutel* 147/4c
***bewahren**, sie bewahrt, sie hat bewahrt* 146
bewegen (sich), sie bewegt sich, sie hat sich bewegt 117
beweisen, sie beweist, sie hat bewiesen 215
bewerben (sich um), sie bewirbt sich, sie hat sich beworben 216/2a
bewohnbar 147
***bewohnen**, sie bewohnt, sie hat bewohnt* 151/5
*der/die **Bewohner/in**, die Bewohner / die Bewohnerinnen* 80/2a

	bezahlbar	150/2a
	bezahlen, sie bezahlt, sie hat bezahlt	158
die	**Beziehung**, die Beziehungen	191
der	***Beziehungsstatus*** *(Sg.)*	194/1
die	**Bibliothek**, die Bibliotheken	79
der	***Bibliotheksausweis***, *die Bibliotheksausweise*	79
die	***Biene***, *die Bienen*	146
das	**Bier**, die Biere	61
	bieten, sie bietet, sie hat geboten	37/8
das	**Bilderbuch**, die Bilderbücher	85/7a
die	***Bildung***	79
das	***Billett***, *die Billetts*	27/4a
	billig	24/1a
das	***Bio-Gemüse*** *(Sg.)*	150/2a
die	***Biografie***, *die Biografien*	78
	biografisch	78
die	***Bio-Qualität***, *die Bio-Qualitäten*	150/2a
	bitten (um), sie bittet um, sie hat gebeten um	71/4b
das	**Blatt**, die Blätter	219/4b
	blicken, *sie blickt, sie hat geblickt*	150/2a
	blond	114/2a
	bloß	176/3c
der	***Bluetooth-Kopfhörer***, *die Bluetooth-Kopfhörer*	47
der	**Boden**, die Böden	138/1
die	**Bohne**, die Bohnen	104/1b
	bohren, *sie bohrt, sie hat gebohrt*	161/4a
die	***Bohrmaschine***, *die Bohrmaschinen*	158
	boomen, *es boomt, es hat geboomt*	179
die	***Börse***, *die Börsen*	103
die	**Botschaft**, die Botschaften	147
die	***Box***, *die Boxen*	50/2b
	brauchbar	151/3a
	brechen (sich), sie bricht sich, sie hat sich gebrochen	124/2a
die	**Bremse**, die Bremsen	175/2c
	bremsen, sie bremst, sie hat gebremst	124/2a
die	**Brezel**, die Brezeln	179/2b
der	***Briefkasten***, *die Briefkästen*	127/4c
die	**Briefmarke**, die Briefmarken	120/3a
die	**Brille**, die Brillen	91
die	***Brotzeit***, *die Brotzeiten*	178
die	**Buchhandlung**, die Buchhandlungen	78
die	***Buchmesse***, *die Buchmessen*	103
der	**Buchstabe**, die Buchstaben	121
die	***Bucketliste***, *die Bucketlisten*	215
das	***Buffet***, *die Buffets*	12/1
	bügeln, *sie bügelt, sie hat gebügelt*	125/3a
die	***Bühne***, *die Bühnen*	134
das	***Bundesland***, *die Bundesländer*	179
die	***Bundesliga***, *die Bundesligen*	14/1a
der/die	***Bundespolizist/in***, *die Bundespolizisten / die Bundespolizistinnen*	106/2c
	bunt	116/1c
der/die	**Bürger**/in, die Bürger / die Bürgerinnen	204/2a
der/die	***Bürgermeister/in***, *die Bürgermeister / die Bürgermeisterinnen*	203
das	**Büro**, die Büros	36/2a
der/die	***Busfahrer/in***, *die Busfahrer / die Busfahrerinnen*	114/2a
die	***Buttercreme***, *die Buttercremes*	105/5

C

das	***Camping-Geschirr*** *(Sg.)*	136/4b
die	**CD**, die CDs	65
das	***Chaos*** *(Sg.)*	81/6
	chaotisch	50/1a
der	***Charakter***, *die Charaktere*	192/1c
der	***Charme*** *(Sg.)*	103
der	***Chat***, *die Chats*	160/2a
	chatten (mit), sie chattet, sie hat gechattet	48/1b
	checken, *sie checkt, sie hat gecheckt*	51/4
die	***Checkliste***, *die Checklisten*	68/2c
	circa	163/5a
der	**Club**, die Clubs	26/1a
die	***Collage***, *die Collagen*	61
der/das	**Comic**, die Comics	118/1c
die	***Community***, *die Communitys*	162/1a
der/die	***Co-Pilot/in***, *die Co-Piloten / die Co-Pilotinnen*	106/2b
die	**Creme**, die Cremes	105/5

D

	dabei sein, sie ist dabei, sie war dabei	10
	daher	135
	damals	11
die	**Dame**, die Damen	65
	damit	150/2a
	danken, *sie dankt, sie hat gedankt*	229
	dass	11
	dasselbe	122/2a
die	**Datei**, die Dateien	48/1a
das	**Datum**, die Daten	68/2c
die	***Dauer*** *(Sg.)*	24/1c
	dauerhaft	215
	dauernd	66
die	**Decke**, die Decken	160/2a
	decken, *sie deckt, sie hat gedeckt*	126/2a
	defekt	163/5a

definieren, sie definiert, sie hat definiert 191
*die **Definition**, die Definitionen* 61
denken (an), sie denkt, sie hat gedacht 11
*das **Detox** (Sg.)* 51/4
*der/die **Dichter/in**, die Dichter / die Dichterinnen* 82/1
*der/die **Diener/in**, die Diener / die Dienerinnen* 182/2a
der **Dienst**, die Dienste 27/4a
digital 46
*die **Digitalisierung**, die Digitalisierungen* 66
***diktieren**, sie diktiert, sie hat diktiert* 170/2b
das **Ding**, die Dinge 137/5a
direkt 24/1b
*der/die **Direktor/Direktorin**, die Direktoren / die Direktorinnen* 12/1
diskutieren (über), sie diskutiert, sie hat diskutiert 176/3a
*das **Display**, die Displays* 159
*der/die **DJ/DJane**, die DJs / die DJanes* 10
*die **Dokumentation**, die Dokumentationen* 67/3a
*der/die **Dolmetscher/in**, die Dolmetscher / die Dolmetscherinnen* 80/2a
*der **Dom**, die Dome* 103
doof 192/2
*die **Doppelgarage**, die Doppelgaragen* 202
das **Doppelzimmer**, die Doppelzimmer 62/1d
*der **Dorfkurier**, die Dorfkuriere* 204/2
***downloaden**, sie downloadet, sie hat downgeloadet* 47
dran sein, sie ist dran, sie ist dran gewesen 125/3a
drauf 138/2a
dreckig 138/1
dreijährig 216/2a
dreitägig 226
dringend 70/2b
drinnen 11
*das **Drittel**, die Drittel* 34
*die **Drohne**, die Drohnen* 66
drücken, sie drückt, sie hat gedrückt 163/4
die **Durchsage**, die Durchsagen 27/4a
*der **Durchschnitt**, die Durchschnitte* 34
die **Dusche**, die Duschen 37/5b
die **DVD**, die DVDs 65

E

eben 104/1b
*das **E-Bike**, die E-Bikes* 65
das **E-Book**, die E-Books 46
*das **Echo**, die Echos* 139/4b
echt 11
*die **EDV** (Sg.)* 69/2a
egal 66
*die **E-Gitarre**, die E-Gitarren* 38/1b
das **Ehepaar**, die Ehepaare 148/1a
ehrlich 205/3d
eigener, **eigenes**, **eigene** 11
eigentlich 80/1
*der **Eimer**, die Eimer* 161/4c
***einarbeiten** (sich), sie arbeitet sich ein, sie hat sich eingearbeitet* 66
einatmen, sie atmet ein, sie hat eingeatmet 117
einfallen, es fällt ein, es ist eingefallen 150/1b
*das **Einfamilienhaus**, die Einfamilienhäuser* 34
***eingeben**, sie gibt ein, sie hat eingegeben* 163/4
einige 134
einjährig 218/1b
der **Einkauf**, die Einkäufe 68/2a
das **Einkaufszentrum**, die Einkaufszentren 65
das **Einkommen**, die Einkommen 34
die **Einladung**, die Einladungen 10
*die **Einleitung**, die Einleitungen* 183/5b
einrichten, sie richtet ein, sie hat eingerichtet 159
die **Einrichtung**, die Einrichtungen 148/3a
einschalten, sie schaltet ein, sie hat eingeschaltet 163/5a
***einschlafen**, sie schläft ein, sie ist eingeschlafen* 124/1b
*der **Eintrag**, die Einträge* 68/1
einverstanden sein (mit), sie ist einverstanden, sie war einverstanden 148/1b
der/die **Einwohner/in**, die Einwohner / die Einwohnerinnen 22
*das **Einzelzimmer**, die Einzelzimmer* 62/1d
einziehen, sie zieht ein, sie ist eingezogen 63/2c
einziger, **einziges**, **einzige** 195/5a
die **Eisenbahn**, die Eisenbahnen 27/5a
Elektro (Sg.) 135
*das **Elektrogerät**, die Elektrogeräte* 158
elektronisch 67/3c
*die **Emotion**, die Emotionen* 139/3a
empfehlen, sie empfiehlt, sie hat empfohlen 80/2
die **Empfehlung**, die Empfehlungen 80/2a
endlich 10
die **Energie**, Energien 116/1c
*die **Energiesparlampe**, die Energiesparlampen* 147/4a
eng 191

entdecken, sie entdeckt, sie hat entdeckt 80/2a
die ***Entdeckung**, die Entdeckungen* 202
die ***Entdeckungsreise**, die Entdeckungsreisen* 202
enthalten, es enthält, es hat enthalten 134
entscheiden, sie entscheidet, sie hat entschieden 183/4a
die **Entscheidung**, die Entscheidungen 216/2a
entspannt 39/4a
entstehen, es entsteht, es ist entstanden 66
entwickeln, sie entwickelt, sie hat entwickelt 66
die **Erde** (Sg.) 146
erfahren, sie erfährt, sie hat erfahren 64/3c
die **Erfahrung** 69/4a
das **Ergebnis**, die Ergebnisse 14/1a
erholen (sich von), sie erholt sich, sie hat sich erholt 150/2a
die **Erholung** (Sg.) 180/1a
erinnern (sich an), sie erinnert sich, sie hat sich erinnert 12/3a
erkennen, sie erkennt, sie hat erkannt 191
die ***Erklärung**, die Erklärungen* 217/6a
erlauben, sie erlaubt, sie hat erlaubt 35
erlebbar 150/2a
erleben, sie erlebt, sie hat erlebt 47/4
das **Erlebnis**, die Erlebnisse 134
die **Ermäßigung**, die Ermäßigungen 134
***ermitteln**, sie ermittelt, sie hat ermittelt* 80/2a
der ***Ernst** (Sg.)* 63/2d
die ***Ernte**, die Ernten* 203
erreichen, sie erreicht, sie hat erreicht 219/4b
das **Ersatzteil**, die Ersatzteile 158
erst 24/1c
***erstaunen**, sie erstaunt, sie ist erstaunt* 35/1b
***erstellen**, sie erstellt, sie hat erstellt* 61
erwachsen 125/3a
erwarten, sie erwartet, sie hat erwartet 68/1
die ***Eselsbrücke**, die Eselsbrücken* 68/3a
essbar 150/2a
der **Essig**, die Essige 103
der ***Esslöffel**, die Esslöffel* 48/1a
etwa 103
europäisch 34
die ***Europäische Zentralbank*** 102
die ***Evaluation**, die Evaluationen* 59/8
ewig 69/5
das ***Experiment**, die Experimente* 51/5
extra 23

F

die ***Fachhochschule**, die Fachhochschulen* 68/2a
die ***Fähigkeit**, die Fähigkeiten* 180/1c
der/die **Fahrer/in**, die Fahrer / die Fahrerinnen 126/2c
der ***Fahrgast**, die Fahrgäste* 27/4a
die **Fahrkarte**, die Fahrkarten 25/3b
der **Fahrplan**, die Fahrpläne 23
fahrradfreundlich 22
der ***Fahrradkeller**, die Fahrradkeller* 38/1b
das ***Fahrradparkhaus**, die Fahrradparkhäuser* 22
die ***Fahrt**, die Fahrten* 181/2b
der ***Fakt**, die Fakten* 83/4
der ***Faktor**, die Faktoren* 215
der **Fall**, die Fälle 80/2a
falsch 127/4
der **Fan**, die Fans 65
fantastisch 134
die ***Farbenlehre**, die Farbenlehren* 82/1
das ***Fazit**, die Fazite / die Fazits* 138/2a
fehlen, sie fehlt, sie hat gefehlt 66
der **Fehler**, die Fehler 160/2a
das ***Feld**, die Felder* 172
das ***Fell**, die Felle* 90
fern 190
das **Fernsehen** (Sg.) 183/5c
fertig sein (mit), sie ist fertig, sie war fertig 125/3a
fest 66
das **Festival**, die Festivals 134
das **Feuer** (Sg.) 207/4a
die **Feuerwehr**, die Feuerwehren 202
die ***Figur**, die Figuren* 172/1
***filmen**, sie filmt, sie hat gefilmt* 66
die ***Filmfigur**, die Filmfiguren* 183/3c
fit 95/4a
die ***Fläche**, die Flächen* 36/3b
flexibel 23
der **Flohmarkt**, die Flohmärkte 37/8
die **Flucht** (Sg.) 81/5a
***flüchten**, sie flüchtet, sie ist geflüchtet* 81/5b
der ***Flüchtling**, die Flüchtlinge* 81/5a
der/die ***Flugbegleiter/in**, die Flugbgleiter / die Flugbegleiterinnen* 106/2a
der ***Fluggast**, die Fluggäste* 106/1a
der/die ***Fluglotse/Fluglotsin**, die Fluglotsen / die Fluglotsinnen* 106/2a
das ***Flugticket**, die Flugtickets* 71/5a
das **Flugzeug**, die Flugzeuge 147
der ***Flyer**, die Flyer* 232/3b
die **Folge**, die Folgen 146
folgen, sie folgt, sie ist gefolgt 227
folgender, folgendes, folgende 83/5c

die **Form**, die Formen 191
formulieren, sie formuliert, sie hat formuliert 70/1
der/die ***Forscher/in**, die Forscher/ die Forscherinnen* 79
der/die ***Förster/in**, die Förster/ die Försterinnen* 80/2a
das ***Fräulein**, die Fräulein* 182/2a
freiwillig 191
die **Freizeit**, die Freizeiten 39/5b
fremd 117
die **Fremdsprache**, die Fremdsprachen 114/1b
fressen, sie frisst, sie hat gefressen 91
freuen (sich auf/über), sie freut sich, sie hat sich gefreut 39/9
freundlich 92/2a
die **Freundschaft**, die Freundschaften 190
froh 125/3a
fröhlich 36/3b
die **Frucht**, die Früchte 104/2c
das **Frühjahr** (Sg.) 182/2a
die ***Frühlingszwiebel**, die Frühlingszwiebeln* 146
frühstücken, sie frühstückt, sie hat gefrühstückt 126/1a
fühlen (sich), sie fühlt sich, sie hat sich gefühlt 61
die **Führung**, die Führungen 10
funktionieren, es funktioniert, es hat funktioniert 12/3a
der/die **Fußgänger/in**, die Fußgänger/ die Fußgängerinnen 23
die **Fußgängerzone**, die Fußgängerzonen 23
das ***Futter**, die Futter* 90

G

die ***Gabel**, die Gabeln* 136/4b
die ***Gänsehaut** (Sg.)* 134
gar nicht 50/1a
die **Garage**, die Garagen 37/7a
die **Garantie**, die Garantien 163/5a
der/die ***Gartenbauingenieur/in**, die Gartenbauingenieure/ die Gartenbauingenieurinnen* 68/2a
das ***Gartencenter**, die Gartencenter* 39/5b
der ***Gartenzwerg**, die Gartenzwerge* 151/3a
der/die ***Gärtner/in**, die Gärtner/ die Gärtnerinnen* 68/2a
die ***Gärtnerei**, die Gärtnereien* 68/2a
der **Gast**, die Gäste 92/2a
das ***Gebirge**, die Gebirge* 179
gebraucht 149/5
die ***Gebühr**, die Gebühren* 160/2a
das ***Geburtsdatum**, die Geburtsdaten* 68/2a
der ***Geburtsort**, die Geburtsorte* 68/2a
der ***Gedanke**, die Gedanken* 229
das **Gedicht**, die Gedichte 82/1
die ***Geduld** (Sg.)* 136/1b
geehrter, geehrtes, geehrte 71/5a
die **Gefahr**, die Gefahren 126/2a
gefährlich 38/1a
das ***Gefühl**, die Gefühle* 61
der ***Gegensatz**, die Gegensätze* 103
der **Gegenstand**, die Gegenstände 148/1b
das ***Gegenteil**, die Gegenteile* 26/2
gegenüber 25/3b
gelähmt 182/2a
das ***Gelände**, die Gelände* 134
der ***Geldautomat**, die Geldautomaten* 59/5a
die ***Gemeinde**, die Gemeinden* 202
das ***Gemeindehaus**, die Gemeindehäuser* 204/2a
gemeinsam 114/2a
der ***Gemüsehof**, die Gemüsehöfe* 104/2a
die ***Gemüsekiste**, die Gemüsekisten* 104/2c
genervt 63/2h
genial 138/1
das ***Genie**, die Genies* 82/1
genug 18/7b
gerade 24/1a
geradeaus 206/1b
das **Gerät**, die Geräte 48/1
das ***Geräusch**, die Geräusche* 116/1b
gesamt 134
das **Geschäft**, die Geschäfte 92/2a
die ***Geschäftsidee**, die Geschäftsideen* 232/3b
der/die **Geschäftspartner/in**, die Geschäftspartner / die Geschäftspartnerinnen 232/3b
das **Geschenk**, die Geschenke 137/6a
die **Geschichte**, die Geschichten 80/2a
das **Geschirr** (Sg.) 125/3a
das ***Geschirrspülen** (Sg.)* 134/5b
der ***Geschirrspüler**, die Geschirrspüler* 125/3a
gewinnen, sie gewinnt, sie hat gewonnen 91
der/die ***Gewinner/in**, die Gewinner/ die Gewinnerinnen* 91
der ***Gipfel**, die Gipfel* 179
das **Gleis**, die Gleise 25/3b
glücklich 61
der ***Glücklichmacher**, die Glücklichmacher* 215
der ***Glücksfaktor**, die Glücksfaktoren* 215
der/die ***Glücksforscher/in**, die Glücksforscher/ die Glücksforscherinnen* 215
der ***Glücksmoment**, die Glücksmomente* 214
der ***Glückspilz**, die Glückspilze* 217/6a

goldener, goldenes, goldene 202
der Goldfisch, die Goldfische 92/1a
googeln, sie googelt, sie hat gegoogelt 91
der Gott, die Götter 202
die Grafik, die Grafiken 35
gratulieren, sie gratuliert, sie hat gratuliert 63/2f
der Grill, die Grills 151/3a
großartig 138/2a
die Großstadt, die Großstädte 103
der Grund, die Gründe 23
der/die Gründer/in, die Gründer/die Gründerinnen 159
Grüß Gott! 181/2b
grüßen, sie grüßt, sie hat gegrüßt 172
die Gummistiefel, die Gummistiefel 136/4b
der Gutschein, die Gutscheine 193/1b
das Gymnasium, die Gymnasien 10

H

das Haar, die Haare 15/3b
der Hahn, die Hähne 202
halblaut 68/3a
die Hälfte, die Hälften 195/5a
der Hamster, die Hamster 92/1a
handeln, sie handelt, sie hat gehandelt 149/5
der Handkäse, die Handkäse 103
der/die Händler/in, die Händler/die Händlerinnen 92/2a
der/die Handwerker/in, die Handwerker/die Handwerkerinnen 160/2a
die Handyhülle, die Handyhüllen 148/3a
das Happy End (Sg.) 81/5a
der Hard Rock (Sg.) 134
der Hase, die Hasen 172
der Hashtag, die Hashtags 134/3
hassen, sie hasst, sie hat gehasst 107/4a
häufig 217/3c
der Haupteingang, die Haupteingänge 206/1a
die Hauptfigur, die Hauptfiguren 183/5c
die Hauptperson, die Hauptpersonen 81/5a
die Hauptstadt, die Hauptstädte 25/5
der Hauptteil, die Hauptteile 183/5b
die Hausaufgabe, die Hausaufgaben 10
die Hausfrau, die Hausfrauen 205/3b
der Haushalt, die Haushalte 122
die Hausordnung, die Hausordnungen 35
die Haustür, die Haustüren 87/12a
das Haustier, die Haustiere 38/1b
die Hausverwaltung, die Hausverwaltungen 38/1b
die Haut (Sg.) 134
der Heavy Metal (Sg.) 134
heimwerken, sie heimwerkt, sie hat heimgewerkt 159
der/die Heimwerker/in, die Heimwerker/die Heimwerkerinnen 160/2
der/die Held/in, die Helden/die Heldinnen 176/3a
der/die Helfer/in, die Helfer/die Helferinnen 159
herausfinden, sie findet heraus, sie hat herausgefunden 230/1d
herunterladen, sie lädt herunter, sie hat heruntergeladen 48/1a
der/die Herzog/in, die Herzoge/die Herzoginnen 82/1
die Himbeere, die Himbeeren 104/2b
hinfahren, sie fährt hin, sie ist hingefahren 117
hingehen, sie geht hin, sie ist hingegangen 103
hinkommen, sie kommt hin, sie ist hingekommen 103
die Hinreise, die Hinreisen 64/3c
hinschauen, sie schaut hin, 103/4a
der Hintergrund, die Hintergründe 119/2c
der Hinterhof, die Hinterhöfe 158
hinterlassen, sie hinterlässt, sie hat hinterlassen 70/2a
hinüber 228
der Hinweis, die Hinweise 181/2b
die Hitliste, die Hitlisten 91/2a
hoch 25/5
hochladen, sie lädt hoch, sie hat hochgeladen 137/5a
die Hochzeit, die Hochzeiten 66
der Hof, die Höfe 104/1b
hoffen (auf), sie hofft, sie hat gehofft 11
hoffentlich 106/1a
der Hofladen, die Hofläden 204/2a
höflich 120/3a
die Höhe, die Höhen 180/1a
die Höhenlage, die Höhenlagen 180/1c
der Höhenmeter, die Höhenmeter 180/1c
der Höhepunkt, die Höhepunkte 138/2a
holen, sie holt, sie hat geholt 11
das Holz, die Hölzer 160/2a
das Hörbuch, die Hörbücher 80/2a
hübsch 150/2a
die Hülle, die Hüllen 148/3a
der Humor (Sg.) 192/3
die Hundeleine, die Hundeleinen 92/2a
die Hütte, die Hütten 178
die Hüttenwanderung, die Hüttenwanderungen 179

I

*der **IC**, die ICs* 24/1c
der **ICE**, die ICEs 25/3b
*der **Igel**, die Igel* 172
***illustrieren**, sie illustriert, sie hat illustriert* 229
*die **Immobilie**, die Immobilien* 36/2a
indirekt 46
*der **Informationstext**, die Informationstexte* 207/4a
der/die **Ingenieur/in**, die Ingenieure / die Ingenieurinnen 114/2a
der **Inhalt**, die Inhalte 81/5a
inklusive 64/3c
*das **Insekt**, die Insekten* 146
*das **Insektenhotel**, die Insektenhotels* 150/2a
*das **Instrument**, die Instrumente* 231/1f
intelligent 95/4a
*das **Interview**, die Interviews* 27/4a
*der/die **Interviewer/in**, die Interviewer / die Interviewerinnen* 148/1b
interessieren (sich für), sie interessiert sich, sie hat sich interessiert 78
die **Intonation**, die Intonationen 205/4a
irgendwo 146
*die **Isomatte**, die Isomatten* 136/4b

J

die **Jahreszahl**, die Jahreszahlen 83/5a
*das **Jahrhundert**, die Jahrhunderte* 150/2a
jährlich 135
*die **Jause**, die Jausen* 178
der **Jazz** (Sg.) 135
je 150/1a
jemand 125/3a
jobben, sie jobbt, sie hat gejobbt 11
joggen, sie joggt, sie ist gejoggt 65
der/die **Journalist/in**, die Journalisten / die Journalistinnen 14/1a
*das **Jubiläum**, die Jubiläen* 176/3b
*der **Jugendclub**, die Jugendclubs* 204/2a
der/die **Jugendliche**, die Jugendlichen 78
jung 37/5a
***Jura** (Sg.)* 82/1

K

*das **Kabel**, die Kabel* 47
*der **Käfer**, die Käfer* 150/2a
*die **Kaffeemaschine**, die Kaffeemaschinen* 127/4
*das **Kaffeekochen** (Sg.)* 130/7b
*der/die **Kaiser/in**, die Kaiser / die Kaiserinnen* 120/3a
*der **Kaiserschmarren**, die Kaiserschmarren* 178
der **Kalender**, die Kalender 80/2a
*die **Kalkulation**, die Kalkulationen* 68/2a
kalkulieren 69/4a
*die **Kalorie**, die Kalorien* 105/5
die **Kälte** (Sg.) 137/6a
*die **Kaltmiete**, die Kaltmieten* 36/3b
die **Kamera**, die Kameras 47
der **Kanal**, die Kanäle 137/5a
*der **Kanarienvogel**, die Kanarienvögel* 92/1a
*das **Kaninchen**, die Kaninchen* 92/1a
die **Kantine**, die Kantinen 12/1
kaputtgehen, es geht kaputt, es ist kaputtgegangen 159
*das **Karaoke** (Sg.)* 214
*die **Karaokebar**, die Karaokebars* 219/4a
die **Karriere**, die Karrieren 135
*das **Kärtchen**, die Kärtchen* 15/6
*der **Karton**, die Kartons* 50/1a
*die **Käsespätzle** (Pl.)* 178
der **Kasten**, die Kästen 150/2a
*die **Kategorie**, die Kategorien* 181/2b
*der **Kater**, die Kater* 90
*das **Katzenklo**, die Katzenklos* 91
der **Kauf**, die Käufe 90
das **Kaufhaus**, die Kaufhäuser 65
*die **Kaution**, die Kautionen* 36/3b
der **Keller**, die Keller 36/2b
die **Kenntnis**, die Kenntnisse 68/2a
der **Kindergarten**, die Kindergärten 125/3a
*das **Kindermädchen**, die Kindermädchen* 182/2a
der **Kinderwagen**, die Kinderwägen 38/1b
die **Kinokarte**, die Kinokarten 193/2
*die **Kirsche**, die Kirschen* 104/2b
das **Kissen**, die Kissen 162/1b
*die **Klamotte**, die Klamotten* 149
klappen, es klappt, es hat geklappt 106/1a
***klappern**, sie klappert, sie hat geklappert* 125/3a
klären, sie klärt, sie hat geklärt 70/1
die **Klasse**, die Klassen 10
*das **Klassentreffen**, die Klassentreffen* 10
*die **Klassik** (Sg.)* 134/4
*der **Klassiker**, die Klassiker* 81/4
klassisch 78
der **Klatsch** (Sg.) 205/4a
das **Klavier**, die Klaviere 124/1a
*die **Kleider** (Pl.)* 81/5a
*der **Kleidertausch**, die Kleidertäusche / die Kleidertausche* 148/3a
das **Kleidungsstück**, die Kleidungsstücke 148/3a
*die **Kleinanzeige**, die Kleinanzeigen* 35

*der **Kleingarten**, die Kleingärten* 150/2a
*die **Kleingartenkolonie**, die Kleingartenkolonien* 150/2a
*die **Kleinigkeit**, die Kleinigkeiten* 64/3h
*das **Kleintier**, die Kleintiere* 92/2a
*der **Klick**, die Klicks* 48/1b
das **Klima**, die Klimata / die Klimas 147
klingeln, sie klingelt, sie hat geklingelt 49/5
klingen (nach), es klingt, es hat geklungen 105/6
*das **Kloster**, die Kloster* 120/3a
***knacken**, sie knackt, sie hat geknackt* 170/3
die **Kneipe**, die Kneipen 202
der **Knopf**, die Knöpfe 163/5b
*der **Kohl**, die Kohle* 104/1b
*die **Kolumne**, die Kolumnen* 10/3
komisch 125/3a
***kommentieren**, sie kommentiert, sie hat kommentiert* 35
*der/die **Kommissar/in**, die Kommissare / die Kommissarinnen* 80/2a
die **Kommunikation**, die Kommunikationen 79
***kommunizieren**, sie kommuniziert, sie hat kommuniziert* 46
kompliziert 194/1
*die **Kondition**, die Konditionen* 181/2c
*die **Konsole**, die Konsolen* 50/2b
der **Kontakt**, die Kontakte 11
***kontaktieren**, sie kontaktiert, sie hat kontaktiert* 36/3b
die **Kontrolle**, die Kontrollen 68/2a
konzentrieren (sich auf), sie konzentriert sich, sie hat sich konzentriert 127/4a
*das **Konzept**, die Konzepte* 159
*die **Kopfschmerztablette**, die Kopfschmerztabletten* 136/4b
korrigieren, sie korrigiert, sie hat korrigiert 71/4a
die **Kosten** (Pl.) 23
*die **Kostenkalkulation**, die Kostenkalkulationen* 68/2a
*die **Kostenkontrolle**, die Kostenkontrollen* 68/2a
kostenlos 46
köstlich 180/1a
die **Krankenkasse**, die Krankenkassen 125/3a
die **Krankheit**, die Krankheiten 125/4
*der **Kranz**, die Kränze* 105/5
krass 135
*das **Kraut**, die Kräuter* 103
kreativ 66
*die **Kreativität** (Sg.)* 79
die **Kreditkarte**, die Kreditkarten 59/5a
der **Kreis**, die Kreise 115/3a
die **Kreuzung**, die Kreuzungen 129/6
*der **Krieg**, die Kriege* 81/5a
der **Krimi**, die Krimis 78
kritisch 192/3
*der **Krug**, die Krüge* 103
*der **Kugelschreiber**, die Kugelschreiber* 50/2b
*der/die **Kulturwissenschaftler/in**, die Kulturwissenschaftler / die Kulturwissenschaftlerinnen* 159
kümmern (sich um), sie kümmert sich, sie hat sich gekümmert 123
*der **Kumpel**, die Kumpel* 14/1a
*der **Kunden-Service**, die Kunden-Services* 136/1b
die **Kunst**, die Künste 103
der/die **Künstler/in**, die Künstler / die Künstlerinnen 137/5a

L

das **Labor**, die Labore 66
lächeln, sie lächelt, sie hat gelächelt 202
*das **Ladekabel**, die Ladekabel* 47
der **Laden**, die Läden 151/3a
***laden**, es lädt, es hat geladen* 163/5a
die **Lage**, die Lagen 180/1c
das **Land**, die Länder 22
*der **Landfrauenverein**, die Landfrauenvereine* 204/2a
*der/die **Landwirt/in**, die Landwirte / die Landwirtinnen* 203
die **Länge**, die Längen 180/1c
***langweilen** (sich), sie langweilt sich, sie hat sich gelangweilt* 64/3a
der **Lärm** (Sg.) 38/1b
die **Laune**, die Launen 10
lebendig 116/1c
*das **Lebensglück** (Sg.)* 215
der **Lebenslauf**, die Lebensläufe 66
*der **Lebenstraum**, die Lebensträume* 216/2
*der **Lebensweg**, die Lebenswege* 216/2
leer 47
legendär 134
*das **Leid**, die Leiden* 82/1
leihen, sie leiht, sie hat geliehen 50/1a
***leisten** (sich), sie leistet sich, sie hat sich geleistet* 230/1d
die **Leiter**, die Leitern 161/4a
lesbar 170/3b
*der/die **Leser/in**, die Leser / die Leserinnen* 78
*der **Leserbrief**, die Leserbriefe* 122/2a

die ***Lesung****, die Lesungen* 79
das ***Lexikon****, die Lexika* 68/1
der ***Lexikoneintrag****, die Lexikoneinträge* 68/1
das **Licht**, die Lichter 117
lieb 25/4b
die **Liebe** (Sg.) 90
die ***Liebesgeschichte****, die Liebesgeschichten* 80/2a
der/die ***Liebhaber/in****, die Liebhaber/ die Liebhaberinnen* 149
der ***Liebling****, die Lieblinge* 94/1a
das ***Lieblingsfach****, die Lieblingsfächer* 14/1a
liefern*, sie liefert, sie hat geliefert* 232/3b
der ***Lieferservice****, die Lieferservices* 232/3a
liken*, sie likt, sie hat gelikt* 47
die ***Literatur****, die Literaturen* 79
live 160/2a
das **Loch**, die Löcher 161/4a
logo 59/7
los 27/5b
lösen, sie löst, sie hat gelöst 218/1b
die ***Lösung****, die Lösungen* 148/3a
das ***Lotto****, die Lottos* 217/6a
der ***Lottogewinn****, die Lottogewinne* 215
die **Luft**, die Lüfte 147
lügen, sie lügt, sie hat gelogen 118/1a
lustig 59/8

M

machbar 151/4
das **Mädchen**, die Mädchen 80/2a
mailen*, sie mailt, sie hat gemailt* 70/1
der/die **Makler/in**, die Makler/ die Maklerinnen 59/7a
das **Mal**, die Male 50/1a
der/die ***Maler/in****, die Maler / die Malerinnen* 116/1b
mancher, manches, manche 22
die ***Mango****, die Mangos* 104/2b
das ***Märchen****, die Märchen* 172
der ***Marienkäfer****, die Marienkäfer* 146
das **Marketing** (Sg.) 48/1b
der ***Markt****, die Märkte* 104/1a
der **Marktplatz**, die Marktplätze 80/2a
die **Maschine**, die Maschinen 111/9a
der ***Matcha****, die Matchas* 107/3c
die ***Mate****, die Maten* 107/3a
das **Material**, die Materialien 158
die **Mathe(matik)** (Sg.) 218/1b
die **Maus**, die Mäuse 91
der/die **Mechaniker/in**, die Mechaniker/ die Mechanikerinnen 106/2a
der ***Medienmonitor****, die Medienmonitoren* 46
die ***Mediensprache*** *(Sg.)* 48/3
das ***Medium****, die Medien* 46
die **Medizin** (Sg.) 23
medizinisch 120/3a
das ***Meerschweinchen****, die Meerschweinchen* 92/1a
das ***Meeting****, die Meetings* 123
das ***MeetUp****, die MeetUps* 195/5a
mega 139/3
das ***Mehrfamilienhaus****, die Mehrfamilienhäuser* 34
mehrsprachig 27/4a
die **Mehrsprachigkeit** (Sg.) 23
melden (sich bei), sie meldet sich, sie hat sich gemeldet 71/4a
merken, sie merkt, sie hat gemerkt 36/3b
der ***Merksatz****, die Merksätze* 68/3a
die **Messe**, die Messen 103
die ***Messestadt****, die Messestädte* 103
das **Metall**, die Metalle 147/4c
der ***Meter****, die Meter* 62/1d
die ***Metropole****, die Metropolen* 103
miauen*, sie miaut, sie hat miaut* 91
die **Miete**, die Mieten 34
der/die **Mieter/in**, die Mieter / die Mieterinnen 34
das ***Mietshaus****, die Mietshäuser* 38/1a
der ***Mietvertrag****, die Mietverträge* 38/1a
die ***Mietwohnung****, die Mietwohnungen* 34
das ***Mikrofon****, die Mikrofone* 137/5a
die ***Milliarde****, die Milliarden* 78
mindestens 27/4a
die ***Mindmap****, die Mindmaps* 147/2
der **Mini-Dialog**, die Mini-Dialoge 107/4a
der/die ***Minister/in****, die Minister/ die Ministerinnen* 82/1
mischen, sie mischt, sie hat gemischt 66
Mit freundlichen Grüßen 71/5a
die ***Mitarbeit****, die Mitarbeiten* 68/2a
der/die **Mitarbeiter/in**, die Mitarbeiter/ die Mitarbeiterinnen 71/4a
der/die ***Mitbewohner/in****, die Mitbewohner/ die Mitbewohnerinnen* 36/3b
mitbringen, sie bringt mit, sie hat mitgebracht 10
miteinander 191
das **Mitglied**, die Mitglieder 150/2a
mithelfen*, sie hilft mit, sie hat mitgeholfen* 158
der/die ***Mitschüler/in****, die Mitschüler/ die Mitschülerinnen* 12/1
mitsingen*, sie singt mit, sie hat mitgesungen* 138/2a

der/die	*Mitspieler/in, die Mitspieler/ die Mitspielerinnen*	227
die	*Mittagsruhe (Sg.)*	38/1a
die	**Mitte** (Sg.)	206/2a
die	*Mitteilung, die Mitteilungen*	70/2b
	mittel	180/1c
	mitten	150/2a
das	*Möbelhaus, die Möbelhäuser*	161/4c
die	*Mobilität, die Mobilitäten*	22
das	**Mobiltelefon**, die Mobiltelefone	65
	möbliert	36/3b
das	**Modell**, die Modelle	163/5a
	möglich	93/4a
	Moin	202
	momentan	229
der	**Mond**, die Monde	135
der	**Monitor**, die Monitore	37/8
der	*Mord, die Morde*	80/2a
der/die	*Mörder/in, die Mörder/ die Mörderinnen*	80/2a
	morgens	138/2a
der	**Motorroller**, die Motorroller	14/1a
das	*Mountainbike, die Mountainbikes*	180/1a
der	**Müll** (Sg.)	39/3a
	multikulturell	103
	mündlich	83/6
die	**Münze**, die Münzen	226
das	*Museumsdorf, die Museumsdörfer*	206/1
der	*Museumsshop, die Museumsshops*	206/1a
der/die	**Musiker/in**, die Musiker/ die Musikerinnen	134
das	*Musikinstrument, die Musikinstrumente*	38/1b
der	*Musikstil, die Musikstile*	134/4a
die	**Mütze**, die Mützen	148/1a

N

die	*Nachbarschaft, die Nachbarschaften*	207/6a
	nachdenken (über), sie denkt nach, sie hat nachgedacht	176/3a
	nachfragen, sie fragt nach, sie hat nachgefragt	12/1
	nachhaltig	149
der	*Nachmittag, die Nachmittage*	105/5
	nachmittags	131/10
die	**Nachricht**, die Nachrichten	24/1a
	nachschauen, sie schaut nach, sie hat nachgeschaut	163/5a
	nachsprechen, sie spricht nach, sie hat nachgesprochen	68/3a
der	**Nachteil**, die Nachteile	66
die	**Nachtschicht**, die Nachtschichten	124/1b
der	**Nagel**, die Nägel	158
	nah	190
die	**Nähe**	23
	nähen, sie näht, sie hat genäht	160/1
die	*Nähmaschine, die Nähmaschinen*	158
die	*Nahrung, die Nahrungen*	92/1b
	naja	123
	national	135
der/die	*Naturforscher/in, die Naturforscher/ die Naturforscherinnen*	82/1
das	*Naturtalent, die Naturtalente*	175/2c
	naturverbunden	146
die	*Naturwissenschaft, die Naturwissenschaften*	82/1
die	*Nebenkosten (Pl.)*	36/3a
	nennen, sie nennt, sie hat genannt	23
das	*Netz, die Netze*	47
die	*Neustadt, die Neustädte*	62/1d
der/die	**Nichtraucher/in**, die Nichtraucher/ die Nichtraucherinnen	36/3b
	niedlich	90
	niedrig	35
	niemand	71/6
der	**Norden** (Sg.)	121
die	**Not**, die Nöte	125/3a
die	**Note**, die Noten	68/2a
das	*Notebook, die Notebooks*	65
	notieren, sie notiert, sie hat notiert	224/13b
der	**Notfall**, die Notfälle	204/2a
die	*Notsituation, die Notsituationen*	125/3a
die	**Nummer**, die Nummern	50/1
die	**Nuss**, die Nüsse	245/6

O

die	*Oase, die Oasen*	39/5b
	ob	46
	oben	61
das	*Obergeschoss, die Obergeschosse*	34
das	**Obst** (Sg.)	104/1b
der	**Ofen**, die Öfen	207/4a
	offen	181/2a
	öffentlich	180/1c
	öffnen, sie öffnet, sie hat geöffnet	92/2a
die	*Öffnung, die Öffnungen*	170/3
die	*Öffnungszeit, die Öffnungszeiten*	159
das	**Ohr**, die Ohren	94/1a
das	**Öl**, die Öle	48/1a
	online	51/4
der	*Online-Artikel, die Online-Artikel*	105/3a
der	*Online-Shop, die Online-Shops*	51/4
das	*Open Air, die Open Airs*	134
die	**Ordnung**, die Ordnungen	39/3a

der **Osten** (Sg.) 121
__out sein__, es ist out, es war out 66

P

paar 11
das **Paar**, die Paare 37/5a
das **Paket**, die Pakete 91
die __Palette__, die Paletten 162/1
das __Palettensofa__, die Palettensofas 162/1b
der __Papagei__, die Papageien 92/1a
das **Papier**, die Papiere 219/4b
das __Paradies__, die Paradiese 179
das **Parfüm**, die Parfüme / die Parfüms 193/2
parken, sie parkt, sie hat geparkt 180/1c
der __Parkplatz__, die Parkplätze 180/1c
das __Partnerdiktat__, die Partnerdiktate 170/2
die __Partnerschaft__, die Partnerschaften 215
die __Partyzone__, die Partyzonen 150/2a
der/die **Passagier/in**, die Passagiere / die Passagierinnen 106/2c
passen, es passt, es hat gepasst 50/1
das **Passwort**, die Passwörter 163/4
die __Patientendokumentation__, die Patientendokumentationen 67/3a
das **Pech** (Sg.) 217/6
der __Pechvogel__, die Pechvögel 217/6a
__pendeln__, sie pendelt, sie ist gependelt 35
persönlich 68/2c
die __Perspektive__, die Perspektiven 69/4a
der __Pflanztermin__, die Pflanztermine 68/2a
das **Pflaster**, die Pflaster 136/4b
die **Pflege** (Sg.) 90
pflegen, sie pflegt, sie hat gepflegt 68/2a
das __Pflegeprodukt__, die Pflegeprodukte 92/1a
der/die **Pfleger/in**, die Pfleger / die Pflegerinnen 125/3a
die __Pfote__, die Pfoten 94/1a
der/die __Physiker/in__, die Physiker / die Physikerinnen 214
der/die __Pilot/in__, die Piloten / die Pilotinnen 106/2a
die __PIN__, die PINs 163/4
die __Pinnwand__, die Pinnwände 39/5d
der __Planet__, die Planeten 147
die __Planung__, die Planungen 12/1c
das **Plastik** (Sg.) 137/5a
die __Plastiktüte__, die Plastiktüten 147/4c
das **Plattdeutsch** (Sg.) 203
die __Plattform__, die Plattformen 195/5a
der **Platz**, die Plätze 11
plötzlich 11
plus 160/2a
die **Polizei** (Sg.) 80/2a
der/die **Polizist/in**, die Polizisten / die Polizistinnen 106/2a
der __Ponyhof__, die Ponyhöfe 14/1a
der __Pop__ (Sg.) 65
der __Pop-Star__, die Pop-Stars 65
das __Porträt__, die Portäts 60/2a
der __Post__, die Posts 51/4
die **Post** (Sg.) 137/6b
die **Praxis**, die Praxen 100/3
der **Preis**, die Preise 12/1
preiswert 22
die __Probe__, die Proben 204/2a
probieren, sie probiert, sie hat probiert 107/3a
professionell 68/2c
der **Profi**, die Profis 136/4b
__programmieren__, sie programmiert, sie hat programmiert 122/4a
der/das **Prospekt**, die Prospekte 180/1a
prüfen, sie prüft, sie hat geprüft 163/5b
der/die **Prüfer/in**, die Prüfer / die Prüferinnen 233
die **Prüfung**, die Prüfungen 10/2b
der __Prüfungsteil__, die Prüfungsteile 65
der/die __Psychologe/Psychologin__, die Psychologen / die Psychologinnen 215
der **Punkt**, die Punkte 177
die __Pünktlichkeit__ (Sg.) 27/4a
pur 134
putzen, sie putzt, sie hat geputzt 38/2a

Q

der __Quadratmeter__, die Quadratmeter 34
das **Quiz**, die Quiz 15/6

R

das **Radfahren** (Sg.) 23
der/die **Radfahrer/in**, die Radfahrer / die Radfahrerinnen 117
das __Radieschen__, die Radieschen 146
die __Radstation__, die Radstationen 22
raten, sie rät, sie hat geraten 91/5b
das **Rathaus**, die Rathäuser 103
das __Rätsel__, die Rätsel 115/4
rauchen, sie raucht, sie hat geraucht 38/2c
der/die **Raucher/in**, der Raucher / die Raucherinnen 36/3b
der **Raum**, die Räume 159
raus 150/2a
__rausbringen__, sie bringt raus, sie hat rausgebracht 63/2a
__rausgehen__, sie geht raus, sie ist rausgegangen 231/2c

reagieren (auf), sie reagiert, sie hat reagiert 47/4
*die **Recherche**, die Recherchen* 202
***recherchieren**, sie recherchiert, sie hat recherchiert* 10/1b
die **Rechnung**, die Rechnungen 163/5a
recht haben, sie hat recht, sie hatte recht 219/4b
*das **Recycling** (Sg.)* 146
reden, sie redet, sie hat geredet 123
*die **Redewendung**, die Redewendungen* 27/5
reduzieren, sie reduziert, sie hat reduziert 79
regeln, sie regelt, sie hat geregelt 38/1a
*die **Regenjacke**, die Regenjacken* 136/4b
*der **Regenschirm**, die Regenschirme* 59/7a
*die **Regie** (Sg.)* 182/2a
*die **Regierung**, die Regierungen* 82/1
regional 104/1b
*der **Reibekuchen**, die Reibekuchen* 105/5
reich 81/5a
die **Reihe**, die Reihen 216/2a
***reinkommen**, sie kommt rein, sie ist reingekommen* 151/3a
*die **Reiseapotheke**, die Reiseapotheken* 136/4b
*die **Reiseliteratur**, die Reiseliteraturen* 78
reisen, sie reist, sie ist gereist 82/1
*das **Reisezentrum**, die Reisezentren* 25/3b
das **Reiseziel**, die Reiseziele 112/10b
*die **Reklamation**, die Reklamationen* 163/5
***reklamieren**, sie reklamiert, sie hat reklamiert* 158
der **Rekord**, die Rekorde 35
relativ 215
rennen, sie rennt, sie ist gerannt 182/2a
renovieren, sie renoviert, sie hat renoviert 160/2a
die **Rente**, die Renten 123
*der/die **Rentner/in**, die Rentner/die Rentnerinnen* 61
die **Reparatur**, die Reparaturen 158
*das **Reparaturcafé**, die Reparaturcafés* 158
reservieren, sie reserviert, sie hat reserviert 171/5b
die **Reservierung**, die Reservierungen 24/1a
*der **Richtwert**, die Richtwerte* 180/1c
riechen, sie riecht, sie hat gerochen 38/1b
*die **Ringelblume**, die Ringelblumen* 120/3a
*das **Risiko**, die Risiken* 232/3b
der **Rock** (Sg.) 134/4
*die **Rolle**, die Rollen* 37/5d
*der **Rollstuhl**, die Rollstühle* 182/2a
der **Roman**, die Romane 78
romantisch 114/2a
*die **Route**, die Routen* 26/3a
*die **Routine**, die Routinen* 123
*die **Rückreise**, die Rückreisen* 64/3c
*der **Rückruf**, die Rückrufe* 70/2b
die **Ruhe** (Sg.) 39/3a
*die **Ruhezeit**, die Ruhezeiten* 38/1b
ruhig 36/3b
rund 103
*die **Rundfahrt**, die Rundfahrten* 64/3c
der **Rundgang**, die Rundgänge 64/3c

S

*das **Sachbuch**, die Sachbücher* 78
die **Sache**, die Sachen 59/8a
*die **Säge**, die Sägen* 160/2a
*die **Sammlung**, die Sammlungen* 149/3b
der **Sand** (Sg.) 150/2a
*der **Sandkasten**, die Sandkästen* 150/2a
der/die **Sänger/in**, die Sänger / die Sängerinnen 65
sauber 127/4a
sauer 192/2
*das **Sauerkraut** (Sg.)* 105/5
***scannen**, sie scannt, sie hat gescannt* 48/1b
schade 24/1c
schaffen, sie schafft, sie hat geschafft 58/2
schauen, sie schaut, sie hat geschaut 61
der/die **Schauspieler/in**, die Schauspieler / die Schauspielerinnen 182/2a
scheinen, sie scheint, sie hat geschienen 172
schenken, sie schenkt, sie hat geschenkt 50/1
die **Schere**, die Scheren 136/4b
die **Schicht**, die Schichten 125/3a
*der **Schichtdienst**, die Schichtdienste* 125/3a
***schiefgehen**, es geht schief, es ist schiefgegangen* 123
das **Schiff**, die Schiffe 64/3c
der **Schirm**, die Schirme 38/1b
*der **Schlafsack**, die Schlafsäcke* 136/4b
*der **Schlamm**, die Schlamme / die Schlämme* 134
schlammig 138/1
***schlemmen**, sie schlemmt, sie hat geschlemmt* 104/1b
schlimm 217/6a
der **Schlüssel**, die Schlüssel 215
*die **Schnauze**, die Schnauzen* 94/1a
schnell 22
*die **Schraube**, die Schrauben* 158
*der **Schrebergarten**, die Schrebergärten* 150/2a
*die **Schrift**, die Schriften* 170/3b

der/die	*Schriftsteller/in, die Schriftsteller/ die Schriftstellerinnen*	80/2a
die	*Schulbildung, die Schulbildungen*	68/2c
der/die	**Schuldirektor/in**	12/1a
das	*Schulfach, die Schulfächer*	218/1
	schulfrei	10
die	*Schüssel, die Schüsseln*	136/4b
der	**Schutz** (Sg.)	146
	schützen, sie schützt, sie hat geschützt	147
der	*Schwanz, die Schwänze*	94/1a
	schwach	125/3a
	schwierig	93/4a
die	**Schwierigkeit**, die Schwierigkeiten	180/1c
die	*Seife, die Seifen*	107/5
die	**Seite**, die Seiten	80/2a
der/die	**Sekretär/in**, die Sekretäre / die Sekretärinnen	126/2c
	selber	63/2d
	selbermachen, sie macht selber, sie hat selbergemacht	160/1
	selbst	123
	selbstständig	217/3a
das	*Selfie, die Selfies*	47
	selten	47/1a
das	*Semesterticket, die Semestertickets*	23
	senden, sie sendet, sie hat gesendet	147
die	**Sendung**, die Sendungen	81/7
	sensibel	114/2a
die	**Serie**, die Serien	81/7
	Servus	181/2b
	setzen, sie setzt sich, sie hat sich gesetzt	39/4b
das	*Shampoo, die Shampoos*	92/1b
die	*Show, die Shows*	135
die	**Sicherheit**, die Sicherheiten	69/4a
der/die	*Sicherheitsmitarbeiter/in, die Sicherheitsmitarbeiter/ die Sicherheitsmitarbeiterinnen*	106/2a
die	*Signatur, die Signaturen*	71/5a
das	*SIM-Fach, die SIM-Fächer*	163/4
die	*SIM-Karte, die SIM-Karten*	163/4
	singen, sie singt, sie hat gesungen	172
	single	194/1
	sinnvoll	147/4b
die	**Situation**, die Situationen	125/3a
	sitzenbleiben, sie bleibt sitzen, sie ist sitzengeblieben	134/5a
der	*Sitzplatz, die Sitzplätze*	215
die	*Skizze, die Skizzen*	232/3e
die	*Skyline, die Skylines*	102
der	*Slum, die Slums*	150/2a
das	*Smartphone, die Smartphones*	47
die	*SMS, die SMS*	107/4a
die	*Social Media (Pl.)*	46
die	**Socke**, die Socken	193/1b
	sofort	11
	sogar	170/2b
	sondern	218/1b
der	*Sonnenaufgang, die Sonnenaufgänge*	179
die	*Sonnencreme, die Sonnencremes*	136/4a
der	*Sonnenschein (Sg.)*	202
	sonst	228
	sorgen (für), sie sorgt für, sie hat gesorgt für	125/3a
die	**Soße**, die Soßen	102
	sowieso	175/2f
	sozial	148/3a
der/die	*Soziologe/Soziologin, die Soziologen/ die Soziologinnen*	122
	spannend	69/6
	sparen, sie spart, sie hat gespart	46
der	*Sparpreis, die Sparpreise*	25/3b
der	**Spaziergang**, die Spaziergänge	95/4a
der	*Speckknödel, die Speckknödel*	178
die	*Spende, die Spenden*	159
	spezial	135
das	**Spiel**, die Spiele	80/2a
	spielen, sie spielt, sie hat gespielt	80/2a
die	*Spielfigur, die Spielfiguren*	226
der	**Spieltreff**, die Spieltreffs	124/1b
das	**Spielzeug**, die Spielzeuge	92/1a
der	*Spinat (Sg.)*	146
der	*Spitzname, die Spitznamen*	10/4
der	**Sprachkurs**, die Sprachkurse	176/3e
die	*Sprachnachricht, die Sprachnachrichten*	46
die	*Sprechzeit, die Sprechzeiten*	204/2a
der/die	*Stadtführer/in, die Stadtführer/ die Stadtführerinnen*	83/6
das	*Stadtgeflüster (Sg.)*	116
die	*Stadt-Rallye, die Stadt-Rallyes*	103/5
der	*Stall, die Ställe*	203
der	*Stand, die Stände*	104/1b
	ständig	127/4a
	stark	176/3c
	starten, sie startet, sie ist gestartet	135
	statistisch	190
	statt	78
der	**Stau**, die Staus	35
der	*Staubsauger, die Staubsauger*	159
der	*Steckbrief, die Steckbriefe*	104/2a
die	**Steckdose**, die Steckdosen	47
der	**Stecker**, die Stecker	163/5b
	stehenbleiben, sie bleibt stehen, sie ist stehengeblieben	206/2a

steigen (auf), sie steigt auf, sie ist gestiegen auf 180/1a
die **Stelle**, die Stellen 65
stellen, sie stellt, sie hat gestellt 38/1b
sterben, sie stirbt, sie ist gestorben 120/3a
der **Stern**, die Sterne 135
*der **Stil**, die Stile* 134/4a
still 117
die **Stimmung**, die Stimmungen 60/1
stinksauer 182/1c
der **Stock**, die Stöcke 36/2b
der **Stoff**, die Stoffe 147/4c
*der **Stoffbeutel**, die Stoffbeutel* 147/4c
***streamen**, sie streamt, sie hat gestreamt* 160/2a
***streicheln**, sie streichelt, sie hat gestreichelt* 90
streichen, sie streicht, sie hat gestrichen 160/2a
streiten (sich über), sie streitet sich, sie hat sich gestritten 190
streng 182/1b
der **Strom** (Sg.) 171/5b
*die **Struktur**, die Strukturen* 123
*die **Studie**, die Studien* 191
*die **Suchanzeige**, die Suchanzeigen* 90
*die **Suche**, die Suchen* 215
*das **Suchwort**, die Suchwörter* 183/3a
der **Süden** (Sg.) 121
***summen**, sie summt, sie hat gesummt* 172
*der **Supermann**, die Supermänner* 114/2a
der **Supermarkt**, die Supermärkte 124/1b
surfen, sie surft, sie ist/hat gesurft 78
die **Süßigkeit**, die Süßigkeiten 107/3a
sympathisch 194/5a
*die **Szene**, die Szenen* 62/1b

T

tabellarisch 68/1
das **Tablet**, die Tablets 65
der **Tagesablauf**, die Tagesabläufe 51/5
*der **Tagesausflug**, die Tagesausflüge* 64/3c
täglich 35
tagsüber 135
das **Tal**, die Täler 189/1
die **Tasse**, die Tassen 63/3h
die **Taste**, die Tasten 163/4
die **Tätigkeit**, die Tätigkeiten 49/4d
*der **Tausch**, die Täusche/die Tausche* 146
tauschen, sie tauscht, sie hat getauscht 148/1a
das/der **Taxi**, die Taxis 117
das **Team**, die Teams 80/2a
*der **Techno** (Sg.)* 14/1a
*der **Teig**, die Teige* 105/5
der **Teil**, die Teile 65
teilen, sie teilt, sie hat geteilt 148/3a
teilnehmen (an), sie nimmt teil, sie hat teilgenommen 191
*das **Telefonat**, die Telefonate* 136/1d
*die **Telefonnotiz**, die Telefonnotizen* 70/2b
*die **Telenovela**, die Telenovelas* 81/7
der **Teller**, die Teller 125/3a
das **Tennis** (Sg.) 14/1a
die **Terrasse**, die Terrassen 34
der **Test**, die Tests 137/6a
testen, sie testet, sie hat getestet 216/2
der **Textabschnitt**, die Textabschnitte 103/3d
*das **Textil** (Sg.)* 159
*die **Textnachricht**, die Textnachrichten* 46
*die **Textstelle**, die Textstellen* 103/3b
*die **Textzeile**, die Textzeilen* 182/2a
*die **Theatergruppe**, die Theatergruppen* 11
*das **Theaterstück**, die Theaterstücke* 82/1
tief 162/3
*das **Tierheim**, die Tierheime* 94/2a
***tippen**, sie tippt, sie hat getippt* 46
der **Titel**, die Titel 80/2a
Tja! 24/1a
*der **Toaster**, die Toaster* 159
*die **To-Do-Liste**, die To-Do-Listen* 219/4b
top 193/1b
die **Torte**, die Torten 105/5
tot 81/5a
der/die **Tote**, die Toten 80/2a
die **Tour**, die Touren 124/1b
die **Tradition**, die Traditionen 102
tragisch 80/2a
*der **Trailer**, die Trailer* 183/3
*der **Traktor**, die Traktoren* 202
*die **Transportbox**, die Transportboxen* 91
transportieren, sie transportiert, sie hat transportiert 137/5a
der **Tratsch** (Sg.) 205/4a
der **Traum**, die Träume 150/2a
***träumen**, sie träumt, sie hat geträumt* 215
*der **Traumberuf**, die Traumberufe* 14/1a
traumhaft 179
traurig 182/1a
*die **Trauung**, die Trauungen* 66
das **Treffen**, die Treffen 11
trennen, sie trennt, sie hat getrennt 147/4c
die **Treppe**, die Treppen 38/1b
*das **Treppenhaus**, die Treppenhäuser* 38/1b
trinkbar 170/3b

trocken 162/1b
trotzdem 138/2a
die **Tüte**, die Tüten 147/4c
der **Typ**, die Typen 137/5a

U

***überfliegen**, sie überfliegt, sie hat überflogen* 50/1a
überglücklich 182/2a
überhaupt 64/3f
die **Übernachtung**, die Übernachtungen 62/1d
übernehmen, sie übernimmt, sie hat übernommen 125/3a
überraschen, sie überrascht, sie hat überrascht 79/2b
überrascht 69/6
die **Überraschung**, die Überraschungen 193/1b
*die **Überschrift**, die Überschriften* 68/2c
***übersehen**, sie übersieht, sie hat übersehen* 215
übersetzen, sie übersetzt, sie hat übersetzt 27/4a
übertreiben, sie übertreibt, sie hat übertrieben 114/2a
überweisen, sie überweist, sie hat überwiesen 48/1a
***übrigbleiben**, es bleibt übrig, es ist übriggeblieben* 148/3a
übrigens 12/3a
*die **Uhrzeit**, die Uhrzeiten* 70/1
umarmen, sie umarmt, sie hat umarmt 192/1a
*die **Umarmung**, die Umarmungen* 50/1
*die **Umfrage**, die Umfragen* 79/3a
***umgeben**, sie umgibt, sie hat umgeben* 146
umsteigen, sie steigt um, sie ist umgestiegen 25/3b
umstylen, sie stylt um, sie hat umgestylt 149/3b
*der **Umtausch**, die Umtäusche* 163/5b
umtauschen, sie tauscht um, sie hat umgetauscht 163/5a
die **Umwelt**, die Umwelten 146
*die **Umweltaktion**, die Umweltaktionen* 170/2b
umweltfreundlich 149/5
der **Umzug**, die Umzüge 50/1a
der **Umweltschutz** (Sg.) 146
umziehen, sie zieht um, **sie** ist umgezogen 40/2a
*der **Umzugskarton**, die Umzugskartons* 50/1a
unbedingt 50/1a
unbequem 26/2b
unfair 148/1c
unfreundlich 106/2c
ungefähr 181/2b
ungeliebt 149
ungemütlich 121
das **Unglück** (Sg.) 217/6a
unglücklich 82/1
uninteressant 195/6a
unpraktisch 26/2b
unpünktlich 26/2b
unrealistisch 216/2a
unten 125/3a
unterhalten (sich über/mit), sie unterhält sich, sie hat sich unterhalten 27/4a
*das **Unternehmen**, die Unternehmen* 103
der **Unterricht**, die Unterrichte 49/4b
unterrichten, sie unterrichtet, sie hat unterrichtet 67/3a
unterschiedlich 160/2a
die **Unterschrift**, die Unterschriften 68/2c
unterstützen, sie untersützt, sie hat unterstützt 158
die **Untersuchung**, die Untersuchungen 51/4
unzufrieden 217/3a
die **Urlaubsmöglichkeit**, die Urlaubsmöglichkeiten 65
die **Ursache**, die Ursachen 59/7b

V

***variieren**, sie variiert, sie hat variiert* 25/3d
*das **Velo**, die Velos* 27/4a
verabreden (sich mit), sie verabredet sich, sie hat sich verabredet 195/5a
verabschieden (sich von), sie verabschiedet sich, sie hat sich verabschiedet 71/4a
*die **Verabschiedung**, die Verabschiedungen* 181/2b
verändern (sich), sie verändert sich, sie hat sich verändert 46
*die **Veränderung**, die Veränderungen* 66
verantwortlich 218/1b
der **Verband**, die Verbände 136/4b
die **Verbindung**, die Verbindungen 24/1a
verboten 35
verbringen, sie verbringt, sie hat verbracht 38/5b
der **Verein**, die Vereine 150/2a
vereinbaren, sie vereinbart, sie hat vereinbart 37/5
*das **Vereinsheim**, die Vereinsheime* 204/2a
***verfassen**, sie verfasst, sie hat verfasst* 82/1
die **Vergangenheit**, die Vergangenheiten 103

vergessen, sie vergisst, sie hat vergessen 117
der **Verkehr** (Sg.) 22
das **Verkehrsmittel**, die Verkehrsmittel 22
*der **Verlag**, die Verlage* 80/2a
verlassen, sie verlässt, sie hat verlassen 81/5a
verlieben (sich in), sie verliebt sich, sie hat sich verliebt 11
verlieren, sie verliert, sie hat verloren 35
***verloben** (sich), sie verlobt sich, sie hat sich verlobt* 80/2a
vermissen, sie vermisst, sie hat vermisst 94/1a
***veröffentlichen**, sie veröffentlicht,* sie hat veröffentlicht 81/5a
verpassen, sie verpasst, sie hat verpasst 24/1b
verrückt 114/2a
*die **Versammlung**, die Versammlungen* 150/2a
verschicken (an), sie verschickt, sie hat verschickt 12/1
***verschmutzen**, sie verschmutzt, sie hat verschmutzt* 146
die **Verspätung**, die Verspätungen 25/3b
***versprechen**, sie verspricht, sie hat versprochen* 118/1a
verstehbar 151/4b
***vertonen**, sie vertont, sie hat vertont* 66
der **Vertrag**, die Verträge 38/1a
***vertragen** (sich mit), sie verträgt sich, sie hat sich vertragen* 190
vertrauen (auf), sie vertraut, sie hat vertraut 191
der/die **Verwandte**, die Verwandten 125/3a
verwenden, sie verwendet, sie hat verwendet 217/3c
*der **Videoclip**, die Videoclips* 90
*das **Videospiel**, die Videospiele* 46
vielfältig 195/5a
viertel 34
*der **Vlog**, die Vlogs* 137/5a
*der/die **Vlogger/in**, die Vlogger/* die Vloggerinnen 136/4b
der **Vogel**, die Vögel 92/2a
*die **Vokabel**, die Vokabeln* 174/1a
der **Vokabeltest**, die Vokabeltests 124/1b
voll 66
der/das **Volleyball** (Sg.) 14/1a
vor allem 78
***vorbeifahren** (an), sie fährt vorbei, sie ist vorbeigefahren* 202
vorbereiten, sie bereitet vor, sie hat vorbereitet 82/1c
*die **Vorbereitungszeit**, die Vorbereitungszeiten* 233
*der **Vordergrund**, die Vordergründe* 119/2c
***vorhaben**, sie hat vor, sie hat vorgehabt* 232/3
***vorlesen**, sie liest vor, sie hat vorgelesen* 117
der **Vorschlag**, die Vorschläge 163/5b
vorsichtig 100/9a
vorstellen, sie stellt vor, sie hat vorgestellt 60/2b
vorstellen (sich), sie stellt sich vor, sie hat sich vorgestellt 104/1b
*der **Vorverkauf**, die Vorverkäufe* 136/1c

W

wach 134
wachsen, sie wächst, sie ist gewachsen 104/2c
der **Wald**, die Wälder 80/2a
*der/die **Wanderer/Wanderin**, die Wanderer/ die Wanderinnen* 179
*das **Wanderparadies**, die Wanderparadiese* 179
die **Wanderung**, die Wanderungen 181/2b
*der **Wanderweg**, die Wanderwege* 179
die **Wäsche**, die Wäschen 123
*die **Waschmaschine**, die Waschmaschinen* 38/1a
die **Webseite**, die Webseiten 91
wechseln, sie wechselt, sie hat gewechselt 27/4a
*das **Wechselspiel**, die Wechselspiele* 37/5d
wecken, sie weckt, sie hat geweckt 47/1b
der **Wecker**, die Wecker 49/5
weg 94/1a
***wegbringen**, sie bringt weg, sie hat weggebracht* 63/2a
weglaufen, sie läuft weg, sie ist weggelaufen 94/1a
*die **Wegmarkierung**, die Wegmarkierungen* 180/1c
***wegwerfen**, sie wirft weg, sie hat weggeworfen* 146
weich 90
weil 22
der **Wein**, die Weine 104/1b
*der **Weinberg**, die Weinberge* 64/3c
weit 172
weiter 123
***weiterempfehlen**, sie empfiehlt* weiter, *sie hat weiterempfohlen* 195/6a
weitergeben, sie gibt weiter, sie hat weitergegeben 11
***weitergehen**, sie geht weiter, sie ist weitergegangen* 46
***weiterleiten** (an), sie leitet weiter, sie hat weitergeleitet* 71/4a

Artikel	Eintrag	Seite
	weitermachen, sie macht weiter, sie hat weitergemacht	203
der	**Wellensittich**, die Wellensittiche	92/1a
die	**Welt**, die Welten	81/5a
die	**Weltumweltkonferenz**, die Weltumweltkonferenzen	146
	weltweit	159
	wem	50/1c
	wenn	147
die	**Werbung**, die Werbungen	232/3b
die	**Werkstatt**, die Werkstätten	22/2b
das	**Werkzeug**, die Werkzeuge	158
der	**Westen** (Sg.)	121
	wetten, sie wettet, sie hat gewettet	173
die	**Wetterlage**, die Wetterlagen	180/1c
der	**Wettlauf**, die Wettläufe	172
	wie viele	12/1c
	wieder	125/3a
	wiederholen, sie wiederholt, sie hat wiederholt	71/4a
die	**Wiederholung**, die Wiederholungen	69/7
	wiedersehen, sie sieht wieder, sie hat wiedergesehen	10
	wiegen, sie wiegt, sie hat gewogen	162/3
die	**Wiese**, die Wiesen	38/1b
	willkommen	60
	wirklich	10/4
die	**Wirkung**, die Wirkungen	81/5a
der/die	**Wirt/in**, die Wirte / die Wirtinnen	179
das	**Wissen** (Sg.)	106/1b
	wissenschaftlich	69/4a
der	**Wissenstest**, die Wissenstests	91
	witzig	90
das	**WLAN-Passwort**, die WLAN-Passwörter	47
der	**Wochentag**, die Wochentage	16/1b
	woher	91
	wohl	11
	wohlfühlen (sich), sie fühlt sich wohl, sie hat sich wohlgefühlt	35
der	**Wohnblock**, die Wohnblöcke	34
die	**Wohnfläche**, die Wohnflächen	36/3b
das	**Wohnhaus**, die Wohnhäuser	34
das	**Wohnmobil**, die Wohnmobile	134
	womit	26/2b
	woran	203
der	**Workshop**, die Workshops	159
die	**Wörterkette**, die Wörterketten	58/2
der	**Wortschatz**, die Wortschätze	79
	wozu	48/1c
das	**Wunder**, die Wunder	39/5b
	wunderbar	80/2a
	wundern (sich über), sie wundert sich, sie hat sich gewundert	35/1b
	wunderschön	150/2a
	wünschen, sie wünscht, sie hat gewünscht	70/2b
der	**Würfel**, die Würfel	226
	würfeln, sie würfelt, sie hat gewürfelt	227
	wütend	182/1a

Z

Artikel	Eintrag	Seite
die	**Zahl**, die Zahlen	46
der/die	**Zahnarzt/Zahnärztin**, die Zahnärzte / die Zahnärztinnen	114/2a
das	**Zahnlabor**, die Zahnlabore	216/2a
der/die	**Zahntechniker/in**, die Zahntechniker / die Zahntechnikerinnen	216/2a
die	**Zange**, die Zangen	160/2a
der	**Zaun**, die Zäune	150/2a
die	**Zeile**, die Zeilen	150/2b
die	**Zeitleiste**, die Zeitleisten	82/1
die	**Zeitschrift**, die Zeitschriften	79
das	**Zelt**, die Zelte	38/1b
	zelten, sie zeltet, sie hat gezeltet	135
die	**Zentrale**, die Zentralen	126/2a
die	**Zeremonie**, die Zeremonien	66
	zerstören, sie zerstört, sie hat zerstört	146
das	**Zertifikat**, die Zertifikate	68/2a
	ziehen, sie zieht, sie ist gezogen	35
das	**Zitat**, die Zitate	60/2a
der/das	**Znüni**, die Znünis	178
der	**Zoll**, die Zölle	106/2a
der/die	**Zollbeamter/Zollbeamtin**, die Zollbeamten / die Zollbeamtinnen	106/2a
die	**Zone**, die Zonen	23
der/die	**Zoohändler/in**, die Zoohändler / die Zoohändlerinnen	92/2a
die	**Zoohandlung**, die Zoohandlungen	92/1a
das/der	**Zubehör**, die Zubehöre	92/2a
	zudecken, sie deckt zu, sie hat zugedeckt	171/5b
	zufrieden	159
die	**Zufriedenheit**, die Zufriedenheiten	216/2a
die	**Zugfahrt**, die Zugfahrten	64/3c
das	**Zuhause** (Sg.)	60/2c
	zuhören, sie hört zu, sie hat zugehört	125/3a
der/die	**Zuhörer/in**, die Zuhörer / die Zuhörerinnen	215/3a
die	**Zukunft** (Sg.)	11
	Zum Wohl!	63/2f
	zurückfahren, sie fährt zurück, sie ist zurückgefahren	26/3a

	***zurückkommen**, sie kommt zurück,*	202
	sie ist zurückgekommen	
	***zurückrufen**, sie ruft zurück,*	71/4a
	sie hat zurückgerufen	
die	***Zusage**, die Zusagen*	118/1a
	***zusammenarbeiten** (mit),*	218/1b
	sie arbeitet zusammen mit,	
	sie hat zusammengearbeitet mit	
	zusammenfassen, sie fasst zusammen,	66
	sie hat zusammengefasst	
	***zusammenhalten**, sie hält zusammen,*	202
	sie hat zusammengehalten	
	***zusammenleben**, sie lebt zusammen,*	93/4a
	sie hat zusammengelebt	
	***zusammenschrauben**,*	162/1b
	sie schraubt zusammen,	
	sie hat zusammengeschraubt	
	***zustimmen**, sie stimmt zu,*	66
	sie hat zugestimmt	
der	***Zweck**, die Zwecke*	161/5c

Bildquellen

Cover Cornelsen/Anja Rosendahl, Daniel Meyer; **U2**: Cornelsen/Carlos Borrell Eiköter; **U4**: Cornelsen/Anja Rosendahl, Daniel Meyer; **S. 4** (Sterne, Aufgaben mit GeR-Bezug): Cornelsen/werkstatt für gebrauchsgrafik; **S. 5** (Filmstill 1): Cornelsen/FREJM; (Filmstill 2): Cornelsen/Ekre und Ludwig GbR; (Filmstill 3): © DW.com/nico; (Badge Google App-Store): Google Ireland Ltd.; (Badge Apple-Store): Apple Inc. - IP & Licensing; (PagePlayer-App Logo): Cornelsen/Raureif; **S. 6** (1): Shutterstock.com/Phovoir; (2): stock.adobe.com/contrastwerkstatt; (3): Shutterstock.com/Yulia Grigoryeva; (4): Shutterstock.com/Flamingo Images; **S. 7** (5): Shutterstock.com/Jacob Lund; (6): stock.adobe.com/bildermacher_tom; (7): Shutterstock.com/CebotariN; (8): Shutterstock.com/S-F; **S. 8** (9): Shutterstock.com/Rido; (10): Shutterstock.com/gpointstudio; (11, Biene): Shutterstock.com/Daniel Prudek; (11, Marienkäfer): Shutterstock.com/irin-k; (12): Cornelsen/Hugo Herold; (13): Timm Humpfer Image Art; **S. 9** (14): Shutterstock.com/Jacob Lund; (15): stock.adobe.com/Viktor Cap 2018/lightpoet; (16): stock.adobe.com/KerkezPhotography.com/kerkezz; **S. 10** (Designpapier): Shutterstock.com/Alexander_Evgenyevich; (Bücher-Icon): Shutterstock.com/AVIcon; (Abiparty): Shutterstock.com/Pressmaster; (Prag): stock.adobe.com/ArTo; **S. 11** (Theatergruppe): Shutterstock.com/Kozlik; (Sporttest): Shutterstock.com/Kanjanee Chaisin; (Pause): Shutterstock.com/Phovoir; (Abiprüfung): Shutterstock.com/LStockStudio; (Papierhintergrund): Shutterstock.com/alwaysloved afilm; **S. 12** (Clipboard): Shutterstock.com/Aleshin_Aleksei; **S. 14** (Büroklammer): Shutterstock.com/Tavarius; (Patrick): Shutterstock.com/F8 studio; (Motorroller): Shutterstock.com/di Bronzino; **S. 15** (Basti): Shutterstock.com/Cookie Studio; (Anna): Shutterstock.com/nakaridore; (Franzi): Shutterstock.com/Cookie Studio; (Patrick): Shutterstock.com/F8 studio; **S. 16** (Girlanden): Shutterstock.com/olegganko; (Blumensymbole): Shutterstock.com/Daisy Beatrice; **S. 17** (Filmstill): Cornelsen/Ekre und Ludwig GbR; **S. 18** (Wettersymbole): Shutterstock.com/shinshila; **S. 20** (A): Shutterstock.com/Isa Long; (B): Shutterstock.com/Photographee.eu; **S. 22** (Hintergrund): Imago Stock & People GmbH/Rüdiger Wölk; **S. 23** (Münster): Shutterstock.com/Sina Ettmer Photography; (Carina): stock.adobe.com/contrastwerkstatt; (Sascha): Shutterstock.com/Mr.Music; (Fahrradstraße): stock.adobe.com/matthiasoomen; **S. 24** (Alina): Shutterstock.com/MediaGroup_BestForYou; **S. 25** (oben links): Deutsche Bahn AG / Oliver Lang; (unten rechts): stock.adobe.com/fotostudiocolor24/dusanpetkovic1; **S. 26** (Ozeanium): Shutterstock.com/JaySi; **S. 27** (oben rechts): © SBB CFF FFS; **S. 29** (oben rechts): Shutterstock.com/JKstock; **S. 30** (Kundenberaterin): Deutsche Bahn AG / Oliver Lang; (Filmstill): Cornelsen/Ekre und Ludwig GbR; **S. 32** (oben rechts): Shutterstock.com/David Prado Perucha; **S. 34** (Mehrfamilienhaus): stock.adobe.com/PANORAMO; (Hochhaus): Shutterstock.com/PIXEL to the PEOPLE; (Einfamilienhaus): Shutterstock.com/Tanja Esser; (Deutschlandkarte): Shutterstock.com/KuKanDo; (Straßensymbol): Shutterstock.com/VoodooDot; (Grundriss): stock.adobe.com/EvgeniyBobrov; (Schlüssel): Shutterstock.com/Skellen; **S. 35** (Haus-Icon, oben, Mitte): Shutterstock.com/Happy Art; (D. Goller): Shutterstock.com/wavebreakmedia; (unten rechts): Shutterstock.com/janista; **S. 36** (Badezimmer): stock.adobe.com/Katarzyna Bialasiewicz photographee.eu; **S. 37** (Papierschnipsel): Shutterstock.com/STILLFX; (Filmstill): Cornelsen/Ekre und Ludwig GbR; (Klebezettel): Shutterstock.com/TatjanaRittner; **S. 38** (Häkchen, Kreuz): Shutterstock.com/sovisdesign; (Rauchverbot): Shutterstock.com/Butterfly Hunter; **S. 39** (1): Shutterstock.com/Anna Nahabed; (2): Shutterstock.com/Monkey Business Images; (3): Shutterstock.com/Impact Photography; (4): Shutterstock.com/Jacob Lund; (unten rechts): Shutterstock.com/Yulia Grigoryeva; **S. 40** (Familienfoto): Shutterstock.com/Syda Productions; (Like-Icon): Shutterstock.com/Giamportone; **S. 41** (Zettel): Shutterstock.com/STILLFX; (Filmstill): Cornelsen/Ekre und Ludwig GbR; **S. 42** (Häkchen, Kreuz): Shutterstock.com/sovisdesign; **S. 43** (1): Shutterstock.com/gt29; **S. 43** (2): Shutterstock.com/Zoart Studio; (3): Shutterstock.com/Siberian Photographer; (4): Shutterstock.com/Butterfly Hunter; (5): Shutterstock.com/Standard Studio; (6): Shutterstock.com/gt29; **S. 44** (Stühle): Shutterstock.com/LV426; **S. 46** (Radio, Online-Video, Internet, Gamepad, Buch): Shutterstock.com/Skellen; **S. 46** (Bildschirm, Kopfhörer): Shutterstock.com/zcreamz11; **S. 47** (Podcast): Shutterstock.com/Evgeny Atamanenko; (Artikel): Shutterstock.com/Ollyy; (Handy): Shutterstock.com/Evgenyrychko; (App): Shutterstock.com/LStockStudio; (Selfie): Shutterstock.com/Maridav; **S. 48** (oben): Shutterstock.com/Flamingo Images; (Kamera-Icon): Shutterstock.com/CAPToro; (Download-Icon): Shutterstock.com/ArnaPhoto; (Teller-Icon): Shutterstock.com/matsabe; (Like-Icon): Shutterstock.com/Maksim M; **S. 49** (oben links): Shutterstock.com/Dean Drobot; (oben rechts): Shutterstock.com/smolaw; (Mitte, 1): Shutterstock.com/Blan-k; (Mitte, 2): Shutterstock.com/Blan-k; (Mitte, 3): Shutterstock.com/Illerlok_xolms; (Mitte, 4): Shutterstock.com/ArnaPhoto; (Mitte, 5): Shutterstock.com/Andrii Arkhipov; (Mitte, 6): Shutterstock.com/mugiolaris; **S. 51** (Mitte): Shutterstock.com/Bojan Milinkov; **S. 53** (Jan): Shutterstock.com/Rido; (oben rechts): stock.adobe.com/Production Perig; **S. 55** (Filmstill): Cornelsen/Ekre und Ludwig GbR; **S. 58** (oben rechts): Cornelsen/Inhouse; **S. 59** (oben rechts): mauritius images/Westend61; **S. 60**: Shutterstock.com/geogif; **S. 61** (Iwan): Shutterstock.com/F8 studio; (Sven): Shutterstock.com/Nadino; (Margot): Shutterstock.com/fizkes; **S. 62** (Nicos Weg Logo): © DW.com/nico; (Fotos, Filmstill): © DW.com/nico; **S. 63** (Filmstills): © DW.com/nico; **S. 64** (Nicos Weg Logo): © DW.com/nico; (Filmstills): © DW.com/nico; (Landschaft): Shutterstock.com/Dmitry Eagle Orlov; (Trauben): Shutterstock.com/Iurii Kachkovskyi; **S. 65** (Papierhintergrund): Shutterstock.com/alwaysloved afilm; **S. 66** (oben): Cornelsen/Nadine Roßa; (unten): Shutterstock.com/Jacob Lund; **S. 67** (oben): Cornelsen/Nadine Roßa; (1): stock.adobe.com/Юрий Красильников; (2): stock.adobe.com/Andreas Prott/Andreas; (3): stock.adobe.com/Igor; (4): stock.adobe.com/Melinda Nagy; (Bildschirm): Shutterstock.com/zcreamz11; (Headset): Shutterstock.com/big Stocker; **S. 70** (Verena): Shutterstock.com/Antonio Guillem; (Icons): stock.adobe.com/davooda; **S. 71** (Silhouetten): Shutterstock.com/Rostik Solonenko; (Herr Spitzer): stock.adobe.com/Krakenimages.com; **S. 72** (1): Shutterstock.com/Krakenimages.com; (2): Shutterstock.com/MT-R; (3): Shutterstock.com/welcomia; (4): Shutterstock.com/ESB Professional; **S. 73** (Martin): Shutterstock.com/epic_pic; **S. 74** (Paula): Shutterstock.com/Jacob Lund; **S. 76** (Filmstill): Cornelsen/Ekre und Ludwig GbR; **S. 78** (1): Shutterstock.com/MGrigollo; (2): Shutterstock.com/Monkey Business Images; (3): stock.adobe.com/New Africa; (4): Shutterstock.com/Eugenio Marongiu; (5): stock.adobe.com/Gina Sanders/Erwin Wodicka – wodicka@aon.at; (6): stock.adobe.com/Wordley Calvo Stock; (Buch-Icon): Shutterstock.com/zcreamz11; (unten links): stock.adobe.com/monticellllo; **S. 79** (oben rechts): stock.adobe.com/Jacob Lund/Jacob; (Lesen-Icon): Shutterstock.com/Colorlife; (Handy-Icon): Shutterstock.com/zcreamz11; **S. 80** (Bella Germania): 2019 © S. Fischer Verlag GmbH, Frankfurt am Main; (Ein allzu schönes Mädchen): rororo / Rowohlt Verlag GmbH; (Hörst du, wie die Bäume sprechen): © Verlag Friedrich Oetinger, Hamburg 2017; **S. 81** (Mitte): bpk/British Library Board; (Papierschnipsel): Shutterstock.com/STILLFX; **S. 82** (Goethe): stock.adobe.com/MarusyaChaika; **S. 83** (oben links): stock.adobe.com/Lapping Pictures; (oben Mitte): stock.adobe.com/Sina Ettmer; (oben rechts): stock.adobe.com/mojolo; **S. 84** (oben rechts): Shutterstock.com/MGrigollo; **S. 85** (Ich bin Malala): Malala Yousafzai / Christina Lamb, Ich bin Malala, Knaur TB, 2014 München, mit freundlicher Genehmigung der Verlagsgruppe Droemer Knaur; (Hallo Tiere!): © Verlag Friedrich Oetinger, Hamburg 2015; (Das große Gartenbuch): Circon Verlag; (Der Mann auf dem Balkon): rororo / Rowohlt Verlag GmbH; (Der Schatz im Silbersee): Karl-May-Verlag, Bamberg; **S. 86** (Filmstill): Cornelsen/Ekre und Ludwig GbR; **S. 87** (unten rechts): Südverlag / „Goethe – Alle Achtung!“, von Erich Ohser alias e.o.plauen, Berliner Illustrirte 28/1936; **S. 88** (I. Bachmann): akg-images/Imagno; **S. 90** (Katzen): Shutterstock.com/CebotariN; (Tatzen-Icon): Shutterstock.com/Martial Red; **S. 91** (Katzensilhouette): Shutterstock.com/Mark Rademaker; (1. Platz): Shutterstock.com/Zanna Pesnina; (2. Platz): Shutterstock.com/galsand; (3. Platz): Shutterstock.com/Lario; **S. 92** (Zoohandlung): Shutterstock.com/Tyler Olson; (Kanarienvogel): Shutterstock.com/Eric Isselee; (Wellensittich): Shutterstock.com/photomaster; (Papagei): Shutterstock.com/Nejron Photo; (Hamster): Shutterstock.com/irin-k; (Goldfisch): Shutterstock.com/Mikael Damkier; (Kaninchen): Shutterstock.com/Oleksandr Lytvynenko; (Meerschweinchen): Shutterstock.com/Eric Isselee; **S. 93** (Haustier, 1–2): Shutterstock.com/Elena3567; (Haustier, 3): Shutterstock.com/AMStudio_yk; (Haustier, 8): Shutterstock.com/Zita; (Haustier, 4-7): Shutterstock.com/Dn Br; (Ampel): Shutterstock.com/Haali; (Smileys): Shutterstock.com/Castleski; **S. 94** (Hund): Shutterstock.com/Nenilkime; **S. 95** (Piano): Shutterstock.com/Monika Chodak; (Nala): Shutterstock.com/Grisha Bruev; (Jacky): Shutterstock.com/Patrick H; (Pfote): Shutterstock.com/Martial Red; **S. 96** (Pfote): Shutterstock.com/Martial Red; **S. 97** (Hamster): Shutterstock.com/Yayayoyo; (Fressnapf): Shutterstock.com/tuulijumala; (Vogelfutter): Shutterstock.com/Emilio100; (Hundeleine): Shutterstock.com/Jenov Jenovallen; (Katzenkalender): stock.adobe.com/210484kate; **S. 98** (Maus): Shutterstock.com/Szasz-Fabian Jozsef; **S. 99** (oben rechts): Shutterstock.com/Tyler Olson; (Filmstill): Cornelsen/Ekre und Ludwig GbR; (Kaninchen): Shutterstock.com/JIANG HONGYAN; **S. 100** (Dr. Olga): Shutterstock.com/135pixels; (Pfote): Shutterstock.com/Martial Red; **S. 102** (Flugzeuge): Shutterstock.com/AlexanderTrou; (Netzwerk): Shutterstock.com/Artistdesign29; (1): stock.adobe.com/Pavel; (2): dpa Picture-Alliance/Daniel Kalker; (3): Shutterstock.com/S-F; (4): Fraport AG; (5): Shutterstock.com/Monkey Business Images; (6): Shutterstock.com/Pigprox; (7): Shutterstock.com/petratrollgrafik; (8): Shutterstock.com/Ungvari Attila; (9): stock.adobe.com/Ralf Geithe/Ralf; **S. 103** (Haus-Icon): Shutterstock.com/Happy Art; (Svenja): Shutterstock.com/Dean Drobot; (Frankfurt-Icon): Shutterstock.com/KenoKickit; **S. 104** (Avocado): Shutterstock.com/

rudall30; (Lupe): Shutterstock.com/Nigarn; (Mitte links): Shutterstock.com/Production Perig; (Marktstand): Cornelsen/I LIKE VISUALS, Berlin; **S. 105** (Torte): Shutterstock.com/rainbow33; **S. 106** (Bundespolizist): Bundespolizeidirektion Flughafen Frankfurt am Main; (Flugbegleiterin): mauritius images/Caia Image; (Mechanikerin): Shutterstock.com/Pressmaster; **S. 107** (Baklava): Shutterstock.com/fatih likoglu; (Mate): Shutterstock.com/Aneta_Gu; (Turrón): Shutterstock.com/Oliver Hoffmann; **S. 108** (a): Shutterstock.com/Borisb17; (b): Shutterstock.com/Leonid Andronov; (c): Shutterstock.com/fiphoto; (d): Deutsche Bahn AG / Christian Bedeschinski; (e): mauritius images/alamy stock photo/WireStock; (f): Shutterstock.com/Mabeline72; **S. 109** (oben, 1): stock.adobe.com/Simone Voigt/silencefoto; (oben, 2): stock.adobe.com/kaptn; (oben, 3): Shutterstock.com/Anastasia_Panait; (oben, 4): Shutterstock.com/Pavel Metluk; (unten, 1): Shutterstock.com/SATJA2506; (unten, 2): Shutterstock.com/Valentina Razumova; (unten, 3): Shutterstock.com/Dionisvera; (unten, 4): Shutterstock.com/Hedez; (unten, 5): Shutterstock.com/Binh Thanh Bui; (unten, 6): Shutterstock.com/Nataliya Arzamasova; (unten, 7): Shutterstock.com/Valentina Razumova; (unten, 8): Shutterstock.com/mahirart; (unten, 9): Shutterstock.com/PixaHub; (unten, 10): Shutterstock.com/Maceofoto; (unten, 11): Shutterstock.com/MarcoFood; (unten, 12): Shutterstock.com/Tim UR; (unten, 13): Shutterstock.com/grey_and; **S. 110** (Edgar): Shutterstock.com/Krakenimages.com; (Gemüsekiste): Shutterstock.com/nehophoto; **S. 111** (oben links): Shutterstock.com/Odua Images; (oben rechts): Shutterstock.com/Ariyani Tedjo; **S. 112** (Filmstill): Cornelsen/Ekre und Ludwig GbR; **S. 114** (links): Shutterstock.com/Zdenka Darula; (rechts): Shutterstock.com/Djomas; **S. 116** (Ku'damm-Gemälde): Ulrike Sallós-Sohns. Das Bild ist urheberrechtlich geschützt.; **S. 118** (Nicos Weg Logo): © DW.com/nico; (Filmstill): © DW.com/nico; **S. 119** (Filmstills): © DW.com/nico; (unten): Shutterstock.com/OneLineStock.com; **S. 120** (Nicos Weg Logo): © DW.com/nico; (Filmstill): © DW.com/nico; (unten links): Foto: Shutterstock.com/Boris15 / Grafik: Peter Steiner / Mit freundlicher Genehmigung des Bundesministerium der Finanzen. Bei einer Nutzung dieser Abbildung ist zwingend eine Abbildungserlaubnis einzuholen. Bitte richten Sie alle Fragen zur Nutzung an LC5@bmf.bund.de; (unten rechts): Shutterstock.com/Tim UR; **S. 122** (Kellnerin): Shutterstock.com/Rido; (Wecker): Shutterstock.com/Elena Elisseeva; (Regenschirm): Shutterstock.com/bbernard; (Autobahn): Shutterstock.com/Palatinate Stock; (Bushaltestelle): Shutterstock.com/OnkelKrischan; (Fahrradfahrer): Shutterstock.com/l i g h t p o e t; (Supermarkt): Shutterstock.com/FamVeld; (Küche): Shutterstock.com/tommaso79; (Waschmaschine): Shutterstock.com/Rozhnovskaya Tanya; (Kopfhörer): Shutterstock.com/Alexander Lysenko; **S. 123** (Uhr): Shutterstock.com/Pranch; (Buch-Icon): Shutterstock.com/zcreamz11; **S. 124** (unten rechts): Shutterstock.com/Andrey_Popov; **S. 125** (Schale der Hygeia): Shutterstock.com/MKA Graphics; (Dorothea Jütte): Shutterstock.com/ESB Professional; (Papierhintergrund): Shutterstock.com/Picsfive; **S. 126** (a): Shutterstock.com/filmbildfabrik.de; (b): Shutterstock.com/Atstock Productions; (c): Shutterstock.com/Robert Kneschke; **S. 128** (rechts): Shutterstock.com/stockfour; **S. 129** (Mitte): stock.adobe.com/detailfoto; (rechts): Shutterstock.com/Photographee.eu; **S. 130** (A): Shutterstock.com/mimagephotography; (B): Shutterstock.com/A.Azarnikova; (C): Shutterstock.com/BOKEH STOCK; (D): Shutterstock.com/Oksana Shufrych; (E): Shutterstock.com/TanyaRozhnovskaya; (F): Shutterstock.com/ArtFamily; (G): Shutterstock.com/n_defender; (H): Shutterstock.com/Everyonephoto Studio; **S. 132** (Filmstill): Cornelsen/Ekre und Ludwig GbR; **S. 134** (oben): ICS Festival GmbH; (Gitarre-Icon): Shutterstock.com/yut548; **S. 135** (unten rechts): Stiftung Schleswig-Holstein Musik Festival / © Axel Nickolaus; (Mikrofon-Icon): Shutterstock.com/yut548; (unten): Tony Günther; (unten rechts): Shutterstock.com/gpointstudio; **S. 136** (Filmstill): Cornelsen/Ekre und Ludwig GbR; **S. 137** (Jana): Cornelsen/Ekre und Ludwig GbR; **S. 138** (1): Shutterstock.com/wavebreakmedia; (2): Shutterstock.com/Monkey Business Images; (3): Shutterstock.com/Vadim Ponomarenko; (4): Shutterstock.com/Angyalosi Beata; (5): Shutterstock.com/gpointstudio; (6): Shutterstock.com/Halfpoint; (Papierhintergrund): Shutterstock.com/alwaysloved afilm; **S. 140** (oben, a): Shutterstock.com/dwphotos; (oben, b): Shutterstock.com/13_Phunkod; (oben, c): Shutterstock.com/Devo Satria Ichwaldi; (unten, a): Shutterstock.com/DisobeyArt; (unten, b): Shutterstock.com/wavebreakmedia; (unten, c): Shutterstock.com/Halfpoint; **S. 141** (oben rechts): Shutterstock.com/LightField Studios; (Filmstill): Cornelsen/Ekre und Ludwig GbR; **S. 142** (Telefon-Icon): Shutterstock.com/DStarky; **S. 144** (Smileys): Shutterstock.com/graphixmania; (Sonne): stock.adobe.com/pict rider; (Like-Icon): stock.adobe.com/photoclear; **S. 146** (Hintergrundbild): Shutterstock.com/Mickis-Fotowelt; (Biene): Shutterstock.com/Daniel Prudek; (Erdbeeren): stock.adobe.com/escapejaja; (Gemüse): Shutterstock.com/Synergic Works OU; (Marienkäfer): Shutterstock.com/irin-k; (Sandalen): stock.adobe.com/David Prahl; **S. 147** (Statt Plastik): pala-verlag, Darmstadt; (Icons, unten): Shutterstock.com/KP Arts; **S. 149** (Girlanden): Shutterstock.com/olegganko; (Sarah): stock.adobe.com/francescoridolfi.com/Rido; **S. 150** (1): stock.adobe.com/PackShot; (2): stock.adobe.com/Marzanna Syncerz; (3): stock.adobe.com/OceanProd; **S. 151** (a): stock.adobe.com/Maria Sbytova/Maria; (b): stock.adobe.com/Halfpoint; (c): stock.adobe.com/NDABCREATIVITY; (Gartenzwerg): stock.adobe.com/anela47; **S. 152** (a): Shutterstock.com/Aleksei Isachenko; (b): Shutterstock.com/LeManna; (c): Shutterstock.com/JP Chretien; (d): Shutterstock.com/TB studio; (Sinne-Icons): Shutterstock.com/MIKHAIL GRACHIKOV; (1): Shutterstock.com/aleks333; (3): Shutterstock.com/upixa; (4): Shutterstock.com/Dusan Petkovic; (4): Shutterstock.com/Aleksandra Suzi; **S. 153** (links): Shutterstock.com/AntGor; (rechts): Shutterstock.com/AntGor; **S. 154** (Filmstill): Cornelsen/Ekre und Ludwig GbR; (Mitte): Shutterstock.com/GaudiLab; **S. 155** (a): Shutterstock.com/bbernard; (b): Shutterstock.com/New Africa; (c): Shutterstock.com/RockerStocker; (d): Shutterstock.com/Halfpoint; **S. 156** (a): Shutterstock.com/Kzenon; (b): Shutterstock.com/FamVeld; (c): Shutterstock.com/Monkey Business Images; (d): Shutterstock.com/Rawpixel.com; **S. 158** (oben): Cornelsen/Hugo Herold; (Tassen-Icon): Shutterstock.com/kornn; **S. 159** (Lisa Kuhley): Cornelsen/Hugo Herold; (Klaus H.): Shutterstock.com/Nadino; (Elham S.): Shutterstock.com/Daniel M Ernst; (Werkzeug-Icons): Shutterstock.com/Ctrl-x; (unten rechts): Cornelsen/Hugo Herold; **S. 160** (rechts): Shutterstock.com/EZ-Stock Studio; **S. 161** (Mitte rechts): stock.adobe.com/Gina Sanders; **S. 162** (Sofa): stock.adobe.com/Mario; (unten): Shutterstock.com/studiovin; **S. 163** (1): Shutterstock.com/junior_cinematic; (2): Shutterstock.com/Alexey Boldin; (4): Shutterstock.com/fortton; (4): Shutterstock.com/NicoElNino; (Mitte rechts): stock.adobe.com/Gorodenkoff Productions OU; **S. 164** (a): stock.adobe.com/victorass88; (b): stock.adobe.com/encierro; (c): stock.adobe.com/Justina Turpin 2017/HollyHarry; (d): stock.adobe.com/rrudenkois; (e): stock.adobe.com/andranik123; **S. 165** (oben rechts): Shutterstock.com/donatas1205; **S. 166** (1): Shutterstock.com/55Ohms; (2): Shutterstock.com/Stock Design; (3): Shutterstock.com/John Kasawa; (4): Shutterstock.com/Africa Studio; (5): stock.adobe.com/sebra; **S. 167** (oben rechts): Shutterstock.com/Photographee.eu; (a): stock.adobe.com/MarkusL; (b): stock.adobe.com/domen.grogl@gmail.com/zlikovec; (c): stock.adobe.com/chandlervid85; (d): stock.adobe.com/peshkov; (e): stock.adobe.com/evkaz; (f): stock.adobe.com/DURIS Guillaume; **S. 168** (Filmstill): Cornelsen/Ekre und Ludwig GbR; **S. 170** (Mitte): stock.adobe.com/Prostock-studio; **S. 174** (Nicos Weg Logo): © DW.com/nico; (Filmstills): © DW.com/nico; **S. 175** (Filmstills): © DW.com/nico; **S. 176** (Nicos Weg Logo): © DW.com/nico; (Filmstills): © DW.com/nico; **S. 178** (Hintergrundbild): Timm Humpfer Image Art; (Tafel): stock.adobe.com/NATHALIE LANDOT; (Brotzeit): stock.adobe.com/Andreas Haertle; **S. 179** (Icons): Shutterstock.com/VoodooDot; (Mitte rechts): stock.adobe.com/Alessandro Biascioli; **S. 180** (Vilsalpsee): stock.adobe.com/alexanderheyd; (Fahrradtour): stock.adobe.com/Stephan Baur; (Karte): Cornelsen/Klein&Halm; (Kompassrose): stock.adobe.com/languste15; (Bergpanorama): stock.adobe.com/Jeannot Weber; (Berg-Icon): stock.adobe.com/dstarky; (Wegmarkierung): stock.adobe.com/diamondtetra; **S. 182** (Smileys): stock.adobe.com/Ivan Kopylov; **S. 183** (Icons): Shutterstock.com/Nigarn; **S. 184** (unten rechts): Shutterstock.com/Kzenon; **S. 185** (Filmstill): Cornelsen/Ekre und Ludwig GbR; **S. 187** (a): Shutterstock.com/Look Studio; (b): Shutterstock.com/Mix and Match Studio; (c): Shutterstock.com/Master1305; (d): Shutterstock.com/Marcos Mesa Sam Wordley; (e): Shutterstock.com/Anatoliy Karlyuk; **S. 188** (Alpen-Jörg): Shutterstock.com/ESB Professional; (Mia P.): Shutterstock.com/WAYHOME studio; (Sterne): Shutterstock.com/Martial Red; **S. 190** (ganz nah): Shutterstock.com/Look Studio; (ganz fern): Shutterstock.com/Twinsterphoto; (in schönen Momenten): Shutterstock.com/Syda Productions; (in schweren Zeiten): Shutterstock.com/Iryna Inshyna; (in jungen Jahren): Shutterstock.com/Inna photographer; (im hohen Alter): Shutterstock.com/belushi; (Zusammen lernen): Shutterstock.com/Zurijeta; (Zusammen lachen): Shutterstock.com/Jacob Lund; (Zusammen sein): Shutterstock.com/NDAB Creativity; **S. 191** (Saskia Barber): Shutterstock.com/mimagephotography; (Icon): Shutterstock.com/Cube29; **S. 192** (Filmstills): Cornelsen/FREJM; **S. 193** (Geschenk): Shutterstock.com/Irina Adamovich; **S. 193** (Socken): Shutterstock.com/Pogorelova Olga; (Gutschein): stock.adobe.com/Alexander Limbach; **S. 194** (1): Shutterstock.com/Nadino; (2): Shutterstock.com/Jack Frog; (3): Shutterstock.com/fizkes; (4): Shutterstock.com/Monkey Business Images; (Infografik): © Statista 2020; (Kaffeeflecken): Shutterstock.com/Juhku; (Papierhintergrund): Shutterstock.com/alwaysloved afilm; **S. 195** (Papierhintergrund): Shutterstock.com/alwaysloved afilm; (Zettel): Shutterstock.com/TatjanaRittner; **S. 196** (1): Shutterstock.com/FamVeld; (2): Shutterstock.com/Halfpoint; (3): Shutterstock.com/Ollyy; (4): Shutterstock.com/Rido; **S. 197** (Filmstill): Cornelsen/Ekre und Ludwig GbR; **S. 198** (oben links): Shutterstock.com/Krakenimages.com; **S. 199** (Kimberley): Shutterstock.com/wavebreakmedia; **S. 200** (Bücher): Shutterstock.com/On Lollipops; (unten rechts): Shutterstock.com/Prostock-studio; **S. 202** (oben): stock.adobe.com/K.Weissfloch; (1): stock.

adobe.com/M.Jenkins; (2): Shutterstock.com/David San Segundo; (3): Shutterstock.com/Aksenova Natalya; (4): Shutterstock.com/Kzenon; (unten links): Shutterstock.com/Rido; **S. 203** (oben links): stock.adobe.com/Viktor Cap 2018/lightpoet; (Mitte rechts): Shutterstock.com/Iakov Filimonov; (Naturweg-Icon): Shutterstock.com/davooda; **S. 204** (Herbstsymbol): Shutterstock.com/Yoko Design; **S. 205** (Filmstills): Cornelsen/Ekre und Ludwig GbR; **S. 206** (Plan): Cornelsen/Klein&Halm, (Haus) Shutterstock.com/milagrosvita, (Bäume) stock.adobe.com/YummyBuum, (Parkplatzschild) stock.adobe.com/sester1848; (Dorfschule): Shutterstock.com/Stastny_Pavel; (Backhaus): Shutterstock.com/Tohuwabohu1976; (Dorfladen): Shutterstock.com/riekephotos; (Werkstatt): Shutterstock.com/izikMD; **S. 207** (Backhaus): Shutterstock.com/helfei; (Brot): Shutterstock.com/MaraZe; **S. 209** (unten links): Shutterstock.com/Photographee.eu; (Herz-, Haus-Icon): Shutterstock.com/Kjolak; (Werkzeug-Icon): Shutterstock.com/Salim Nasirov; **S. 210** (Ortsschild): Shutterstock.com/PicItUp; (Karopapier): Shutterstock.com/The_Pixel; **S. 211** (Filmstill): Cornelsen/Ekre und Ludwig GbR; (unten rechts): Shutterstock.com/durantelallera; **S. 212** (Ortsplan): Cornelsen/Klein&Halm; **S. 214** (oben): stock.adobe.com/KerkezPhotography.com/kerkezz; (Elham): stock.adobe.com/Syda Productions/lev dolgachov; (Hund): stock.adobe.com/SasaStock; (Saskia): stock.adobe.com/hobbitfoot; (Wolfram): stock.adobe.com/Stefan Körber; (Zuzana): stock.adobe.com/exclusive-design; (Esperanza): stock.adobe.com/Daniel Ernst; **S. 215** (Kopfhörer): Shutterstock.com/Alexander Lysenko; (Icon, links): Shutterstock.com/KP Arts; (Kleeblatt): Shutterstock.com/NeMaria; **S. 216** (links): stock.adobe.com/industrieblick; (rechts): stock.adobe.com/© Robert Kneschke; **S. 218** (oben rechts): stock.adobe.com/drubig-photo; **S. 219** (Linienpapier): Cornelsen/Inhouse; (Smileys): stock.adobe.com/Ivan Kopylov; (Zettel): Shutterstock.com/Lyudmyla Kharlamova; **S. 220** (1): stock.adobe.com/www.choroba.de/pix4U; (2): Shutterstock.com/Jacob Lund; (3): stock.adobe.com/Karoline Thalhofer; (4): stock.adobe.com/Alexander Rochau; (5): Shutterstock.com/Halfpoint; (6): stock.adobe.com/fizkes; (7): stock.adobe.com/Konstantin Yuganov; (8): stock.adobe.com/Monkey Business; **S. 221** (Filmstill): Cornelsen/Ekre und Ludwig GbR; (Mitte): stock.adobe.com/SiberianPhotographer; **S. 222** (Clara): stock.adobe.com/© Robert Kneschke; (Paul): stock.adobe.com/industrieblick; **S. 223** (Uwe): stock.adobe.com/goodluz; **S. 224** (Karotte-Icon): Shutterstock.com/Janis Abolins; (Buch-Icon): Shutterstock.com/Oxy_gen; (Werkzeug-Icon): Shutterstock.com/Yana Lesnik; (Smartphone): Shutterstock.com/Hand Robot; **S. 226** (Münze): Shutterstock.com/Somchai Som; (Spielfiguren und Würfel): Shutterstock.com/Heike Brauer; **S. 228** (rotes Band): Shutterstock.com/gillmar; **S. 230** (Nicos Weg Logo): © DW.com/nico; (Filmstills): © DW.com/nico; **S. 231** (Filmstills): © DW.com/nico; (Smileys): stock.adobe.com/Ivan Kopylov; **S. 232** (Nicos Weg Logo): © DW.com/nico; **S. 232** (Filmstills): © DW.com/nico; **S. 234** (Papierhintergrund): Shutterstock.com/alwaysloved afilm; **S. 244** (Christstollen): stock.adobe.com/Anatoly Repin/anrestudio.blogspot.com; (Birnbrot): stock.adobe.com/tmfotos; (Torte): Shutterstock.com/pixdesigned; **S. 245** (Mitte links): Shutterstock.com/Phovoir; **S. 247** (oben): stock.adobe.com/Katarzyna Bialasiewicz photographee.eu; (Mitte): stock.adobe.com/animaflora/Animaflora PicsStock; **S. 248** (oben): stock.adobe.com/Alex from the Rock; (Hund, Kuh, Schweine): Prof. Dr. Hermann Funk; **S. 249** (Regensburg): stock.adobe.com/borisb17; **S. 250** (Rauchverbot): Shutterstock.com/Butterfly Hunter; **S. 252** (Karl Valentin): stock.adobe.com/Dominik Ultes/Dozey; **S. 253** (oben rechts): stock.adobe.com/Halfpoint; **S. 254** (Kräuter): Shutterstock.com/Valentina Razumova; **S. 256** (Mitte links): Shutterstock.com/junior_cinematic; (Mitte rechts): Shutterstock.com/Alexey Boldin

Textquellenverzeichnis

S. 147 (oben): United Nations Environment Programme (UNEP) / World Environment Day